Иоанна ХМЕЛЕВСКАЯ

ТАЙНА

перевод с польского

Екатеринбург

У-Фактория

2000

ББК 84.4 (Пол.)
    Х65

В жизни Лесь — коллега Иоанны Хмелевской еще по архитектурно-проектной мастерской, где писательница когда-то работала.

Лесь, архитектор и художник,— личность весьма одаренная и небанальная, а потому «не написать о нем было просто невозможно»,— вспоминает Иоанна Хмелевская. Уже после появления книги к Лесю пришел успех — он сделался известным художником. С книгой он никогда не расстается, повсюду возит ее с собой, почитая за счастливый талисман.

А в книге приключения Леся и его друзей по работе, как всегда у Хмелевской, увлекательные и часто до слез смешные. Выдумка, неистощимый юмор и оптимизм придают неповторимую оригинальность историям героев книги «Лесь».

Попытка во что бы то ни стало раскрыть тайну странных развалин, странных людей, ведущих крупную игру в казино, странного поведения двух молодых людей и маленького мальчика вынуждают героиню романа «Тайна» ввязаться в небезопасные приключения. Когда погибают или таинственно исчезают люди, происходят весьма странные события, перед которыми становится в тупик пани Иоанна,— на помощь приходит старый испытанный друг, всегда веселый Гутюша. Вдвоем (правда, не без помощи милиции) им удается раскрыть страшные преступления...

Перевод с польского
И. Колташевой

4703010100-27

ISBN 5-89178-029-1

ББК 84.4 (Пол.)

© Joanna Chmielewska
    Lesio, 1973
    Tajemnica, 1992
© Перевод. Колташева И. Н.
© Оформление. ТОО «У-Фактория»,
    1997

ЛѢСЬ

Перевод с польского
И. Колташевой

У меня на стене висит большущая меланхолическая рожа, собственноручно нарисованная Лесем на большой древесноволокнистой плите. Некоторые считают ее автопортретом, а сам Лесь то соглашается с таким мнением, то отвергает его.

Ибо Лесь существует. Явно, реально, энергично, а порой и шумно. Не так уж давно, оперившись и улучшив материальное положение, он приобрел механическое средство передвижения и разбил оным ограду на одной из главных улиц Вены, после чего финансировал (за свой счет, разумеется) новую.

Название улицы я не дам просто из милосердия. Лесь все еще в глубине души тихо надеется, что роман о нем никогда не появится, а если и появится, то его, Леся, никто не узнает. Лишь исключительный такт окружающих может подарить ему это заблуждение. Всякий, кто знаком с Лесем, без сомнения, будет твердо убежден, что это он.

Характер Леся весьма благороден, весьма сложен, весьма фантастичен, а биография изобилует событиями. Может быть, он совершил и не все из описанного здесь. Но с уверенностью можно сказать: он на все способен...

Часть первая

Преступление отнюдь не идеальное

Лесь Кубарек решил убить кадровичку.

Эту гибельную и ужасную идею продиктовало отчаяние. Кадровичка была врагом номер один и основным препятствием на пути к блистательной карьере. Изо дня в день она отравляла жизнь, изо дня в день ястребиными когтями кромсала его здоровье и нервы, ежеутренне оборачиваясь символом его поражения. Безжалостно, полностью пренебрегая его художественно-раскидчивой натурой, она вылавливала все опоздания и непреклонно вынуждала детально живописать их в специально на сей случай заведенной тетради большого формата, называемой книгой опозданий.

Фамилия Леся повторялась в ней с поразительной регулярностью. Начальство с давних пор относилось к нему недоброжелательно и подозрительно, все более явно давая понять, что не очень-то ценит его трудовые качества, считает человеком невеликих достоинств и вообще сомневается в его профессиональной пригодности.

Ежедневно с нервным колотьем Лесь переступал служебные пороги и тотчас же натыкался на кадровичку, неумолимо предлагавшую ему роковую книгу опозданий. Ничего не поделаешь, приходилось что-нибудь да черкать! Его творческое воображение давно уже спасовало, и в рубрике «Причина опоздания» красовались объяснения, равно скверным образом свидетельствующие как о его умственном уровне, так и о характере, не говоря уж о времяпрепровождении, вызывающем омерзение у людей порядочных. Объяснения и у самого Леся вызывали унылое отвращение! А кадровичка, эта Немезида, фатум, гранит, не поддавалась на обольщения и подкупы, от нее невозможно было улизнуть — обмануть и ничего не писать в паршивой книге.

У других кадровиков случались служебные промахи. Иной раз они снисходили к нарушителям дисциплины, заслушавшись поразительными их приключениями, забывали о служебном долге, бывало, смягчались и смотрели сквозь пальцы, а то даже и болели, не приходили на работу. Кадровичка пани Матильда — никогда! Обладала твердой душой, железным здоровьем и каменным сердцем.

Низринутый в бездонные пропасти отчаяния, заеденный дисциплинарными правилами Лесь нашел один-единственный радикальный выход: от напасти освободит его лишь преступление, причем идеальное, без малейших улик!

Эта творческая идея осенила его на автобусной остановке, пока он безнадежно подманивал все подряд механические средства передвижения, включая и фургонетки, развозившие уголь. Неумолимая стрелка на часах показывала уже пять минут девятого, и в помутившейся от паники Лесевой голове стучал единственный вопрос: что сегодня вписать в проклятую рубрику опозданий.

Почти все возможности были исчерпаны. Газовую плиту и краны чинил уже столько раз, что зав архитектурной мастерской, подозрительно и в то же время сочувственно, предложил наконец отправить к нему домой служебную сантехническую бригаду, дабы привести в порядок газ и водопровод. В трамвайных и автомобильных авариях Лесь опять-таки участвовал повсеместно, удивительным стечением обстоятельств выходя из них целым и невредимым. На всех перекрестках он то и дело встречал слепых старушек, коих благополучно провожал через проезжую часть, а также беспрерывно доставлял заблудившихся детей в отделения милиции. Страдал тысячами недомоганий исключительно в утренние часы, терял ключи от квартиры, тушил пожары, вел срочные междугородные переговоры, а однажды ввязался в грандиозный скандал по поводу вырубки городских зеленых насаждений. В последнее же время, весьма обеспокоенный иссякновением творческой изобретательности, регулярно просыпал,— такое объяснение, хотя и безусловно правдивое, чрезвычайно неприязненно принималось начальством. На этот раз он просто не представлял, чем еще заполнить роковую книгу, потому-то и явилась ему сия преступная мысль.

От неожиданности — ведь какой великолепный выход! — Лесь даже перестал останавливать машины. С поднятой рукой, с физиономией вдохновенной и экстатической, он застыл на краю тротуара, вперив неподвижный взгляд в пространство. Поликовав некоторое время и лелея в душе радужное видение, он опустил руку и решительным шагом направился к очереди на автобус: в ожидании столь радикального прекращения мучений счел несвоевременной трату пятнадцати злотых.

Внезапно расцветшие надежды чрезвычайно укрепили дух, все тем же решительным шагом он вошел в комнату кадровички, мужественно взял ненавистный документ и в порыве безрассудной отваги начертал: «Без причины». Затем, ошеломленный собственной дерзостью, отправился в рабочее помещение, уселся за столом, закурил, невидящим взглядом окинул сослуживцев и предался размышлениям.

Убийство кадровички, разумеется, лишено всякого смысла, если убийцу вычислят. А посему все надлежит сделать так, чтобы на него и тени подозрения не упало. Лучше всего создать видимость самоубийства или, еще лучше: померла, мол, естественной смертью. Естественной... А какая смерть естественна?

Перед глазами заглядевшегося в окно Леся замелькали восхитительные картины: кадровичка летит с балкона четвертого этажа, споткнувшись, падает с лестницы, захлебывается в ванне, умирает от яда в колбасе, в грибах или в мороженом. Кончает счеты с жизнью тихо и безболезненно, ибо доброе сердце Леся не в силах перенести мысли о каких-то страданиях. Им вовсе не движет жажда мести: просто надо устранить кадровичку с жизненного пути.

Но как же убедить ее проглотить яд (неважно в чем), выпрыгнуть из окна или захлебнуться в ванне? Едва ли она согласится на это добровольно, ради спасения профессиональной карьеры Леся. Обманом?.. Да, исключительно обманом. А может, плюнуть на естественную смерть и задушить чем-нибудь в подходящее время? Пырнуть ножом, наконец? Длинным, острым ножом, герлаховским...

Однако, представив, как он будет резать женщину, Лесь содрогнулся и отвел взгляд от окна: около него стоял зав мастерской, который явно и уже давно ожидал ответа на какой-то вопрос. Вопроса Лесь не слышал, а потому уставился на зава, который отнюдь не уловил в Лесевых глазах служебного рвения. Переключение с преступных размышлений на текущие дела сработало не очень.

— Вы не больны? — подозрительно осведомился зав.

Лесь заморгал. К сожалению, он чувствовал себя превосходно!

— Болен ли я? — повторил он с удивлением.— Да-да, я болен,— быстро спохватился он — ведь и в самом деле неплохая мысль.— Как-то так, знаете, плохо чувствую себя. Верно, отравился чем-нибудь.

Руководитель недоверчиво посмотрел на него.

— Пожалуй, и правда, вы неважно выглядите. Постарайтесь прийти в себя. На который час вы договорились с завом приемочной группы?

Душу Леся защемило от страха. Господи Боже мой, зав приемочной группы!..

Лесь не договорился вовсе по самой простой причине — забыл ему позвонить. Потому что в жилом доме напротив вчера мыла окна очаровательная блондинка; прелести этой особы притянули Леся на служебный балкон, где он и провел несколько приятных часов. А оставшееся время ушло на сладкие и абсолютно нереальные мечты о блондинке; разумеется, зав приемочной группы, не выдержав подобной конкуренции, совершенно вылетел из головы. После он клятвенно решил позвонить с утра на следующий день, тотчас по приходе на работу, однако сегодня его целиком поглотила увлекательная мысль об убийстве кадровички.

А теперь отвечай вот на идиотский вопрос своего начальства!..

— Чем же это я мог отравиться? — бормотал Лесь, нахмуренными бровями изобразив усилия памяти и одновременно выискивая спасительную ложь.— Может, ветчина? Черт-те что продают в магазинах!

— А где вы покупали ветчину? — недоверчиво справился зав.

Про себя он подумал, что это наверняка был алкоголь, но не высказал догадки: насчет потребления своими подчиненными алкоголя зав предпочитал ничего не знать, к тому же сама мысль о пьянке в жару привела его в ужас. Умственные потуги, начертанные на Лесевой физиономии, забеспокоили его, и он вернулся к теме.

— Так что с приемочной группой? Вы вообще-то туда звонили?

— Да,— решительно брякнул Лесь.— Звонил и звонил, звонил и звонил... И звонил...

— Ну и ладно, звонили и что?

— И не мог дозвониться. Целый день промучился.

Трое сослуживцев Леся приостановили работу. Зав мастерской спохватился — он руководитель, занимает ответственный пост, надо взять себя в руки.

— Ну хорошо,— сказал он мягко.— Мучились вы и звонили, и что? До чего дозвонились?

— Ни до чего,— радостно сообщил Лесь.— В конце концов дозвонился, но не уточнил времени. Попросил позвонить снова сегодня утром.

— Так чего же вы ждете? Вот-вот позвонит заказчик, а я не знаю, на какой час с ним договориться. Он настаивает на том, чтобы сразу забрать проект! Позвоните и сейчас же сообщите мне точное время! У вас, надеюсь, все готово?

— Разумеется,— ответил Лесь нерешительно: не слишком-то он был уверен, что именно у него должно быть готово. Всяческие сложные административные отношения как-то не укладывались у него в голове. Он медленно встал.

— Уже звоню,— заявил он, без всякого успеха пытаясь изобразить усердие.

Зав мастерской взглянул на него уже весьма недоверчиво, поколебался, хотел что-то сказать, но махнул рукой и вышел из комнаты с удрученным выражением красивого лица. Лесь глубоко вздохнул и бросился к телефону.

Через пятнадцать минут стало ясно, что его преследует ужасный рок. Пронзительный дамский голос известил, что зав приемочной группы в командировке и вернется только через два дня. Оглушенный ударом, Лесь принялся разглядывать и ласково поглаживать телефонную трубку.

— А может, он и в самом деле чем-то отравился,— заметила сидящая напротив него Барбара.— Вон какой бледный.

Януш и Каролек повернулись к Лесю с умеренным интересом. Служебные проблемы не раз наводили бледность на лица сотрудников, таковыми проблемами занимающихся, удивление скорее вызывал бы цветущий и румяный Лесь.

— Если отравился, то, верно, и в мозгах отозвалось.— Януш критически посмотрел на Леся.— Признавайся, где вчера набрался? Выглядишь так, будто уже не с похмелья, а чуть ли не белая горячка.

— А может, он вовсе и не набрался, просто поел несвежих яиц,— мягко предположил Каролек.— Сдается, именно яичное отравление вызывает отупение.

Лесь взглянул на сослуживцев со страдальческим упреком. Мерзкие, бездушные людишки! Ах, кабы чувствовать себя настоящим мужчиной! И прекратилась бы наконец эта идиотская беспрерывная нервотрепка и одурение, и все это, само собой, из-за сволочных опозданий! Он бы им показал, на что способен! Им всем и особенно этой, что сидит за столом напротив и глядит на него неодобрительно, чуть ли не с отвращением, этой — самой зловредной и — ах! — самой прекрасной!

Лесь, как и положено истинному художнику, был чрезвычайно чувствителен к чарам пола, справедливо названного прекрасным. А женщина за столом рядом поистине была достойной представительницей оного. Лесь просто смотреть не мог в удивительные, бездонные голубые глаза, осененные вызывающе длинными черными ресницами,— какая уж тут паскудная, тягомотная работа, когда совсем рядом двигался стройный стан и прочие формы; и кто тут удержится, чтобы не засмотреться в глубокий вырез или на несравненные ноги; и Лесь, конечно же, мечтал, что когда-нибудь эту великолепную женщину покорит. Покорит, вместе они переживут поразительные мгновения, каких никто не переживал и не переживает, и после он оставит эту женщину! Покинет, ибо должен так поступить. Ведь не станет же он разбивать две семьи и лишать двух невинных малышей их родителей; у нее есть муж, у него — жена, у обоих есть дети, а посему и впредь они будут исполнять семейные обязанности и влачить свое ярмо с гордо поднятой головой, а утраченное счастье осветит их жизненный путь, словно недоступная звезда в небесах...

— Чего это вы на меня уставились как баран на новые ворота? — огрызнулась прекрасная Барбара, которой и в голову не приходило трагическое будущее, разделенное с Лесем.— Меня это раздражает. Извольте смотреть в другую сторону, если уж бьете баклуши.

Грубые слова вырвали заглядевшегося на Барбару Леся из грез о великом романе и вернули к скверной действительности. Ох, Господи, ведь на нем эта приемочная группа, что же делать?

— Януш, что делать? — спросил он беспомощно.— Эта скотина уехала в командировку.

— Не валяй дурака! — всполохнулся Януш, наконец-то проявив живой интерес.— Заказчик сегодня придет за проектом! Ипочка уверил его, что все готово.

— Вот именно! А этот скот умотал и будет только послезавтра. Что делать?

— О Господи, не знаю! Беги, осчастливь Ипочку, пока заказчик не успел позвонить. Ей-богу, не хотел бы я быть в твоей шкуре!

Лесь тоже очень не хотел. Вместо шкуры он самым противным образом покрылся гусиной кожей, и гаденький морозец пробрал до костей. Он продолжал сидеть отрешенно и тупо.

— Ладно, а что говорить? Ты сам слышал, что я говорил... что он говорил, что сегодня будет...

— А не надо чепуху плести,— выпалила Барбара.— Солгать толком не может. Господи, ну и растяпа! Да скажите, он, дескать, неожиданно уехал ночью. Прадедушка скончался!

В голове у Леся наконец шевельнулась изобретательность. Он благодарно и с обожанием взглянул на Барбару, встал, выпятил грудь, откашлялся и, без труда состроив удрученную физиономию, отправился к заву.

Зав висел на телефоне, вежливо убеждая висящего на телефоне по другую сторону заказчика, что проект он может получить в любой момент. Лихорадочно сообщенная Лесем в свободное ухо новость заставила зава резко перестроиться: ошеломленный, он ни с того ни с сего начал договариваться на послезавтра. В равной степени захваченный врасплох заказчик согласился прийти через два дня, сам не понимая почему. Прежде чем он успел опомниться и запротестовать, зав архитектурной мастерской внезапно положил трубку и обернулся к Лесю...

Разговор продолжался долго; когда бледный Лесь вышел из кабинета, на глаза попалась кадровичка.

Да, ничего не попишешь, ее надо убить. Второй такой назолы во всем мире не сыщешь. После ее смерти никто не станет его сторожить, никто не сунет проклятую книгу опозданий, прекратится наконец этот утренний кошмар, отравляющий все его существование! Лесь вздохнет свободно, заживет как человек, а не как затравленный зверь, перестанет нервничать, совершать кретинские ошибки и подвергаться подобным выволочкам! Вот тогда он и покажет, на что способен! Титаническим трудом докажет, кто он такой, из рук его прямо-таки потекут гениальные чертежи... У всех этих глупцов челюсти отвиснут! А он будет блаженствовать в атмосфере восхищения, признания, уважения!..

— Ну и как? — с интересом осведомился Януш.

— Ничего,— небрежно проронил Лесь.— Заказчик придет послезавтра. Я его убедил.

Он сел за стол, закурил и, как всегда, задумался. Великолепный план убийства постепенно обозначился...

После работы обмозгованный уже до последней черточки убийственный план толкнул Леся в Центральный универмаг и поставил в очередь за мороженым «Калипсо». По удивительному стечению обстоятельств мороженое «Калипсо» оказалось в продаже. Прикинув что и как, будущий преступник нашел, что «Калипсо» удобнее, чем «Бамбино», в котором мешала палочка.

На всякий случай Лесь закупил восемь порций. Правда, он не был уверен, согласится ли кадровичка потребить такое количество мороженого, однако принял во внимание возможность потери части сырья при переработке в смертоносный препарат. Покупку уложил в портфель, а для себя приобрел одну порцию «Бамбино».

В нервах съел обед, углубленный в преступные размышления, с нетерпением ожидал начала активных действий. Предварительную подготовку хотелось проскочить поскорей. Дождаться не мог, когда он — всесильный хозяин убийственной субстанции — получит власть над кадровичкой и возьмет наконец свою судьбу в собственные руки!

В конце обеда его всполошило требование жены отправиться в город за покупками. На робкое упоминание о плохом самочувствии жена, недовольная странной рассеянностью супруга, ответила ледяным взглядом и приказом одеть ребенка. И в нормальных условиях такое задание превышало все возможности Леся, а на сей раз просто-таки было не под силу. Ведь он одевал дитя убийцы!..

Недосмотры в виде странного фасона брючек, надетых задом наперед, и диспропорции огромного — в сравнении с количеством петель — количества пуговок жена убийцы привела в порядок собственноручно.

В очереди за сыром Лесь претерпел поистине адовы муки. В «Детском мире» отстрадал геенну огненную, с ненавистью сверля глазами занудно вежливую продавщицу, до бесконечности извлекающую откуда-то все новые и новые свитерочки. На прилавке с овощами и фруктами испытал великое отвращение к болгарским абрикосам. А чуть не доходя магазина с деликатесами, повернул было на другую сторону улицы, чему решительно воспротивилась жена.

— Посмотрим, нет ли ветчины,— заявила она ободряюще, направляясь к сему мерзкому заведению.

Леся просто-таки передернуло.

— Да откуда возьмется ветчина! — завопил он.— Нету никакой ветчины, нечего и заходить!

Жена проявила завидную целеустремленность.

— Нет, есть чего заходить. Целый век уже в глаза не видела ветчины, а сейчас, может, и есть! Не могу же я бесконечно кормить ребенка яйцами.

— Вот именно, надо яйцами, это очень полезно. В такую жарищу ветчина протухла. Впрочем, ее и так нету.

— Ну вот зайдем посмотрим.

Лесь схватил жену под руку.

— Касенька, дорогая, не ходи туда, не беспокойся, не стоит. Смысла нет, какая там ветчина, кто теперь ест ветчину...

— Да отпусти же меня, ты что, очумел?! Не тащи меня, что это на тебя нашло?! А может, как раз и есть... Отпусти немедленно!

— Дорогая, сокровище мое, ну зачем тебе...

Обозленная Касенька энергичным движением вырвалась от мужа и вошла в магазин. Ветчина была. Прекрасная баночная нежирная ветчина пирамидами красовалась на прилавке, а вокруг суетилась толпа плотоядных фанатиков. Лесь обреченно застонал.

— Возьмем такси,— мрачно потребовал он, выйдя из магазина с ветчиной.

— Такая хорошая погода! Зачем такси? Пусть ребенок подышит воздухом.

Лесь начал тихо сатанеть на собственное дитя.

— Я тороплюсь,— нервно забормотал он.— То есть нет, плохо себя чувствую.

Жена внимательно и подозрительно посмотрела на него.

— Как это плохо? Что с тобой?

— Да так, вообще... Зубы разболелись.

— Ну, зубами ты не ходишь. Хорошо, что напомнил, зайдем в аптеку, заодно купим тебе верамон.

Леся заколотило от переживаний.

Дома, в передней, в портфеле лежал яд, стафилококки в нем, верно, уже сами собой зародились (их ведь везде полно, как он слышал), расплодились и, кто знает, может, повсюду расползлись, а он здесь, обреченный на каторжные муки, должен обалдело шляться по каким-то магазинам... Лукреция Борджиа... Интересно, а Лукреция Борджиа тоже ходила по магазинам?..

Пробило девятнадцать часов, большинство торговых точек закрылось, и невыносимые мучения прекратились. Лесь смог наконец вернуться домой.

Вне себя от беспокойства, он тотчас же бросился к портфелю с мороженым, но вовремя вспомнил о секретности операции. Сломя голову полетел в противоположном направлении, где оказалась редко им посещаемая кухня, однако в голове свербило, что портфель надо спрятать поосновательней, и он снова кинулся в переднюю. И тут сообразил: яд-то он трогал голыми руками и теперь этими же руками брать еду... и он метнулся в ванную. Скачки с препятствиями по апартаментам вызвали оживленный интерес жены, которая принялась присматриваться к нему все более подозрительно и недоверчиво.

После нескончаемых веков медленных пыток — ужин, вытирание посуды, купание ребенка, созерцание телевизора — обожаемые родичи отправились наконец спать, и до чертиков дошедший Лесь остался один.

Стиснув зубы, упрямо выбивающие дробь, стараясь не дышать, он взял из прихожей портфель с мороженым, на цыпочках проскользнул на кухню, поставил портфель на стул, открыл и жадно заглянул внутрь. Там белел молочный суп, в котором плавали измятые обертки от мороженого «Калипсо».

Потрясенный Лесь долго и пристально рассматривал молочное месиво. Наконец деловито оживился и утешился: в этом гнусном калипсовом супе стафилококки, надо полагать, расплодились великолепно. Теперь следует их снова заморозить в соответствующей форме, и отрава готова!

Он достал из буфета блюдо, осторожно разложил восемь оберток и должным образом свернул их. Затем вытащил салатницу и вылил в нее содержимое портфеля. Из салатницы извлек несколько служебных и личных документов, как-то: профбилет, заявление об отпуске и календарь Главной технической организации; чуть-чуть смахнул кремовую жижу, не давая себе труда отмыть бумаги получше, и сунул их в портфель. Затем приступил к самому важному: взял ложку и с бьющимся сердцем начал деловито переливать суп в упаковки.

Упаковки, естественно, прилегали плохо. Налитое сверху вытекало снизу. Положив немало усилий на это занятие и убедившись в его безнадежности, Лесь прекратил сизифов труд, подумал, осторожно положил ложку, на цыпочках отправился в комнату и принес скотч и лезвие. Залепил скотчем упаковки с одной стороны и снова принялся за свое небывало мучительное и сложное дело.

Через два часа ему удалось наполнить и положить в морозилку шесть упаковок. Пот ручьями стекал со лба, руки дрожали, а в сердце расцветало горячее сочувствие ко всем убийцам вообще. Ему и на ум не вспадало, что преступление настолько тягомотное дело.

Донельзя утомленный, он вылил остатки супа из салатницы в раковину, выбросил оставшиеся две упаковки и взялся уничтожать прочие следы своей преступной деятельности. Более всего пострадал стул, где покоился портфель с мороженым — часть молочного супа протекла. Еще четверть часа каторжной работы — и он упал на отчищенный стул, отер пот со лба.

Только теперь мозги его принялись малость шевелиться. Жуткое, нудное, напряженное занятие последних часов затянуло Леся настолько, что никакие посторонние соображения просто не умещались в голове. Теперь же они заерзали с удвоенной скоростью. Тело наслаждалось заслуженным покоем на еще влажном стуле, а взбудораженный криминальными страстями дух кипел и клокотал.

Смертоносные объекты, уже приготовленные, замерзали в холодильнике. Перед зачарованным Лесем поплыли упоительные картины. Кадровичка пожирает последнюю порцию мороженого, около нее разбросаны пять упаковок... Кадровичка в гробу, на катафалке, окруженная колоннадой высоких погребальных свечей и пышными кустиками хризантем в горшках... Со вкусом выполненное надгробие на Брудне... Пустой стул пани Матильды и брошенная в угол, пропыленная, ненавистная книга опозданий...

В измученной Лесевой душе вдруг что-то дрогнуло. Картина уставленного цветами катафалка вспыхнула снова — на сей раз на фоне дверцы холодильника. В открытом гробу покоилось тело. Лесю сделалось как-то не по себе; наслаждение, столь интенсивное еще минуту назад, несколько поблекло. Надо бы закрыть гроб, с отвращением подумал Лесь и почувствовал все возрастающие претензии к некоему кому-то, кто свалял дурака; после того вдруг панический страх пронизал его до костей: это специально оставили открытый гроб!.. Пани Матильда сейчас сядет и перстом укажет своего убийцу!..

Ужас нахлынул ледяной волной. А ведь убийца — это он, Лесь! Он автор чудовищного преступления! Убил бесповоротно, окончательно, навсегда!..

Потрясение было основательное: еще немного и он сорвался бы со стула, чтобы немедленно уничтожить результаты многочасового кропотливого труда; он даже сделал первый шаг, однако мысль о книге опозданий пригвоздила его к стулу. Нет! Он больше не вынесет этой дьявольской пытки! Пусть он станет убийцей и до конца дней пронесет в сердце преступную тайну, нет, к черту эти нелепые укоры совести и трусливые нашептывания! По трупам он взойдет на вершину! Не задрожит рука, прочь колебания — никакой жалости! Он станет отравителем!!!..

Обеспокоенная странным поведением Леся пополудни и вечером, Касенька проснулась ночью и, обнаружив отсутствие мужа, решила поискать его. Заглянула в другую комнату, в ванную и, наконец, на кухню: он сидел на стуле — брюки измазаны какой-то клейкой белой жидкостью, в лице отчаяние и ужас, дикий взгляд устремлен в дверцу холодильника.

Вконец встревоженная Касенька торжественно решилась на всякий случай обуздать свои финансовые претензии...

Утро следующего дня определенно стало самым роковым в жизни Леся. Ввиду ядовитости сокрытого в холодильнике деликатеса ни в коем случае нельзя было подпустить жену или ребенка к этой столь зловещей установке. Лесь беспрерывно вскакивал, доставал из холодильника то масло, то ветчину, то снова убирал разные продукты. Он до последнего затянул уход на работу, изводясь подоплекой своей медлительности и одновременно предвкушая очередное опоздание. Наконец выбежал из дому вместе с женой, порываясь вообще отобрать у нее ключи от квартиры, схватил такси до работы и прямо в дверях столкнулся со своим завом, которому долго и важно объяснял, как у него сломался набитый ветчиной холодильник и как починка сего агрегата чрезвычайно затянулась. Добрался до своего стола бледный, измотанный, близкий к помешательству.

— Ну, явился! — набросился на него потерявший терпение Януш.— Куда, черт побери, ты засунул пояснительную записку к общей концепции, которую получил от заказчика на прошлой неделе?

— От какого заказчика? — механически переспросил Лесь, не успевший толком оклематься.

— От жилищного кооператива. Насчет котельной.

— А, этот. В портфеле.

— Ну так давай, на кой черт таскаешь с собой?! Документ должен быть в деле, я ищу его как идиот по всей мастерской!

— Сейчас отдам, не ори...

Раскрыв портфель, Лесь обомлел. Как раз пояснительную записку вместе с другими бумагами он вчера извлек из салатницы и даже не вытер. В портфеле лежала стопка документов, хотя и тоненькая, зато тщательно склеенная растекшимся мороженым. Этот кошмар окончательно добил Леся. Он застыл, напряженно глядя в портфель, бездыханный и бездумный.

— Ну что ты стоишь? — яростно зашипел Януш. Подошел, вырвал у Леся портфель и заглянул.

— О Боже!

Заинтригованные его изумлением Барбара и Каролек вскочили и тоже сунули носы в портфель.

Секунду они рассматривали невообразимое нечто, потом переглянулись...

— Вам смешно,— нахмурился Януш.— А мне что делать? Достань и отмой, ведь это же служебная документация.

— А как отмыть! — простонал Лесь.— Воды-то нету!

— А вы поплюйте,— находчиво посоветовала Барбара.

— А может, слизать? — искусительно предложил Каролек.

Лесь в ужасе уставился на него: лизать отраву?!

— Лижи, мой, плюй, делай как знаешь, но приведи бумаги в человеческий вид! Господи Боже, как тебе в голову пришло завернуть мороженое в пояснительную записку?!

Лесь совсем обалдел и потерял голову. Для мытья документации извел две бутылки минералки из ресторана напротив — и впрямь, из-за слабого напора к ним, на четвертый этаж, вода не доходила. Дрожащими руками он разложил мокрые бумаги по всем столам, отрешенно разглядывая расплывшиеся печати. Затем лихорадочно приколол на своей доске кальку: он, мол, занят работой, может, оставят его в покое, перестанут лезть с разговорами, и он хоть минуту отдохнет, соберется с мыслями...

— Не рассиживайся, а берись за работу,— ворчал Януш.— Срок интерьера через две недели, тебе же всю колористику делать. И тут еще целая кипа чертежей, думаешь, я один успею? Размечтался! Пошевеливайся-ка давай Христом Богом!

— Ладно, Янушек, не ругайся,— примирительно бормотал Лесь.— Все будет сделано...

В комнате стало тихо, и тишина постепенно умиротворила истерзанную его душу. Благословенный покой снизошел на Леся, и он начал даже различать лежащие перед ним чертежи. Глубоко вздохнул, закурил, взял карандаш...

И вдруг словно громовой удар: ведь он здесь для того, чтобы... Меч судьбы со свистом рассек служебную идиллию. Его страдание и этот кошмар — так себе, просто шуточки, самое страшное, неотвратимое еще впереди!

Лесь прямо окаменел от ужасной констатации: ведь отравительские намерения вовсе не приведены в исполнение. Отравленное мороженое в холодильнике отнюдь не решает проблемы. Препарат надобно извлечь, привезти, накормить им кадровичку... Любой ценой он должен найти в себе силы на героический поступок. Хочешь не хочешь, надо выполнить задуманное!

Лесевы треволнения до сих пор были чепухой по сравнению с тайфуном, разгулявшимся в его душе при воспоминании об этом его долге. Волосы встали дыбом, перед глазами заплясало страшное видение: кадровичка — крылатая гарпия — протянула когтистые лапы к отравленному мороженому «Калипсо». Гарпия клацала челюстями, глаза горели алчным огнем. В голове у Леся все вдруг как-то поехало. Он возомнил себя чем-то вроде Георгия Победоносца, бьющегося с драконом, которому надобно отрубить голову, даже несколько голов, и он должен исполнить это во что бы то ни стало, без колебаний, не заботясь о последствиях! Отрубить голову гарпии мороженым «Калипсо»!

Через некоторое время дикое смятение в голове несколько улеглось, осталась лишь нервная дрожь. Мифическое видение поблекло. Грядущее свершение, вероятно, будет менее эффектно, зато куда ужасней. Он отравит кадровичку! Не отступит, просто не имеет права поддаться слабости!..

Да, над ним тяготеет чудовищный фатум; этому нельзя сопротивляться, этого нельзя избежать. Лесь с отчаянной решимостью подумал: чем скорее, тем лучше. Дольше этих пыток не вынесет. Мужественно положил он карандаш, вскочил было со стула, и тут... взгляд его упал на Барбару.

Барбара точила карандаш, наклонившись над корзиной для мусора. Барбару обтягивала блузка с глубоким треугольным вырезом, и очарованный

Лесь примагнитился к месту накрепко. Он снова плюхнулся на стул, не отрывая завороженного взгляда от выреза: на истерзанную душу мигом снизошел благодатный покой. Преступные замыслы как-то вдруг потускнели.

Барбара выпрямилась, Лесь снова вскочил со стула и снова сел — Барбара принялась точить второй карандаш. Закончила, Лесь вскочил, она взяла третий, и Лесь сел...

— Никак гимнастикой занимаешься? — съязвил наблюдавший за ним Януш.— Неужто совсем ослабел?

Барбара и Каролек тоже уставились на него, и душа Леся запылала негодованием. «Толстокожие, в сущности, особи,— подумал он раздраженно.— Ну что они понимают?..» Гордость росла и распирала его при мысли о том, сколь недоступна их ограниченным умишкам глубина его печального и мрачного существа. Разве кто-нибудь из них посягнул бы на преступление?..

— Мне надо кое-куда съездить, скоро вернусь,— сухо объявил он, не снисходя до каких-либо объяснений.

Увлекательное декольте Барбары господствовало в его уме и сердце, вытесняя все остальное и прочее. Пленительная картина столь захватила, что он почти забыл, зачем едет, и лишь зрелище препарированного мороженого в холодильнике снова низвергло его в когти кошмара. Отравленное мороженое «Калипсо» зловеще заблестело упаковочной фольгой.

Пакет из-под молодого картофеля с шестью пачками отравы жег руки, когда он поднимался по служебной лестнице. На четвертом этаже шаги его замедлились, он прислонился к стене и заглянул в пакет.

Стафилококки... Смертельная отрава, убийственный яд... Славянские воины с криком хватаются за грудь на пиршестве Брунгильды... Бьющаяся в судорогах пани Матильда... Хладный труп на катафалке...

И что — дать отраву женщине? Заставить это съесть, присутствовать при исчезновении стафилококков в ее пищеводе? Отравить, вульгарным образом отравить? Ни за что!!!

Испарина выступила у Леся на лбу. Возмущение, протест рвали его на части. Убить кадровичку... Как это должен?! И вообще, кто сказал, должен?! Вовсе не должен, убивает, ибо такова его воля! А если не воля, так и не станет убивать! У него есть свобода выбора, вот сейчас войдет нахально в ее комнату, поклонится, предложит соблазнительный пакет с мороженым... Или не предложит... Ну конечно же, ничего он не должен!

Не должен, но необходимо. Решился. И порядок, свое решение выполнит! Будет безжалостен и тверд, как гранит! Войдет, поклонится и предложит мороженое...

Лесь энергично оторвался от стены. Открыл дверь. Занятая работой пани Матильда подняла голову и внимательно посмотрела на него. На вежливый поклон ответила легким кивком и вернулась к своим делам. Сжав под мышкой пакет из-под молодого картофеля, Лесь проследовал дальше в свою комнату.

В полном своем замешательстве он вдруг почувствовал нечто вроде облегчения. Вот так штука! Он отвлекся от мыслей об отраве и машинально поставил пакет у себя на столе. Что же это делается, ведь облегчение должна принести ему не жизнь, а смерть кадровички! Ясно — ее необходимо убить безотлагательно!

Нетерпеливо он отодвинул пакет в сторону и сел. Безмерная усталость навалилась на него: нет, он никогда не решится на такой шаг. Все пропало! Заставить съесть с таким трудом добытую отраву?.. О нет! Такой великолепный замысел, столько трудов и что? И ничего! Никогда не сможет он сделаться убийцей!

А вдруг все-таки сможет?..

Встал, взял пакет и снова направился в комнату кадровички.

Пани Матильда, которая записывала телефонограмму, увидела довольно странное зрелище. В ее комнату вошел Лесь, остановился посередине, повернулся к ней, как-то затейливо покачал корпусом, проделал несколько кубретов, после чего вышел на лестницу. Она хотела задержать его — не записался в книге выходов,— но не могла оторваться от телефона. Лесь вернулся быстро, снова задержался около ее стола и повторил свои непонятные па, дополнив их загадочной мимикой и закатыванием глаз. Пани Матильда решила, что это особый танцевальный номер, сопровождаемый вращением зрачков. А Лесь изо всей силы прижал под мышкой пакет из магазина деликатесов, который носил с собой туда и обратно, и отправился к себе.

Непомерно изумленная пани Матильда так загляделась на дверь, за которой скрылся Лесь, что не расслышала какого-то вопроса главного инженера и попросила повторить.

Расстроенный Лесь задумчиво уселся за свой стол, небрежно поставив пакет на верхнем, срочном чертеже. Озлобление сменилось неимоверным облегчением. Не решился. И что делать, больше уже не решится... Кошмар его жизни в виде кадровички вечен и несокрушим!

Возможно, соберется с духом когда-нибудь позже. В конце концов, не все потеряно, наверняка до роли преступника надо дозреть. Возможно, он чересчур поспешил, возможно, убийцей становятся постепенно...

Приблизительно через час в голове у Леся воцарилась полная неразбериха. Подавленность, обида, недовольство собой из-за неудачной криминальной попытки смешались со светлыми надеждами на будущее и непонятным облегчением в текущую минуту. Время от времени сожаление по утраченной возможности еще просыпалось в его душе. Но все так осложнилось, что Лесю захотелось поддержки и утешения, дабы разобраться в мучительном клубке. Он встал и удалился с работы, насмерть забыв об оставленном на столе орудии преступления.

— Что-то есть захотелось,— размечтался Каролек буквально через пару минут после ухода Леся.— У вас ничего нету?

Януш поднял голову от чертежа и осмотрелся.

— Я бы тоже перекусил,— буркнул он.— А этот куда опять испарился?! — добавил он, только сейчас обнаружив отсутствие Леся.

Возмущенно ворча что-то, он встал и подошел к Лесеву столу.

— Полюбуйтесь-ка на трудолюбие этого обормота! — запричитал он.— Ну виданное ли дело! Ничего! Ни одного штриха! Черт бы меня побрал вместе с ним!

Он наклонился над доской, пытаясь рассмотреть приколотый под калькой чертеж, сравнил его с лежащим рядом эскизом, потянулся за следующим эскизом и... нащупал большой умеренно чистый пакет из магазина деликатесов.

Входившую в этот момент в комнату архитекторов пани Матильду приветствовал радостный, прямо-таки триумфальный рев. Барбара, Каролек и Януш восторженно созерцали малость помятое, но еще вполне съедобное мороженое «Калипсо». Пани Матильда тоже получила блюдечко и ложку и с нескрываемым удовольствием приняла участие в потреблении справедливо поделенных на всех с неба свалившихся благ.

— Ох, и что мы натворили,— заявила она с некоторым смущением, кончая подкрепляться.— Пану Лесю надо вернуть деньги. Сколько с каждого?..

Во второй половине дня, около пяти часов, Лесь вышел из бара в «Европейском», полностью истерзанный борьбой с самим собой, вызванной малодушным его отказом от великого свершения. Не хватило силенок на кровавый подвиг, не сумел ударом меча рассечь гордиев узел, погубил смелый мужской план!

Ноги бессознательно направились к службе, а ум собирал утешительные доводы. А ведь если хорошенько сообразить, план, пожалуй, не такой уж очень мужской. Испокон веку отравительницами были женщины, потому и не удивительно, что он, Лесь, стопроцентный мужчина, поколебался перед такой дурацкой бабской работенкой и выполнил ее не совсем хорошо. А точнее, вовсе не выполнил. Мысль сама по себе неплохая, просто-таки нормальная, да и реализация плана натолкнулась на препятствия, неоспоримо свидетельствующие о его мужественности. Ему не удалось сделаться убийцей по причинам вовсе от него не зависящим.

Его, правда, немного смущало, что он все-таки может смело смотреть в глаза милиционерам; с другой стороны, этот прискорбный факт непонятным образом успокаивал и бодрил. Погруженный в столь противоречивые чувства, Лесь пришел на работу — никого; он заглянул в разные помещения, в одном застал Влодека-электрика, отправился в рабочую комнату и задумался о причине своего визита. Время позднее, давно пора возвращаться домой. Что-то он приносил с собой... Да, приносил. А, портфель...

Взял портфель и, направляясь к выходу, снова заглянул к Влодеку-электрику.

— Ты чем занимаешься? — спросил он между прочим.

— Рекламную витри-и-и-и-ну,— запел Влодек на мотив «Если по тебе заскучаю».— Рекламную витри-и-и-и!..

Форма ответа ничуть Леся не удивила, он знал, что в моменты интенсивного прилива творческих сил Влодек любил работать с песней.

— Ты надолго застрял? — спросил он по-прежнему без излишнего интереса.

— До ночи,— проворчал Влодек, прерывая пение.— Из-за вас сижу! — гаркнул он вдруг.— Установите вы этот холодильник или нет?!

Лесь спешно отступил. Холодильник числился в оборудовании интерьера, который он делал вместе с Янушем, и на эту тему не хотелось дискутировать с Влодеком.

— Ну, привет, веселых праздников.— Лесь сократил встречу и выбежал на лестницу, а «рекламная витрина» на мотив «Если по тебе заскучаю» протяжно и грустно неслась ему вслед.

Поздно вечером, уже после ужина, Лесева жена открыла морозилку, чтобы взять немного льда. Заглянула, посмотрела внимательней и поскребла ногтем.

— Что это такое? — спросила она недоуменно.

Лесь варил кофе. Поднял голову поначалу равнодушно и вдруг забеспокоился.

— Похоже на молочный кисель или мороженое,— удивленно протянула Касенька.

Лесь окаменел. Только сейчас вспомнил все, что произошло на работе. Мороженое-то он забыл на столе! В общественном месте, на всеобщее обозрение выставил орудие преступления!

Пачка кофе и ложка выпали из рук. Не говоря ни слова, Лесь схватил пиджак и выскочил на улицу. Может, успеет, может, удастся уничтожить все следы, пока никто ничего не обнаружил!..

Влодек, по-видимому, еще торчал у себя — дверь была открыта. Тяжело дыша, Лесь ворвался в комнату и бросился к своему столу. Тяжело дыша, оперся на чертежную доску и смотрел, не понимая того, что видит. Тяжело дыша, почувствовал, как перехватило горло.

На столе лежали пятнадцать злотых и записка: *«Мы сожрали мороженое. Пани Матильде ты должен пятьдесят грошей».*

Перехваченное горло стало единственным ощущением Леся. Дыхание оборвалось. Смотрел на пятнадцать злотых и записку, смотрел и смотрел, и смотрел, пока жуткое видение шести трупов, шести усыпанных цветами катафалков, шести прекрасно выполненных надгробий на Брудне не заслонило весь свет.

— Рекламную витри-и-ину,— заголосил в своей комнате Влодек.— Рекламную витри-и-и-и!

Лесев рассудок взметнулся как циклон. КТО?! Кто сожрал отраву?! Пачек было шесть... Пани Матильде пятьдесят грошей... Пани Матильда наверняка! Трое наших... Барбара!!!

Стон, исторгнутый из груди Леся, почти заглушил Влодековы рулады. Спасать!!! Спасать любой ценой! Возможно, еще не умерли! Врача! «Скорую помощь»!..

Значит, все-таки убийца! Групповое убийство! Но ведь не хотел, вовсе не хотел! Лукреция Борджиа пускай себе травит напропалую, королева Бона, Брунгильда! Но не Лесь, нет, он не хотел!!!.

Взлохмаченный, оголтелый Лесь кинулся к телефону. Один прямой телефон, работающий круглые сутки, был в кабинете зава. Кабинет оказался закрыт. Лесь бросился к выходу. С лестницы вернулся и влетел к Влодеку.

— Пятьдесят грошей!!! — взревел он.

Влодек поперхнулся «рекламной витриной». Физиономия Леся могла перепугать кого угодно. Опасаясь о чем-либо спрашивать, Влодек быстро сунул руку в карман и высыпал на стол всю мелочь. Лесь бросился на нее, словно коршун на падаль, нашел две пятидесятигрошевые монеты и рванул по лестнице. Несколько побледневший и выбитый из рабочего ритма Влодек немного погодя успокоился и, собрав мелочь, принялся размышлять о несчетных последствиях злоупотребления алкоголем.

Лесь галопом мчался по улице в поисках телефонной будки. После трех сломанных автоматов ввалился в четвертый. В голове мелькали многочисленные телефоны при несчастных случаях...

— Я не понимаю вас,— неуверенно ответил дежурный милиционер в отделении милиции.— Говорите спокойно. В чем дело? Отравление? Позвоните, пожалуйста, в «Скорую».

— Я и звоню! — простонало в трубке.— Сделайте что-нибудь!

— Вызывайте «Скорую медицинскую»! Здесь дежурное отделение милиции!

Голос на другом конце провода захлебнулся всхлипами, и милиционеру пришло в голову, что звонит некто отравленный, в агонии.

— Минуту! — воскликнул он.— Фамилия, адрес!

— Последняя монета...— отчаянно пробормотал голос.— Последняя...

Милиционер всерьез забеспокоился.

— Дайте фамилию и адрес больного,— сказал он спокойно и решительно.

Ему ответили стоны и рыдания.

— Не знаю! — взвыл наконец голос.— Шесть человек! Шесть человек!..

Представитель власти раздраженно подумал, не сумасшедший ли с ним говорит, а может пьяный, но, хочешь не хочешь — надо реагировать на призыв о помощи.

— Фамилии! Вы не знаете фамилий?

— Знаю, адресов не знаю...

— Диктуйте имена и фамилии!

Он записал четыре фамилии и ждал остальные. Голос надрывался и торопил.

— Дальше! — рявкнул обозленный милиционер.

— Что дальше?

— Следующие фамилии! Вы сказали, шесть человек!

— Не знаю, кто еще! Может, сами скажут! Спасите их! Умоляю!

— Фамилия! Адрес!

— Говорю же, не знаю...

— Свою фамилию не знаете? Вы что — смеетесь? Ваша фамилия и адрес!

По другую сторону провода воцарилась тишина. Потом снова раздались всхлипы и стоны.

— Алло! — закричал милиционер.— Ваша фамилия, кто вызывает?

— Не скажу! — забормотал голос с отчаянной решимостью.— Еще не сейчас, пока не надо!

— Минуту... Какое отравление? Вы этого тоже не знаете?

— Стафилококки...— прошептала трубка, и связь прервалась.

Милиционер покричал «алло», положил трубку, подумал и взялся за дело.

— Когда эти люди ели мороженое и сколько? — спросил врач «Скорой» по телефону.

— Ольшевских Каролей двое,— одновременно докладывал сержант, севший за телефонную книгу.— Матильды Петшак вообще нет, может, нет телефона или на имя мужа...

— Хоть бы одного кого найти,— озабоченно ответил подпоручик, принявший трагический призыв о помощи.

— Бобчинской Барбары тоже нет, зато Рошковских чуть не полстраницы, несколько Янушей...

— Книгу сводок по городу...

Сорок два человека были подняты из постелей суровым вопросом о состоянии здоровья и об обществе, в коем пополудни минувшего дня ели мороженое. Сорок третьим оказался Каролек, телефон которого был зарегистрирован на жену. Он первый в перечисленных фамилиях узнал своих знакомых и друзей; без сопротивления сообщил вопрошающим номера Януша и Барбары, после чего позволил себе поинтересоваться, что случилось.

— Если вы чувствуете себя хорошо, то все в порядке,— вежливо ответили ему в трубку.

После этого ему позвонил Януш, а Янушу Барбара, потом Каролек Барбаре. Из развлечения была исключена только пани Матильда, телефона которой никто из сослуживцев не знал. Названные трое и так и этак пытались разгадать тайну: они не столько удивились трогательным заботам «Скорой помощи» об их самочувствии, сколько назойливым вопросам насчет количества потребителей мороженого.

— И чего они пристают, черт побери,— возмущался Януш.— Кто еще да кто еще! Откуда я знаю, кто еще сегодня в Варшаве жрал мороженое?

— Кто с нами жрал,— уточнил Каролек.— Кто ел с нами, мы, естественно, должны знать.

— А почему они хотят, чтобы нас было непременно шестеро?!

— А, понимаю,— додумалась первой Барбара.— Наверняка это наш придурок. Мороженого было шесть порций, помнишь? Это он из мести натравил на нас милицию и «Скорую»!

— Милицию? Из-за мороженого? — усомнился Каролек.

— Барбара права,— заявил Януш.— Он подумал про шесть человек, в глупую его башку не пришло, что Барбара сожрала бы все одна, кабы мы отдали ей. Как отреагируем?

В следующем туре телефонных переговоров решили: из мести будут завтра делать вид, что ничего не случилось. Отопрутся, хотя милиция оказалась на высоте и все распутала, и ни слова Лесю. Пани Матильде завтра утром сообщат о заговоре, если ее тоже подняли среди ночи. Если нет, то полный порядок, тишина и доброжелательные лица.

В ту минуту, когда милиционеры и сестра в «Скорой помощи» с облегчением вздохнули и отерли пот со чела, Лесь как раз добрался до дому. В руки властей он успеет сдаться завтра. Все-таки есть надежда — может, кто-нибудь из них выживет и это окажется Барбара, а потому он хотел завтра в последний раз увидеть ее. Конечно, гибель пани Матильды очень даже вероятна. Но ему-то теперь какое дело? Ведь он будет сидеть в тюрьме.

Взрывы отчаяния сменялись вялой подавленностью. В тяжкой апатии, поникнув, держась за стенку и с трудом передвигая ноги, он осилил первый и второй этаж, потом вдруг яростными прыжками влетел на третий, алкая известий о состоянии здоровья своих жертв. Перед дверью квартиры снова раскис, в квартиру вошел без единого акустического эффекта, способного разбудить жену. На новой волне отчаяния оторвал переплет от телефонной книжки и частично выдрал из нее две страницы, пока ему удалось найти номер информации о несчастных случаях.

Ни одной из названных фамилий дежурная пани не знала и в списке не нашла. Вывод напрашивался один: все поумирали дома еще до прибытия «скорой помощи». У Леся где-то были записаны телефоны сослуживцев, но сейчас у него духу не хватило их искать; шутка ли — звонить в семейства убиенных! Сие соображение отбило всякую охоту к каким-либо контактам. Вполне возможно, весь мир знает страшную правду, весь мир знает изобретателя съеденной невинными жертвами отравы, у всего мира, а может, у всего космоса на слуху его, Леся, имя. Все кончено, преступление совершено!

Тяжелый черный кошмар придавил душу Леся и расплющил в лепешку. Заодно со своей душой рухнул и Лесь, из последних сил добравшись до тахты...

Ночью за несчастного Леся взялись кошмарные сны. Он не знал, как выглядят стафилококки, а потому эти существа принимали разные обличья. Ордами белых тараканов усыпали они сослуживцев, водорослями пускали побеги во все стороны и разрастались в самых страшных местах: в замочных скважинах, в электрических розетках, в ушах и в носу у пани Матильды... Наконец, огромный стафилококк, напоминающий белого тюленя, возлег на его рабочий стол и нежно заворковал, глядя голубыми глазами в огромных черных ресницах:

— Любимый, обними меня. В последний раз...

Странное требование чудовищной бактерии так потрясло Леся, что он проснулся. Еще не придя в себя, но уже неимоверно нервничая, он осмотрелся и увидел часы. Десять минут девятого. В первый момент Лесь решил было развить сумасшедший темп, но вспомнил о катастрофе и снова упал на постель. В полной безнадежности и с большой охотой остался бы он в постели, да необходимо было узнать подробности, а потому нужно идти на службу, начинать борьбу... Там, наверное, трагедия уже известна...

Все ежеутренние процедуры Лесь провел весьма медленно, и угрюмая его физиономия приобрела выражение меланхолической задумчивости.

Перед дверью рабочей комнаты он остановился и глубоко несколько раз вздохнул. Потом открыл дверь...

Пани Матильда сидела за своим столом.

Потрясенный Лесь застыл в дверях и смотрел на нее, окаменев на месте. В голове мелькнула ужасная мысль о привидениях. Дальше мыслей не было — помрачение парализовало и ум и тело. Неизвестно, сколь долго он стоял бы так, если бы не получил мощный двойной удар дверью, которую резко открыл кто-то входивший после него. Физическое сотрясение вернуло ему до некоторой степени голос и способность двигаться. Не понимая, что происходит, он несколько неуверенно поклонился призраку.

— Как вы, пани Матильда, что чувствуете? — спросил он осторожно, расписываясь в книге присутствия.

— Спасибо, не очень хорошо, в такую жару сердце побаливает, пан Лесь, вам еще и здесь надо написать...

Заученным жестом кадровичка подала книгу опозданий. Сердце Леся бешено заколотилось. Дрожащей рукой взял он распроклятую книгу и дрожащей рукой начертал: «Сам не знаю». Другого объяснения он был сообщить не в состоянии. А может, в живых осталась только пани Матильда, а все остальные погибли. Портфель выпал из его рук, он бросился в свою комнату.

Барбара, Каролек и Януш сидели за досками, увлеченно работали.

— А... как... вы... чувствуете себя? — едва слышно спросил Лесь после длительного молчания.

— Очень хорошо,— ответил Каролек.— А что?

Потрясение было столь велико, что у Леся подкосились ноги, он едва дотащился до своего стола и плюхнулся на стул. Он таращился на сослуживцев, оценивая преимущественно Барбару, упивался их бодростью и здоровьем и... ничего не понимал. Чудо, что они живы! Почему же стафилококки не отравили их? Прививки им, что ли, делали или как?

Неслыханное облегчение сменилось некоторой обидой на некоторые неопределенные факторы. В конце концов, прахом пошло столько усилий; он воспитывал в себе решимость, готовился к роли убийцы, примирился с этой ролью, даже как-то вошел в нее, и что? И ничего. Столько терзаний! Столько упреков совести! Столь беспредельное отчаяние! И все напрасно!...

Прикинув за и против, он предпочел все же чувствовать облегчение, хотя сегодня, когда опасность миновала, роль убийцы показалась ему куда как занимательнее, чем вчера. Тем не менее телесное благополучие его жертв, особенно Барбары, переполнило его давно не испытанным счастьем. Вымытые накануне минеральной водой документы высохли, и, хотя их вид и покоробил бы привередливого эстета, бумаги можно было подшивать в дело. Некоторое, правда, весьма короткое время его счастье ничто не нарушало.

Первый диссонанс внесло появление пани Матильды. Слегка обиженная неожиданной невежливостью Леся, но всегда безупречно обаятельная, она принесла брошенный у ее ног портфель. А за пани Матильдой повеяло призраком книги опозданий, и сияние счастья несколько поумерилось.

Сразу после ее визита его вызвал зав мастерской, которого до крайности заинтриговал тайный смысл сообщения в книге опозданий. Разговор с бестактным руководителем страшно утомил Леся, и он покинул кабинет весь в мыле. От негаданного счастья не осталось почти ничего.

А потом пришлось пережить окончательное поражение. Вновь перед Лесем замаячил руководитель приемочной группы, вернувшийся из командировки, на сей раз уж необходимо было, чтобы он подписал проект. Дабы все подготовить к приходу заказчика, Лесь приложил сверхчеловеческие усилия, что абсолютно превышало все его возможности и доводило до умопомрачения. В одной комнате он торопил зава приемочной группы, недовольного спешкой и отсутствием печатей, о коих Лесь, естественно, забыл, в другой комнате пытался удержать заказчика от намерения поднять жуткий скандал. В результате всех этих виражей и тот и другой весьма согласно почувствовали глубочайшую антипатию к Лесю, который вел себя, по их мнению, мягко говоря, непонятно.

Служебный кошмар наконец закончился, и за уносящим в объятиях проект заказчиком дверь закрылась. Утреннее же чувство счастья улетучилось без малейшего следа. Бледный, измученный, изнуренный Лесь выполз на служебный балкон, дабы как-то прийти в себя.

Теперь он воистину убедился, что причиной всех неудач, идиотских трудностей, этим бревном, о которое он постоянно спотыкался, этим каторжным ядром на ноге является пани Матильда со своей проклятой книгой опозданий. После неимоверных переживаний сегодняшнего дня правда окончательно воссияла: только ликвидация этого стерегущего его чудовища в образе женщины может спасти положение. Ничего другого не дано! Мосты сожжены, жребий брошен, кадровичка должна умереть.

После стафилококков, доказавших свою полную некомпетентность, Лесь мимоходом подумал о грибах, но быстро отказался от них — никакой надежды, что пани Матильда согласится поглотить сырым хотя бы один маленький мухоморчик, а приготовить из него какое-нибудь блюдо Лесь, увы, не умел. В довершение всего опыт заставил его всерьез усомниться в своих отравительских талантах. В глубине души он безусловно ощущал свою криминальную никчемность. Вот кабы кто другой взялся за такое дело!...

Кропотливые раздумья ни к чему не привели. Заместителя по делам отравления не было. Кошмар продолжался. Книга опозданий как дамоклов меч висела над головой. Тоскливое ожидание последующих и непрерывных мучений разверзло в его душе безграничную жажду спокойной жизни. Покоя хоть на один день! Покоя за любую цену!

И вдруг у Леся мелькнула новая необыкновенная мысль, мысль, которую он до сих пор не допускал до себя, считая ее невыполнимой. А может, вот так просто в какой-нибудь день взять да и не опоздать, хоть разок?..

Некоторое время он и сам не мог решить, что для него труднее: не опоздать или совершить убийство. Дилемма представлялась более чем серьезной; Лесь понял: необходимо как-нибудь помочь рассудку в его отчаянной борьбе с душевным разладом. Отбросив тщетные размышления, предавшись этому похвальному намерению, он деловито вошел с балкона в комнату, а затем зашагал далее, всецело доверяя ногам.

Ноги, не проявив слишком большой любви к длинной дистанции, спустились на улицу, прошли несколько метров, повернули в ворота, спустились вниз, остановились в баре ресторана «Amica». И здесь прекратили свою деятельность, передав инициативу верховной власти.

Подобная методика помощи рассудку с первой же минуты доказала свою эффективность. Теперь Лесь мог без помех продолжить размышления.

Чтобы не опоздать на работу, существовал лишь единственный выход: ночевать на службе. Другого Лесь не видел. Практика показала, что никакие усилия не дадут требуемых результатов. Итак, надо незаметно остаться в рабочем помещении, подождать, пока все разойдутся, отправиться поужинать, оставив двери открытыми, потом вернуться. В результате он окажется на работе еще до восьми. Тайна необходима. А то еще начнут смеяться над ним...

Ибо Лесь все-таки смутно соображал, что откровенничать о закулисной стороне его поступков вовсе ни к чему. И так он довольно часто делал из себя идиота! Боже мой, да ничего другого и не делал, только хлопал глазами от стыда...

Печаль и горечь охватили его с новой силой, и он удвоил темпы безотказной помощи рассудку. Вскоре наступило благотворное утешение. Фантазия одну за другой рисовала картины все более интересные и увлекательные. Хулиганы нападают на пани Матильду, злая собака бросается на нее и кусает, американский миллионер женится на ней и увозит на другой континент, причем в этой последней картине Лесь игнорирует солидный возраст кадровички. Все размышления вместе — категорическое решение оказаться завтра на работе вовремя, страстное желание куда-нибудь удалить пани Матильду, глубокое сожаление о собственной несостоятельности, все более сильное желание очень героического поступка — все это, вдобавок сцементированное с помощью барменши универсальным связующим, сотворило в голове Леся нечто невообразимое.

Из бара он вышел одержимый видением нападающих хулиганов, отправился в магазин товаров домашнего обихода, где и приобрел чудовищных размеров нож для разделки мяса. Целевое назначение ножа пока что оставалось неясным. В сумбурной его голове клубились разные проекты разных планов. Хулиганы, бесспорно, должны нападать с ножом. Стало быть, на всякий случай надо позаботиться об их вооружении, ведь с них станется — в рассеянности плохо экипируются и как раз забудут нож... А возможно, придется ножом погрозить миллионеру, когда откажется жениться на пани Матильде... А если, к примеру, взять да и броситься на нее пораньше утром: «Кошелек или жизнь!..», то есть «Журнал опозданий или жизнь!..»

Старательно спрятав нож под пиджаком, он вернулся на службу перед самым окончанием рабочего дня. У него таки хватило трезвости позвонить жене и героически убедить ее, что он всю ночь проработает у приятеля. А после принялся ждать...

В четыре часа сослуживцы начали расходиться. Лесь, когда в комнате никого не было, быстро залез под Каролеков стол, заслонившись чертежной доской. Решил сидеть в этом убежище, пока все не уйдут и он не останется в мастерской один.

Лесь сидел на полу, в тесноте и неудобстве, в голове по-прежнему бурлила неразбериха, а вокруг по-прежнему раздавалось множество голосов. Прошло довольно много времени, голоса наконец утихли, вместо них Лесь услышал шаги. Шаги приблизились, из-за своей доски он узнал пленительно знакомые ноги красивой Барбары. Ноги остановились, и сердце Леся защемила сладкая истома. Вдруг к ногам Барбары подошли еще ноги, на сей раз мужские. Остановились позади Барбары. Ее ноги переступили и повернулись навстречу тем, мужским. Ни одного слова.

Через некоторое время Лесь вдруг сориентировался, что, исходя из позиции четырех обозреваемых ног, ситуация наверху ему не слишком симпатична. Ноги еще раз изменили позицию, и упомянутая ситуация не понравилась ему вовсе. Он побледнел, сердце забилось ревностью и злостью, а хаос в голове усилился и вроде бы определился. Ах! Значит, вот как?!..

Лесь усиленно пытался вычислить обладателя мужских ног. Темно-серые брюки из «тропика» носят почти все в мастерской, а вот у кого к тому же легкие с дырочками серые ботинки с итальянскими носами?! Кто?! Кто с сегодняшнего дня смертельно ненавистный враг?! Кого из этих мерзких, отвратительных кретинов выбрала прекрасная Барбара, увы, до сих пор недоступная для Леся! И еще как выбрала!.. Увидеть, узнать, а после убить!!!

Осторожно дыша, Лесь подвинулся по полу, стараясь выглянуть под другим ракурсом. Это удалось отлично, угол зрения несомненно расширился, но добавочное зрелище красным туманом заволокло глаза. Охваченный гневом, он сорвался бы с места, не соблюдая осторожности, и, конечно, набил бы весьма серьезную шишку на темени, но, к счастью, неидентифицированные ноги в серых брюках вдруг задвигались и сделали шаг в направлении выхода. Остановились, как бы приглашая, затем сделали несколько шагов, а ноги Барбары послушно отправились за ними. Потом стало тихо, и Лесь сделал вывод, что ноги снова задержались. Неописуемая моральная пытка достигла апогея, когда вдруг из коридора послышались голоса, а вместе с тем Лесь увидел, как расстаются интересующие его ноги.

Он перевел дыхание, испытав нечто вроде слабенького облегчения, и начал старательно прислушиваться к голосам в надежде узнать обладателя таинственных конечностей, связанных с Барбарой. Увы, голосов было несколько, в довершение всех бед Лесь не узнавал ни одного из них.

В проектном бюро сделалось тихо. Несмотря на это, он продолжал сидеть в своем убежище — по установившемуся обычаю последний из уходящих придет в комнату закрыть окно. И Лесь все сидел и сидел нескончаемые столетия, а тот, последний трудолюбивый придурок, все не приходил, будто и не думал уходить из мастерской. У Леся затекло все тело, и, дьявольски ревнуя к Барбаре, он впал в унылое, яростное, мрачное отчаяние, позабыв все на свете, кроме одного. Натужно и злобно размышлял он о загадочном выборе Барбары и представлял, как разыщет этого типа. Перед глазами поплыла картина страшного мордобоя, восторженное лицо Барбары, падающей в объятия сильнейшего, то есть в его, Лесевы, объятия; эти образы столь зачаровали его, что он перестал обращать внимание на время и неудобства. Почти забыл, где и зачем сидит. Задумчиво извлек сигарету, потянулся за спичками...

— Черт бы все побрал! — раздался от дверей нетерпеливый голос главного инженера.— Погляди, Анджей, опять то же самое! Вот гаденыши, все окна оставили открытыми! Закрой здесь, а я пойду посмотрю у сметчиков.

Лесь замер со спичками в руках. Ведь он не расслышал шагов главного, который заговорил уже от дверей комнаты. И тех шагов, тех ног в итальянских ботинках тоже не слышал! Ох, любой ценой надо увидеть ноги главного инженера!

Анджей закрыл окно и балкон и вышел. Лесь только того и ждал. Тотчас вылез из-под стола и торопливо пролез на четвереньках к двери. Осторожно приоткрыл дверь и высунул голову у самого пола. Главный стоял в комнате кадровички около входных дверей, и видно было его только сверху. У него были, правда, темные брюки, но у Анджея тоже были темные брюки, все словно сговорились носить одинаковые брюки, а ботинки Лесь никак не мог увидеть!

Сидя на четвереньках, он тоскливо наблюдал, как все вышли из помещения и захлопнули замок. До завтрашнего утра времени было вдоволь.

И тащилось оно немилосердно долго. Почти совсем протрезвевший Лесь ужасно оголодал, купить что-нибудь забыл, а выходить не хотелось. Обошел всю мастерскую, нашел кусок засохшего хлеба и немного прогорклого масла, съел все это, запил водой, затем снял с полки большой глиняный жбан и, размышляя о сложных своих проблемах, принялся точить мясницкий нож. Наточив нож, нашел в ящике стола короткий толстый шнур, скептически осмотрел и, не видя пока что способа применения, положил на всякий случай вместе с ножом.

До вечера все еще было далеко. От скуки Лесь потащился к своему столу и осмотрел начатый чертеж. От скуки взял карандаш и провел линию. Посмотрел, провел еще одну. Обе линии оказались там, где и положено быть, и заинтересованный Лесь продолжил работу.

Когда он снова посмотрел на часы, было уже около десяти. Предварительный чертеж шкафа был закончен. Он бросил свое занятие, вышел из служебного помещения, старательно закрепив дверь, чтобы не захлопнулась, и отправился на запланированный ужин.

Уже около двенадцати он добрел до работы крупным зигзагом — не только с полной сумятицей в голове, но и с приятным чувством достигнутой цели. Лесь не был уверен, какова же, собственно, эта цель, однако такой пустяк его не особо смущал. Беспокоило, правда, досадное и туманное ощущение, что нормальный путь на службу невозможен, ибо сторож наверняка уже закрыл ворота, и посему необходимо перелезть через два забора и забраться в окно.

Потребленный за ужином алкоголь окрылил и прибавил куражу. Форсируя второй забор, Лесь вознамерился спеть громкую и вместе с тем трогательную песню, он даже открыл рот, дабы издать чистую и внушительную руладу, однако неожиданно потерял равновесие и свалился на землю, в результате чего внезапная страсть к пению закономерно поубавилась. Наконец он пробрался на задний двор своей собственной службы, осталось лишь преодолеть окно на лестничную клетку. Уже будучи около окна, услышал лай и вспомнил, что у сторожа есть собака, которую ночью спускают с цепи. Собака вылетела из темных ворот с яростным лаем и понеслась прямиком на Леся.

В нормальных условиях, в средней кондиции и без всякого допинга форсирование высокого окна связано с известными трудностями и затратой времени. Сейчас же, перед лицом стремительной, рычащей и гавкающей опасности, Леся подбросила явно сверхчеловеческая сила. Уже находясь по другую сторону подоконника, он услышал неоспоримые звуковые признаки пробуждения сторожа и укрылся за дверью в подвал, не понимая, почему сторож медлит, и не очень-то представляя, что произойдет, когда тот явится.

Через несколько минут пес отказался от своих претензий, а сторож не пришел по уважительной причине: он был еще пьянее, чем Лесь, и никакая сила в мире не вынудила бы его оставить дежурку. Но об этом Лесь не знал. А посему не решился подняться к себе наверх нормальным шагом, опустился на колени и пополз, затаив дыхание, застывая от ужаса при каждом мощном храпе несколько ослабевшего стража.

Таким манером добирался он до своего четвертого этажа весьма длительное время и дополз совершенно измученный. Закрыл за собой дверь и привалился к ней, стараясь вспомнить страшно важное, чрезвычайно неотложное дело. Апеллировать к памяти было бесполезно. Что-то мелькало про хулиганов, а может про миллионера, кто-то замышлял на кого-то напасть пораньше, еще до восьми утра, и еще всякое разное в таком роде, а он сам должен что-то подготовить. Все было столь запутанно и мучительно, что Лесь решил сперва малость выспаться.

С большим трудом он поснимал с вешалки все рабочие халаты и устроил из них лежбище в коридоре, напротив входной двери, где ощущался слабый сквознячок. Ему было очень жарко. Рядом со своей постелью заботливо уложил найденный на столе наточенный мясницкий нож и свернутый петлей шнур — эти предметы смутно напомнили ему о чем-то весьма важном и необходимом. Потом, расставшись с большей частью своего гардероба, свалился на постель в одних плавках и заснул.

В шесть утра в квартире главного инженера зазвонил телефон.

— Ну, так как? — спросил неуверенно зав мастерской.— Будете через полчаса на службе, как договорились?

— Через сорок пять минут,— ответил главный заспанным голосом.— У нас целый час на обсуждение деталей. Я думаю, успеем?

— Должны успеть. Ну так я без пятнадцати семь буду.

Почивающего сном праведника Леся неожиданно разбудил скрежет ключа в двери. Он уже ворочался во сне, так как в кармане одного халата лежало что-то твердое и ужасно давило Лесю бок. Хотел было повернуться и вдруг вспомнил все сразу, и этого всего оказалось чересчур много. Необходимость спрятаться на службе, нападение на кадровичку, хулиганы, таинственный поклонник Барбары... В голове закружился вихрь — надо было как-то действовать. С трудом приняв сидячее положение, полусонный, мало что соображая, он схватил лежащий около него ножище, увидел шнур, схватил и шнур и собрался встать, неуверенный, убегать ли ему или дождаться кадровички, которая всегда являлась на службу первая. Пока он пребывал в нерешительности, дверь отворилась и появился главный инженер.

Лесь еще не успел оторваться от пола, и взгляд его поневоле и прежде всего упал на ботинки главного инженера. Серые, итальянские, в дырочках, хорошо знакомые ботинки.

Главный окаменел в дверях, сраженный невероятным зрелищем: на полу, на куче халатов, сидел Лесь в плавках с большим мясницким ножом в одной руке и чуть ли не с пароходным канатом в другой, уставив неподвижный взгляд на его ботинки...

Главный тоже посмотрел на свои ботинки, потом на Леся, а не галлюцинации ли у него от этой жары? Голый Лесь с ножом в помещении, которое вчера он лично закрыл на ключ,— это же полный абсурд.

Потрясенный видом ботинок, Лесь оставался в той же самой позиции. Он уже и не помнил, что в дверях должна была появиться кадровичка, а не главный инженер. Молнией пронеслась мысль — здесь вмешалась сама судьба: незачем копаться в каких-то сложных проблемах, надо попросту убить главного. Медленно он поднял дикий взгляд от ботинок на лицо.

Главный слегка встревожился — может, человек помешался от жары? Но он был мужчина самостоятельный, а потому вошел в коридор и прикрыл дверь.

— Господи Боже, как вы здесь оказались?

Лесь сделал движение — дабы ринуться на него, словно какой-нибудь могучий хищник, но не успел. Главный получил мощный удар дверью, и в коридор вошел зав мастерской. Он открыл рот, чтобы извиниться, и ничего не сказал: его взгляд упал на Леся; ошеломленный, как и главный инженер, он не мог вымолвить ни слова. А Лесь взглянул на ботинки зава и тоже потерял дар речи, ибо и у зава были такие же серые ботинки. Все трое молчали, уставившись друг на друга в полном столбняке.

Главный инженер первым пришел в себя — он уже несколько освоился с ситуацией — и подошел к Лесю.

— Что вы здесь делаете?

— Что случилось? — спросил потрясенный зав. — Пан Лесь, вы здесь ночевали?

В самом факте ночевки не было ничего особенного: служащие, загнанные в угол сроками работы, частенько проводили ночи на службе. Но в общемто, никто из них никогда не спал в коридоре на куче халатов, к тому же в плавках и с мясницким ножом в руках. Никто никогда не сверлил верховную власть подобным взглядом...

— Башмаки,— едва выговорил Лесь.

— Что? — спросил руководитель мастерской.

— Башмаки, — повторил Лесь.— Откуда у вас такие ботинки?

Зав и главный обменялись беспокойными взглядами: явные признаки умопомрачения.

— Какие башмаки? — машинально переспросил зав.

— А вот эти, — ответил Лесь и показал ножом.

Оба, главный и зав, словно по команде, посмотрели на указанную обувь, а затем перевели взгляды на идентичную соседнюю пару. Зав слегка растерялся.

— У пана Збышека такие же туфли,— ответил он неуверенно и с некоторой претензией.

— Вот именно,— возмутился Лесь.

Негодование, вызванное обувью обоих начальников, пока что подавило все другие чувства. В нем все еще бродила смутная мысль, а не убить ли в таком случае обоих, но при этом появилось неясное ощущение, что, пожалуй, это нехорошо и вообще речь-то как будто шла о чем-то другом.

— А где вы купили ботинки? — спросил с интересом главный инженер.

— На Брацкой. За четыреста пятьдесят злотых. А вы?

— Что вы говорите, и я тоже. Прекрасные туфли, не правда ли?

— Именно! Кажется, югославские, импортные...

У напряженного, готового к прыжку Леся совсем свело мышцы, и он с тяжким вздохом снова уселся на халаты, не выпуская из рук ножа, и снова уставился на четыре стоящие перед ним ноги. Начальники, увлеченные проблемой ботинок, снова вспомнили о нем и прервали оживленную дискуссию.

— Ну, пан Лесь,— примирительно проговорил зав,— может, вы все-таки встанете, вот-вот люди придут. И скажите наконец, почему вы здесь? Почему здесь спали?!

Категорически решив не говорить правды, Лесь не очень-то соображал насчет ответа, а в довершение всех бед абсолютно забыл, в чем оная правда заключалась. К тому же у него с похмелья начала трещать голова. Он бессмысленно посмотрел на зава и столь же бессмысленно ответил:

— Я хотел оказаться здесь ранним утром.

— Как вы сюда вошли?! — с отчаянием воскликнул главный инженер, ему именно этот пустяк казался самым загадочным.— У вас ключ есть?

— Откуда? — справедливо возмутился Лесь.— Откуда у меня ключ!

— А тогда как?! Как вы сюда попали?!

— Кто вчера закрывал помещение? — с подозрением справился зав.

— Я сам закрывал и понимаю...

— Ну же, как вы сюда попали, пан Лесь?

— Не знаю, — упорствовал Лесь.— Я вообще сюда не заходил.

Если уж придерживаться точности, Лесь говорил святую правду — он и в самом деле не пришел, а приполз. Но об этом его начальники и не догадывались, ответ же Леся ничего им не объяснил.

— Как это вы не знаете? Пьяны были?

— Ясно, напился. Ничего не знаю, ничего не помню.

— Господи, нажраться в жарищу? Так и удар недолго заработать!

— Алкоголь охлаждает,— находчиво заявил Лесь, решив твердить, что ничего, мол, не знает. Другого выхода скрыть таинственную и для него правду он не видел. Зав и главный переглянулись.

— Понимаю, нализался до положения риз,— философски заметил главный.— Понимаю, у него теперь перерыв в биографии. Понимаю даже, что в такую жару его удар не хватил! Но абсолютно не понимаю, как он проник через закрытую дверь! Ведь не в окно же влез, четвертый этаж!

— А может, в окно влезли? — поинтересовался зав мастерской — он считал, что пьяный на все способен.

— Не знаю, — стойко ответил Лесь.

— Ну, ладно, а на кой черт вам этот нож?!

Лесь с недоумением осмотрел нож, прикидываясь, что видит его первый раз в жизни.

— Не знаю.— Лесь твердо придерживался избранной позиции.

— А вы уверены, что вчера никого не зарезали?

Лесь уже хотел отчеканить свое «не знаю», но сообразил, если этой ночью кто-нибудь кого-нибудь зарезал, все будет свидетельствовать против него, а посему быстро сменил интонацию.

— Нет и нет. Ножа с собой не таскал.

— А где был нож?

— Не знаю.

— С ним не договориться,— вздохнул расстроенный главный инженер.— Пускай лучше сперва протрезвеет.

— Вот именно. Пан Лесь, встаньте и что-нибудь сделайте. Умойтесь, к примеру.

— Не могу, нет воды.

— На втором этаже вода есть. Побрейтесь, выпейте кефиру, не знаю, что еще, нельзя же весь день здесь лежать!

Справедливость этого замечания засияла даже в похмельном тумане. Лесь подумал, встал с пола, посмотрел на нож и с сожалением положил его на стол. Затем собрал халаты вместе со своей одеждой и направился в раздевалку. Когда уже одетый вышел, кадровичка сидела на своем месте. Лесь, не говоря ни слова, расписался в книге присутствия и направился к парикмахеру.

Зав мастерской и главный инженер сидели в кабинете и долго смотрели друг на друга в беспокойном молчании.

— Думаете, он того? — озабоченно начал зав.

— Если жарища не кончится, у всех крыша поедет,— ответил главный подавленно.— Он, наверное, крайне восприимчив.

— А как по-вашему, что это у него застряло насчет ботинок?

— Может, никак обувь не достанет? По вашему мнению, он этот нож не пустил в ход?

— Надеюсь, нет. Откуда он его выкопал? Знаете, пожалуй, я этот нож заберу и спрячу на всякий случай. Черт его знает... Физиономия у него диковатая...

— Спрячьте. Сегодня бы с ним помягче...

После визита в парикмахерскую, кефира, одной-единственной рюмки по методу «клин клином» и пива Лесь вернулся на службу в радостном настроении. В нем бурлило удивительно позитивное отношение к жизни и удивительно негативное к работе. Беззаботно отдаваясь этому радостному настроению, он сидел некоторое время за столом и мечтательно следил за Барбарой. Вдруг его охватил творческий энтузиазм, он схватил кальку, мягкий карандаш и начал рисовать ее портрет.

В основе своей Лесь был импрессионистом, а сюрреализм и абстракционизм вели борьбу за его творческое «я» с переменным успехом. Следы этой борьбы четко наметились в создаваемом портрете. Источник вдохновения не обращал на художника ни малейшего внимания, Лесь рисовал беспрепятственно и с жаром, пока вошедший Каролек не заинтересовался его работой и не начал рассматривать уже оконченное произведение.

— Барбара,— позвал он, подавляя бестактное хихиканье,— иди-ка посмотри на свой портрет.

Барбара, предчувствуя недоброе, встала и подошла к Лесю.

— Что это такое? — спросила она, помолчав.— Что означает это странное нечто? И в чем же ты углядел сходство со мной, Каролек?

— А он не спускает с тебя глаз.

— Ах вот как. Нельзя ли пояснить, пан Лесь, в какой степени ваше творение связано со мной?

В подозрительно бархатном голосе Барбары прорывались зловещие нотки, но увлеченный художник не обратил на это внимания и продолжал восторженно пялиться на нее.

— Я вас так вижу,— прошептал он страстно.

У Барбары на мгновение перехватило голос. Портрет представлял собой многочисленные геометрические фигуры, с некоторым усилием в них удалось бы увидеть обнаженную, так сказать, натуру, то есть деформированную фигуру, пожалуй, женского пола в позитуре сфинкса с весьма приподнятой вверх задней частью и с чем-то вроде цветочка на передней, представляющей, скорее всего, зубы. Барбара и Каролек долго рассматривали шедевр в молчании.

— Вы меня так видите?... — медленно начала Барбара.— Это только меня вы так видите или всех женщин?

— Только вас...

— Позвольте выразить вам сочувствие. Целыми днями пребывать в одной комнате с чем-то, что вы так видите, это чудовищно! Мне вас искренне жаль! Надеюсь, вам станет легче по возможности этого не видеть! Повернем ваш стол, и с сего дня вы будете сидеть ко мне спиной!

Каролек бестактно и напропалую захохотал. Заинтригованный Януш присоединился к группе около Леся и стоял молча, сраженный оригинальностью виденья женщины. Кто-то еще заглянул в комнату и вошел, предчувствуя нечто интересное. Через минуту над Лесем собралось уже семь человек. Последними присоединились главный инженер и зав мастерской.

— Что это такое? — с любопытством осведомился главный.

— Портрет Барбары,— вежливо объяснил Каролек.

Главный и зав взглянули друг на друга с ужасом. Подтверждались их самые худшие предположения.

— Прекрасно,— слегка неуверенно начал зав.— Вы прекрасно уловили... Это характерная деформация...

— Что? — холодно прервала его Барбара.— Что ты сказал?

Зав вдруг понял, что попался. С одной стороны — опасный безумец, в руках у которого он собственными глазами видел мясницкий нож, а с другой — разъяренная и непредсказуемая фурия. Сначала он хотел попросту удрать, но тут же устыдился: главному архитектору, руководителю коллектива, надлежит нести все связанные с должностью тяготы. Секунду поколебавшись, он решительно повернулся к фурии.

— Мне надо с тобой поговорить. Пожалуйста, пройдем ко мне...

Они с Барбарой вышли, а главный, когда первый шок миновал, к вящему удивлению окружающих начал вдохновенно всех убеждать: произведение Леся, дескать, просто уникально и великолепно.

Через четверть часа вся мастерская была проинструктирована: жара особенно повлияла на одного из сослуживцев. А польщенный Лесь никак не мог понять, чему приписать восхитительную, прямо-таки навязчивую общую доброжелательность и отзывчивость. Все как один поспешно соглашались с его рассуждениями, оказывали услуги, старались предупреждать малейшие его желания. Даже Януш, который до сих пор нудил его и пилил, теперь избегал как огня всякого упоминания о сроках исполнения интерьеров.

Настроение Леся радужно расцвело. Он вдруг почувствовал глубокую симпатию к сотрудникам, черные мысли испарились вместе с подавленностью. Веселый и счастливый, он совсем забыл о страшных призраках и вспомнил о них лишь на следующий день по пути на работу.

Разумеется, он снова опоздал и снова не придумал никакой убедительной причины. Радужное настроение пошло к черту, и душа снова погрузилась во мрак и живейшее негодование на кадровичку.

Он вошел в ее комнату, подписал присутствие и помедлил. Сделать вид, что совсем забыл о книге опозданий, и поскорей смыться к себе в комнату? Не успеет, сейчас Матильда пихнет ему эту мерзкую макулатуру...

Ничего подобного не произошло. Пани Матильда мрачно взглянула на него, отняла служебную ручку и, не говоря ни слова, вернулась к своим делам. Лесь забеспокоился. Уже вчера, под конец рабочего дня он понял, что утренняя встреча с завом и главным не прошла безнаказанно и его подозревают в помешательстве. Все бы ничего, и он вовсе не переживал, поскольку в такой ситуации было кое-что приятное. Однако, если твердокаменная кадровичка, испуганная его сумасшествием, боится рассердить его книгой опозданий, по-видимому, дела зашли далеко. И неизвестно, куда еще могут зайти... Во всяком случае, он спрашивать про эту идиотскую книгу вовсе не намерен!

— Добрый день,— поздоровался он, войдя в свою комнату и положив портфель на столе.— Вы случайно не знаете, почему Матильда не всучила мне сегодня кондуит? Или все дело в том, что я спятил?

— Отчасти, без сомнения, так,— вежливо подтвердила Барбара.— Но основная причина в другом. Причина весьма нелестная для вас.

— Пойди и сразу признайся,— добродушно предложил Януш.— Говорят, признание — смягчающее обстоятельство.

— А в чем мне признаться? — осторожно осведомился Лесь. Беспокойство его возрастало.

— А вы не упрямьтесь. Не имеет смысла, и так все выяснится.

— Или лучше не признавайся открыто, Матильда такого не простит,— предостерег Каролек.— Подбрось потихоньку.

— Она все равно не простит. Старайся обходить ее стороной.

— Да, у вас жара тоже на головке сказалась,— обиделся Лесь.— В чем дело?

— Ладно уж, не прикидывайся. Хоть перед нами не валяй дурака. Понятно, Матильда, Ипочка, Збышек, а нам-то зачем? Да что там! Признавайся, где спрятал. Или домой уволок?

— Перед сном почитываешь? — поинтересовался Каролек.

— Надеюсь, вы не сожгли ее? — забеспокоилась Барбара.— Там столько живописных подробностей!

Только немного погодя Лесь понял, о чем шла речь: новость громом громыхнула. Административный журнал самым непостижимым образом исчез, и подозрение пало на него. Его ошеломила не столько информация, но идея, наипростейшая идея, до которой он так и не додумался. И долго еще он не мог прийти в себя от огромных перемен, происшедших в жизни без всякого с его стороны вмешательства!..

Книга опозданий исчезла, словно в воду канула. Целый день не только пани Матильда, но и все сотрудники искали сей документ без всякого эффекта, быть может, оттого, что кроме кадровички все остальные особо не усердствовали: документ не пользовался большой симпатией подписчиков, и его дематериализация вызывала всеобщую тихую радость. На подозреваемого Леся смотрели благосклонно и находили, что у него гениальная голова.

Исключение составляла пани Матильда. Лишенная всех человеческих слабостей уже с самого рождения, безупречно обязательная, педантически порядочная, поразительно точная, неумолимо пунктуальная, она пользовалась у начальства репутацией жемчужины редкостного вида. Потерю служебного документа она восприняла как удар, горе, личное оскорбление. Торопливо и судорожно перерыла все шкафы и полки, и страшное подозрение на Леся все более и более подтверждалось. Ведь он был чемпионом по опозданиям.

А Лесь светился счастьем. Все подозрения в сравнение не шли с неземным блаженством, испытанным в тот момент, когда проклятая книга исчезла из его жизни. Творческий порыв переполнил его душу. Он сел за стол и осмотрел чертежи.

— Януш, что с этим шкафом? Включаем во внутреннее оборудование?

— А ты разве его сделал? — удивился Януш, не припоминавший, чтобы Лесь за все последние дни хоть раз поработал. Встал и недоверчиво подошел к нему.— Слушай, а неплохо получилось! Когда ты успел?

— Когда я работаю, то хо-хо! — гордо ответствовал Лесь и забарабанил кулаками по выпяченной грудной клетке, демонстрируя таким манером свои творческие способности.

Януш взглянул на него со скепсисом: по его мнению, гориллы абсолютно таким же манером барабанят в грудь, а животные эти вовсе не отличаются творческими возможностями, а потому неизвестно, что, собственно, Лесь имеет в виду. От решения этой проблемы Януш отказался и вернулся к шкафу.

— Включаем,— решил он.— Дочерти еще складной стол и полки и принимайся за цветовое решение. Остальное я закончу.

Лесь начал работать. Энтузиазм переполнял его, требовался дополнительный выход. Если бы дробил камень на дороге, верно, молчал бы, усилия же за чертежной доской оказались не слишком обременительны. И он помог себе пением, и поплыли в пространстве чувствительные шлягеры.

Через полчаса Барбара, сидевшая ближе всех, не выдержала.

— Пан Лесь, а не могли бы вы прекратить этот вой? — спросила она испепеляющее вежливо.

— Барбара...— укоризненно прошептал Лесь, прерывая песнь.

Он взглянул на Барбару и вдруг вспомнил увиденные два дня назад четыре ноги, которые неизвестно как вылетели у него из головы. Воспоминание чрезвычайно забеспокоило его.

— Я понимаю,— ответил он горько, в беспокойстве пропуская логическую связку и не обращая внимания на смысл.— Да, здесь есть ботинки, пение коих больше удовлетворяет ваш музыкальный вкус.

Каролек и Януш внезапно вздрогнули, Барбара застыла над доской. Лесь встал из-за стола и вышел с гробовой физиономией и нахмуренными бровями.

— Ну что ты наделала? — беспомощно пробормотал Януш.— Ведь он так хорошо сидел и вкалывал!

— Песнь ботинок,— задумался Каролек.— Интересно, что бы это такое значило...

— Откуда я знаю, как часто у него бывают приступы,— разозлилась Барбара.— Я думала, он уже пришел в себя.

А Лесь тем временем неопровержимо доказывал нарушение умственного равновесия. Он блуждал по всей мастерской, заглядывая под столы, скрупулезно изучая мужские ноги и решительно игнорируя женские. Его появление сопровождалось молчанием, за ним следили испуганные глаза. Весь коллектив проектного бюро смертельно боялся психов.

Лесь произвел осмотр и убедился: одинаковые югославские ботинки носят пять человек. Количество соперников совершенно выбило его из колеи и парализовало всякое желание работать. Он отправился выпить пивка и, стоя у киоска, грустно задумался о превратностях судьбы: книга опозданий вот-вот найдется, в борьбе аж с пятью противниками он не устоит, жизнь пойдет к черту и псу под хвост.

На следующий день кондуита не было по-прежнему. У Леся снова затеплилась надежда, а вместе с ней он ощутил и прилив позитивного отношения к труду. Старательно избегая кадровичку, бросавшую на него полные ненависти взгляды, он не только не выходил из комнаты, даже из-за стола не вставал, благодаря чему удалось закончить чертежи внутреннего оборудования.

Постепенно, в течение нескольких последующих дней угнетающий призрак увял, поблек и отошел наконец куда-то в туманную даль. Ежедневный кошмар исчез, и жизнь решительно приобрела очарование. Лесь явственно чувствовал, как в нем распускается нечто, чему и названия нет. Предполагаемый соперник неожиданно сделался фактором стимулирующим, творческие силы забурлили, и взрыв вдохновения бросил его на колористику. Вот теперь-то он покажет, на что способен, и еще посмотрим, чьи ноги восторжествуют через пару недель!

Кипы листов с выкрасками росли на его столе и играли всей гаммой цветов, когда был нанесен удар.

Не подозревая о грозовой туче, счастливый, беззаботный, как всегда, опоздавший, Лесь расписался в присутствии и помертвел. Веселая и довольная кадровичка подсунула ему книгу опозданий!

— Что это?! — отчаянно простонал Лесь.— Нашлась?!

— Как видите. Нашла сегодня утром.

— Где?!!!..

— Представьте, в шкафу. Лежала на самом видном месте. Совершенно не понимаю, наверное, кто-нибудь подкинул.

Пани Матильда лучилась, а Лесь погрузился во мрак. Творческий порыв растворился, улетучился. Он дотащился до своего места, с тупым отчаянием уставился на раскинутую на столе радугу.

Умиротворение в мастерской продолжалось недолго. Через два часа коллектив потрясло новое ужасное открытие. Исчезла книга секретных документов.

Истерзанная Лесева душа почувствовала слабое утешение: есть еще на свете жалкие остатки справедливости. У пани Матильды объявились явные симптомы нервного расстройства. Она целый день переворачивала вверх дном все свое служебное достояние в поисках ценного документа, а у себя в кабинете тоже немало ошарашенный зав тщательно перелистывал обретенную вновь книгу опозданий в поисках какого-нибудь следа, который объяснил бы таинственную кражу.

Пару следующих дней кадровичка искала, зав размышлял, а Лесь безнадежно размазывал на листах плакатные краски, добиваясь разных оттенков и неизменно впадая в колористический абсурд.

Еще через несколько дней ситуация опять радикально изменилась. Неожиданно и непонятно как обнаружились секретные документы, зато снова пропали опоздания. Несчастная пани Матильда была близка к помешательству. Вся мастерская кипела, заинтригованная таинственными кражами, совершаемыми неизвестным субъектом по причинам в высшей степени непонятным. Когда книги вновь попадали в шкаф, в них не обнаруживалось ничего подозрительного: ни подчеркнутых, ни вычеркнутых записей, словом, никаких следов.

Лесь опять оживился, и вдохновение не заставило себя ждать. По наитию он нашел нужное сочетание цветов и работал с пламенным усердием. Ближайшее окружение взирало на него сперва неуверенно, порой с удивлением, наконец с чем-то вроде восхищения.

— Слушайте, а у него на удивление хорошо получается,— сказал сбитый с толку Януш, рассматривая Лесево творение в его отсутствие.— И кто бы мог подумать?..

— Он ведь вообще-то хороший парень, только недотепа,— объяснила Барбара.

— Если бы так работал, Боже милостивый, как бы дела пошли! А сейчас черт его опять куда-то понес.

— Может, его к стулу привязать? — предложил Каролек.— Сроки на носу.

— Не приведи Господи, чего доброго, опять приступ будет! Что это у него запело? Носки?

— Ботинки,— поправил Каролек.— И не у него, а у Барбары.

Лесь по-прежнему пребывал в творческом безумии. Кроме коротких выходов за пивом и на балкон, откуда удавалось рассмотреть блондинку визави, он не отрывался от работы. Едва приметное одобрение в красивых глазах Барбары возносило его на крыльях. В одно из очередных появлений книги опозданий и исчезновения книги секретных документов цветовое решение интерьера Лесь завершил.

Удивительные кражи служебных рукописей, почему-то тесно связанных между собой, были темой дня. Никто не разумел причин, и потому в конце концов сделали вывод насчет Леся как бесспорного кандидата в сумасшедший дом.

— Я еще понимаю, когда он книгу опозданий крадет,— задумчиво изрек инженер заву.— А вот на кой черт ему книга с документами?

— С толку сбить хочет? — предположил зав.

— Этакий камуфляж? Возможно. Тогда зачем подбрасывает обратно?

— Понятия не имею. И вообще, знаете, что-то тут не так. И где он их прячет? Не в окно же выбрасывает.

— В окно? С четвертого этажа?... Все бы уже было растрепано и перепачкано. И со времени этих краж он на удивление продуктивно работает. Знаете, меня в тупик поставил. Такой способный тип, у него великолепные идеи! Если бы так работал, я бы уж простил ему эти постоянные опоздания...

Мнение о Лесе уже совершенно изменилось, когда тайну наконец раскрыли. Сокрушенная пани Матильда просила зава принять ее и сообщила секрет — лицо ее по очереди смертельно бледнело и пламенно алело. Через полчаса вся мастерская обсуждала секрет.

Выяснилось, что книга опозданий и книга секретных документов — одна и та же книга. Опоздания вписывались с одной стороны, а документы фиксировались с другой, вверх ногами. В зависимости от того, какой стороной пани Матильда убирала книгу в шкаф, терялась или находилась соответствующая пропажа. Этот удивительный недосмотр вогнал кадровичку в полное отчаяние, а весь коллектив в радостное буйство.

— Все из-за жары,— оправдывалась страшно смущенная пани Матильда.— Клянусь, ни разу в жизни со мной ничего подобного не случалось! Пан Лесь, простите меня, я все время вас подозревала!..

Прощение у Леся удалось получить без малейшего труда, ибо в его экзистенции наступил непонятный перелом. Лесев автограф снова начал систематически фигурировать в обретенном журнале, но атмосфера вокруг автографа решительно изменилась. Долго не мог он понять, в чем дело, наконец окружным путем ему сообщили: оба начальника рассудили смириться с постоянными опозданиями при условии, что и впредь он будет работать столь же впечатляюще, как над колористикой. А насчет специально запланированного снисходительного отношения к нему он так и не узнал — начальники старательно скрывали этот факт даже друг от друга, ибо каждый из них опасался задевать безумцев.

Мягкое отношение к Лесю возымело прекрасные результаты. От намерения убить кадровичку он отказался решительно и сам удивлялся, как такие глупости пришли ему в голову. Боязливая вера в скрытые на дне души таланты крепла с каждым днем. Заканчивая колористику, создавая подлинный шедевр, он всем своим существом жадно ловил слабые проблески признания в глазах обожаемой женщины. Проблески порождали новые надежды, оными надеждами питаемое чувство разгоралось ярче и ярче, и все шло к тому, что вымечтанное мгновение вот-вот наступит.

Накануне приемки проекта в половине четвертого Януш вернулся из светокопировальной мастерской, нагруженный семью комплектами проектов.

— Вот чудеса-то,— сказал он, с удивлением глядя на сложенные на столе кипы.— Успели к сроку!

Каролек поглядел на документацию с неменьшим удивлением и повернулся к Лесю.

— А ты? — спросил он с любопытством.

Лесь молча и торжественно показал на тщательно сложенные цветные листы. В последнем, приколотом перед ним на столе, не хватало только подписи.

— Ну так что? — оживился Каролек.— Можем вовремя удалиться домой, как все люди?

— То есть...— буркнула Барбара.

— Я ухожу,— категорически заявил Януш.— В последнее время забыл, как свет дневной выглядит на улице. Использую оказию и посмотрю.

— И я тоже ухожу,— решительно повторил Каролек и с участием посмотрел на Барбару.— Остаешься?

— А ты когда-нибудь видел слесарку, которая сама собой бы отработалась? — ядовито спросила Барбара.

У Леся забилось сердце. Он собирался подписать последний лист, снять его и тоже отправиться домой, а тут вдруг открылись новые перспективы. Впервые за долгое-долгое время появился шанс остаться один на один с обожаемой женщиной. Мгновение, о коем исступленно мечтал, без сомнения, приближалось. Кто знает, может и она предчувствует, кто знает, может, остается тут не из-за какой-то дурацкой слесарки, а ради него, Леся...

Сверхурочные часы наконец-то наступили. В мастерской воцарились покой и тишина. Задыхаясь от волнения, Лесь встал из-за стола, приблизился к Барбаре и приковался взглядом к ее затылку, словно змей, гипнотизирующий пташку.

Минуты проходили весьма бестолково. Затылок не реагировал на взгляд змея. Лесь убедился в неотвратимости действия.

— Барбара,— шепнул он страстно.

— Ну? — отозвалась Барбара, не прерывая работы.

С минуту Лесь молчал, пытаясь обуздать непослушные голосовые связки, чтобы шепот не выдался еще более страстный.

— Барбара!

— Четыре, двадцать два,— со злостью произнесла Барбара и обернулась к нему.— В чем дело? Что вы стоите за мной, будто соляной столп?

— Барбара, вы красивы...

Барбара прекрасно отдавала себе отчет в том, что красива, и это сознание в общем было для нее источником удовлетворения. Но в данный момент ее ждала срочная, мучительная, неинтересная, главным образом расчетная работа. За окном манил восхитительный летний вечер, который она предпочла бы провести иначе, а интенсивное чувство прозаического голода и дурацкое поведение Леся окончательно вывели ее из себя.

— Ну и что? — спросила она с яростью,— поэтому вы и вросли в пол?

Слова и тон вызвали у Леся подозрение в какой-то неполадке. Как-то не так должно выглядеть это самое мгновение. А поскольку чувства его были огромны, он не отступил, лишь склонился к возлюбленной и вонзился в нее обольстительным взглядом.

— Я вас обожаю...— прошептал он пламенно.

Барбара пожала плечами, посмотрела на него с сожалением, постучала по лбу и язвительно произнесла:

— Жара вас довела. Впрочем, если вам приспичило, обожайте, только за своим столом. У меня нет времени на глупости.

Отвернулась и принялась за работу, Лесь все стоял над ней, склоненный, будто в поклоне, всматриваясь магнетическим взглядом в детали железной двери на чертеже, ибо вожделенный затылок отодвинулся от его глаз.

Ледяной тон ударил по его сердцу, усиливая подозрение: здесь далеко не все в порядке.

— Такая прекрасная и такая жестокая,— трагически возопил он.

От согбения в поклоне у него затекла спина, посему выпрямился и с минуту силился придумать следующий дипломатический ход. Но в голову ничего не лезло. Пришлось отправиться на свое место и оттуда, глядя на Барбару, он бурно вздохнул, со стола слетело служебное распоряжение номер сто семь.

Вымечтанное мгновение, по-видимому, запаздывало, однако он не отказался от надежды. Этот гранит в виде женщины когда-нибудь смягчится. И он решил не унывать. Капля долбит камень, не сегодня, так завтра, не завтра, так послезавтра его чувства растопят наконец это каменное сердце.

Время шло, не принося позитивных перемен. Все усилия Леся не давали никаких результатов. Вопреки проведенным в мастерской бессчетным сверхурочным часам, вопреки вздохам — из них вместе взятых получился бы целый ураган,— вопреки тысячам взглядов с поволокой Лесь ни на шаг не продвинулся. Напротив, все указывало на неумолимый задний ход.

Увлеченный совращением Барбары, Лесь совсем перестал интересоваться работой. Следующий проект уже летел полным ходом, Януш и Каролек начали рабочие чертежи, Барбара погрузилась в детальную разработку озеленения территории, а Лесь — ничего. Просто ощутимая в атмосфере спешка ускользнула от его внимания. Впрочем, он был уверен, что его талант более не нуждается в подтверждениях и можно позволить себе несколько пренебречь дурацкой служебной волокитой: согласно таковому убеждению, он плюнул на работу целиком.

Однако один только Лесь придерживался такого мнения. Все остальные полагали иначе. Януш частенько злобно поваркивал, Барбара смотрела на него более чем недоброжелательно, а зав, рассматривая мусорную кучу на столе у Леся, мрачно качал головой.

— Знаете, у меня уже сил на него не хватает,— посетовал он в кабинете главному инженеру.— Взрыв энтузиазма, похоже, его доконал. Ничего не делает, ежедневно опаздывает, а сроки на носу.

— А ведь такой способный парень,— задумался главный.— Тут что-то не так. Может, он болен?

— Может, опять крыша поехала, — разнервничался зав.— Не знаю, что с ним и делать. Выговор ему закатить или, напротив, благодарность? Выкинуть его жалко, вы ведь сами видели, интерьеры сделал великолепно. Я все надеюсь на какое-нибудь хорошее влияние...

Лесь, после частых и безуспешных попыток соблазнить Барбару, почувствовал все же что-то не весьма благоприятное в атмосфере. Казалось, все поняли или почти поняли ему цену, он вызывал восхищение и уважение, а тут вдруг непонятно из-за чего снова все испортилось. Опять над ним издеваются, Януш по-дурацки цепляется из-за рабочих чертежей, зав опять ворчит насчет опозданий, а Барбара и не думает уступать.

В чем же дело?..

И вообще, чего они все хотят? Ясно как день, что человек такого масштаба не может вкладывать творческий капитал в какие-то идиотские строительные детали, когда тут же, под самым носом, благоухает квинтэссенция женственности; сей цветок должно соблазнить, завоевать, заставить пылать страстью!.. Только ее чувство, ее обожание подпитает его талант, который уже заявил о себе, а теперь только ждет надлежащего момента, дабы засверкать ослепительными цветами радуги!

Талант чего-то ждал, зав мастерской проявлял все большее нетерпение, а Барбара упорно отвергала любезности. Обеспокоенный подобными несуразностями, впечатлительный Лесь пришел к выводу, что на пути к победе ему мешают только чертовы ботинки. Югославские, в дырочку, с итальянскими носками...

В мастерской есть соперник, некий омерзительный кретин, обманувший эту великолепную женщину несомненно, коварством и таким манером колодой застрявший поперек его жизненного пути. Отвратительного индивида просто необходимо убрать! Все равно каким способом, только бы избавиться от него! Но избавиться можно, лишь узнав, кто он!

Неизвестно, сколько времени и какими методами Лесь разрешал бы эту загадку, если бы не помог случай.

Лето, небывалое по жаре в целом столетии, близилось к концу, но жара все еще стояла невыносимая. Минуя стол Барбары, Януш задержался и взглянул на разложенный перед ней ситуационный план местности, посмотрел, словно не понимая, что это такое, и остолбенел:

— Боже милосердный,— ужаснулся он.— Что ты делаешь? Проектируешь дремучий лес?

Барбара оторвалась от черчения и покосилась на него:

— А тебе не нравится?

— Какой лес? — подключился Каролек.

— Сам посмотри! Чтоб я сдох, заповедник природы! Белены ты, что ли, объелась?

— И в самом деле,— согласился Каролек,— куда тебе столько деревьев?

— Как это куда? — возмутилась Барбара.— Вот идиотизм! А где тень? Как думаете, неозелененный жилой массив и нигде ни тенька?!

Януш и Каролек замолчали и уставились на цветной лист, сбитые с толку объяснением. Лесь тоже подошел к Барбаре.

— А пожалуй, она права,— неуверенно пробормотал Каролек.— И в самом деле не выдержишь.

— Действительно,— подтвердил Януш.— Мне не пришло в голову, от такой жарищи совсем одуреешь. А здесь что? Детские площадки? Не знаю, я бы им северный свет все-таки дал...

— Я бы тоже,— вздохнула Барбара.— Только смотри: с другой стороны дорожка и скамейки между газонами. А на этих скамейках люди должны заживо гореть?

— Да, пожалуй...

Все трое склонились над чертежом, озабоченные, все ли скамейки, пешеходные дорожки, проезды и стоянки для машин достаточно затенены. Опыт последних недель неоспоримо доказывал: пятиминутное пребывание на солнце неизбежно кончается ударом. Великолепные джунгли на плане ситуации местности оказались вполне обоснованными. Лесь заглядывал Барбаре через плечо.

Занятая зелеными насаждениями Барбара неожиданно выпрямилась и с размаху врезала ему головой по челюсти.

Два стона раздались одновременно. Лесь схватился за челюсть, а Барбара за темя. В одной паре глаз светился упрек, а в другой сверкала бешеная ярость.

— Объясните ему! — прошипела озверевшая Барбара.— Объясните, меня он не понимает! Объясните, если он еще раз будет тут торчать, словно пень, словно черт, словно соляной столп, клянусь, а за себя не отвечаю!

— Да ты уже не отвечаешь! — вежливо заметил Каролек.

Януш с умеренным интересом взглянул на пострадавшего и снова наклонился над планом. Глубоко огорченный Лесь покинул общество и вышел на балкон, все еще держась за челюсть.

Постоял у балюстрады, поглядывая сверху на улицу и переваривая очередное невезение. На балюстраду светило солнце, и он уселся в тени, у стены, на небольшой кипе старых фотокопий с намерением творчески осмыслить ситуацию.

Челюсть постепенно затихла, и Лесь, уже не держась за щеку, порылся в карманах и закурил. Творческие размышления упорно и неизменно били в одну точку. Покорить Барбару! Рубикон необходимо перейти, от этого зависит жизнь. Необходимо совершить такой шаг, дабы без помех блеснуть талантом, раз и навсегда избавиться от идиотского невезения. Необходимо покорить Барбару!..

И тут на балконе напротив появилась привлекательная блондинка. Мысли у Леся сбились и потеряли геройскую остроту. Затем поблекли, смешались, спутались и наконец разлетелись, как испуганные вороны. Мрачное настроение посветлело, а носитель настроения полностью сосредоточился на исчезновениях и появлениях блондинки. Когда она испарилась окончательно, оказалось, прошло не менее двух часов. По неоспоримому ощущению голода Лесь понял — самое время отправиться домой обедать.

Он встал с полу несколько одеревенелый, бросил последний взгляд на балкон визави, затем заглянул в глубь рабочей комнаты и замер.

Увиденное поразило его в самое сердце! На мгновение все физические и умственные компоненты вышли из повиновения. И сразу же в его душе грянула штормовая буря, усиленная отчаянием. В тайфуне чувств Лесь не мог вот так сразу решить, что на сей раз приключилось с ним: трагическое несчастье — ведь измена прекрасной Барбары очевидна, или неожиданная удача — известен наконец ненавистный таинственный соперник. Он приклеился к стеклу и диким взглядом сверлил группу из двух человек в комнате.

В первые минуты ему не удалось идентифицировать мерзкого индивида, ибо взаимоположение фигур не способствовало идентификации, а безумная ревность застилала глаза. После неслыханно долгого времени партнеры оторвались друг от друга только затем, чтобы, изменив несколько конфигурацию, тотчас же вернуться к действиям по предыдущей схеме. Этого краткого мига хватило Лесю.

Он оторвался от стекла. Ноги у него дрожали... Снова уселся на кипе фотокопий, дабы не видеть мерзостной картины. В его голове одичалые мысли отплясывали некий безумный danse macabre *. Через некоторое время из полного хаоса вынырнуло, наконец, одно разумное соображение и приняло форму категорического, неизменного решения.

Окончательно отказавшись от кадровички, Лесь решил убить главного инженера...

Преступные замыслы постепенно становились для Леся хлебом насущным и дурной привычкой. Захлестнувшая кровожадная мания изолировала его от настроения мастерской и общественного мнения. Его нежные и томные взгляды на Барбару сделались страстно-мрачными. Пиво и балкон визави ушли в небытие, ибо он ни на миг не желал упустить из поля зрения предмет своих чувств, справедливо опасаясь, что дикая жажда мести без постоянного притока энергии, пожалуй, утратит интенсивность. Однако бушующим страстям следовало дать какой-нибудь выход, возможность разрядиться в великой деятельности, и он взялся за единственно доступное. Бросился на чертежи, словно изголодавший коршун на падаль!

Сбитый с панталыку Януш снимал у него со стола очередные листы кальки и тщательно проверял, подозревая Леся в каком-то таинственном

---

* Пляска смерти *(фр.)*.

жульничестве. Жульничества, однако, самым очевидным образом не было, попадались лишь мелкие неточности: охваченный безумием в космических масштабах автор не снисходил до презренных мелочей.

— Ни одного винтика, черт, не сделает,— недоумевал Януш, пользуясь отсутствием Леся и рассматривая следующий чертеж.— Ни одного замка! Анкерные закрепления и вовсе игнорирует! Вернуть ему на доработку? Как вы считаете?

— Лучше не возвращай,— посоветовал Каролек.— Пожалуй, обидится. Шпарит как черт, пускай делает без винтов. Доделать все это — пустяк, а он в последнее время взял такой темп, что, пожалуй, мы закончим досрочно.

— Только бы опять не зачудил,— обеспокоился Януш.

— Вот именно. С ним надо поосторожней. Если и дальше так пойдет, он еще и премию получит...

А Лесь тем временем снова размышлял о преступлении. С мстительным удовлетворением обдумывал всевозможные ситуации, заключительным аккордом которых всегда была трагическая смерть врага. Подготовить все надо тщательнейшим образом, чтобы не свалять дурака, как с кадровичкой. Теперь-то он не отступит ни за что!

Он отказался использовать для убийства служебную территорию и все перенес в пленэр. Главный жил на окраине, недалеко от мокотовского форта, среди густой зелени, в вилле для одной семьи. А потому нападение следует совершить в поздний час, неподалеку от его дома. Главный в последнее время работал до поздней ночи, и ничто не мешало долбануть его по голове тяжелым предметом на пустой улице.

С местностью будущий преступник не счел нужным знакомиться, зато все свои интеллектуальные способности бросил на подготовку тяжелого предмета. Он зачастую разгуливал по улицам с целевым назначением: то поднимал и взвешивал в руке булыжник, то кирпич, однако все эти орудия представлялись ему не очень удобными в обращении. А удар требовалось нанести точно, дабы избежать досадных неожиданностей.

Наконец Лесь решил остановиться на молотке. Молоток в качестве орудия убийства издавна апробирован многочисленными преступниками и всегда выполнял поставленную задачу, одна беда, где его взять. Воспользоваться служебным молотком, а тем более домашним, не рекомендуется. Покупка тоже нежелательна.

Оставалась только и единственно кража.

Лесь до сих пор ничего в жизни не крал. По видимости простое мероприятие оказалось чрезвычайно сложным. Не представляя всех трудностей, он отправился в специальный хозяйственный магазин: жадно разглядывая молотки, купил рубанок, два кило гвоздей, долото и одноручную пилу. Когда явился с покупками домой, в глазах жены загорелся огонек интереса и надежды.

— Великий Боже, неужто ты наконец собрался починить дверцу в шкафу и сделать полку?

— Что? — удивился Лесь, про полку он давно забыл.— А!.. Да, конечно... пора сделать.

Любопытные взгляды жены вынудили его к дальнейшим усилиям по созданию видимости. Любой ценой следовало избежать подозрений. Посему он соорудил дома что-то вроде верстака, прикупил несколько досок и время от времени старательно отпиливал от них по куску, скрежеща зубами не хуже пилы.

В очередном магазине, присягнув ничем больше не обзаводиться, он оказался единственным покупателем. Бездельничающий продавец внимательно рассматривал Леся, так что условия никак не способствовали краже.

В другом магазине с инструментами, напротив, было полно народу. Молотки стояли на прилавке. Лесь изучил для отвода глаз коллекцию замков и ключей, на ощупь стараясь дотянуться до желанного орудия, в результате чего сбросил на листы жести коробку с шурупами. Шурупы, раскатившись по жести, подняли такой адский грохот, что Леся детально запомнили все присутствующие; пришлось отказаться от кражи и в этом магазине.

В следующем он решил действовать энергично. На завершающем этапе его активности вежливая продавщица сообщила:

— Сорок семь злотых.

— Что? — вздрогнул Лесь от неожиданности.

— Эти молотки по сорок семь. А других нет.

— Мне вовсе не нужен молоток! — с достоинством возразил Лесь; пришлось оторваться от ящика с молотками и поспешно покинуть несимпатичный магазин.

Лесь брел по улице, злился и нервничал, с полной безнадежностью в душе, и уже хотел было отказаться от реализации сложного намерения, как вдруг заметил рабочих, ремонтирующих проезжую часть. Около дорожного знака стоял даже не молоток, а здоровенная кувалда для дробления камня. Хмурая физиономия Леся тут же засияла радостным светом, и вера в себя вновь расцвела в его сердце.

Он остановился, взглянул на работающих поодаль дорожников, оценил ситуацию и странными зигзагами двинулся к месту, где лежала кувалда. Беззаботным фланером намеревался он перейти через улицу как раз в этом месте, после чего кувалда оказалась бы у него в руках. Все так и получилось, с той лишь разницей, что беззаботный переход Леся через улицу, наблюдаемый стоящим в тени дерева на тротуаре милиционером, этот последний принял за петляния вдребезги накачавшегося пьяницы. Ухватив кувалду, Лесь согнулся под неожиданной тяжестью, что подтвердило милиционеру его собственную проницательность.

Поистине тропическая жара, не пощадившая представителя власти, доконала его под конец дежурства и притупила охотничий инстинкт. Он отдал себе отчет в исчезновении кувалды, только когда Лесь свернул за ближайший угол. Пронзительный свисток подтолкнул злоумышленника в бешеный галоп. Подгоняемый паническим страхом, он несся, словно испуганный олень, и быстро скрылся от погони, которая даже не была уверена, его ли в самом деле надлежит хватать.

Домой Лесь добрался через полтора часа окольными путями, какими-то незнакомыми улицами, с кувалдой, прикрытой легкой курткой, в полном изнеможении.

В голове было темно. Охотнее всего он отказался бы от запланированного преступления и отделался от украденного орудия, но не хватало храбрости его выбросить. Кувалда срослась с его телом и гнала его в какой-то ужас, и хочешь не хочешь преступление придется выполнить. Казалось, спрятанная в укромное место кувалда все равно выскочит и погонится за ним.

Не измыслив иного тайника, Лесь принес кувалду в квартиру, на цыпочках вошел в прихожую и, услышав голос жены, в панической спешке втиснул орудие в тумбочку для обуви. Отер потный лоб и постепенно начал приходить в себя.

Время убийства неумолимо приближалось. Подходящее орудие ждало в тумбочке с обувью. Сейчас необходимо во что бы то ни стало выработать детальный план действий и точно ему следовать.

На следующий после кражи кувалды день Лесь поздним вечером уселся в кресле, закурил и приступил к обдумыванию. Главный инженер уходил с работы сразу после двенадцати ночи и к часу добирался до своего дома. Его срочная работа, создавшая столь удобные для преступления условия, завершалась. Коли уж его убивать, то побыстрее, лучше всего сегодня — завтра может оказаться поздно...

При мысли о необходимости реализовать незыблемое решение и неизбежно встретиться с жертвой Лесь испытал страшное нежелание шевелиться.

Лучше пока еще поразмыслить. Он уже видел безжизненное тело соперника, съезжающее с лестницы у входа в дом, и картина эта наполнила его гробовым удовлетворением. С минуту он упивался ею, потом подумал: а ведь, собственно говоря, нет никаких причин для спешки. Главный, ясное дело, и еще когда-нибудь будет возвращаться поздно, Лесь его выследит, прокрадется за ним с кувалдой в руках... А пожалуй, лучше и в самом деле отделаться от этого сегодня?.. Ну конечно же лучше, просто необходимо. Нет никакой спешки, но сегодня лучше. А потому он сейчас отправится, только вот минутку еще посидит...

Стрелки часов показывали двенадцать ночи. Подгоняемый некой сверхъестественной силой Лесь встал с кресла, вышел в прихожую, достал кувалду из тумбочки, тихонько закрыл за собой дверь... Торжественное расположение духа, ясная работа ума, но и некоторое волнение — все вместе овладело Лесем так, что он не заметил даже, как одолел весь путь и очутился около дома главного и затаился в кустах.

К дому подъехало такси, вышел главный. Прежде чем он пересек газон и дошел до лестницы, такси тронулось и умчалось.

Главный возился с ключами, а Лесь, выйдя из кустов, крался осторожно и тихо, как хищный зверь,— почему-то он опустился на четвереньки. На четвереньках же вбежал по лесенке и встал в полный рост только за спиной соперника.

Это не Лесь замахнулся! Это кувалда сама поднялась, увлекая за собой его руку, и сама страшным ударом опустилась на голову жертвы!

Главный, падая, громко застонал, так громко и ужасно, что Леся на мгновение парализовало. Он быстро оглянулся вокруг и уже нацелился бежать, как вдруг произошло нечто ужасное!

Уехавшее такси где-то далеко остановилось и задним ходом начало возвращаться. Раздался пронзительный гудок, окна домиков на одну семью начали открываться, отовсюду слышались какие-то вопросы и восклицания, а в довершение всех бед из едущего задним ходом такси выскочил милиционер с пистолетом. Это было уже слишком!

В паническом страхе Лесь рванул прямо перед собой в черное, неведомое, заросшее деревьями пространство!

Он мчался бездорожьем, продирался через кусты и заросли, спотыкался о корни, не выпуская кувалды: чтобы скрыть преступление, очень важно бросить орудие в Вислу. Упаси Бог, не потерять бы где-нибудь!

Погоня продолжалась. Хуже того, издали донесся лай собак. Кровь застыла в жилах. Вот-вот возьмут след и нагонят его милицейские собаки! Что делать?

Заросли вдруг кончились, и задыхающийся Лесь увидел перед собой улицу, по которой ехал ночной автобус. Автобус остановился, и Лесь бросился к двери, смутно сознавая, что добежал, кажется, до Жвирки и Вигуры — он все время бежал на запад.

В автобусе ждал еще один враг, кондуктор, от которого надлежало спрятать кувалду. Лесь засунул ее за спину под пиджак, но ведь надо достать деньги и купить билет. Пришлось проделать целую серию немыслимых движений, чтобы купить билет, удерживая одной рукой проклятое орудие. Кондуктор, получая деньги, с подозрением рассматривал те или иные фрагменты кувалды, вылезающие у Леся то с одной, то с другой стороны.

Внезапно его осенило: не прятать, а просто делать вид, что он спортсмен. Решительно извлек он кувалду из-под пиджака и, стараясь небрежно подбросить ее, нервно хохотнул:

— Представьте, увлекает, тренировался до поздней ночи... Это метание молота.

— Да, конечно.— Кондуктор странновато посмотрел на него.— И метание наковальни.

Этот диковинный ответ поразил Леся до такой степени, что небрежно подброшенная кувалда вырвалась и грохнулась об пол, сотрясая весь автобус.

Конец! Теперь все пропало, кондуктор запомнит его как пить дать! Мало того, водитель, обеспокоенный непонятным сотрясением, остановил автобус, немногие пассажиры вытаращили на Леся глаза, а издалека сзади уже слышался вой милицейской сирены!

В панике схватил он кувалду и выскочил из автобуса. В следующее мгновение уже лежал на земле, а над ним, ворча и скаля клыки, стоял огромный пес.

Все последующие события слились в один бесконечный кошмар. Словно в тумане, увидел себя на скамье подсудимых в суде, услышал страшные слова и вдруг понял, что это — приговор. Приговор окончательный, обжалованию не подлежит; приговор к пожизненному заключению в колонии строгого режима...

В его душе не осталось ничего — только ужас и безграничное отчаяние. И на кой черт понадобилось ему убивать главного инженера, порядочного, благородного и симпатичного человека?! Помрачение ума, не иначе?! Ведь впереди была целая жизнь, целая жизнь, так по-дурацки погубленная!..

Он очнулся в каком-то странном, ни на что не похожем месте. Вокруг сгустилась темень, рядом коптил маленький светильник. Он хотел пошевелиться, но оказалось — прикован к стене тяжелой толстой цепью, на такой же цепи к ногам приковано тяжелое ядро. Он — на земле, твердой, холодной и мокрой земле, около него охапка старой гнилой соломы, а на соломе, прямо перед глазами вечным укором совести покоится здоровенная кувалда-камнедробилка. Волосы встали дыбом — так вот она, та самая колония строгого режима, где он будет пребывать пожизненно! Рядом оказалась кружка с водой и миска с какой-то темной и скользкой размазней, видимо с едой, в размазне торчала вилка.

Есть Лесю вовсе не хотелось, а на вилку посмотрел с интересом. Он приговорен пожизненно, и терять ему нечего. Временем располагал в избытке, а тут еще какой-никакой инструмент и стена, о которой он, как архитектор, знал абсолютно все.

Взял вилку и начал осторожно ковырять в стене.

Довольно быстро удалось вынуть кирпич, потом второй, наконец, в стене образовался проем примерно в пол квадратного метра. И тут случилось ужасное!

Лесь смотрел и не мог пошевелиться: стена закачалась, выпучилась, выпал кирпич, за ним еще, потом с грохотом рухнула часть стены, а из образовавшегося отверстия вывалился самый настоящий скелет!

Лесь по-прежнему сидел в кошмарной тюремной камере, прикованный к остаткам стены, засыпанный кирпичом и щебнем, в объятиях скелета, и это еще куда ни шло. Но скелет ревел, ревел Лесю в ухо ужасным, пронзительным, металлическим ревом и, судя по всему, будет так реветь до самого Страшного суда!

И тут Лесь не выдержал. С паническим криком он рванулся, дабы сбросить с себя скелет, изо всей силы взмахнул скованными руками и с размаху ударился локтем. На миг все звезды на небесном своде вспыхнули перед глазами, и он пришел в себя.

Ревел будильник. Лесь растянулся под креслом в собственной квартире, ужасно болел локоть. Ревущий будильник лежал около него, показывая шесть утра. За окном сиял солнечный день.

Довольно долго Лесь не мог уразуметь, что, собственно, произошло. Ведь он убил главного инженера?! Где камера, где скелет?! Неужели весь этот кошмар только сон?..

Не веря своему счастью, он не смел пошевелиться. От волнения перехватило дыхание. Лежал под креслом, локоть саднило, и казалось, здесь чудеснейшее место в мире.

Вдруг вспомнил украденную кувалду и затрясся с ног до головы. Вскочил с бьющимся сердцем, влетел в прихожую, бросился к обувной тумбе. Кувалда лежала на месте. Решение напрашивалось само собой: убрать, выбросить, уничтожить, избавиться любым способом, будто кувалда обладала дьявольской силой, которая сонный кошмар могла заменить на действительность. Лесь схватил было ее, но впопыхах запихнутая кувалда и не дрогнула. В Лесе вдруг вспыхнула нечеловеческая сила. Он уперся ногой и дернул так, как ни разу в жизни ничего не дергал!

Ужасный грохот разбудил Лесеву жену. Полусонная, она вылетела в прихожую: муж сидел на полу в обломках вырванной из стены тумбы, засыпанный штукатуркой, придавленный оторванной вешалкой и нежно обнимал здоровенную кувалду-камнедробилку.

Рассудительная, спокойная, уравновешенная Касенька на сей раз упала в обморок.

Лесь явился на работу без опоздания. С шести утра у него было довольно времени, чтобы привести в чувство жену, убрать побоище в прихожей и дать исчерпывающие объяснения по этому поводу. Он успел даже взять такси и на мосту Понятовского сбросить убийственное орудие в Вислу, возбудив немалое удивление водителя.

Сенсацию вызвало его пунктуальное прибытие на службу и несколько странное поведение. Едва переступив служебные пороги, Лесь возбужденно и беспокойно начал спрашивать о главном инженере. Главного еще не было, и никто не мог сказать, когда будет.

Беспокойство Леся усиливалось. Воспоминание о ночном кошмаре, зловещие предчувствия насчет судьбы несостоявшейся жертвы доводили его почти до потери сознания. Ужасное нервное напряжение парализовало его рабочую активность, он совсем утратил ощущение действительности и заразил волнением всех сослуживцев.

Зав мастерской после долгих и пытливых раздумий, поддержанных советами кое-кого из сотрудников, как раз накануне пришел к выводам, весьма лестным для Леся. Зав признал: у него в мастерской талант, и его, зава, обязанностью является культивировать оный талант и помочь ему расцвести. Зав оценил великий творческий Лесев порыв, понял оригинальность этой артистической души и решил испробовать новый метод воздействия.

Пани Матильду деликатно проинструктировали насчет поблажек в рабочей дисциплине, а Лесю присудили премию по поводу государственного праздника, который, правда, уже состоялся сколько-то времени назад, но в финансовом выражении отмечался только теперь.

Решившись на таковые начинания, созвали собрание с целью информировать сослуживцев насчет присужденных премий. Зав сделал приятное выражение лица, произнес краткую речь по случаю, после чего, полный симпатии и доброжелательства, обратился к Лесю, которому на этом собрании отводилась главная роль.

— Я очень рад, пан Лесь...— сердечно заговорил он и осекся.

Дикий, перепуганный Лесь, чей встревоженный взгляд то и дело рыскал среди присутствующих, мрачная, бледная физиономия забеспокоили зава, и он сбился.

— Я очень рад,— повторил он вяло и неуверенно.— Я рад...

Паника, охватившая Леся, достигла зенита. Он ни слова не понимал из того, что говорилось. Только по направлению взгляда уразумел, что обращаются к нему, а молчание, когда зав сбился, вынудило его ответить. Хоть что-нибудь сказать. Он открыл было рот еще раз и все безрезультатно, наконец ему-таки удалось подать голос.

— Где Збышек?! — хрипло простонал он в непередаваемом отчаянии.

Зав почувствовал, как его бросает в страшный жар. Паническое состояние Леся передалось и ему. Он вперился в Леся остолбенело и с ужасом.

— Я рад...— повторил он, смутно представляя бессмысленность высказанного, но не в силах овладеть собой.— Я рад... Как это где Збышек... Что? Да здесь Збышек! — поспешил он сообщить, с огромным облегчением увидев входившего главного инженера.

Главный вошел, не опасаясь никакой напасти, и удивился — все присутствующие молча уставились на него. От растерянности он остановился в дверях, и в этот момент все физические и умственные способности вернулись к Лесю.

— Дорогой мой!!! — рявкнул он душераздирающе и пал в объятия несостоявшейся жертвы, тыкаясь в лицо и плечи оной жертвы безумными поцелуями.

Главный в первый момент совсем ошалел. Он пытался увернуться от такой бури чувств, но не тут-то было: Лесь держал его крепко и изо всех сил прижимал к груди.

— Любимый мой!!! — орал он, почти рыдая от счастья.— Дорогой!!!

Главного мороз продрал по коже, зародилось ужасное подозрение, что Лесь, помешавшись, заодно утратил способность различать половые признаки и объектом своих чувств, по странному совпадению, выбрал именно его. Поскольку решительные протесты, отчаянные и бесполезные усилия ни к чему не привели, он воззвал к онемелым и застывшим сослуживцам.

— Да встанет ли кто-нибудь, черт вас возьми! — рявкнул он яростно.— Уймите этого извращенца!!! Пан Лесь, вы что, с ума сошли! Убирайтесь к дьяволу!!

Суматоха, возникшая в результате совместного, всем коллективом, отрывания возгоревшегося пылкой любовью Леся от его жертвы, улеглась лишь через четверть часа. Зав мастерской, несколько придя в себя от впечатлений, заново приступил к незаконченной теме премий и поощрений. Объяснение Леся, дескать, видел страшный сон с инженером в главной роли, пусть и хаотичное, всех убедило. Только он сам все еще не мог обрести равновесие. Не мог и удержаться от влюбленных взглядов на главного инженера.

Зав мастерской снова подошел к нему и протянул руку.

— Я рад, пан Лесь, искренне рад, что мы смогли, наконец, выразить признательность за вашу работу.— Он сердечно пожал Лесю руку.— Надеюсь, это не в последний раз. Я уверен, мы неоднократно будем иметь подобный повод...

Ошеломленный Лесь с трудом оторвал взгляд от главного инженера, взглянул на зава в благоговейном умилении.

— Больше никогда,— возвестил он торжественно и с силою.— Ни за какие сокровища! Больше никогда!..

Зав мастерской, едва пришедший к выводу, что Лесь уже больше ничем и никогда не сможет его удивить, услышав эти клятвенные слова, усомнился в своих умственных способностях.

Часть вторая

Налет столетий

С некоторого времени над архитектурной мастерской навис несомненный финансовый крах.

Началом и непосредственной причиной этого печального положения вещей стал великолепный монументальный конкурс, в котором зав мастерской решил принять участие вместе с родным коллективом.

Искушение было велико: предлагалось разработать большой курортно-туристический комплекс для разбивки в самых живописных уголках отечества — от комфортных зданий до эстетичных радующих глаз мусорных контейнеров. Весьма подбадривал и дополнительный стимул: комплекс назначался скорее на экспорт, нежели на отечественную реализацию. Призеров ждали слава, почет, да и немалые денежки!

Зав мастерской загорелся с первого момента: очами души созерцал он толпы восторженных иностранцев, заполнивших прекрасные гостиничные им спроектированные строения; заморские гости плескались в живописных бассейнах, скользили в танце на паркетах ресторана и кафе, орали от восхищения и визжали от восторга на каждом шагу. Пожелтелые от зависти лица и вытаращенные глаза иностранных архитекторов маячили в его сновидениях. Заголовки хвалебных статей в отечественной и зарубежной прессе мелькали повсюду — на стенах и потолках, причем на мыслимых и немыслимых языках, а однажды попалась лестная надпись арабскими закорючками; правда, расшифровать ее он не смог, но сердце подсказывало, что она самая хвалебная из всех.

Он уже видел себя в окружении государственных мужей, наперебой поздравлявших его, а пиджак оттягивали всевозможные медали и ордена. Под конец приснился сам премьер, затормозивший около него черный мерседес: первый сановник страны вышел из машины и публично, на весьма людной улице, выразил ему глубочайшее уважение.

Это видение из высших сфер воодушевило зава до крайности, и он без особого труда заразил своим энтузиазмом весь коллектив.

Три с лишним месяца шла адова работа. На три с лишним месяца двенадцать подвижников забросили текучку, изощряясь в точнейшем черчении, лепке, рисунке, обрамлении и пересчетах, выкладывая на священную цель последние гроши, вкалывая по ночам до потери пульса. Настал звездный час зава: окрыленный великим порывом, он хотел как можно искусней воплотить блистательное Провидение и до последней минуты изменял, улучшал, дополнял, не обращая внимания на приближение неумолимого срока. И вот время выкинуло обычный свой фортель — остались последние сутки.

Последние сутки — конец света, землетрясение и Дантов ад, вместе взятые.

В семь вечера на импозантный макет туристического комплекса наводили последний глянец. Януш и Каролек сбивали из досок ящик, в коем шедевр уезжал во Вроцлав, волевая Барбара, с трудом сдерживая лихорадочное нетерпение, тщательно и тонко засыпала последние газоны порошковой зеленой краской, Влодек-электрик феном для волос просушивал фотокопии, а зав топал ногами и бушевал в переплетной мастерской, где обрамляли цветные чертежи.

В девять вечера выяснилось, что на одном из интерьеров отклеилась целая стена, выложенная клинкером. В половине одиннадцатого кто-то сигаретой прожег последние страницы технического описания, старательно выпестованного пани Матильдой. В одиннадцать при упаковке макета оторвалась труба котельной. В одиннадцать тридцать весь коллектив зашелся в истерике — в машине Влодека-электрика не включалось зажигание, а именно этому средству передвижения выпала почетная обязанность доставить ценный груз в экспедицию на Центральном вокзале. Машина зава не годилась, ящик с макетом можно было впихнуть только в «вартбург-комби», принадлежавший Влодеку. Поиски грузового такси поздним вечером — дело гиблое, равно как поиски шофера-филантропа. Надо заметить, что истощились все капиталы коллектива, самоотверженно вложенные в конкурс.

Ровно в полночь кончался срок сдачи конкурсных работ.

Зав призывал бороться до конца. К тому же стоящая рядом с ним, локоть к локтю, пани Матильда — олицетворение административного усердия — выкрикивала нечто маловразумительное, но безусловно ободряющее:

— Дата... Сегодняшнее число! Через мой труп!.. Число!..

В час ночи на улице перед зданием мастерской слышался согласный рев:

— Эх... взяли! Эх... взяли! Да пихай же, черт подери, чего стоишь, корова! Эх... взяли! Третью включай, баран, третью!!! До вокзала тебя толкать?!

Доведенный до отчаяния коллектив победил капризы зажигания.

Экспедиция на Центральном вокзале была последним бревном на пути к славе. Бревно это взвалила на свои плечи пани Матильда.

Сверкающим оком она безошибочно вычислила пани, ставившую штемпель с датой. Предоставив будущим лауреатам метаться около весов, она атаковала оную пани. Бормоча что-то дикое, извлекла из-за стойки удивленную и обеспокоенную женщину, затащила в дамскую уборную и там прикипела к ней, заливаясь обильными слезами.

— В пани все наше будущее,— вопила она.— Наша судьба зависит только от вас. Я все для вас сделаю! Все!..

При этом, одной рукой обхватив шею потрясенной работницы экспедиции, другой она пихала ей кровные, отложенные про черный день сто злотых. Из драматических, трагических, слезливых, а в иные моменты и кровожадных выкриков пани Матильды несчастная женщина наконец поняла, что речь идет о пустяке, о пометке посылки не сегодняшним числом, а вчерашним.

— Всего полтора часа! — голосила пани Матильда.— Полтора часа!.. И целая жизнь!.. Что для вас эти полтора часа!..

Смущенная, застигнутая врасплох и безмерно удивленная владелица штемпеля прониклась неведомой трагедией, разыгравшейся на ее глазах и на ее шее. К тому же она, очевидно, засомневалась в психическом состоянии пани Матильды и благоразумно предпочла ей не перечить. Передвинула в почтовом штемпеле одну цифру и, разнервничавшись, принялась лупить печати одну за другой. Пани Матильда — спутанные волосы, безумные глаза, фанатичная гримаса — стерегла ее, будто палач свою жертву, ни на минуту не отцепляя взгляда. И лишь с последним ударом штемпеля героиня перевела дух.

— Судьба вас возблагодарит,— заявила она торжественно.

Тут ошеломленная работница экспедиции вспомнила о насильно всученных ей в интимном помещении ста злотых и попыталась вернуть деньги пани Матильде — больно все это смахивало на взятку,— но пани Матильда с ужасом содрогнулась и, громко протестуя, обратилась в бегство. Конкурсный проект отправился к месту назначения вовремя.

А на следующий день оказалось: уже неделю назад срок конкурса был продлен на четыре недели из-за протестов и настояний большинства заинтересованных авторов. Это известие не дошло не только до ошалелого от творческого порыва зава, не только до его в равной степени ошалелых сослуживцев, но даже до значительно менее ошалелого главного инженера. А дойдя post factum *, известие не вызвало уже никакой реакции.

Совершенно очумев от бешеной нагрузки, коллектив чуть-чуть оклемался и вспомнил про запущенные будничные занятия. И тут началась новая драма.

Три месяца о договорах с заказчиками никто и не вспоминал, переработок не было, премий тем более, а взамен посыпались договорные неустойки за просроченные работы. К счастью, не слишком высокие. Хотя зав, воспарив к творческим высотам, утратил всякий здравый смысл и интерес к темам приземленным и рутинным, главный инженер сохранил бдительность, по крайней мере до середины конкурсного срока, и трезвый взгляд на служебные обязательства. Разработанный им план действий на ближайшие полгода позволял питать надежды, что при интенсивных усилиях мастерская встанет на

_____
* Позже, впоследствии *(лат.)*.

84

ноги, с условием, правда, получения достаточного количества заказов.

Однако насчет заказов дело обстояло совсем не блестяще: инвесторы, разочарованные полнейшей халатностью исполнителей, не очень-то давали о себе знать. Таким образом, только победа на конкурсе и получение заказа на реализацию давали шансы доблестному коллективу выйти с почетом из запутанной ситуации. В ожидании еще весьма не близких творческих результатов все сотрудники в едином порыве объявили боевую готовность, которая, конечно же, исключала любую деятельность вне родной мастерской. Никакой халтуры, никаких подрядов, никаких дополнительных заработков на стороне! Все силы — общему делу!

А между тем великая цель высосала все личные и служебные капиталы...

Побледневший Влодек вспомнил, что уже трижды вежливый директор бюро по продаже в кредит согласился на перенос срока очередного платежа за машину. Теперь плати по меньшей мере три взноса, а может, и четыре, что вместе составляет семь тысяч двести злотых, иначе все пропало.

Янушу и Каролеку грозило отлучение от жилищного кооператива, который нагло домогался выплаты от каждого скромной суммы в шестнадцать тысяч, причем благодаря тяжкому труду предков Янушу не хватало только девяти тысяч, а Каролеку — восьми.

Красавица Барбара забуксовала в самом разгаре квартирного ремонта. Ее супруг, погруженный в докторскую диссертацию по химии, отказался участвовать в этом оздоровительном мероприятии, и вся тяжесть ответственности обрушилась на ее плечи. И теперь красивые глаза пылали мрачным огнем, когда милейшим и мягчайшим голосом она убеждала по телефону столяра: вот-вот и всенепременно заплатит долг в семь тысяч. Мрачный огонь поддерживала не менее мрачная уверенность в полной безнадежности благополучного исхода.

У Леся дела обстояли еще хуже. Четыре телефонных счета, три за свет и газ и три за квартиру вместе составили приятную сумму в четыре тысячи злотых, не поражавшую, правда, астрономическим размахом, но вполне достаточную для отключения телефона, света и газа. Лесь без всяких раздумий взял бы взаймы необходимую квоту у богатых друзей, но, с одной стороны, вокруг него наблюдался неурожай на богатых друзей, а с другой стороны, он и так должен разным людям около пяти тысяч. Смертельно опасаясь конфликтов с бюро по продаже в кредит и стараясь скрыть от жены печальное положение своих финансов, Лесь пока что регулярно платил взносы за холодильник и телевизор. А теперь беспардонное поведение телефонщиков, электриков и газовщиков потрясло фундамент его семейного счастья и радикально отучило от ранних возвращений домой.

У главного инженера, который пошел в кабалу за семейный домик, не было денег на очередной взнос. Зав мастерской увидел дно в своей шкатулке как раз в тот момент, когда уже почти считал себя полноправным обладателем механического средства передвижения. Анджей, сантехник, не смог своевременно опутать себя супружескими узами по причине отсутствия денег на обручальные кольца, что произвело поистине фатальное впечатление на семью будущей жены. Личная свобода Стефана, тоже сантехника, оказалась под угрозой, поскольку, будучи причиной автомобильной аварии, он не был в состоянии оплатить штраф, и перед ним замаячила перспектива шестинедельной отсидки. Остальной части обслуживающего персонала, проживающей последние деньги, также грозил финансовый крах.

Короче говоря, мастерская заехала в беспросветный денежный тупик.

В спортлото играли и раньше, но каждый на свой страх и риск. Вскоре выяснилось, что азарту предаются все и полагают в нем единственное спасение от наступающей нищеты. После этого открытия хаотичная и единоличная забава сменилась коллективной, научно обоснованной деятельностью. Поздно вечером сосредоточенно производились сложнейшие математические подсчеты, разрабатывались новые, усовершенствованные системы игры.

Усовершенствованные системы подсказали четверку и три тройки, что никоим образом не удовлетворило потребностей играющих. Нужда наступала на пятки. А потому, не отказываясь от мысли снова вернуться к научным системам, решили использовать факторы сверхъестественные.

Вдохновение осенило доведенного до крайности Леся, ибо жена беспрерывно кормила его прессованным творогом, к тому же диетическим. Известно, однако, что творог удивительно стимулирует какие-то мозговые клетки: сослуживцы смогли убедиться в этом однажды в пятницу вечером.

— Знаете, мне кажется, мы допускаем ошибку,— задумчиво сообщил он, с отвращением глядя на оставшийся кусок творога.— В этом спортлото все основано на случае. Наш способ наверняка хорош, и с нашим методом должно получиться, только неизвестно когда. Может, как раз выпадет под самый конец?

— А что ты предлагаешь? — Каролек с любопытством посмотрел на него и добавил:— Давай меняться: мне творог, тебе яйца. Видеть не могу яиц.

— Что ты говоришь, а я творог не выношу,— обрадовался Лесь, соглашаясь на обмен.— Мне кажется, нам тоже надо уповать на случай. Не то чтобы всегда, но разок, другой...

Из своего кабинета зав услышал голоса сослуживцев и весьма взволновался... Да, исключительные люди! В такое время... Он взглянул на часы. В десять вечера энтузиазм, оживление! И это конец недели, пятница, люди тяжко проработали всю неделю, не говоря уже о тех трех месяцах чудовищного напряжения всех сил! Нет, в самом деле, с таким коллективом, с таким коллективом...

Отдаленные голоса то затихали до едва слышного говора, то взрывались с небывалой страстью. Растроганный зав почувствовал интерес: какая же это профессиональная проблема вызывает у его сотрудников столь горячие споры? Возможно, необходима помощь? Возможно, необходим его авторитет для разрешения серьезных, очевидно, сомнений? Он встал — ответственный и гордый — и отправился в комнату близких его сердцу коллег-архитекторов.

И только он взялся за ручку двери, в комнате воцарилась тишина и раздался гневный, нетерпеливый окрик:

— Куда плюешь, кретин?!

Странный с профессиональной точки зрения вопрос на мгновение задержал зава на месте. Чрезвычайно заинтригованный, он несколько неуверенно открыл дверь, и глазам его предстала картина, редко в проектных мастерских встречаемая.

На полу, спиной к нему, стоял на коленях Лесь, который с увлечением зеленым мелком доводил до совершенства на плитках полихлорвинила идеальный круг. Спиной к кругу на стуле стояла Барбара и в поднятой руке держала бумажный фунтик в виде рога изобилия. Каролек сидел за столом над купонами спортлото, а засмотревшийся на Леся Януш вытирал о брюки коробок спичек и ворчал:

— Придурок, мои спички оплевал...

О том, что зеленый мелок перед употреблением был ритуально оплеван всеми членами группы, и о том, что увлеченный Лесь случайно наплевал и на Янушевы спички, зав мастерской не знал. При всем желании он не мог уяснить услышанное восклицание.

— Ну, закончил? — нетерпеливо спросила Барбара.

— Да,— Лесь поднялся с колен.

— Через левое плечо! — предостерегающе крикнул Януш.

Барбара как-то странно замахнулась, и из рога изобилия посыпался дождь белых бумажек на зеленый круг и его окрестности.

Группа, занятая бумажками, не обратила ни малейшего внимания на стоящего в дверях начальника. Януш и Лесь бросились к бумажкам, попавшим в круг, и поспешно принялись их разворачивать.

— Шестнадцать,— сообщил Януш Каролеку.

— Четырнадцать,— сообщил Лесь.

— Боже милостивый, что это такое? — спросил зав.

Ученые коллеги, пойманные на занятиях черной магией, на мгновение прервали борьбу с судьбой. Они рассеянно поглядели на зава, рассеянно переглянулись и, слегка поколебавшись, вернулись к таинственному занятию.

— Семнадцать,— продолжил Януш.— Барбара, объясни ему, у нас тут проблема. Попало восемь штук.

— Заполняем купоны по пятьдесят шесть злотых,— решительно потребовала Барбара.— Не мешай нам, в сверхурочные часы мы имеем право на личную жизнь. Разве только дашь нам взаймы тысяч сто злотых.

Зав молчал, поскольку немножко опешил. Коллеги жадно поглядывали на него, ибо вопреки всякой логике возымели вдруг абсурдную надежду. Они показались заву шайкой голодных людоедов, облизывающихся на упитанного миссионера. А не сбрендила ли часом вся группа? Ведь среди них находился Лесь...

— Дорогие мои, откуда у меня сто тысяч,— ответил он на всякий случай мягким примирительным тоном.

Затем, пятясь, отступил с опасной территории.

А в оставленной им комнате черная магия разбушевалась вовсю. Сочетание колдовских и научных методов, по мнению группы, не может не принести желаемых плодов. С нетерпением ждали понедельника.

— Тройка-то наверняка есть,— мрачно заявил Януш в понедельник.— В крайнем случае на сигареты хватит.

— А может, надо выбирать числа в полночь? — уныло предположил Лесь.

— В какую полночь? — равнодушно отозвался Каролек.

— А ведь и правда, — оживилась Барбара.— В полночь, в пятницу и при свечах!

В целях экономии количество свечей ограничили до трех. Благодаря чему не наделали пожара, а подожгли всего лишь несколько старых фотооттисков. Лесево предложение насчет черного кота вызвало общее смятение: и в самом деле, ведь не все аксессуары соблюдены...

Каролек составил список сугубо необходимого.

— Я вам вот что скажу,— подытожил он.— Абсолютную уверенность в выигрыше можно гарантировать, если угадывать числа в пятницу, в полночь и на распутье трех дорог, к тому же в полнолуние. И, насколько я могу судить, хорошо бы еще иметь черного кота, нетопыря, сову, тринадцать похоронных свечей и сушеную змею. И кажется, парочку пауков, правда, тут я не уверен.

Барбара вздрогнула:

— Никаких пауков!

— Кот есть,— с отчаянием сказал Януш.— Нетопыря и змею еще удалось бы как-нибудь достать, а вот похоронные свечи... если только украдем. Говорят, они стоят дорого.

— А вообще-то сейчас как раз полнолуние,— добавил Каролек с отвращением.

Капиталы закончились. Сроки платежей угрожали все серьезней. Доставание денег требовало прямо-таки акробатического мастерства. И вдруг стряслось нечто неслыханное, напрочь отбросившее нудные денежные заботы коллектива.

В мрачный вечер понедельника, сразу после очередного фиаско в борьбе с судьбой, трое из славной четверки сидели в задумчивости. Злые силы определенно ополчились на незадачливых колдунов. Несмотря на заимствованных в дружеской организации одного дохлого желтопузика, двух нетопырей и вороньего чучела, несмотря на увеличение количества свечей до семи, несмотря на научные компьютерные расчеты в еще одной дружеской организации, в отосланных купонах не набралось даже трех угаданных чисел.

В поздний час никто не работал. И никто не проявлял излишнего стремления отправиться домой. Дома сидели ожесточенные чада и домочадцы, задающие назойливые и дурацкие вопросы. А кто мог дать на них ответ? Каролек, Барбара и Лесь точно не могли. Ибо неисповедимы пути должников жилищного кооператива или уклонистов от справедливых претензий столяров и слесарей! И разве мог Лесь возжечь свет в темной вечерней квартире?

В тоскливой гробовой тишине раздался звук, на слух самый обыкновенный — никто из друзей по несчастью и не заподозрил, что звук сей возвещает события удивительные и великие. Хлопнула входная дверь, кто-то галопом взлетел по лестнице и потом старался несколько затормозить на скользком паркете, но безуспешно. Закон инерции не дал сбавить скорость, и Януш, скользя, ворвался в комнату, немного перекосив створку дверей, и чуть не врезался в стол Леся. Он оперся о чертежную доску и тяжело дышал, с ужасом вытаращив глаза на коллег.

Барбара, Каролек и Лесь отвлеклись от драматических размышлений и проявили некоторый интерес к только что прибывшему товарищу по несчастью.

— У тебя что — жар? — вскинулся Лесь, поправляя чертежную доску.

— Я летел... по... лестнице...— Януш пыхтел, запинался, и с его физиономии не сходило выражение ужаса.

— Гнались за тобой, что ли? — любопытствовал Каролек.

Януш глубоко вздохнул несколько раз, дабы сообщить нечто поразительное самым эффектным образом. И предельно трагически произнес:

— Конец! Труба!

Все трое согласно повернулись к нему, предчувствуя зловещее, из ряда вон выходящее.

Януш вздохнул еще раз.

— Я сейчас прямо от Гени,— в его голосе послышались отзвуки погребального звона.— От Геньки, доходит?

— Но ведь Геня в Италии,— удивился Каролек.

У него мелькнуло, не вернулся ли Януш из Италии, но, с другой стороны, как можно съездить туда и обратно, покинув мастерскую часа три назад? Каролек совсем запутался и только таращил глаза на отпыхивающегося Януша.

— Не в Италии, а в Белостоке,— решительно опроверг Януш.

— Так ты вернулся из Белостока? — наивно спросил Лесь.

— Кретин,— буркнул Януш и, чуть помолчав, зачастил:

— Слушайте все, повторять сил нет, а то просто сдохну. Геня вернулся из Италии полтора месяца назад и сидит в Белостоке с группой этих щенков, группу создали недавно, помните, они еще орали, что всем нос утрут. Сегодня я поймал его случайно, хотя, черт знает, может, и предчувствие какое, а завтра утром он уезжает...

Януш остановился перевести дыхание, все остальные быстро сообразили насчет вступительного сообщения... Краткая и безошибочная оценка этого сообщения присутствующими вызвала у них такое любопытство, что дух перехватило.

— Я ждал чуть не полчаса — его где-то носило с семейством — и смотрел фото из Италии, этот обормот всюду раскидал всякие снимки — вдруг кто ненароком не поверит, что он там был. И рабочие фотокопии тоже. Разные. Увидел я там один проект, где-то около Неаполя будут строить или еще что. Техно-рабочий проект. В глазах так и стоит, мать честная, вот это решение!..

Он замолчал, и мрачная его физиономия на секунду осветилась восторгом. Однако тут же вернулся к рассказу, напряжение в комнате снова повысилось на несколько градусов.

— А после, ну короче, когда узнал, что мы отослали свой проект две недели назад, показал фотоотпечаток их проекта...

Теперь Януш замолк уже осознанно и ответственно. Катастрофическое его настроение понемногу стало передаваться слушателям. Он по очереди посмотрел на них, оценил сосредоточенное внимание, глубоко вздохнул в третий раз и объявил четко и зловеще:

— Точь-в-точь с итальянского проекта!

Черные мысли касательно денежных передряг улетучились, подобно вороньей стае. По сравнению с добытыми Янушем секретными сведениями все остальное казалось полной ерундой. Присутствующие почувствовали себя примерно так же хорошо, как на огнедышащем кратере.

Скорость света — ничто в сравнении с потрясенной человеческой мыслью. В какую-то долю секунды были уточнены три основных пункта проблемы.

Во-первых, польская группа отсылает на польский конкурс украденный итальянский проект. Законченное свинство, полная стыдобища и абсолютный профессиональный позор!

Во-вторых, бездарные воображалы — щенки из Белостока — безнаказанно проворачивают махинацию: посредством подлого обмана наверняка хапают первое место и втираются в архитектурную элиту страны! Дикая, вопиющая несправедливость!

В-третьих, все другие коллективы автоматически лишаются великого шанса. Подумать только: энтузиазм, творческий труд в жарищу, то есть буквально в поте лица, в муках рожденный опус — и все к чертям собачьим! Тоска, жуть, конец светлой надежде!

Доля секунды на размышления, доля секунды на тишину. И затем взрыв. Трое сорвались с мест, бросились на четвертого; крики, галдеж, запальчивые вопросы, хлесткие мнения о коллегах по профессии, призывы к отмщению, упования на сверхъестественные силы. Суматоха несколько улеглась минут на пятнадцать, поскольку участники доорались до хрипоты, а на стол Леся перевернули большой пузырек с тушью. Надо было срочно спасать залитые чертежи, и посему наступило затишье.

— А ведь этот Генька — придурок,— философски заметил Каролек.— Как это он не сообразил, что ты можешь вычислить?

— Он же не знал, что я видел те фотокопии,— ответил хитроумный Януш, вытирая Лесеву рейсшину собственным носовым платком.— Когда он уходил, я изучал журнальчик по французскому стриптизу, а когда вернулся, я любовался датской порнографией. Ему и в голову не пришло, что бы я от этих занятий оторвался.

— Мне бы тоже не пришло,— сознался Лесь, пытаясь стряхнуть тушь с бутерброда.

— Ну и как быть? — занервничал Каролек.— Так все и оставить?

— Нет,— отрезала Барбара.— Свинство кругом сплошное. Нечего нюни распускать, надо бороться!

— А как? Стукнуть в Союз архитекторов?...

Кипение страстей несколько стихло. Помолчали, переглянулись.

— Нет,— поморщилась Барбара.— Это уж слишком...

— Что и говорить,— согласился Януш.— Не допустить — это одно, а доносить... Если докажут, им хана. Надо все же дать шанс.

— К тому же ты еще сам и доказывать должен, а то в Союзе подумают, мы-де просто хотим их заложить,— логично рассудил Каролек.

— Вот именно. А доказать так сразу не получится, проект-то они еще не сделали. Кажется, заканчивают рабочие чертежи. Концепция, правда, взяла первую премию на каком-то ихнем конкурсе, потом малость подработали. И уверяю, ну просто точь-в-точь наша территория. Холмистая и даже, черт, речка течет!

— А фотооттиски?

— Генька сам делал, он с теми парнями в Италии немного работал.

— На память?

— А черт его знает. Может, у этого болвана и бродили кое-какие мыслишки... А, все равно. По глупости рискнули на плагиат, это наверняка, и приструнить их надо, но ведь не давить же совсем, и права такого не имеем...

— А полюбовно уладить не удастся?

— Сейчас? За неделю перед отправкой?

— Что же делать?..

— Украсть,— выпалил вдохновенно Лесь, который покамест молчал и думал.

Три пары глаз растерянно вскинулись на него.

— Что? — тупо переспросил Януш.

— Украсть, говорю. Весь проект или хоть половину. Полкомплекта ведь не станут отсылать.

Ошеломленная группа смотрела на вдохновенного Леся примерно как на пятиногую корову. Никто, понятно, не подозревал о его криминальном опыте и заготовках преступлений, по сравнению с каковыми налет с целью кражи был просто мелочью, не стоящей упоминания.

— Слушайте, а ведь это мысль! — поддержал Януш.— Это вовсе не плохая мысль! — добавил он и посмотрел на Леся, на сей раз с восхищением.

— А как украсть? — заинтересовался Каролек.

— Не знаю,— с честным сомнением ответил Лесь, памятуя о трудах, затраченных на собственное преступление.— Как-нибудь сообща. Забраться, что-нибудь тяпнуть...

Януш покачал головой:

— Так просто не пройдет. Сторожат, закрывают тщательно и вообще носятся с проектом как с писаной торбой.

— Ну и что? А если хорошенько помозговать?

— Говорю же, стерегут как черти. А теперь, под конец, сидят днем и ночью, почти без перерыва. И вломиться нельзя — окна у них забраны решеткой — был я как-то, видел.

— Может, поджечь дом? — наугад предложил Каролек.

— Так он тебе и загорится. Каменный, окна в стальных переплетах, двери обиты железом. До войны тюрьма была, а теперь архитектурную мастерскую открыли.

Снова воцарилось молчание. Будущие налетчики прикидывали и то и се, и за и против. В сложившейся ситуации кража представлялась единственным возможным выходом. Во-первых, кража воспрепятствовала бы наглой фальсификации. И все осталось бы в тайне. А затем у этих придурковатых мерзавцев появилась бы возможность раскаяния, сожаления и морального обновления. Только вот как совершить эту высоконравственную кражу?

— Из помещения не выносят? — спросил Каролек.

— А зачем выносить? Вынесут, когда будут отсылать.

— Так, может, именно тогда?..

— И что, будешь там дежурить в маске и с накладной черной бородой, чтоб тебя не узнали? Нас ни в коем случае не должны подозревать!

— У меня есть шлем с забралом,— похвастался Каролек.— От каких-то предков. Заржавел от старости, и забрало заело, а вообще снаружи не видно, что там внутри.

— А из шлема что-нибудь видно?

— Ничего, потому как глазные прорези не на том месте.

— Ну просто супермаскировка. Засунь башку в любой старый горшок, то же самое будет.

— Стоп! — крикнула Барбара.— Заткнитесь! У меня идея!

Каролек и Януш прервали дискуссию о горшке и забрале. Лесь отставил бутерброд с творогом, из которого извлекал пропитанные черной тушью кусочки. Все втроем полными надежды взорами уставились на красу коллектива. Краса поднялась, продефилировала по комнате, потом решительно повернулась к сослуживцам.

— Резюмируем. Мы ни в коем случае не можем допустить подобного издевательства. Не говоря уже о всем прочем, эта афера затрагивает и нас лично. Этот проект ни в коем случае не должен попасть на конкурс!

Она замолчала и выжидающе поглядела на всю компанию.

— Ты это насчет чего? — осведомился Януш.

— Насчет того,— ответствовала Барбара.

Она снова прошлась туда-сюда и остановилась около слушателей. Прогулки по комнате пошли Барбаре на пользу. В лице обозначилось волевое упорство, прекрасные глаза полыхали вдохновенным огнем, грудь вздымалась приливом. Представители иного пола, почти забыв о причине забот, уставились на нее восхищенным взглядом.

— Я насчет того,— повторила Барбара.— Другого выхода нет! Готовы ли вы на все? Готовы ли на преступление?

Ее глаза сверкали, ее голос был не менее зажигателен. Если бы она в этот момент спросила, готовы ли они голыми руками изловить разъяренного тигра, все тут же бы засучили рукава. Согласный хор ответил немедля и с энтузиазмом.

— Итак, выход один. Выкрасть проект, когда эти паскуды уже не будут его стеречь. Значит, как только его отошлют! Украсть из поезда!

Будущие подельники обалдели от изобретательского гения Барбары. Ее слова звенели как набат. Лихое, бескомпромиссное решение, смутная и зловещая картина нападения на какой-то поезд, надежда на достижение цели истинно мужским способом — все это произвело ошеломляющее впечатление.

Они просто не могли оторвать глаз от пламенной Барбары, и удивление понемногу сменилось восхищением, опьянением, восторгом.

Первым отрезвел Януш. Поскольку его невеста была почти столь же красива, как Барбара, он гораздо спокойнее реагировал на посторонние дамские прелести.

— Мысль сама по себе неплохая. Только откуда знать, в каком поезде повезут? Все равно придется сторожить...

— Надо ездить подряд всеми поездами,— предложил Лесь.— Будем сменяться.

— Ерунда,— оборвала Барбара и села на свой стул.— Я знаю, что говорю. Есть исключительно выгодное обстоятельство — моя кузина.

— Значит, кузина будет ездить? — обрадовался Каролек.

— Болван! — Барбара потеряла терпение.— Эта кузина с двумя детьми сбежала от мужа. По-моему, хорошо сделала, но речь не о том. Ей приходится вкалывать — детей кормить надо...

— А муж что? — вдруг заинтересовался Януш.

— Ну при чем здесь муж? — фыркнул Каролек, прервав Барбару.

— Как это при чем, я тоже готовлюсь в мужья...

— Если будешь таким же кретином, как тот, будь уверен, Данка от тебя сбежит,— вскинулась Барбара.— Уже и теперь вижу, что-нибудь в этом роде случится. Дадите мне закончить или нет?

— Дадим,— согласился Януш.— Кузине надо кормить детей и...

— А муж, если хочешь знать, не платит алименты, требует, чтобы она вернулась. Она ни в какую, и теперь, черт, слушайте же. Она заведует экспедицией на вокзале в Белостоке.

Барбара умолкла, но осталась победное эхо от ее слов. Муж и алименты вылетели у Януша из головы. Лицо Каролека так и засияло новым энтузиазмом.

— Ого-го-го! — крикнул он залихватски.

Лесь чуть не подавился последним куском хлеба с тушью.

— О муза! — прошептал он благоговейно.

— Это решает проблему,— деловито заключил Януш.— Ясно, только через нее. Стырим весь ящик из поезда!..

Мысль Барбары представлялась оптимальной и гениальной. Времени оставалось немного, всего восемь дней, в связи с чем детальный план действий начали разрабатывать тотчас же. Ослепительная надежда электризовала умы.

Каролек припомнил дальнего родственника — служащего польских государственных железных дорог, который до войны побывал даже начальником поезда. От этого экс-начальника он уже завтра обязался доставить необходимую информацию. Барбара на следующий день запланировала поездку в Белосток и обратно. Януш решил на всякий случай позвонить Геньке-злоумышленнику с хитроумным вопросом о состоянии проекта. Однако разногласия начались при обсуждении способов извлечения ценной посылки из когтей стражей почтового вагона. Барбара была непреклонна.

— Поезд надо обязательно остановить и непременно в чистом поле. На ходу и на станции нападать не будем.

— Спустить под откос? — раздумывал Януш.

— А поезд товарный или пассажирский?...

— Пассажирский,— подтвердил Каролек.— Случайно знаю наверняка.

— В таком случае фортеля с рельсами отпадают. Без всяких человеческих жертв! Надо просто задержать!

— А как? — удивился Лесь.— Рукой помахать или прицепиться сзади?

— Идиот. На путях разложить костер и точка. Мероприятие следует провести ночью...

Януш понемногу начал воодушевляться.

— Поезд резко тормозит, машинист выходит на пути, а мы тем временем...

— ...остаемся с носом,— подхватила Барбара.— Где этот вагон, сзади, в начале состава, в середине? Кароль, ты знаешь?

— Вроде бы впереди,— признался Каролек неуверенно.— Прямо сразу за локомотивом.

— Вот именно. Надо наделать шуму, неразберихи, время потянуть. Надо, чтобы поезд стоял подольше и персоналу было чем заняться. Нельзя хватать с размаху первую попавшуюся посылку.

— Да уж ясно,— сказал Януш.— Хорошо бы все-таки развинтить рельсы. Машинист вылезет, и кто-нибудь из нас ему покажет — вот, мол, от какой катастрофы спасли; пока они будут кумекать, что делать, можно хоть все вагоны обчистить, а не только один.

— Так-то оно так, но, если развинтить рельсы, поезд сойдет с пути,— запротестовал Лесь.— Не успеет остановиться, даже если увидит костер. Поезд ведь тормозит постепенно и долго.

— Ну так ты выскочишь с факелом. За сто метров от костра. Так всегда делают...

— А как с охраной? Наверняка там конвой! С винтовками!

— Разузнаю досконально,— обещал Каролек, выступавший, учитывая родственника, в роли эксперта по железнодорожным проблемам,— к нему и были обращены все вопросы на эту тему.— Я его поймаю завтра и разнюхаю все, что только можно...

Продолжение совещания состоялось на следующий день вечером, сразу же по возвращении Барбары из Белостока. Она приехала прямо с вокзала и вызывающе объявила:

— До сих пор вы считали меня женщиной правдивой и благородной. Простаки вы и наивные люди. Я наврала столько, что хватило бы на дивизию лгунов. Слушайте: Генька — извращенец, тиранящий многочисленных очередных жен, и мы нацелены против него лично...

— Какие еще жены? — изумился Януш.— Насколько я знаю, у Гены нет ни одной жены.

— Неважно. В качестве мужа он законченный скот. Мою кузину это крайне заинтриговало. В общем, ее разбирает праведный гнев и, дабы покарать мужа-изверга, она сделает все, будьте уверены. Присмотрит, чтобы перевозили проект ночным поездом, и сразу позвонит, как только сдадут ящик. В случае чего задержит на несколько часов. Она и близко не представляет, в чем дело, гадала, правда, и так и сяк, но истина, понятно, не пришла ей в голову. Кароль, твоя очередь. Что узнал?

Каролек отложил карандаш, выгреб из кармана карточку с какими-то каракулями и приступил. Ознакомив слушателей, согласно вчерашним недоумениям, с правилами перевозки почтовых посылок, он рассказал о реакции машинистов при появлении на рельсах огня. На минуту смолк, тяжело вздохнул и продолжил:

— Есть одна трудность. Конвоиров обычно двое, иногда с оружием, иногда нет, по-разному, да не это главное...

— А что? — кипела Барбара.— Говори же!

— Мало разве охранников с оружием? — вмешался Януш.— Злых собак, что ли, возят с собой?

— Да нет,— пояснил Каролек.— Они закрываются изнутри, и снаружи вагон никак не открыть. В случае неожиданной задержки у них приказ не открывать.

— Даже если постучать? — спросил рассеянно Лесь.

— Даже если на трубе задудишь.

— Это плохо,— задумчиво отметила Барбара.— Перестаньте валять дурака, трудно сосредоточиться. Погодите-ка, а в случае какой-нибудь опасности?

— Какой опасности?

— Ну, не знаю. Пожар, взрыв... столкновение с другим поездом...

— Полагаю, они имеют право спасать жизнь...

— Взрыв? — вдруг оживился Януш.— Устроим взрыв!

— Спятил, какой взрыв?! А жертвы?

— Ерунда. Единственными жертвами будем, вероятно, мы. Давайте сюда Влодека, мне надо электрика!

— Чокнулся,— возмутилась Барбара.— Болтает о каком-то взрыве, скорей всего сам разлетится. Бред. Предлагаю на всякий случай осмотреть двери почтового вагона. Кто в них чего-нибудь петрит?.. Стефан! Надо заарканить Стефана!

— Да что ты, а конспирация? Хочешь с барабаном на весь город?

— Стефан заинтересован не меньше нас. Не пикнет. А кроме того, пораскиньте мозгами. Нам понадобится машина, даже две, не потрюхаем же мы с этим ящиком!

— Вот я и предлагаю взять Влодека! И электрик и с машиной!

— Влодека и Стефана. Больше ни души!.. Подготовка преступления закипела. Януш преодолел первый барьер: убедил бледного, испуганного Влодека участвовать в деле. В ход пустил самые хитроумные аргументы. В доску законопослушный Влодек отбивался почти два часа, пока, наконец, не сдался под впечатлением набросанной Янушем жуткой картины: его дети умирают с голода. Голодную смерть детей Януш находчиво связал с проигранным конкурсом и крушением мастерской, что неминуемо наступит в случае торжества этих негодяев из Белостока. В конце концов лояльный Влодек несколько утешился перспективой борьбы со злом. Уступив, он даже заразился чем-то вроде энтузиазма и вместе с Янушем предался каким-то секретным размышлениям.

Барбара привлекла внимание немногочисленного обслуживающего персонала на вокзале Варшава Виленская, куда отправилась поздно вечером в обществе Стефана, скептически настроенного касательно всего предприятия. Его, правда, не пугали моральные догмы, как Влодека, но Стефан имел некоторый жизненный опыт, который и нашептывал ему мелкие сомнения в конечных итогах преступных начинаний. Однако финансовое положение диктовало свои условия, и Стефан был готов на все, дабы оное положение улучшить, а надежды, совокупно со всеми в мастерской, связывал с конкурсом.

— Какого черта я дурака валяю в мои-то годы,— яростно бормотал он, обстоятельно прощаясь с Барбарой в восьмой раз около почтового вагона поезда до Остролэнки.— До свидания, до свидания... Слушай, они правы, дверь и в самом деле закрывается изнутри.

— Я позвоню тебе сразу по возвращении,— уверяла его Барбара.— Это невозможно, видите на двери ручку?

— Напиши, как доедешь, телеграфируй,— требовал Стефан, быть может, слишком нетерпеливо.— Вот именно, этой ручкой они блокируются изнутри, и конец всему. Хоть вагон на части режь.

— Ведь охрана сама откроет... Что?... Разумеется, телеграфирую. Ничего другого не остается, только Янушев взрыв. А как он это сделает?..

Лесь и Каролек изучали трассу в поисках подходящего места. После многих сомнений и расчетов остановились на перегоне Малкиня — Тлущ, где ночной поезд из Белостока проходил утром, между четырьмя часами четырьмя минутами и пятью часами тремя минутами. В конце сентября в это время была полная темень. Получше условия были на перегоне Белосток — Малкиня, но, получив известие о посылке, могли не успеть доехать до места. Ведь известие могло прийти в последнюю минуту.

Избранную трассу им пришлось проехать трижды. Вот почему так случилось: они отправились в путешествие в двадцать три пятьдесят пять и поначалу эту трассу в обе стороны благополучно проспали; во второй раз из-за темноты ничего не рассмотрели и только в третий раз, отправившись сразу пополудни, произвели соответствующие наблюдения.

Окончательный выбор пал на отрезок между Топором и Острувеком Венгровским. Вдоль железной дороги тянулись леса, кустарники и пашня. Леса, кусты и пашня окружали железнодорожные пути во многих местах, но здесь как раз их пересекала столь необходимая дорога, поскольку предполагалось бегство машиной Стефана.

— Здесь,— увлеченно заявил Каролек, высовываясь из окна и жадно разглядывая пейзаж.— Лучше не придумаешь! Глянь, какая сейчас будет станция.

Лесь проверил в расписании и покачал головой.

— Не знаю, как и быть, поезд-то здесь идет всего ничего. Восемь минут.

Каролек перестал любоваться пейзажем и тоже сунул нос в расписание.

— Чего ты мне голову морочишь, в других местах и того меньше. Вот! Шесть минут...

— А вот здесь идет десять. Между Простыней и Садовым Венгом. И что это за «венг» такой?

— Черт его знает. Может, от венгерского. Тебе не все равно? Сейчас там будем и осмотрим местность. Впрочем, зачем это, ночной здесь не останавливается.

Поезд шел в направлении Малкини. Через десять минут оба разведчика, высунувшись в окно, вовсю глазели на местность, густо заросшую деревьями.

— Здесь! — заорал Лесь с восторгом.— Смотри, совсем не видно людей! Идеальное место!

— Пораскинь умишком,— отрезвил его Каролек.— Не видишь, что тут?

— Как это что? Леса и луга. И десять минут. Только здесь!

— И болота, смотри, вода кругом стоячая.

— Зато подальше, где деревья, наверняка есть дорога. Стефан там и будет ждать.

— На крыльях туда перелетишь? С проектом на спине по этим болотам? Нет, нельзя.

— Хоть собаки след не возьмут,— размечтался Лесь, немного поумерив восторги.

— Так погоня, которой проект на спине волочь не придется, быстренько тебя схватит. Или потонешь, черт-те какая тут глубина. А Стефана собаки тоже не учуют? И вообще, откуда здесь собаки?!

— Нет, только тот перегон перед этой, как ее... Как называется? Ага, Простынь!

— Ну, ладно,— согласился Лесь.— Пусть Стефан зальет обычный бензин, он популярнее. Хоть вонь от нас останется неоригинальная.

— У него сейчас денег нет на обычный. Ездит на авиационном, украденном, в кредит покупает.

— «Сирена» и на авиационном?..— ахнул Лесь и даже притих от удивления.

Осмотрев в обратную дорогу противоположную сторону путей, они окончательно убедились в правильности выбора. Шесть билетов включили в себестоимость проводимой операции.

На следующий же день в избранный район на машине отправились Стефан, Каролек, Барбара и Януш, чтобы определить место стоянки и ожидания добычи. Стефан выбрал подходящий кустарник — за ним он и поставит машину,— въехал туда, дабы все проверить на опыте, после чего объединенными усилиями трое сообщников сдвинули машину с места: при этом доблестный Каролек, жертвуя собой, снял ботинки и брюки и провалился выше колен в невинно выглядевшее болотце.

— Жалко, Леся не взяли,— проворчал он, вытирая ноги носовым платком.— Этот вояка задумал бежать напрямик с полной выкладкой на плечах.

— Ничего не поделаешь, придется ждать на дороге,— заключила Барбара.— Потушите фары, и сам черт вас не сыщет.

— Может, посоветуете, как здесь развернуться? — кипел Стефан, близкий к апоплексическому удару.— А может, вы хотите перескочить по воздуху через поезд и гнать дальше?

— Хорошо бы переехать пути и всю операцию перенести на ту сторону.

— Невозможно, с той стороны перроны, проводники и охрана ориентируются туда. Нельзя рисковать: мы будем там, а дверь откроется здесь. Поворачивай, может, пронесет...

После сорока пяти минут драматических усилий пришлось отказаться от мысли развернуться здесь, на очень узкой полевой дороге. На остроумное предложение Каролека — можно, дескать, к месту операции подъехать задним ходом — Стефан лишь заскрежетал зубами.

— Ну, ничего другого не остается,— покорно согласился Януш.— Поезд придется остановить до переезда, чтобы он не блокировал дорогу. Стефан переедет на ту сторону, а мы устроим эстафету. Учтите, темень непроглядная. Один хватает ящик, бежит к переезду, передает следующему и смывается в лес, а этот второй сразу прыгает в машину...

— А первый как? — поинтересовался Каролек.— Утопится в болоте, либо его сцапают. Иного, скорее всего, не дано.

— С луны свалился? Первого ждет Влодек на шоссе. Зажигание он почти починил, барахлит только изредка. Хотя лучше пусть оба летят к Влодеку, в случае чего подпихнут машину, там даже небольшой уклон...

Вечерняя рекогносцировка растянулась до темноты. Стефан, чертыхаясь на отвратительную дорогу, старался побыстрее добраться до цивилизованного шоссе, а посему напряжение в машине несколько ослабло лишь неподалеку от Вышкова. Поначалу пассажиров мотало и трясло со скоростью восьмидесяти километров в час — так раздраженный Стефан старался преодолеть бесконечные ухабы и колдобины. Лишь добравшись до шоссе, сообщникам удалось наконец собраться с мыслями и сосредоточиться на самом важном.

— И по такой дороге нам предстоит смываться? — застонал Януш.— Я ушиб локоть, хоть за нами никто не гнался, а что будет, когда придется улепетывать?

— Рванем изо всех сил! — рявкнул Стефан.— На хорошей дороге моя «сирена» тянет сто, а в пятьдесят шестом я пришел первым в гонке по проселкам. И что тебе не нравится?

— Покрытие...

— Та дорога была лучше.— Каролек осторожно ощупывал свою макушку.— Кажется, шишка. А нельзя ли этот план как-нибудь изменить?

— Можно.— Барбара сидела около Стефана, претерпела меньше других и поэтому соображала быстрее.— Сделаем наоборот. Подъедем с другой стороны, переедем пути, и все в порядке.

— А Влодек? Влодеку придется ждать, мы все да еще с этим чертовым проектом не уместимся!

— Ну и подождет на шоссе, как договорились. И Влодек тоже приедет с той стороны, чтобы обе машины вместе кто-нибудь не зафиксировал. Те, кто поедет с Влодеком, этот кусок пролетят и не заметят — недалеко, километр или даже меньше. Зато смываться более приличной дорогой...

Пока доехали до Варшавы, план операции уже вторично обсудили в подробностях.

Таинственная и вызывающая страстное любопытство возня Влодека и Януша с подготовкой запланированного взрыва затягивалась. Никто не сомневался: взрыв, долженствующий до смерти напугать запертых в вагоне охранников и при этом никак не отразиться на пассажирах,— такой взрыв сложен и нетипичен. Тем не менее время подгоняло. В любую минуту с белостокской почты могло поступить тревожное сообщение.

— У нас одна проблема,— мрачно поведал Януш нетерпеливым сослуживцам.— Три дня уже не можем решить, хоть Влодек ночи не спит, тренируется на износ.

— Ну да! — оживился Лесь.— Он будет прыгать куда-нибудь или что?

— Умственно,— кратко и угрюмо ответствовал Януш.

— Так, может, принесете это сюда и подумаем вместе? — робко предложил Каролек.— Осталось максимум четыре дня...

Януш нетерпеливо пожал плечами и замолчал. На следующий день утром он и зеленый от бессонных ночей Влодек втащили в комнату тщательно упакованную коробку величины среднего телевизора.

Дисциплинированный коллектив стойко выдержал рабочий день до четырех часов, время от времени бросая на таинственный объект боязливые и почтительные взгляды. После четырех вся группа заговорщиков в полном комплекте приступила к преступной деятельности.

Януш с Влодеком осторожно и торжественно сняли верхний слой старых фотооттисков, употребленных в качестве упаковочного материала, затем ворох старых тряпок, среди коих красовались: рубашка Януша, пижама Влодека, несколько поношенная юбка его жены и совсем новая махровая простыня. И вот пред очами ожидающих предстал железный, на совесть склепанный ларец. Сбоку виднелось нечто вроде ручки или дверцы, а снизу выходил электрический провод. Рядом с ларцом Влодек благоговейно установил извлеченный из портфеля автомобильный аккумулятор, а также странное и сложное приспособление, напоминающее по виду полное оборудование для электрического звонка. Коллектив глазел затаив дыхание. Барбара первой нарушила настороженное молчание:

— Что это?

— Бомба с часовым механизмом,— ответил слегка рассеянно Влодек.

— Очумели, Богом клянусь,— убежденно сказал Стефан.

— Отодвиньтесь подальше,— мрачно порекомендовал Януш.

Окаменевшие было сослуживцы попятились.

Януш с Влодеком на корточках продолжали колдовать около ларца; что-то заскрипело — пружина вероятно — и вдруг ларец затикал!

Все участники этой секретной и ужасающей демонстрации, исключая, разумеется, конструкторов адского механизма, с удовольствием бы удрали, но, увы, ноги отказались повиноваться. Молча, ошеломленно взирали на ритмично тикающий ларец, особо потрясенные тем, что и аккумулятор и все сложное электрическое оборудование пребывало не внутри, а рядом с прибором. Януш и Влодек, застывшие над ларцом воплощением скорби, напоминали героев-самоубийц.

— Сдается мне, у вас все в башке перевернулось,— сухо прокомментировал Стефан — старший из присутствующих, он прошел войну.— Что это такое, черт подери?!

— Бомба с часовым механизмом,— стоически повторил Влодек.

— Сходите с ума кто как хочет, а у меня жена и дети... Когда и где это взорвется?

— На рельсах, понятно же... То есть, мы же условились, какой там, к черту, взрыв... Хоть убей, не взорвется!

В комнате тихо прошелестел вздох бесконечного облегчения. Смертники-подельники обрели голос и способность движения.

— Ничего не понимаю,— вышел из терпения Стефан.— Почему?

— А что может взорваться? Внутри-то ничего нету!

— Ладно, а что тикает?

— Будильник.— Януш открыл дверцу сбоку.— Можете посмотреть. Старинный — эти старинные громко тикают. Спер у моей бабки, уж она меня лишит наследства...

Сообщники, толкаясь и пихаясь, бросились на колени. Выглядело это так, словно сектанты молятся какому-то идолу в виде железного ящика. А в нем действительно стоял почтенных размеров, украшенный всяческими штучками будильник и ничего больше.

— Гениально...— воскликнула Барбара, поднимаясь с полу.

— Правда? — подхватил возрожденный к жизни Януш.— Недурной экстерьер, а? Солидно, внушительно!

— Шикарная штуковина,— поддакнул Лесь.— Очень даже ничего себе!

— А это что? — заинтересовался Каролек соседней с ящиком аппаратурой.— Для чего?

— Вот именно, для чего! — вздохнул Януш, снова впадая в меланхолию.— Тут вся проблема. Ящик поставим на линии и пускай себе тикает. Да только одного тиканья мало, надо учесть психологический эффект. Тикает, ну и ладно, покажем его проводникам или машинисту, всегда сыщется парочка храбрецов, отнесут его в поле и — слава труду! Что нам-то от бабкиного будильника в поле? Надо, чтобы грохнуло, чтобы перепугались, заорали и сами в лес убежали... А про устройство бомбы с часовым механизмом мало кто знает, любой шумок сойдет...

— Или вдруг бы засветилось...— добавил Влодек без особой радости.

— Ну и что? — Стефан явно заинтересовался. Остальные слушали в набожном благоговении.

— Ну и ни черта не получается. И чего только мы не вертели, даже головы распухли. Хотели подключить звонок к аккумулятору и соединить с часами, чтобы пошли в определенное время, как же, держи карман. Влодек говорит, напряжение слабое.

— Сколько, шесть вольт? — спросил Стефан.— А если двенадцать дать?

— Мало,— устало ответил Влодек.— Надо двести двадцать.

— С этим понятно, а свечение? Свечение тоже не выходит?

— Выходит, почему нет. Можем светить в самом ларце сколько угодно, но часы надо убрать, да и снаружи никакого света не видать...

Все замолчали и впали в задумчивость. Интенсивно-умственная атмосфера прямо-таки сгустилась в комнате. Думал даже Лесь, для которого электричество всю жизнь было неким фетишем и черномагической проблемой.

— А часы-то ведь надо вернуть моей бабке,— меланхолически заявил Януш к сведению злоумышленников.

— Минутку,— вступил в разговор Стефан.— Белиберда какая-то. Если это просто пустой ящик, зачем его так старательно заворачиваете?

У Януша и Влодека от обиды вытянулись физиономии.

— Во-первых, чтобы никто не увидел, мы уже сами свыклись с мыслью, что это бомба. Внушение — великая вещь. Убедишь как следует себя, так и других убедишь, а нет, так черт знает что можешь выкинуть. Возьмешь да пнешь ящик ногой или еще что-нибудь...

— И бабкин будильник тю-тю.

— Ну, тогда Януш точно грохнется в обморок.

— Давай соображай на всю катушку. Надо же решать в конце концов!

Четверть часа напряженной умственной эквилибристики только вымотали злоумышленников, собравшихся вокруг тикающей бомбы. Поступило, правда, несколько весьма неординарных предложений: хорошо бы, к примеру, в ларце установить телефон и позвонить в нужный момент, или поместить его в ямку, где кипела бы вода и шел пар... Затем коллектив уныло погрузился в последующие размышления.

И вдруг случилось нечто совершенно неправдоподобное. Тишину прорезал пронзительный, трескучий вой, безусловно, исходящий из железного ящика, который до сих пор тикал самым мирным образом.

Что тут началось! Вся банда подпрыгнула и с паническим ужасом уставилась на чудовищное изобретение. Лесь и Каролек бросились было к балкону, Барбара застыла, разинув рот, дабы заорать во все горло, резко отскочивший Стефан сбросил себе на ноги пузырек с зеленой тушью...

— Что ты подключил?! — завопил Януш на Влодека.

— Ничего, клянусь тебе! — каким-то странным дискантом пропищал смертельно побледневший Влодек.

— Будильник!!! — простонал Стефан.— Друзья, это же будильник!!!

Лишь немного погодя после жуткого потрясения заговорщики уразумели необъятность своего счастья. Бомба рычала как тигр! Мучительная проблема разрешилась просто, ибо старинный будильник шел великолепно, забегая лишь на одиннадцать минут в сутки. Эта неточность была вполне поправима. Яростный звонок вызывал, пожалуй, некоторые сомнения — слишком уж звонко-металлический вой для бомбы, но с этим тотчас справились, обклеив молоточек колокольца пленкой для закрепления чертежей на подрамнике.

— Ну и кретины же мы! Очевидные вещи в голову не приходят,— довольным тоном заявил Януш, заводя будильник для проверки действия...— На который час поставить? Через пять минут?

— Через десять,— буркнул Стефан.— Я так часто не выдержу. Этот жуткий вой не для моих нервов. Кстати, попрошу ботинки тоже включить в накладные расходы — эта чертова зеленая тушь не смывается...

Сидевший в своем кабинете зав слышал, правда, нечто странное, неведомое и весьма пронзительное из комнаты коллег-архитекторов, но он уже давно, оберегая свою психику, не любопытствовал насчет тамошних дел. Однако непонятный вой, чуть приглушенный, но тем более нервирующий и ни на что не похожий, раздавался ровно через каждые десять минут и был весьма продолжителен. Зав проследил по часам: полные сорок пять секунд. Одиннадцатый вой он не выдержал.

Пройдя как можно тише, хотя жуткий вой все равно заглушал любой другой звук, он осторожно приоткрыл дверь интригующего помещения и остолбенел.

Шесть человек сидели и, словно загипнотизированные, смотрели на железный ящик, из которого раздавался яростный рев. Судя по лицам, коллеги просто-таки наслаждались небесной музыкой и видели отверстые райские врата...

Зав столь же осторожно закрыл дверь и решил на всякий случай сходить к психиатру.

Преодолев самую, пожалуй, принципиальную трудность, благородные разбойники встретили и другие, менее важные, хотя и весьма тягомотные препятствия. Прежде всего надо было запастись топливом, необходимым для разведения соответственно большого костра.

— Насобираем в лесу хворосту и баста,— с размаху брякнул Лесь, неоспоримо доказав неизлечимость своего легкомыслия.

— Чушь,— категорически запротестовала Барбара.— Хворост всегда влажный, а нам надо сухое дерево!

— Сухое дерево? — удивился Януш.— Где ты в Польше видела сухое дерево?

Барбара была бесспорно права. Самоотверженные налетчики соглашались приступить к процессу сушки дров, растопив печи, однако оказалось, что печей ни у кого нет. Короткое, но пристальное изучение близких и далеких родственников, а также всевозможных знакомых и приятелей привело к выводу: абсолютно все пользуются пошлым центральным отоплением. С горя уже подумывали о не очень нужной мебели, когда вдруг Лесь вспомнил про доски и рейки, которые он припас, скрывая в свое время от жены свои преступные намерения. Постепенно отпиленные и старательно коллекционируемые куски давно просохли — отличный горючий материал почти в достаточном количестве. Запасы пополнили старинным креслом из подвала в доме родителей Каролека. Из расколотых по длине двух ножек кресла получились неплохие факелы. Две другие ножки оставили как есть.

Некоторые трудности возникли в связи с изменением внешности — это признали насущным и неизбежным. От черных масок отказались сразу, справедливо полагая, что такая классическая деталь сразу насторожит поездную бригаду. Искусственные бороды, усы и парики, может, и сгодились бы, однако никто не знал, где их достать. После долгих дискуссий и раздумий остановились на горбах.

— Это как? Все будем горбатые? — неуверенно спросил Каролек. Януш посмотрел на него вызывающе.

— А почему нет?

— Удивятся...

— Ну и пускай. Удивляться всякий волен. А после расскажут милиции, налетело, мол, несколько горбунов, пусть их поищут тогда...

— Силуэт почти всегда запоминают и описывают,— прервала Барбара.— Он прав, изменим силуэт — и порядок. Лиц все равно не увидят в темноте...

Набивку для горбов выбирали старательно, руководствуясь как эстетическими, так и практическими соображениями. Горб старались подогнать по фигуре, разнообразя форму и величину. В этих целях использовали: старые подушки с кушетки, один детский дырявый мяч, одно туловище плюшевого медведя и много-много рулонов туалетной бумаги, которая позволяла моделировать нужную линию. Все это, подготовленное к употреблению, свалили в рабочей комнате вместе с баклушками для костра.

Теперь оставалось ждать. Ожидание, хотя и ограниченное последним сроком присылки конкурсных работ через две недели, оказалось вполне достаточным, чтобы довести группу до полного нервного расстройства. Задуманное дело, хотя и облагороженное целью, тем не менее вопиюще противоречило уголовному кодексу. Преступление разрасталось в лихорадочных головах со дня на день и с часу на час, пока не обрело поистине космические размеры. Предварительная подготовка каким-то таинственным образом придала ограблению логическую неизбежность. Дело должно быть сделано, и точка.

Более того, сама мысль об отказе от операции или неудаче представлялась и вовсе невозможной. Последствия такого положения вещей с течением времени рисовались неким ужасным кошмаром, словно содранный белостокской группой проект на веки вечные угрожал жизни и состоянию расстроенных поборников справедливости. Они чувствовали себя прямо-таки придавленными тяжестью ответственности за нынешние и грядущие судьбы национальной архитектуры. Короче говоря, сослуживцы окончательно утратили здравый смысл, а напряжение и нервозность достигли апогея.

В последний вечер перед последним сроком отсылки конкурсных работ преступный коллектив сидел на службе и нервно курил. Все подсобные материалы ожидали на улице в машинах. Телефонный разговор Белосток — Варшава был заказан в обе стороны, ибо крайне взвинченная Барбара предпочитала подстраховаться, а ее увлеченная непонятной аферой кузина любой ценой старалась выполнить взятые обязательства. Сообщение о посылке могло прийти в последнюю минуту, уже после двенадцати ночи, и хотя до выбранного места налета без труда можно было доехать за три часа, в атмосфере комнаты, можно сказать, искрило от эмоционального напряжения.

Звонок телефона в двадцать три часа сорок три минуты произвел эффект, пожалуй, не меньший, как если бы взорвалась их собственная бомба. Через пять минут в мастерской не осталось ни души...

На безоблачном небе светила четвертая долька луны, когда, громко лязгая зубами, Лесь приближался к месту казни в машине Влодека. Рядом сидел Януш, заботливо пестуя на коленях начиненную будильником бомбу. С противоположной стороны в машине Стефана ехали Барбара и Каролек, столь же бережно лаская: большой мешок с «дровами», четыре горба и двадцать коробков спичек.

— Славная ночка,— наблюдательно подметил Каролек, заражаясь охотничьим азартом, разумеется облагороженным высокой целью мероприятия.— Довольно светло, чтобы нечто увидеть, и довольно темно, чтобы не понять смысла увиденного.

В то же самое время Януш в другой машине ворчал и возмущался:

— Черт возьми, какую глупость мы сморозили с этой бомбой! На кой ляд везем ее с собой, там с километр бежать пешком, а она тяжелая, сволочь! Смотри, куда едешь, черт, объезжай дыры, мне уже все колени отбило! Надо было ее тем отдать!..

— Точно, надо было,— пролязгал Лесь — вопреки доводам рассудка он чувствовал себя несколько неуверенно в компании с бомбой.

— Нет уж, лучше ее при себе иметь,— мрачно буркнул Влодек, увеличивая тем самым иррациональное беспокойство Леся.

Ни Влодек, ни Стефан чудесным образом не заблудились. Мало того, время прибытия на место операции рассчитали предельно точно. Когда машина Стефана затормозила перед путями, с противоположной стороны появились две фигуры, из коих одна глухо постанывала, сгибаясь под тяжестью узла, а другая яростно шипела:

— Не лети так, черт, никто тебя не гонит! Свалишься на выбоине и будильник разобьешь!

— Да меня же несет под уклон! — ныл второй.

— Наконец-то! — одновременно вскрикнули озабоченные Барбара и Каролек.

Через пятнадцать минут подготовка к налету шла полным ходом. До прибытия поезда оставался целый час, в это время участникам операции не грозило никакое движение по рельсам. Один часик, понятно, казался пустяковым сроком, а потому суетливость наблюдалась во всех действиях.

Привязанные за спиной горбы несколько затрудняли работу. Только теперь сообразили хоть как-то приспособить пиджаки и пальто к горбам, но на изменившиеся фигуры одежда натягивалась плохо. Туловище плюшевого медведя досталось Лесю, который, несколько раз попытавшись безрезультатно вытянуть руки, сообразил поместить инвалидного мишку сверху, привязав его и прикрыв шарфом. Дырявый детский мячик стеснял активность Януша, который к тому же при всяком жесте подозрительно шелестел туалетной бумагой. Барбара и Каролек последовали примеру Леся, иначе, хоть лопни, никак не могли уместить горбы под одеждой, не рассчитанной на подобное травести.

«Дрова» высыпали в десяти метрах от переезда, точно определив, где в таком случае окажется почтовый вагон. Барбара старательно начала раскладывать костер. Бомбу поместили на стыке рельсов у самого переезда.

— Мне кажется, дерева маловато,— озабоченно сказала Барбара.— Огонь надо развести большой и нельзя разводить в последнюю минуту. Иначе все быстро погаснет.

— А почему не в последнюю минуту? Только в последнюю! — запротестовал Каролек.— Если разожжем слишком рано, еще кто-нибудь увидит и прибежит.

— А если не будет разгораться?

— Плеснем бензина. Постой, сбегаю к Стефану за бензином!

Реализация этой превосходной мысли споткнулась о неожиданное препятствие. У Стефана был полный бак, но не было канистры. Вместе с Каролеком, торопясь и нервничая, начали рыться в машине в поисках какой-нибудь емкости, куда удалось бы налить хоть немного горючего.

Януш и Лесь бережно укладывали около бомбы провода и прочие электрические причиндалы для достижения оптимального оптического эффекта.

— Пан Лесь! — раздался в ночи голос Барбары, нетерпеливо поджидавшей Каролека.

Призыв любимой женщины был для Леся всегда приказом. Он рванулся к ней, сметая все преграды. Следующие пять минут Януш свистящим шепотом поносил его на все корки, распутывая электрические провода на его ноге и закрепляя на нем свалившийся горб.

— Пан Лесь, куда вы, к черту, подевались! — вопила Барбара.— Сходите к Стефану, поумирали они там, что ли! Кароль должен принести бензин!

— Откуда я возьму банку, очумели вы там?! Что я — сервиз столовый с собой вожу?! — ворчал Стефан, разъяренный приставаниями Каролека.— Какой еще горшок?

— Термос, говорю! Есть у тебя термос?..

— Какой термос?! Я сюда не на пикник приехал!..

— Бензин! — трагически орал Лесь, налетев на них в темноте.— Барбара ждет!

— Черт бы все побрал! У Влодека на шоссе моя канистра!

— Поезжай к нему! Успеешь!

— А как вернусь?!

— Задним ходом!

— Иди ты в...

— Дайте же бензин, какого черта, чего тут возитесь столько времени?! — Барбара внезапно восстала перед ними горбатым воплощением фурии. Узнав о заминке, тут же нашлась:

— Через трубку, прямо на деревяшки. Стефан подъедет на пути и смочит несколько баклушек!..

До поезда осталось едва пятнадцать минут. Стефан, не переставая чертыхаться и плеваться, извлек наконец из бака струйку бензина. Барбара, Каролек и Лесь, то и дело спотыкаясь в темноте и налетая друг на друга, принесли к струйке дощечки потолще. Неподалеку Януш с ума сходил от беспокойства и прямо-таки приплясывал над бомбой.

— Что вы делаете, холера, не лейте на землю! Будильник загорится!!!

— Факел!.. Смочить факел!!!

За пять минут до поезда машину Стефана общими усилиями спихнули с насыпи, он не успел даже включить мотор: сила ускорения доставила его на запланированное место стоянки. Барбара и Каролек со спичками в драматическом ожидании застыли над костровищем. Лесь между тем второпях схватил смоченный бензином факел...

— Зажигать!!! — зловещим шепотом сигнализировал Януш.

У Барбары из дрожащих рук высыпались все спички. Каролек упорно тер их о коробку обратным концом и отбрасывал с похвальным усердием. Истратили три коробки и на четвертой, наконец, добыли огонь.

Лесь тотчас же ткнул в огонь свой факел и, вскрикнув, инстинктивно отбросил — пропитанная бензином лучина полыхнула чуть не в лицо. В первый момент обезоруженный факелоносец совершенно растерялся. Размахивая обожженной рукой, он двинулся по колее прямо перед собой, однако, не успев разогнаться, все-таки сообразил — что-то не так. Повернулся обратно к костру — оттуда к нему мчался Януш.

— Куда тебя несет, кретин, бери другой! — орал он, всовывая Лесю в руки незажженную чурку.

Лесь уже вознамерился бежать с этим деревянным объектом, но его застопорил новый крик:

— Куда несешься, черт?! Зажги!!!

— Бензин! — одновременно вопил дошедший до потери сознания Каролек.— Смочи в бензине! У Стефана!!!

Одуревший Лесь бросился на дорогу, в направлении машины, и налетел на Стефана, который, считая, что всегда успеет включить мотор, побежал на колею, обеспокоенный странными огнями и криками.

— Бензин!!! — завопил Лесь.— Смочить!!!

— Иди ты...— рявкнул Стефан, но тотчас же вернулся.— Ноги себе помочи! А я уже напился этого бензина!

Бегающего вокруг машины Леся вдруг поразил неожиданный и страшный хоровой вопль:

— Поезд!!!

И тут же душераздирающий зов:

— Пан Лесь, возьмите ножку!!! Возьмите ножку!!!

Лесь оставил ошалелого от ярости Стефана, впопыхах глотнувшего через трубку хорошую порцию авиационного бензина, и снова ринулся на железнодорожную насыпь, где у великолепного костра Барбара махала ему зажженной ножкой от кресла. Он схватил ножку и, пришпоренный паническим криком Януша: «Беги скорей, поезд раздавит мой будильник!!!», помчался по шпалам.

Надо же, чтоб так случилось: схватив ножку от кресла, Лесь находился с той же стороны костра, что и бомба с часовым механизмом, то есть костер отделял его от стремительно приближавшегося поезда. Ошеломленный Лесь, не в силах форсировать преграду из полыхающего сухого дерева, повернулся и, не задумываясь, помчался по направлению движения, то есть удирая от поезда.

Машинист спокойненько ехал себе, не ожидая ничего необыкновенного на хорошо знакомой, столько раз изъезженной трассе. И не очень-то обращал на нее внимание. И вдруг в слабом, обманчивом свете луны увидел пылающий на рельсах огонь. Машинист нажал на тормоз, ничего, естественно, не понимая в случившемся, и вдруг перед самым огнем...

...В последний момент, чуть не из-под колес локомотива, бросились врассыпную три темные, горбатые фигуры — одна в сторону от колеи, две — в другую. Одинокая фигура не переставая орала:

— Господи Боже, бомба моей бабки!!!

С грохотом и лязгом только начавший тормозить поезд проехал костер, проехал какой-то бренчащий железный ящик, проехал переезд, и в нескольких метрах за переездом пораженный машинист увидел картину, какой не видывал еще никогда в жизни!

Посередине пути, между рельсами, мчался горбатый человек, размахивающий во все стороны факелом, не проявляющий ни малейшего желания свернуть в сторону и совершенно очевидно вознамерившийся так мчаться до дня Страшного суда! Человек этот к тому же пронзительно вопил, к счастью, машинист не слышал этого.

Панически перепуганный Лесь мчался по шпалам, побивая все рекорды на всех дистанциях, а за ним громыхал поезд, который обалделый машинист старался затормозить, прежде чем случится эта полностью непостижимая катастрофа!

На сей раз поезд был особенно длинный — к обычному пассажирскому составу прицепили несколько товарных вагонов. Когда машинист, которого едва не хватил удар, наконец остановился, на переезде через насыпь стоял третий вагон от хвоста. Со стороны Стефановой машины находился только Януш. Барбара и Каролек оказались с другой стороны. Вожделенный почтовый вагон замер в двухстах метрах дальше, среди лугов и болот, а где-то еще дальше, во мраке осенней ночи затерялся оторванный от сообщников Лесь. Шайка совсем потеряла голову.

— На ту сторону! — шепнул Каролек Барбаре.— Сматываемся, сейчас такая буза начнется!

— А как? — тоже шепотом вопросила Барбара.

— Под вагонами!.. Нет, пожалуй, тронется!.. Через вагоны!.. Нет, это товарные! Обходим!..

— Погоди, сниму ботинки!..

— Давай... Я тоже сниму!..

Пригнувшись, с ботинками в руках, Каролек и Барбара ринулись к хвосту поезда, по колено увязая в болоте. Позади последнего вагона на четвереньках преодолели рельсы.

Одновременно по другую сторону насыпи в тени густого кустарника разыгрывалась иная драматическая сцена.

— К черту твою бабушку! — шипел Стефан.— Возьми себя в руки, смотри, двину по морде! Где они?!

— Иди ты...— Януш чуть не бился головой о кузов машины.— Под поезд попа-а-али!!!

С перепугу он совсем утратил чувство реальности, и судьба будильника смешалась с судьбой ближайших друзей. Обе потери представлялись ему в равной мере ужасными.

— Что ты несешь, болван, на ту сторону убежали, своими глазами видел! Чего они там копаются?! Беги за ними, а то меня удар хватит! Ноги в руки, слышишь ты, остолоп!!!

— Зачем идти, куда, ведь поезд стоит!..

— Так толкай его! Перелетай... Под вагоном лезь, дубина!

Когда измученный Януш на корточках лез под вагоном, Барбара и Каролек материализовались из темноты около ошалевшего от всех пертурбаций Стефана.

— Где вы были?! — рявкнул он бешено.— Януш полез за вами, давайте за ним!!!

Несколько смурной от валянья в болоте Каролек послушно отправился за Янушем, перелезая под вагоном, в то время как взвинченный Януш, не обнаружив друзей, лез обратно с другого конца. Увидев одну Барбару, не раздумывая, он снова полез на ту сторону, потерял горб и наконец, по счастью, наткнулся на возвращавшегося Каролека.

Дожидавшийся результата этих бредовых прогулок Стефан чуть ли волосы не рвал.

— Господи Боже, кошмар, поезд тронется!!!

А поезд все стоял и стоял: перед паровозом разыгрывалась сцена, не предвиденная даже в самой смелой программе. Бегущий от поезда Лесь остановился чуть позднее нагонявшего локомотива и потому оказался на несколько метров впереди. Стоял, тяжело переводя дыхание, с факелом в руке и ждал — пока что он был не в состоянии думать, а тем более принимать какие-либо решения.

Из локомотива выскочил перепуганный, растерянный машинист, за ним — сбитый с толку помощник. Оба в недоумении остановились при виде освещенного факелом горбатого типа с непонятным выражением физиономии.

«Не псих ли»,— мелькнуло у машиниста, и ему страстно захотелось укрыться в надежном локомотиве. Однако, памятуя о своей репутации в глазах помощника, он пересилил себя и подошел поближе к загадочному типу.

— Что случилось? В чем дело?

Лесь разволновался куда сильней машиниста. Не мог же он брякнуть: я, мол, налетчик,— а ничего другого в голову не приходило. Поэтому на всякий случай отступил на несколько шагов, сохраняя дистанцию. Машинист опять было направился к нему.

— Оглохли, что ли? Что здесь происходит?

Лесь, избегая ответа, снова попятился. Машинист решил не останавливаться на месте и вместе с помощником двинулся к нему. Лесь продолжал отступление.

— Может, немой? — вполголоса предположил помощник.

Машинист вдруг уразумел положение вещей: их двое, а тот один. А скоро подбегут начальник поезда и проводники... И энергичней направился к Лесю.

— Говори, недотепа, чего тут рыскаешь? — заорал он.— Чего по путям бегаешь, ты, висельник?!

Лесь усомнился в дружелюбии подобных замечаний и ускорил отступление. Вместе с тем хотелось как-нибудь ублажить поездное начальство, и он изобразил доброжелательную, на его взгляд, улыбку.

Эта улыбка показалась машинисту настолько нелепой и дикой, что он разозлился вконец. И почему это любой идиот позволяет себе шуточки с работниками Польских государственных железных дорог? Он заревел:

— Стой ты, олух царя небесного, паскуда, бога душу мать! — и бегом бросился к Лесю.

Не думая долго, Лесь повернулся и рванул наутек, все еще не выпуская пылающую ножку от кресла. За ним — погоня: машинист с помощником, а поотстав, начальник поезда и проводник. Оба, только-только продрав глаза, вышли посмотреть, что случилось.

Небольшая, растянувшаяся группа работников ПГЖД преодолевала пространство, ориентируясь на рассыпающего искры факелоносца, как вдруг машинист остановился как вкопанный: у нарушителя отвалился солидный горб и покатился в темные заросли.

Помощник машиниста сдавленно вскрикнул и затормозил рядом с принциплом; к ним подбежали начальник поезда и проводник, который принялся понапрасну приставать к машинисту с целью получения каких-либо разъяснений.

С потерей горба Лесь обрел свободу движений. Первым делом он отшвырнул обжигающую ножку кресла вслед за горбом в болото и помчался быстрее. Избавившись от балласта и от предательского освещения, Лесь быстро исчез из поля видимости застывшей в изумлении погони.

Машинист, несколько опомнившись, решил ни за какие блага не продолжать погони пешком: уж коли этот разваливающийся на части ублюдок до сих пор летит по шпалам, то и дальше, наверно, будет чесать в том же духе. А посему удобнее и, без сомнения, эффективней догнать его поездом. Он повернулся и быстро пошел к локомотиву.

И хотя он спешил, все-таки погоня за Лесем далековато увлекла машиниста и его присных — это дало возможность Каролеку и Янушу не один раз прогуляться под всеми товарными вагонами. Когда поезд двинулся, четверка горе-преступников, собравшись у машины, переживала кульминацию ожесточенной дискуссии.

— Да, поехал, ну и что, олух, чурбан недоделанный...— бушевал фронтовик Стефан.— Через минуту здесь будет дрезина с милицией! Скорей!!! В машину и ходу!!!

— Да как уедем, раз этого охламона нету! — орал Януш.

— Слушайте, может, он побежал к Влодеку? — встрял в дискуссию Каролек.

— Если он у Влодека, а мы ждем, как стадо баранов, я башку ему сверну!..

— Прекратить! — рявкнула Барбара, выведенная из себя еще и состоянием нижней части одежды, не приспособленной для экскурсий по болотам.— Успеем смотаться, когда услышим что-нибудь! Дрезиной за нами не поедут!

— Прошвырнитесь кто-нибудь по чертовым путям, может, этот недоносок там где-нибудь шатается!

— Ты иди,— крикнул Каролек Янушу.— Я не могу ботинки надеть.

— Что, мозоли натер?!

— Нет, грязь набилась...

— Да уж, налет так налет, ничего не скажешь!

— Как я бабке на глаза покажусь!..— захныкал Януш уже из темноты.

Через четверть часа решили пропавшего Леся пока не искать, а вернуться, если его нет на шоссе. Уселись в машину и уехали.

А Лесь тем временем, скрывшись от погони, пришел в себя. Наконец свернул с полотна и юркнул в кусты, чтобы вернуться к ожидающей его машине.

В целом не очень ему было хорошо. Бродили какие-то обрывки мыслей насчет сторон света и определения пути по Полярной звезде. Полярная звезда ведь всегда на посту. Безнадежно стараясь найти ее, Лесь задрал голову и провалился в болото, из которого выбрался лишь благодаря паническому страху — когда-то ему рассказали об утопшей в болоте корове. Устремясь по бездорожью и далее, он почти по пояс оказался в воде и окончательно утратил представление о маршруте. При мысли о коллегах на переезде, потерявших терпение и отчаливших, Лесь принялся еще суматошней продираться через заросли и болота. После бесконечных усилий почувствовал наконец под ногами твердую почву, это несколько утешило, зато явно огорчило, что он и понятия не имел, куда попал вместе с этой твердой почвой. Отправился напрямик вслепую, всерьез струхнувший, как вдруг перед ним возник откос, преодолев который, он выбрался из кустов на шоссе. Осмотрелся и не поверил собственным глазам: в нескольких метрах ждала знакомая машина.

Фантастическим образом Лесь попал на шоссе как раз там, где ждал в своем «вартбурге» Влодек-электрик!

При виде темной фигуры Влодек включил фары и, узнав Леся, едва не лишился чувств. Даже не потому, что Лесь выбрался из зарослей один, отбыв туда в довольно многочисленном обществе: преодолев напрямик территорию между железной дорогой и шоссе, он выглядел неописуемо. Влодек от испуга потерял голос.

Лесь молча уселся в машину с полным ассортиментом болотных растений и парой небольших пиявок. Оба молча закурили. Немного погодя Влодеку удалось прохрипеть что-то членораздельное:

— Остальные где?

— Не знаю,— безнадежно ответил Лесь.— Нас раскидало.

— Как это?! Что случилось?!

Лесь взглянул на него с упреком.

— Поезд пришел почему-то не с той, какой надо, стороны,— сказал он с отчаянием, и Влодека снова парализовало. Перед глазами поплыла ужасающая сцена: любимые друзья под колесами, окровавленные, на полотне... и вдруг, обретя силы, он включил мотор...

В этот момент с проселка медленно выехала Стефанова «сирена»...

Десятью минутами позже дрезина с работниками дороги и двумя милиционерами остановилась на месте происшествия, на переезде через пути между Топором и Острувеком Венгровским. Когда шум дрезины умолк, должностные лица услышали странный звук. Поиски быстро привели к железному, несколько помятому ящику, из него и слышалось непрерывное, тягучее, металлическое рычание...

Учитывая день налета — субботу,— ураган обрушился на голову Леся в воскресенье перед рассветом. Буря, вероятно, не была бы столь жестокой, однако Лесь при виде целых и невредимых друзей от счастья сначала утратил дар речи, а после счел самым подходящим воспарить к поэзии.

На шипящий вопрос Стефана: «Ты что натворил, болван?!» — он продекламировал трогательно и вдохновенно:

— *Как влажный лютик на болоте...*

И на вытаращенные в безграничном изумлении глаза друзей грустно продолжил:

—*Блуждающий погаснет огонек...*

Ассоциация, по сути дела оправданная, не получила одобрения. Фразы, посыпавшиеся в адрес Леся минутой позже от его нескольких недовольных сообщников, абсолютно невозможно повторить хотя бы в относительно приличном обществе...

В воскресенье налетчики имели время прийти в себя и подумать над проблемой индивидуально. С понедельника начали думать коллективно.

Никакого сомнения: некая высшая, недобрая сила безапелляционно сорвала акт человеческого правосудия. Мошеннический проект молодых бандитов из Белостока отбыл без дальнейших помех к месту назначения. Преследовать его не имело смысла, да и денег не было. Короче говоря, все пропало.

Стая черных воронов вернулась в служебную комнату. Проблема профессиональной чести польских архитекторов отошла на второй план, чувство справедливости, пискнув, словно придушенная мышь, заглохло, и снова восстала угроза всеобщего финансового банкротства.

Минувшая неделя решительно ухудшила положение. Увлеченный реализацией преступных планов коллектив перестал считаться с деньгами, легкомысленно швыряя их мизерные остатки, не позаботился о займах, забыл сыграть в спортлото, и — что еще хуже — восстановил против себя близких и родных. Все участники налета как один почти совсем отбились от семей, а на приставучих дорогих и близких раздражались и если даже присутствовали телом в квартире, то со всей определенностью отсутствовали духом. Это, понятно, не могло улучшить семейные отношения.

В такой полной безнадеге единственное спасение могло прийти от продажи предметов личного потребления, и эту тему в понедельник начали обсуждать. Возможную продажу машин Влодека и Стефана исключили сразу: Влодек еще не выплатил ссуду и закон возбранял ему подобную трансакцию, а Стефан просто обожал свою «сирену» и заявил, что лучше продаст детей. Детей, однако, из денежных и прочих соображений никто бы не купил.

— В комиссионке продавать нет смысла,— заметила Барбара.— Двадцать четыре... Долго ждать денег.

— А если отправишься на рынок... обрати внимание на прочность почвы... один, восемьдесят... пардон, я хотел сказать, обжулят и получишь одну третью настоящей цены,— зловеще изрек Януш.

— Вешаться прикажешь? — нервничала Барбара.— Пусть мне за этот свитер дадут четыреста злотых, дотяну до конца месяца!

— А твой столяр?!

— Не говори со мной на эту тему!

— В будущий четверг вылетаем из жилищного кооператива,— торжественно провозгласил Каролек.— Януш, что скажешь?

— Не говори со мной на эту тему! — рявкнул Януш.

— Продаю увеличитель,— жалобно сообщил Влодек, заглянув в комнату архитекторов.— Может, кто купит?.. За полцены...

Барбара сжато сформулировала общее мнение:

— Идиот!

— Ты какой взнос последний оплатил? — полюбопытствовал Лесь.

Влодек позеленел.

— Не говори со мной на эту тему! — И он вылетел из комнаты, хлопнув дверью.

— Скоро мы вообще не сможем разговаривать ни на какие темы,— вздохнул Каролек.

— Ну так и помолчите! — отрезала Барбара.— Если не будем говорить глупости, то...

— ...будем думать глупости,— подсказал Лесь, меланхолически засмотревшись вдаль.

По странному стечению обстоятельств все запланированные торговые операции были совершены в один день, а именно в четверг. С утра в пятницу вся группа утопала в давно забытом достатке. А в субботу в сердцах снова зацвела неукротимая вера в благосклонность судьбы.

— Перехожу Рубикон,— начал Януш.— Если меня выбросят из кооператива, я и невесту потеряю — сколько еще девушка может ждать? У меня осталось четыреста пятьдесят злотых, хоть подохни, кооператив этим не оплачу. Мне терять нечего. Играю!

У Барбары заходил перед глазами страшный призрак столяра, с которым договорилась на ближайшую среду. Она молча потянулась за сумочкой...

На кон, не колеблясь, бросили свою долю Каролек, Лесь, Влодек и Стефан. Две тысячи четыреста злотых предназначили на пожрание молоху. Каролек сбегал за купонами. В пять пополудни поспешно были зачеркнуты разные числа, и тут выяснилось — ни у кого абсолютно нет времени. Неделя небрежения к домашним пенатам даром не обошлась, и теперь уже никто не решался ближайшие субботние полчаса отвести на заигрывания с фортуной, отрывая эти полчаса у ожидающих дома дорогих близких. Тем не менее кто-то должен пожертвовать собой.

— А пусть себе этот «влажный лютик» топает,— предложил расстроенный Януш.— Столько всего натворил, вот и отработает!

Лесь хотел было запротестовать, а потом плюнул: повсюду так плохо, хуже и быть не может, и своевременное возвращение домой отнюдь не улучшит настроения. Молча сгреб со стола деньги с купонами и отправился навстречу самой судьбе.

Судьба тоже не зевала: прежде чем Лесь успел перейти на другую сторону улицы, глянь — навстречу ближайший друг, с коим не общался уже несколько месяцев. Друг при виде Леся широко раскрыл объятия, а в глазах у него заблестели слезы.

— Сами небеса тебя посылают! — простонал он.— Она изменила!..

— Ну да?! — воскликнул взволнованный Лесь.

— Ей-богу! Сегодня все выяснилось! Пошли, я уже больше не могу! Пошли!..

«А ведь до восьми вечера еще много времени»,— это последняя мысль Леся о сегодняшнем поручении. Трагедия любимого друга поглотила его целиком.

Уже после одиннадцати усталый кельнер в баре «Amica» попросил освободить помещение двух последних гостей, демонстрирующих очень разный подход к жизни. Один из них обливался на дружеской груди горючими слезами, а второй, сжимая в объятиях заплаканного приятеля, выкрикивал попеременно удалые либо назидательные максимы: «Все нипочем! Главное, живы!.. В штыки!.. Эх, птичка улетела!.. Нелюди!..»

Чем доказал здравый смысл: ведь и в самом деле, если что и улетает, то скорее птичка, а не люди.

Опытный таксист, не пускаясь в излишние споры, сразу установил цель поездки, посмотрев в паспорт заплаканного пассажира. Затруднение, правда, вышло с возвращением паспорта — заплаканный пассажир ни за какие сокровища в мире не соглашался взять его обратно, но таксист и с этим сладил, засунув документ в карман пальто упрямого владельца. Чувствительный шофер уговаривал и второго пассажира продолжить поездку, дабы в целости доставить его домой, но тот категорически отказался: дескать, важные дела в центре и некогда заниматься пустяками. Таксист оглянулся на друзей, не очень-то уверенно шагающих к ближайшим воротам, махнул рукой и включил первую скорость.

Было уже далеко за полночь, когда, уложив наконец обиженного друга, Лесь удалился из его дома. Шел он по едва освещенной, перекопанной улице, распевая душевно и лихо:

— *Гей, гей, гей, соколы...*
Не летайте в горы — долы...

И ограничивался лишь этой одной апострофой. Пение то набирало мощь, то стихало, порой переходя в невнятное бормотание, а Лесь с огромным трудом сам выполнял приказ, отданный соколам.

Преодоление трудностей отвлекало все его внимание, и поэтому он не удосужился заметить другую сторону улицы — ровную и вполне удобную. Он брел спотыкаясь по глинистым ухабам, пока, наконец, не осилил последнюю яму и не почувствовал твердую землю под ногами. Поднял голову и помертвел: песнь о соколах замерла на губах, он только успел пробормотать:

— ...горы — долы...

Не очень далеко от него стоял прекрасно освещенный двумя фонарями розовый слон.

Лицо у Леся передернулось паническим страхом. Он более или менее помнил, как провел всю вторую половину дня и вечер. И вдруг понял: вот оно, прихватило... Галлюцинации! Delirium tremens *! И не какие-то там паучки, кролики, летучие мыши, а сразу слон!.. И к тому же какой?! Розовый!!!

---

* Белая горячка (*лат.*).

Лесь надолго зажмурился, потом осторожно разомкнул веки. Слон стоял. Лесь снова зажмурился, снова поглядел...

— Сгинь, сгинь! — От ужаса он едва переводил дыхание.— Брысь! Брысь!

В ответ на заклятье началось нечто страшное. Откуда-то из темноты раздались тихие звуки чарльстона. Слон пошевелил ушами, поднял хобот и, переступая с ноги на ногу, самым очевиднейшим образом начал танцевать!..

Это уже было чересчур. В алкогольном тумане вдруг проступило детское воспоминание: Слон! Розовый поросеночек! Ловушка для охохонюшки!.. Слоняки! Слоники!

— Слоняки!!! — взревел он.

Повернулся и рванул в паническом бегстве, издавая время от времени дикие вопли:

— Слоняки!!! Слоняки!!!

Чудом пролетел Лесь всю перекопанную улицу, но в самом конце споткнулся и рухнул в объятия встревоженного странным криком милиционера.

— Слоняки!.. — рявкнул Лесь в последний раз.

— Что это с вами? — удивился милиционер, за свою жизнь он наслушался немало пьяных воплей, а такого еще не слышал.— В чем дело?

Лесь при виде милицейской формы немного очухался, хотя лицо все еще было искажено суеверным страхом. В голове пронеслось кошмаром: если сообщат о горячке, дело труба, в момент сунут в больницу для алкоголиков. Никакой горячки в помине!

— Нету слона! — убеждал он представителя власти.— Нету слона! И все тут!!!

— То есть как это? — забеспокоился милиционер, всего час назад обошедший только что приехавший цирк, который уже оборудовал шапито.— Как это нету? Уже украли?

— Украли! — быстро согласился Лесь — ему была безразлична судьба ужасной галлюцинации, украли — тем лучше, лишь бы ответеться.

— Украли! Нету и нету!!! — подтвердил он вдохновенно — его тон и выражение лица убедили милиционера в невероятной краже слона из цирка. К тому же, пока он обходил шапито и повозки, там царила полная суматоха, а слонов отвели куда-то в сторону.

— Идите со мной! — занервничал он, побежал по ямам и ухабам, игнорируя другую,. нераскопанную сторону улицы, и потащил за собой слабо упиравшегося Леся.

Спотыкаясь, прыгая через ямы, Лесь подумал, что представитель власти, по-видимому, домогается от него доказательств отсутствия галлюцинаций. Он перестал упираться и ревностно побежал рядом.

Они примчались к углу дома и остановились, словно вкопанные. Точнее, милиционер остановился, словно вкопанный, а Лесь, у которого ноги вкопались, а все остальное неслось вперед, склонился ниц и ткнулся руками в глину.

Розовый морок стоял в свете двух фонарей и неона над магазином, спокойно помахивая ушами.

Потрясенный известием о немыслимой краже милиционер уставился на слона и машинально поднял застывшего в земном поклоне Леся.

— Как так? — разозлился он.— Вон стоит!

— Что стоит? — смертельно перепугался Лесь.

— Как что? Слон! Разве не видите?

Лесь вытаращил глаза на слона, порешив не признаваться ни за какие пряники, и на всякий случай сильно удивился:

— Какой это слон? Где слон? Никакого слона нету!

Милиционер судорожно соображал, кто же из них спятил и когда он сам в последний раз пил. Позавчера, стакан... Нет, тут не в стакане дело.

Лесь тем временем прикидывал: либо власть сама пьяна, либо старается под него, Леся, подкопаться. Ведь слона-то и в самом деле нету. Розовая гора с огромными ушами — исключительно его собственная галлюцинация.

— А все-таки слона нет,— повторил он, однако, без прежней убежденности.

Его настырное упрямство мешало милиционеру сосредоточиться и уразуметь сущность конфликта.

— По-вашему, слон не стоит на собственных ногах?

— Нет и нет!

— А что он делает?! Сидит? Лежит?!

— Танцует...— легкомысленно вырвалось у Леся.

И в самом деле, слон переступал с ноги на ногу в такт доносившемуся издали мотиву.

Получив более или менее правдоподобный ответ, милиционер малость приободрился. Он посмотрел на Леся внимательней и тотчас просек состояние шатающегося около него в мокрой глине хмыря. Жалость дрогнула в его сердце. Вместе с тем он почел своим долгом забрать Леся в вытрезвитель, предварительно развеяв пагубное заблуждение бедолаги.

— Будьте молодцом и не валяйте дурака,— снисходительно поучал он.— Слон стоит себе, и это прекрасно видно. Не видите — цирк приехал? Ничего вам не кажется.

У Леся чуть-чуть прояснилось в голове, но было страшновато так сразу поверить в свое счастье...

— А почему розовый?..— недоверчиво спросил он.

— Черт, а в самом деле... Ну, ясно почему: розовый неон его освещает! Тоже не видите?

Только теперь Лесь обнаружил пылающую неоновую рекламу над магазином, и замороченную душу моментально отпустило. Значит, все так и есть! А вовсе не горячка!..

— Ну, давай-ка двигай,— решительно предложил милиционер.

— Куда?

— В ясельки, отдохнуть. Чего по улице шляться.

Он вылез из ямы и твердо ухватил Леся под руку; последний, по видимости, не сопротивлялся, и не потому, что обмозговал какую-нибудь хитрость — просто панический испуг начисто парализовал его волю и ум. В ясельки!.. Только этого не хватало! Господи, а на работе!.. Жена!..

Это слово тут же отрезвило Леся. Он остановился, высвободил руку. Милиционер отпустил, успокоенный примерным до сих пор поведением ханыги. Мало ли, может, человек закурить хочет или еще что...

Лесь не колебался. Будто вспугнутый олень, он отпрыгнул и кинулся бежать, уповая на ноги и на удачу и не обращая внимания, что бежит не домой, а совсем в другую сторону. Давным-давно затих топот милицейской погони, когда Лесь наконец остановился, оказавшись гораздо ближе к Белянам, чем к Мокотову, где жил.

В половине третьего ночи добрался беглец домой и вспомнил про свое важное дело. Даже проверил: и купоны и деньги — как ему показалось, в полном комплекте — у него при себе. Сообразил даже: еще успеет отослать эти чертовы купоны спортлото в воскресенье до полудня, и соображение сие совершенно его утешило. Отправился спать полный впечатлений и почти счастливый...

Проснулся он также довольный и спокойный. В квартире царила тишина, за окном — прекрасный осенний день, и Лесь собрался было повернуться на другой бок и погрузиться в благотворный сон, когда внезапно вспомнил про окаянные купоны спортлото.

Будильник остановился на пяти часах десяти минутах, а это, учитывая положение солнца, было далеко не так. Взглянув на свои часы, они, по-видимому, тоже стояли и уже давно, показывая для разнообразия одиннадцать сорок — это, в свою очередь, представлялось весьма далеким от правды. Все-таки приятно и полезно время от времени знать, который час: посему Лесь встал, потягиваясь, широко зевая, почесывая небритый подбородок, и направился к телефону. Подержался минутку за бедовую больную головушку, пододвинул стул и набрал номер «точного времени». Потом всю свою жизнь, не раз вспоминая эту минуту, считал: стул ему подставила рука Провидения.

— Одиннадцать сорок три,— грациозно сообщило «точное время».

Лесь как-то без всякой радости или печали прослушал эти цифры и продолжал сидеть с трубкой, прижатой к уху.

— Одиннадцать сорок четыре,— столь же вежливо и мягко начислило «точное время».

Лишь после еще одного сообщения насчет одиннадцати сорока четырех Лесю сделалось плохо. Голова трещала все интенсивней, сердце запрыгало где-то в горле. Будь двенадцать сорок четыре или хотя бы двенадцать одна, тогда все ясно: полный конец, амба, каюк и точка — никаких забот, никакой ответственности. Тахта, слава Богу, рядом, можно и поспать с горя. Но в данной кошмарной ситуации оставалось еще шестнадцать минут, и сию секунду необходимо! надлежит!!! развить отчаянную, адскую деятельность, разумеется, для него невозможную!

Стул был моментально опрокинут и телефон сброшен со столика. Несколько бесценных секунд ушло на упорную и бесполезную борьбу с пиджаком, который не хотел выступать в роли брюк. Затем в ванной Лесь оторвал вешалку для полотенец, разбил два стакана, вазу и лампочку в настольной лампе, которая ехидно перевернулась. В поисках чистой рубашки он вывалил на пол полку с бельем из шкафа, а в поисках сапожной щетки — все содержимое тумбы для обуви. В одиннадцать пятьдесят одну вылетел на лестницу с плащом в руках и в ботинках, неимоверно измазанных глиной. С первого этажа вернулся на свой четвертый и захлопнул оставленную открытой дверь квартиры. После чего наконец вырвался на улицу.

До киоска спортлото, принимающего купоны в воскресенье до двенадцати, такси довезло бы за пять минут. Но улица по обеим сторонам была пуста, и Лесь помчался галопом; в двенадцать шестнадцать он привалился к наглухо закрытой двери вожделенного строения, дабы перевести дыхание.

Итак, Лесь добрался до финиша. Теперь можно было вольготно размышлять, каяться, сокрушаться, покачивать головой, возмущаться своим поведением, а затем обещать исправиться и уточнять добрые намерения.

Однако незамедлительно требовалось одно: ликвидировать невыносимое ломотье в башке, заглушавшее все, даже досаду и противное ожидание нахлобучки.

Ломотье в голове, естественно, ликвидировалось лишь одним способом, к нему-то и прибег Лесь без колебаний. Поколебался лишь, выбрать ли бар «Под Арками» или рыбный бар на Пулавской, каковой и выбрал, ибо там было вроде попрохладнее.

Он оттолкнулся от враждебной, безжалостно запертой двери киоска и двинулся в южном направлении.

Выпитая на голодный желудок первая рюмка по способу «клин клином» подействовала чудотворно. Туман в мозгах рассеялся, мысли замельтешили вовсю. Иллюзий никаких, надежд никаких. Пропал. Самым обыкновенным образом пропал и уже навсегда. Судьба свое дело знает: на неотосланные номера, конечно же, выпадет миллион и этот миллион придется возвращать сослуживцам. Как и когда — ладно, потом, а вот одно очень ясно: начиная с сего дня он — человек конченый, потерявший все. Дружбу, какие-либо надежды на уважение окружающих, жену, родной дом, Барбару... О Барбаре теперь и мечтать не приходится! Всему конец, нет спасенья! Он упал на самое дно!

Человек, все утративший, естественной силой вещей больше уже ничего не может утратить. Лесь — и есть вот такой человек. После третьего «клина клином» взгляд на ситуацию приобрел беспощадную остроту. Лесь даже испытал известную гордость — как импозантно ему удалось скатиться в пропасть! И в нем взыграл дух висельника. Без всяких опасений и угрызений выгреб из кармана предназначенные на недостижимую цель деньги и сосчитал. Из общественных двух тысяч четырехсот и его личных двухсот оставалось едва тысяча триста, не считая мелких, которые пойдут на оплату счета в баре. Остальное скоропостижно дематериализовалось.

Обычное бдение в кабаке представлялось ему недостойным человека, столь глубоко павшего морально. Следовало сделать нечто большее. Грандиозное. Нечто ослепительное на руинах карьеры и пропащей жизни.

Он вышел из рыбного бара и для разнообразия направился к северу. И возможности городского центра столь многонаселенной метрополии, и сторона света вполне соответствовали его сумеречно-торжественному настрою. До сих пор была мелочевка, разные недостатки принципиально честного человека. Теперь его нельзя назвать таковым. Растратил чужой миллион тысяча сто злотых. Миллион, выигранный в проклятое спортлото, и тысячу сто, предназначенные на этот выигрыш. Жалкие остатки, уцелевшие от разгрома, жгли ему карман.

Лесь в любом случае решил растратить и эту ерунду. Коли уж черт побрал столько, пусть забирает и остальное, с ним самим в придачу. Растратить незамедлительно, без сомнений, без жалости до последнего гроша! Только с выдумкой! Грандиозно! С фанфарами! Раз уж падать, так с доброго коня!..

Коня!!!

Лесь внезапно остолбенел. К остановке на площади Унии как раз подходил автобус с надписью: «БЕГА». У дверей теснились люди, но место в автобусе было.

«Коня!!!» — наперекор всему молодецки ухнуло у Леся в душе.

Категорический приказ внезапно разъяренной души пихнул его в автобус. Категорический приказ контролера пихнул в кассу. И более он не противился душевному порыву.

Нетерпеливая душа в диктаторстве своем заставила его купить самый дорогой входной билет за тридцать злотых, пронесла мимо пустого в это время паддока и загнала на трибуну. Программу бегов душа обошла молчанием, из чего следовало сделать вывод, что она в программе не нуждалась. Во входном билете тоже, верно, не нуждалась бы, если бы на бега пускали просто так.

Миновав турникет, Лесь оказался в самой гуще орущей, ошалелой толпы, из кожи вон лезущей, дабы возможно быстрей растратить возможно больше денег. Около входа стояли два пана, один из них, схватившись за голову, стонал:

— Эта четверка! Эта чертова четверка!..

А другой молча и смачно рвал на мелкие клочки много белых бумажек и бросал на землю.

В Лесе бушевал не только дух висельника, бушевали и выпитые им в рыбном баре «клинья». В атмосфере азарта вспыхнули миражи: игорные салоны, кучи банкнотов на столах, раскаленные лица, звон золота, выкрики крупье... Монте-Карло!..

— Мой дед фортуну в Монте-Карло!..— вспомнил он с гордостью.

Фраза, однако, оборвалась за отсутствием нужного глагола. И что это дед с фортуной в Монте-Карло сделал?.. Спустил? Промотал? Растранжирил?.. С таким же успехом мог выиграть. Немного и память подводила, поскольку Лесь вообще не мог припомнить никакой фортуны в своем семействе, даже при мысли о прадеде.

Тем не менее дедова фортуна в Монте-Карло увлекала, распирала грудь, хотелось как-то проявить энергию этой фразы. Лесь попытался взобраться по скату, в толкотне ткнулся о некую преграду, остановился и очень внушительно произнес:

— Мой дед фортуну в Монте-Карло!..

Незаконченность сей капитальной фразы заставила его задержаться и взглянуть на это нечто, которое не хотело отвечать на сообщение про деда. Это был столб, в силу своей экзистенции совершенно равнодушный к Лесеву деду и его фортуне. С обидой и презрением Лесь обозрел препятствие, неожиданно не оказавшееся человеком, и отправился дальше.

— Мой дед фортуну в Монте-Карло!..— громко, пронзительно и чувствительно пело у него в душе.

Обойдя два этажа и переждав ближайший заезд, смысл и результаты коего остались для него тайной, Лесь не пожелал транжирить остатки денег и чести. Разбрасывание банкнотов пачками с трибуны — дело вульгарное, и скорей всего дед в Монте-Карло вел себя как-то иначе. Похоже, дед делал ставки... Ну, так и надо делать ставки! Все едино на что!

Усмотрев место, где люди платили какие-то деньги, избегая излишних хлопот, он подошел к кассе, у которой стояла самая маленькая очередь. Не удостоил вниманием зеленую надпись над кассой: «100 злотых». Достал двести злотых и протянул пани кассирше, повторив слова стоявшего перед ним игрока.

— Два — один пять раз.

— Пятьсот злотых,— потребовала пани в окошке, повернулась за билетами и протянула руку за его двумя сотнями.

— Что? — не понял Лесь.

— Пятьсот злотых. Еще триста.

Лесь пожал плечами: бестактно заставлять его тратить деньги в нежелательном темпе. Достал еще триста злотых. Спрятал пять билетов с зеленой надпечаткой и, обеднев на пятьсот злотых, двинулся вперед по велению сердца.

— Сто и селедку,— потребовал он решительно у стойки.

Следующие сто и та же самая селедка поглотили все его внимание: он не побежал бараном за толпой, бросившейся на трибуну. Не слышал криков, не видел результатов забега, ибо внесенные в кассу деньги считал погибшими навеки и вообще не имеющими отношения к каким-то заездам. Дед в Монте-Карло — вот о чем стоит подумать. Только через некоторое время до него дошли слова двух панов — перед ними тоже стояло по сто граммов, но вместо селедки они закусывали бутербродами с икрой.

— Два — один первый заезд,— раздраженно сообщил один.— Ничего не поделаешь, должны были так прийти. Заплатят сорок злотых.

— У меня два — один пять раз,— сообщил другой, рассматривая билеты.— Я играл еще два — три, на фукса.

Лесю стало ужасно стыдно: как же, опозорил деда с селедкой, не поддержал фамильной чести икрой. Надо поправлять положение. Вдруг ему послышалось что-то знакомое. Два — один пять раз... Где-то он уже слышал это магическое заклятие?

Билеты в руке второго пана тоже что-то напоминали. Лесь заказал еще сто и бутерброд с икрой. Теперь можно спокойно и солидно послушать этих вот типов. Он оперся на буфет со стаканчиком чистой в руке и принялся рассматривать панов, поминая предка-игрока столь часто, сколь позволяли речевые возможности.

Двое разговаривали и не обращали на него внимания, потом подошел третий. Этому третьему сразу бросилась в глаза благостно-мечтательная физиономия стоявшего рядом незнакомого хмыря. Игроки на бегах не любят в чужом присутствии разглагольствовать о результатах ближайшего заезда. Третий тут же заподозрил — а не подслушивает ли их этот тип? Он слегка подтолкнул споривших приятелей, головой показав на Леся.

Один из игроков полез в карман и вытащил пачку билетов с зеленой надпечаткой. Лесь машинально повторил его движение и тоже достал пять идентичных билетов, как раз когда соседи на него смотрели.

Нет на свете игрока, который в такой ситуации не проникся бы делами ближнего. Трое невольно вытянули шеи к Лесевым билетам.

— У вас тоже? — поинтересовался один.

— Мой дед фортуну в Монте-Карло!..— взвыл в ответ Лесь, радуясь возможности поделиться светлым настроением и светлой мыслью. И гордо помахал своими билетами перед озабоченными игроками.

Все трое вздрогнули от неожиданного рева и непонятных слов, но зеленые билеты притягивали их магнитом. Не комментируя информации о незнакомом дедушке, посмотрели увлекательные бумажки.

— Ну, есть два — один. Фортуны вы не заработаете на этом...— покривился один из трех.

— Все-таки кое-что,— отозвался второй.— По сорок дадут.

— Сорок четыре,— поправил третий, посмотрев в окно.— Вывесили и уже платят.

— Надо получить, идем...

До Леся смысл сказанного все еще не дошел. Он оставил недопитую водку и престижную икру и поплелся за ними единственно потому, что одноразовое оповещание о предке в Монте-Карло не удовлетворило его. Надо бы обсудить тему подробнее, поскольку в данный момент любовь и дружба с тремя панами явно не достигла желанной крепости. Он встал за ними в очередь перед кассой, машинально сунул кассирше пять своих билетов и к вящему удивлению получил тысячу сто злотых. Опешил, потрогал деньги, ничего поначалу не соображая, и вдруг его озарило. Наконец-то он оценил подвиг деда и уразумел, что дед сотворил с фортуной.

— Мой дед фортуну в Монте-Карло обузда-а-аал! — завопил он в пространство — трое уже улетучились.

Плевать на отсутствие слушателей, когда на подходе интереснейшая мысль. Ха! Если мог дед, почему не может он!.. Явился сюда, чтобы все спустить, а уйдет с высоко поднятой головой. Вернет деньги, честь и, кто знает, может, даже этот растраченный миллион!..

Дед ставил! Он, Лесь, тоже поставил и выиграл! А посему необходимо продолжать ставить! И выигрывать!..

Не вникая в хитроумные и сложные детали игры на бегах, он отправился в ту же кассу, где купил билеты раньше. В голове грохотала мощная мельница, заглушавшая всякие сомнения и соображения. У него и тени подозрения не возникло, что, вообще говоря, главное на бегах — лошади. Он не соображал даже, где эти лошади находятся и зачем они. Какие лошади, если с ним незримо присутствует удачливый дедушка из Монте-Карло.

Отдал кассирше еще пятьсот злотых, решительно повторив услышанное в буфете:

— Два — три. Пять раз.

Гордый и взволнованный Лесь уже нигде не останавливался, а бродил по верхней галерее и ожидал натурального хода событий: вот сейчас случится нечто вполне закономерное и он снова выиграет. Что и как случится, не имеет особой важности. Вдохновленный удачей деда Лесь никак не мог отделаться от ассоциаций несколько иного рода: зеленого стола, шарика, рулетки, сданных карт и прочего в том же стиле. Звонок, сигнализирующий начало следующего заезда, обеспокоил его: вдруг да он пропустит нечто безумно важное. И машинально помчался за всеми, то есть от касс в сторону беговой дорожки.

Лесь принялся внимательно всматриваться в даль, а потому старт пяти «арабов» почти от самой трибуны не дошел до его сознания. Только когда лошади пробежали половину дистанции и оказались где-то далеко, однако в досягаемости его взгляда, он сообразил — что-то мчится. Ему даже удалось опознать бегущие создания. Ну конечно же, лошади! Ведь он играет на бегах! Поставил на каких-то лошадей, вот лошади и бегут, сейчас будут здесь, и выигрыш будет здесь!

До него даже начал доходить окружающий шум. Какой-то счастливчик, опершись о балюстраду, смотрел в бинокль и комментировал забег для зрителей с невооруженным глазом. Все нервничали, напряжение передалось и Лесю, хотя до сих пор его олимпийское спокойствие явно раздражало окружающих.

— Пятерка ведет! — орал счастливчик с биноклем.— Пятый ведет, за ним тройка, потом двойка!.. Тройка догоняет, нет, опять отстает!..

— А кто последний? Здорово отстал!

— Сейчас, минутку, единица!.. Единица, Калифат!

— Говорил я, Калифат последний!

— Идите к черту!!!..

— Ну, не томите! Что там на вираже?!

— Тройка впереди, пятерка вторая!..

— Так и будет: три — пять, увидите!..

— У меня двойка и трипле,— заорал кто-то.

Отчаянный и непонятный вопль потряс Леся, он навалился на спину стоявшего перед ним типа, рванул за рукав и тоже заорал:

— Говорите, ну!

— Это оказался счастливый обладатель бинокля. Он изо всех сил старался вырвать рукав — материя трещала, рука с биноклем тряслась и уходила в сторону. Лошади неслись уже по прямой, Лесь по-прежнему дергал, а потому привилегированный зритель отказался от услуг бинокля и кричал, на сей раз попросту и без мудреных словечек:

— Валет идет, Валет! Пятый — второй!

— Черта с два! Двойка берет! Уже три — два!..

— Двойка вырывается!

— Не поддавайся!!!..

— Валет, жми, Валет, жми!!!..

— Ну вот, два — три!!!..

— Черт побери, три — два ставил десять раз!..

Обалделый и почти протрезвевший от переживаний Лесь без сопротивления позволил отпихнуть себя в глубину. Два — три!.. Два — три было написано на пяти купленных им билетах! Выиграл! Снова выиграл! Сама судьба за него! Сама судьба направила в такое место, где он смог отстоять свою честь и достойно поддержать семейные традиции, заложенные дедом в Монте-Карло! Теперь он все отыграет и в ореоле славы появится перед недалекими сослуживцами! Бросит им под ноги этак по-мужски добытые деньги! Что там жалкое спортлото, в спортлото любой голодранец сумеет сыграть, а он единственный не убоялся когтей азарта, и вот, пожалуйста,— каков результат! Ладно, швырнет им больше, чем они ожидают, им всем и ей!.. Барбаре!..

Правда, гипотетический миллион, при всей своей наглой навязчивости, не очень-то поспешал к нему, но доблестному приверженцу деда-игрока было теперь не до математических выкладок. О сумме выигрыша он узнал только при получении, ибо вся информация по радио или на табло ускользнула от его внимания. Стартовый порядок два — три, оцененный в двести двадцать злотых, принес ему пять с половиной тысяч, таким образом, учтя растраченный капитал, он уже был на плюсе.

Всевозможные восклицания и выкрики Лесь запоминал очень избирательно, а потому в счастливой кассе ляпнул первое, зацепившее память, уточнив:

— Десять раз.

«Подумаешь, стартовый порядок три — два. Три — два десять раз...» — последние слова, какие он случайно слышал, когда лошади пришли к финишу. Паршивая тысяча злотых, выброшенная на игру теперь,— жалкая мелочь в блеске грядущего миллиона. Как и каким образом можно выиграть миллион на ипподроме в течение дня, не занимало Леся, ибо он не намеревался раздражать Провидения дурацкими вопросами.

Резкий поворот в жизненной ситуации, неожиданный скачок из пропасти на высоты прямо-таки героизма, блистательная и столь плодотворная смелость в азартной борьбе — все это потрясло его основательно и свело к нулю последствия потребленного алкоголя. Теперь уже сто граммов с селедкой, с икрой... какой икрой! — с устрицами!.. были без надобности. Теперь в ушах гремели фанфары упоений, и даже зеленые столы и рулетка вылетели и пропали с глаз долой. И теперь на трезвую, геройскую голову он заметил наконец главные объекты внимания сотоварищей по борьбе: сперва лошадей в паддоке, а после — лошадей на беговой дорожке. Гордый, взволнованный, счастливый, он смотрел сверху на блестящие лошадиные крупы и даже понемногу начал соотносить номера на вальтрапах с номерами купленных билетов. Не понял лишь, почему этих номеров два: сие без сомнения означает одновременную ставку на двух лошадей, а ведь всю жизнь ему казалось, что ставят на одну лошадь и выигрывают, когда лошадь первая приходит к финишу... До сих пор ему не случалось бывать на бегах, и он понятия не имел о тайнах этого предприятия, а сейчас даже как-то стыдно спрашивать. Посему: уж если два раза выиграл на этих странных двойных лошадях, выиграет и в третий, и нечего забивать голову пустяками.

Лошади, переведенные с паддока на беговую дорожку, прошли пробным галопом и направились к старту. Человеческий табун переместился на другую сторону трибун. Лесь вышел на балкон, устроился у парапета, удобно облокотился и стал ожидать очередной победы.

Ждал долго — в очередном заезде стартовали двухлетки на дистанцию тысяча четыреста метров, а старт двухлеток всегда проблема сложная. В ожидании он жадно прислушивался к разговорам, наконец заинтересовавшись техникой выигрыша. Кто-то убеждал кого-то:

— Конюшня придет, увидите...

Леся это не волновало ни в малейшей степени, ибо он просто не понял, о чем речь.

— Да какая конюшня, Полонез впервые идет на тысячу четыреста,— разозлился другой.

— Ну и что, увидите, придет!

— Почему он не пускает лошадей, все собрались!

— Да что вы, не все, одна в кусты ушла!

— А что там сзади? Посмотрите!..

— Единица... — информировал один из владельцев биноклей.— Стоит задом, и все тут, нет, уже подвел... Пошли!!!

— Фальстарт!! — ухнуло одновременно, фанаты явно нервничали.

— Две вырвались! Одна еще бежит! Куда это она? Идиот!

— Скажите, кто вырвался вперед?!

— Тройка, Полонез!..

— Ну, вот вам и конюшня! Если вырвется, уже не придет!

— Конь в форме, прямо-таки летит! Должен прийти!..

Лесь тоже начал нервничать, неизвестно отчего, ведь его успех обеспечен высшей силой. Его опекает сама судьба...

Второй фальстарт привел Леся в настроение, аналогичное настроению публики. А третий вообще доконал. Происходило что-то совсем непонятное, но рев на трибуне свидетельствовал о высшей степени беспокойства.

— Какой кретин пускает лошадей?!

— Да что вы, с двухлетками всегда так!

— Как лошадь может прийти, если трижды вырывается! Он уже всю дистанцию пролетел!

— Пустит он их, черт побери, или нет?!

— Одна опять задом стоит! Это которая побежит задом?!

— Единица! То и дело портит старт! Поворачивают!..

— Пошли!!!..

— Кто?! Да кто же?!..

Лесь перекинулся через балюстраду, и, если бы его не прижимала сзади живая стена, вывалился бы на нижний этаж. Он всматривался в лошадей совершенно понапрасну — ничего разобрать не мог. И приблизительного понятия не имел, на каких лошадей ставил, а вопеж совсем его дезориентировал.

— Конюшня идет! Конюшня, три — один!..

— Двойка берет сзади! Смотрите, три — два будет!

— Пятерка летит от поля!..

— Полонез, жми! Полонез!

— Не успеет!.. Уже три — пять!!!

— Три — пять...

— Ну, и где эта ваша конюшня?!

— Двойка уже третья, смотрите, а ее вообще в расчет не брали!..

— Три — пять! Ну, выплата будет! Все ставки делались на конюшню!..

Лесь у своей балюстрады полностью обалдел. Перед ним, около судейской кабины, на табло красовались номера три и пять. А он поставил на три — два... Так что же, значит, он проиграл? Это невозможно! Вот тебе и на: судьба холила, опекала, сулила миллион! Где этот миллион?!

Видать, самым очевидным образом судьба оскорбилась пренебрежением Леся к ее манипуляциям и подкачала. Несчастная игрушка судьбы не очень-то понимала, что теперь делать. Требовать проверки? Или повтора заезда?.. Минуточку, а ведь одну лошадь он угадал... Так, может, выиграл половину?..

Рядом с Лесем сидел на стуле некий господин и опирался подбородком о балюстраду: вся фигура его выражала полную безнадежность. Лесь взглянул на него внимательней и снова ощутил нечто вроде родства душ. Он достал свои билеты и ткнул их под нос разочарованному господину.

— Скажите, пожалуйста, а это что такое? — спросил Лесь очень грустно, ибо жестокие сомнения одолевали его.

Тот посмотрел на билеты, потом на Леся, снова на билеты и проявил вялый интерес. Потом высказался коротко и ясно:

— Макулатура.

— Значит, я проиграл? — в голосе Леся зазвучал целый регистр: возмущение, недоверие, отчаяние,

148

глубочайшее изумление и столь же глубочайший ужас. Господин взглянул на него повнимательней, принюхался со знанием дела и, опять впадая в хандру, заключил:

— По морде!!! Я тоже. Все.

И взгляд его бесцельно устремился в пространство.

Лесь понял: надо оставить в покое человека. Но слово «все» его несколько приободрило — он-то проиграл еще не все. И снова пробудился дух деда-игрока, несколько усыпленный последними эмоциональными передрягами. Если еще проиграно не все, надо играть дальше! Будем играть! Будем... сразу отыграемся...

Но оберегающее безумцев милосердное Провидение позаботилось двумя способами спасти устремившуюся к гибели жертву. Во-первых, Лесь попал на бега лишь на четвертый заезд, в коем еще не успел принять участие. Выиграв в пятом и шестом заездах, проиграв в седьмом, он имел впереди всего два заезда. И тут Провидение весьма просто не позволило Лесю истратить на них больше двух тысяч злотых.

Ему не пришло в голову ставить на несколько комбинаций, и никто, по счастью, этой золотой мысли ему не подсунул. Высоко подняв штандарт дедовой чести, Лесь пренебрегал ставками ниже тысячи злотых и, если бы ставил не на один, а на несколько стартовых порядков, спустил бы все до последнего гроша. Благодаря же опеке высших сил он избавился лишь от балласта в три тысячи, а остальное сохранил.

Когда он одним из последних уходил из этого вертепа, его разум уже более или менее функционировал. Эмоциональная болтанка отрезвила его окончательно. Он, пересчитав оставшийся капитал — четыре тысячи двести злотых, удивился несказанно. В этих жутких последних заездах, казалось, он проигрывал колоссальное состояние — некие родовые имения, деревни, дворцы, приданое жены...

Собственная судьба тесно переплелась с судьбой деда в Монте-Карло. Дед, возможно, обладал земельными угодьями, его жена, то есть, видимо, Лесева бабушка, без сомнения ·имела приданое, жена самого Леся, напротив, не имела ничего. И прекрасно, что не имела, имей она хоть что-нибудь, Лесь всенепременно проиграл бы все!

Испытывая нечто вроде неясной благодарности господствующему строю, Лесь шел себе пешком и размышлял. Высокое безумие, охватившее его в рыбном баре, позволило отыграть доверенную сослуживцами сумму. Мало того, сколько у него теперь?.. Теперь... Двести злотых пропиты, черт с ними. И все-таки у него тысяча восемьсот in plus *. Теперь бы только еще одно чудо. Если проклятые неотосланные купоны не выиграют больше имеющейся наличности, он сможет эту постыдную историю скрыть от окружающих и спасти честь. Не прослывет растратчиком или идиотом, смело сможет смотреть людям в глаза... Надо срочно послушать результаты этой сволочной забавы для кретинов!

Преисполняясь то надеждой, то беспокойством, Лесь спешил в родимый дом, совсем не предчувствуя сюрпризов.

Недовольная поведением Леся в течение последних недель жена собралась как раз этим утром поговорить с ним начистоту. Последней каплей послужил субботний вечер, проведенный Лесем весьма таинственно, незапланированно и закончившийся в три часа ночи. Спокойная, уравновешенная, рассудительная, умеренно-снисходительная Касенька после глубоких дум порешила: мягкость в данном случае абсолютно противопоказана и необходимо Леся встряхнуть.

Надо учинить безобразный кабацкий скандал. До сих пор никогда в жизни Касенька не делала

---

* В сторону повышения *(лат.)*.

кабацких скандалов и ее представления о дебоше страдали умозрительностью. Опираясь, однако, на мнение лиц, просвещенных в этом отношении, она надеялась: если удастся начать, дальше пойдет само собой.

Утром, пока Лесь еще спал, Касенька отвела ребенка к родителям, не желая травить невинное существо зрелищем отвратительным и неприличным. Сейчас она возвращалась домой, стараясь поднять свой боевой дух.

Покаяние и просьбы о прощении несомненно ожидающего ее Леся следует проигнорировать полностью. Поведение его, по мнению Касеньки, переходило всякие границы, и во что бы то ни стало необходимо отреагировать резко. Она отказалась от приглашения друзей, убеждавших ее принять участие в неуточненных еще вечерних развлечениях, не обратила даже на них особого внимания, совершенно поглощенная тяготеющим над ней долгом задать хорошую взбучку легкомысленному супругу.

Безобразный скандал имеет свои законы: необходимо что-нибудь разбить, что-нибудь швырять. Спешно направляясь к дому, Касенька про себя чинила смотр домашнему достоянию. Не могла, к сожалению, вспомнить ничего такого, чем можно было бы потешить руку — пригодилась бы инвалидная кружка, отбитая тарелка и треснувшее блюдо. Рассерженная на себя за идиотскую любовь к порядку, на семейство и друзей, упорно одаряющих ее предметами несомненной художественной ценности или весьма необходимыми в хозяйстве, на Леся за уйму бесцельных расходов, она решилась, наконец, в педагогических целях пожертвовать супницей. Все-таки вещь не первой необходимости, люди живут и без супницы.

Колеблясь, начать ли сцену словом или делом, она открыла дверь квартиры и застыла, изумленно обозревая переднюю. Затем вошла и тщательно проинспектировала помещение. Наконец встала посередине комнаты в бурной эмоциональной неопределенности.

Вместо сокрушенного мужа повсюду царил разгром. Словно после землетрясения или смерча. Таков был результат утренней деятельности спешившего Леся.

Первое движение растерянной Касеньки — конечно же, броситься все убирать, и машинально она уже подняла опрокинутую лампу, однако тут же взяла себя в руки. Осторожно положила лампу на прежнее место, села в кресло, мстительно швырнув Лесеву пижаму на пол, и предалась раздумьям.

Через полчаса план был готов. Касенька встала с кресла, позвонила отринутым было друзьям, согласилась принять участие в предложенных развлечениях, после чего спокойно и методично приступила к завершению сцены побоища. Приглушив умоляющий голос души, выбросила из шкафа, по примеру Леся, весь свой гардероб, предварительно отобрав костюм для развлечений, разбросала книги и журналы, сняла с окон занавески и пошвыряла где придется — словом, проявила много изобретательности в эстетике разрушения. Потом Касенька достала из буфета супницу, водрузила наверху и удалилась из дому с холодным намерением уничтожить все и вся тотчас по возвращении, часов в одиннадцать вечера.

Лесь неподалеку от дома очень даже замедлил спешку. Близость родимых порогов напомнила ему о пагубных конфликтах в личной жизни. Вспомнил, как бежал из дому и что там натворил, и сделалось ему не по себе. Жена, понятно, ждет, и сразу же он узнает следующее: кто он по сути своей, как можно квалифицировать его поступки и что его ждет в ближайшем будущем. Моральные наставления, скорей всего, будут гораздо круче обычных, наверняка полетят вопросы, на которые ответа нет и быть не может. Лесь испытал неодолимое желание свернуть с дороги. Однако сверлящая мысль насчет миллиона вернула его на избранный путь.

Последние метры он едва волочил ноги. У ворот остановился, изучая небо, дабы прогнозировать погоду на завтра. В холле внизу задержался, внимательно прочитал список жильцов, нашел свое имя и грустно покачал головой. Изучил почтовый ящик — там, похоже, ничего не было. Мелькнула слабая надежда на очень длинное письмо, которое он прочитает на лестнице, оттягивая тем самым появление в квартире. Достал забытый в кармане ключик и извлек почтовое уведомление. Долго рассматривал уведомление, раздумывая про письмо, ничего не придумал и открыл дверь.

Поначалу он мало что понял. Усиленная Касенькой живописность интерьера прихожей и ванной, очевидные изменения в декорациях остальных помещений доказывали непреложно: жена побывала дома во время его отсутствия.

Убедившись в ее актуальном отсутствии, Лесь сперва успокоился, затем ужасно перепугался. Жена, оставившая еще больший беспорядок — такого прецедента не было! Что-то стряслось и столь страшное, что Лесь и представить себе не мог. Вместо того чтобы навести порядок и поджидать его, Леся, с упреками, претензиями и сугубо справедливым вердиктом, жена разорила квартиру окончательно и беззаботно ушла. Факт сей был слишком страшен, непонятен, потрясающ для бедной Лесевой головы.

Однако сейчас было не до раздумий. Он бросился наводить порядок с такой скоростью, словно от рекорда зависела вся оставшаяся жизнь.

Сорванная в ванной вешалка ни за что не хотела держаться. Лесю даже в голову не пришло оставить это на потом. Извлек столярные орудия, двинул молотком в шлямбур разок-другой, пробил стену насквозь из ванной в коридор, откромсав при этом мощный кусок штукатурки: пыль густо посыпалась на одежду, на пол и мебель. Прелюдия грядущего порядка получилась громкая и основательная.

Теперь ему было не до спортлото. В паническом ужасе перед неизвестным, таинственным катализмом Лесь разогнался без оглядки. Нужные материалы нашлись. В половине двенадцатого Лесь заделал дыру и заштукатурил стену в передней, высушил ее жениным феном для волос и выкрасил плакатной краской, закрепил гипсом пробки для вешалки в ванной. Потом развесил все занавески — насчет некоторых даже поколебался, не выстирать ли их сразу,— и приступил к полу. В час ночи весь паркет сиял, а Лесь трудолюбиво выколупывал из ванны песок, цемент и гипс, забившие сток. В половине второго он закончил сей поистине гигантский, геркулесов труд, рухнул на табуретку в кухне и постарался заодно упорядочить мысли.

Касеньки все еще не было. Вряд ли она бросила его насовсем, больно много вещей осталось... Какой-нибудь несчастный случай? Катастрофа?!..

Через двадцать минут Лесь изучил телефоны дежурных больниц, «Скорой помощи» и милиции. Ни одна из этих организаций ничего о Касеньке не знала.

Дела обстояли из рук вон. Обдумывая и анализируя ситуацию, вспомнил о проклятом спортлото. Ну, это уже чересчур. В горле стоял ком, голова тяжелая, в желудке свербело. Жуткая усталость от каторжной работы, расшалившиеся нервы — все это грозило истерикой. Он быстро оделся и выбежал на улицу.

Ровно через десять минут вернулась жена.

Веселые Касенькины друзья отличались блестящей творческой изобретательностью и придумали оригинальный способ проведения вечера. Решили отправиться на природу, найти хорошее место, разложить костер и печь гуся в глине. Энтузиастов насчитывалось восемь человек на двух машинах.

Переговоры с обладательницей гуся в одной из подваршавских деревень на Висле затянулись, ибо консервативная собственница твердо отказывалась продать птицу в столь несоответствующее время года и предлагала странному обществу отложить торг до ноября. Разжечь костер на лугу около реки с помощью собранного в рощицах отсыревшего топлива тоже удалось не сразу. Еще больше затянулись поиски нужной глины, выкапывание ее в темноте голыми руками и кража с соседнего поля картошки, надобной для фаршировки гуся. В конце концов гуся начали печь.

Предприимчивая компания часов не наблюдала, ибо, учитывая характер местности, с топливом было плохо, и особи с растрепанными волосами и хищными взглядами браконьерствовали в пределах двух километров от священного огня. Восьмой отчаянными усилиями старался поддержать костерок, разгребая огонь палкой и подбрасывая все подряд, скандаля и понося медлительных добытчиков. Гусь якобы пекся, пахло горелым пером, равнодушная к земным заботам луна совершала свой путь по небу, хранители огня сменялись каждые полчаса, а время шло. Сожрали всю украденную картошку, кроме той, что запихали в гуся. Выпили пол-литра сливовицы, сперва оставленной в качестве антидота на жирное гусиное мясо. Высушили одежду, промоченную в водах королевы польских рек, пока искали глину. А гусь все пекся или делал вид, что пекся...

В половине второго ночи терпение зверски голодных участников пикника лопнуло. Дрожащими от жадной поспешности руками выгребли птицу из догорающего огня и разбили затвердевшую глину. И с первым же взглядом на результат многочасовых кулинарных изощрений надежды увяли, сомнения расцвели, а голод усилился.

Гусь выглядел странновато. Спинка обуглилась вместе с пером, а грудки огонь вроде бы и не коснулся. Ни один из компонентов гуся не годился для еды, несмотря на энергичную возню и феноменальное терпение.

Посему потребили частью обгоревшие, а частью недопеченные картофелины и, выплевывая обугленные перья, выковыривая из зубов волокна неимоверно жесткого мяса, решили закончить пиршество. Послышалось, правда, робкое предложение допечь гуся на новом костре, но тогда пришлось бы переменить место бивака, ибо на оккупированной местности все топливо уже было сожжено. Эти непредвиденные трудности, а также усилившийся голод побудили все общество вернуться к родным пенатам.

Потому-то Касенька, вопреки диспозиции, оказалась дома не в одиннадцать, а только в три часа ночи, смертельно голодная, перепачканная землей, обгорелой картошкой и углем, пропахшая дымом, с опаленными бровями, ресницами и волосами, усталая от поисков дров и отчаянно засыпающая. Запланированный кабацкий скандал висел дамокловым мечом над ее страждущей подушки головой.

Отсутствие Леся вызвало смешанные чувства. С одной стороны, идеальный порядок очень ее утешил, а с другой, ее весьма обозлило, что в такую пору ночи Лесь улизнул из дома, избежав упреков, аргументов и убеждений. Правда, отсрочка кабацкого скандала в данный момент устраивала Касеньку. Покачиваясь от усталости, но незыблемая в принципах, она пока что отправилась спать.

Лесь, обегавший без цели и смысла полгорода, схватил такси в вернулся в пять утра. Увидев на вешалке пальто жены, он чуть не обезумел от волнения и раскаяния. Боже мой, тотчас же, безотлагательно должно пресечь страшное, таинственное недоразумение, оправдаться, отвергнуть все упреки, узнать мотивы непонятных ее поступков и, коли без того не обойтись, понести справедливое наказание...

В негодовании, волнении и переживаниях он влетел в комнату.

— Касенька! — отчаянно промурлыкал непутевый супруг.— Касенька, проснись! Сокровище мое!..

И придавленный необходимостью искупления, он упал на колени около тахты.

Внезапно разбуженная, видевшая во сне темные заросли, недопеченных гусей и летающие блюда, Касенька уселась в постели. Мутным взглядом посмотрела на Леся, однако сознание долга пересилило забытье. Да. Безобразный кабацкий скандал. Ничего не поделаешь: тяжко вздохнув, она встала с тахты, сунула одну ногу в тапку — на второй Лесь стоял на коленях — и, натыкаясь на мебель, отправилась в кухню за необходимым реквизитом. Лесь застыл на коленях.

— Касенька! — стенал он неуверенно.— Сокровище мое!..

И тут голос его оборвался: Касенька несла огромную супницу. Не открывая глаз, она изо всех сил размахнулась и грохнула супницу об пол, потом во весь рот зевнула и по-прежнему молча залезла в постель.

Лесь помертвел. Неожиданный, неправдоподобный, невероятный поступок его спокойной, выдержанной Касеньки произвел впечатление какой-то кровавой развязки и ошеломил до такой степени, что голова отказывалась что-либо понять. Довольно долго он не смел пошевелиться. Наконец, на боязливых четвереньках отступил в другую комнату и, не способный уже ни на какие реакции, донельзя измотанный, упал на тахту и заснул.

Не менее усталая Касенька тоже мгновенно уснула с неясным, но приятным чувством хорошо исполненного долга...

Естественным ходом вещей после воскресенья наступил понедельник. У Леся все воспоминания о спортлото вытеснили супружеские проблемы. Не выспавшаяся, но добросовестная Касенька давно уже ушла на работу, Лесь, кончая бритье, по обычаю всех игроков взывал к новому чуду.

Его совсем не заботило опоздание на службу и вообще всякое разное; единственной мечтой была «Трибуна Люду» с тиражом выигрышей. В третьем киоске удалось достать желаемую прессу, с коей он машинально, по привычке, сел в автобус.

Таблица в «Трибуне» ничего ему не говорила — он не помнил, какие номера были вычеркнуты в купонах. Трясущимися руками достал из кармана сначала десять последних, проигранных билетов с бегов, потом почтовое уведомление, потом деньги и, наконец, добрался до лотерейных купонов. Со всеми этими бумажками в руках он не мог держаться и от автобусной тряски валился на соседей-пассажиров, пока не пришел к выводу: автобус не лучшее место для исследования капризов судьбы и маршрута жизненного колеса. Решил отыскать где-нибудь спокойный уголок, дабы необходимые исследования провести.

Спокойным уголком оказался Саксонский сад. Расположившись на свободной скамейке, Лесь принялся за работу.

Купонов всего было восемь. Пять с десятью зачеркнутыми номерами по четыреста двадцать злотых каждый и три — с девятью зачеркнутыми, по сто шестьдесят восемь злотых. Этот поразительный метод игры группа применила из-за отсутствия времени, а теперь Лесю приходилось вдвойне испытать этот метод на своей шкуре.

На купоны с девятью вычеркнутыми цифрами, к счастью, ничего не выпало, но зато в трех из более дорогих, по четыреста двадцать злотых, четыре номера совпадали!

Сперва, избавившись от призрака чудовищного миллиона, Лесь вздохнул с облегчением. Он пока что не отдавал себе отчета в результатах системной игры. Но тут же вспомнил какую-то беседу на эту тему при заполнении купонов, прочел инструкцию на обороте купонов и опешил.

Несчастные три четверки — огромное количество денег, трудно даже представить сколько, но сумму надлежало обязательно сосчитать. Торопливо вытащил карандаш и, то и дело ошибаясь и нервничая, предался арифметике.

Исписав все края «Трибуны» и часть скамьи, он досчитался до кое-каких результатов. Учтя возможные выплаты по триста злотых за четверку и по двадцать за тройку, Лесь должен был сослуживцам (и себе тоже) восемнадцать тысяч триста злотых.

А у него было всего четыре тысячи сто. Не хватало четырнадцати тысяч двухсот.

Этот дефицит поверг Леся в полный нокаут. Он понятия не имел, что теперь делать. Домой возвращаться не хотелось из-за неясной супружеской ситуации; к тому же дома его легко могли разыскать сослуживцы. Явиться на службу — об этом нечего и говорить! Гастрономические заведения отпадали, ибо там вообще-то надо платить, а деньги он просто боялся трогать. Положеньице! Шляться по городу? Кончить самоубийством? Сдаться в милицию? Что делать?..

В двести восемьдесят пятый раз Лесь бессмысленно осмотрел все бумаги, и, наконец, ему попало на глаза почтовое извещение. Надо было пойти и получить заказное письмо. Может, на почте будет длинная очередь и он хоть какое-то время там проваландается.

Родимое почтовое отделение находилось на Мокотове. Лесь доехал туда обстоятельно, кружным путем, с пересадками и самым неторопливым транспортом. Охотнее всего Лесь доставил бы себя на телеге, запряженной флегматичными волами, но этот способ передвижения, увы, был недоступен.

У окошка выдачи корреспонденции не было ни единой души. Лесь с завистью посмотрел на длинный, затейливо извивающийся хвост — пересылку и получение денег,— отказался от соблазна постоять в очереди и отдал в окошечко свое извещение. Расписавшись на квитанции, он взял конверт с официальным штемпелем.

К подобным конвертам Лесь испытывал острое отвращение. В таких конвертах обычно поступали вежливые напоминания о неоплаченных счетах. Поэтому не стал читать — откуда, торопливо вскрыл, дабы уж сразу заприходовать все дары судьбы, и достал официальное сообщение.

Прочитал и ничего не понял. Прочитал еще раз, третий, четвертый и пятый. Верно, какое-то недоразумение, потому что чудес не бывает, а если и бывают, то не с ним.

Следует напомнить о безупречной трезвости читающего Леся. А в трезвые периоды он относился к жизни куда как реалистичнее, чем после возлияний. В иных отношениях Лесь был пессимист, а последние события эффективно обосновали его пессимизм. Сообщение в заказном письме опрокидывало все, что разумный человек мог бы ожидать от жизни.

Лесь, из-за всех своих немалых огорчений, усомнился в своем нормальном восприятии мира и в своем умении читать, а потому обратился к стоящему в конце хвоста приличному с виду субъекту.

— Извините, пожалуйста,— зажалобился он.— Не могли бы вы прочитать мне это письмо вслух?

Несколько удивленный субъект посмотрел на лаконичное послание в руках Леся, которое без труда схватывалось одним взглядом.

— А в чем дело? — спросил он.— Тут написано, что на ваш счет переведены какие-то деньги. За картины, проданные в художественном салоне. А что? Какая-то ошибка?

— Спасибо,— торжественно и с чувством ответил Лесь.— Большое вам спасибо...

Субъект из очереди внимательно взглянул на внешне интеллигентного, но неграмотного человека и пожал плечами.

— Пожалуйста, не за что,— буркнул он, подумав, что в наши времена видимости доверять не приходится...

А у Леся ноги подкосились. Он сел на стул, разложил перед собой на столе бесценный документ и застыл в благостной сосредоточенности.

В его душе вздымалось нечто напоминающее волну молитвенного экстаза.

Полгода назад он действительно сдал в салон шесть своих картин, оторванных, можно сказать, прямо от сердца. Отдал их на заклание, на гибель — на продажу!.. Поначалу ревниво справлялся об их судьбе, после, занятый конкурсом, несколько запамятовал, а потом и вообще о них забыл. Никак не предполагал, что их когда-нибудь купят, ведь и цена была назначена немалая. И вот теперь, именно теперь, в трагичнейшую минуту жизни, ему сообщили: все шесть картин куплены!

Событие сие не только возвращало растраченные деньги, но и подтверждало тайное и постоянное самоощущение Леся: он человек выдающийся! Талант!

Прохожие на улице Пулавской с удивлением наблюдали за прилично одетым паном, который бежал с подпрыгом и подскоком, бормотал что-то, время от времени громко вскрикивал, останавливался и покрывал пламенными поцелуями небольшой листик бумаги. Какая-то пани даже растроганно вздохнула, убежденная, что пан с таким обожанием целует письмо возлюбленной.

Недалеко от Раковецкой этот оригинал неожиданно прекратил крики и подскоки и замахал таксисту.

В мастерской переживали прямо с утра. Результаты спортлото были напечатаны, однако никто из игравших не помнил чисел, вычеркнутых в субботу. Купоны остались у Леся, а Лесь все не объявлялся.

— Одно из двух,— мрачно бубнил Януш.— Или мы ни черта не выиграли и этот «мокрый лютик» помер с горя, или выиграли миллион, тогда он с утра от счастья упился.

— А почему ты исключаешь пьянку с горя? — поинтересовался Каролек.

— А у него денег нету. По-моему, у него ничего не оставалось.

— Ну и от счастья тоже не на что упиваться, ведь сразу не выплатят.

— Под залог купонов запросто мог занять у кельнера. У кельнеров всегда есть.

Каролек грустно задумался:

— И какого черта мы пошли в архитекторы?

— Не от большого ума,— усмехнулся Януш, и опять воцарилась тишина.

Немного погодя завела Барбара:

— Интересно, почему это некоторые постоянно остаются в дураках? Смотрите, щенки из Белостока спокойно, не спеша обстряпали выгодное свинство. А мы мало того, честные, так еще вечно летим сломя голову, будто на пожар. И зачем все это?

Януш резко повернулся от стола.

— Вот что,— заявил он решительно.— Категорически заявляю: если эта банда возьмет первую премию, на следующий день собственноручно надаю по морде Геньке. Пусть хоть моральное удовлетворение будет! А если этого не сделаю, можете меня на четвереньках кнутом прогнать вокруг рондо на Новом Святе!

— А кто тебя гонять будет? — заинтересовался Каролек.

— Все равно. Можете коллективно.

— Хоть бы две тройки угадали! — вздохнула расстроенная Барбара.— Хоть бы свои деньги вернуть!

В комнату заглянул Стефан.

— Этого еще нет?

— Как видишь.

— А дома?

— Никто не отвечает. Шесть раз звонили.

— Ну, попадет он мне в руки! Господи Христе!..

После Стефана визит нанес Влодек, цветом лица несколько напоминающий покойника.

— А может, случилось что? — простонал он.

— Случится с ним только здесь,— зловеще пообещал Януш.— Сдается, работы будет хоть отбавляй.

— Он потерял купоны! — вдруг озарило Каролека.

— Откуда ты знаешь?! — испугался Влодек, чуть не теряя сознание.

— Не знаю, но допускаю...

— С ним все возможно. Мы, наверно, совсем ума решились, когда отправили его со всеми купонами!..

И пока настроение сослуживцев летало на качелях от крайнего беспокойства до полного отчаяния, объект ожиданий вошел в дверь мастерской и не столько вошел, сколько вплыл в пляске, выделывая радостные пируэты, с победной песней на устах. Счастливый Лесь припал к ручке пани Матильды, сбросив по дороге вазочку с цветами, затем, грациозно притопывая, прошел коридор и с последним зажигательным поворотом у самых дверей своей комнаты совершил самое эффектное антраша. В столь великую минуту он и не думал о равновесии, а посему покачнулся и с размаху сбросил плечом висевший на стене огнетушитель.

Огнетушитель упал по инструкции, то есть головкой вниз. Новый, исправный, как выяснилось через минуту, он мог бы загасить даже пылающий Рим.

Барбара, Каролек и Януш, издали услышав песни и народные танцы, сорвались с мест, чтобы выскочить в коридор, но, ошарашенные, захлопнули дверь. Стефан тоже высунул было голову и тоже отпрянул потрясенный. Главный инженер и зав мастерской столкнулись в другой двери с Влодеком, спешащим встретить Леся, и, налетев друг на друга, не сумели достаточно проворно ускользнуть от смерча, который не столько увидели, сколько почувствовали на себе.

С пронзительным дьявольским шипением яростная пенистая змея, словно зажатый в тисках тайфун, металась по маленькому коридорчику, а в объятиях змеи барахтался Лесь, застигнутый врасплох и очумелый больше, чем когда-либо в жизни. Скользя и брыкаясь, Лесь всякий раз толкал огнетушитель, который и так по закону отдачи постоянно менял положение. Чудовище проявляло поразительную подвижность и вовсю плевалось пеной, а Лесь, ослепленный, не понимал, что случилось, и старался где-нибудь скрыться от разъяренной бестии, атакующей его неизвестно почему со всех сторон сразу. В голове мелькнули невнятные подозрения — может, это засада, и если не на него, тогда на какого-нибудь несимпатичного заказчика, а он, Лесь, попался по ошибке, и теперь ему уже ничто не поможет. Дико шипящий поток бушевал во всех направлениях сразу, двери открывались и тут же захлопывались, пена пластами нарастала на стенах и потолке, а грохот бьющегося о стены и предметы огнетушителя жутким эхом разносился по всему зданию. Казалось, это громокипящее представление никогда не кончится.

— Господи,— застонал Каролек.— Что это он притащил?

Ибо никто из сотрудников, спасавшихся за закрытыми дверями, поначалу не распознал источник шального смерча, вдруг сорвавшегося в коридорчике, и у всех зародилось убеждение, что Лесь принес с собой какой-то страшный механизм, который не то сорвался, не то взорвался... Только зав и главный, стряхивающие с себя слоистую пену, уразумели действие огнетушителя, но они тоже подозревали Леся в тайной доставке аппарата и в тайной цели использования. Странновато, правда, что сам злоумышленник купался под струей...

— Надо бы что-то предпринять,— нахмурился главный, когда пенистая змея ударила в застекленную дверь.

В эту минуту из коридора донесся звон и грохот, заглушивший на минуту неистовое шипение.

— Что он там делает, черт возьми?! — нервничал главный.— Что он колотит, ведь там ничего нет!

— Люстру,— трагически отрапортовал вконец потрясенный Влодек: он на миг приоткрыл дверь и глянул одним глазом.— Люстры уже нету.

— Там же столик для машинки! — отчаянно вскрикнула пани Матильда, укрывшаяся за той же дверью.— Он ведь и столик разобьет!..

Предположение не оправдалось. Лесь вовсе не хотел кокнуть столик — он только хотел под ним спрятаться. Перевернув сей предмет служебной меблировки, он решил остроумно воспользоваться им в качестве щита. Боец сидел на полу у стены в живописных клочьях пены и манипулировал столиком в зависимости от прихотей неустанно прыгающего огнетушителя.

Стефан, уже получивший порцию пены в физиономию, принялся дубасить в дверь.

— Я хочу умыться!!! — орал он.

— Ну и мойся! — орал Лесь, занятый тяжкой борьбой со стихией.

Щит все же дал ему возможность собраться с мыслями и прийти в себя: душу его сегодня переполняли столь пылкие чувства, что все огнетушители на свете не погасили бы их. Тренируя условный рефлекс, он молниеносно уклонялся от струи и с ловкостью тореадора оперировал столиком.

— Сколько это будет продолжаться! — вопил измученный любопытством Каролек.— Что же все-таки этому Лесю надо?

— Даже если занимался пожар, можно было двадцать раз потушить,— рассуждал главный за другой дверью.

— Кончай дурака валять, к черту! Я ничего не вижу!!! — надрывался Стефан за третьей дверью.

— Сам кончай!!! — кричал Лесь, он слышал только Стефана, ибо занимал оборонительную позицию у самой его двери.

Ответ этот, выкрикнутый в пылу борьбы и долженствующий означать: очень хочу прекратить, да не могу, довел присутствующих почти до паники. Видно, Лесь решил остаток жизни провести в служебном коридорчике, отгороженный от мира огнетушителем.

Содержимое в солидной емкости наконец подошло к концу, и замирающее шипение оповестило заинтригованные группы за дверями, что опасность миновала. Глазам сослуживцев, вылетевших в коридорчик со всех сторон одновременно, представилась картина эффектная и отчаянная. Залитые пеной пол, стены и потолок, рассыпанные повсюду останки разбитой люстры и Лесь, гордо и победоносно сидящий у стены со столиком в руках и с головы до ног ослепительно опененный.

Осторожно и деловито пани Матильда отняла у него столик. Воитель, избавленный от щита, со вздохом облегчения встал с пола.

— Что это вы гасили? — недоверчиво спросил главный.

— Что? — вежливо удивился Лесь.

Главный удивился еще больше, до степени полного словесного вакуума. Он только посмотрел на Леся грустно и отрешенно. Допрос продолжил зав, но как-то нервозно:

— А что горело?

— А что горело? — полюбопытствовал в ответ Лесь.

Зав почувствовал себя нехорошо, но не смог сдержать законного возмущения:

— Так зачем же вы поливали?

— Я вовсе не поливал! — запротестовал Лесь и, подумав, добавил: — Оно само.

— Боже! Боже! — застонал главный и, схватившись за голову, выбежал из коридора.

Зав, повинуясь инстинкту самосохранения, хотел выбежать за ним, но его остановил долг: он не может, он руководитель, он должен выдержать и реагировать. А посему стоял и беспомощно смотрел на Леся, смотрел просто так.

— А вообще-то как все это рвануло? — спросил заинтригованный Каролек.— Откуда все это взялось? Так много и так долго?.. И все из одного огнетушителя?!

— Не знаю,— ответствовал Лесь, в первой фазе борьбы ему казалось, в коридоре неистовствует сто огнетушителей.— У меня больше не было.

— Прошу вернуться к работе,— жалобно приказал зав.

Лесь, вооруженный огнетушителем... на службе... нет, лучше не думать, иначе можно спятить. Ни за какие сокровища в мире он не хотел больше говорить на эту тему.

— Вы переоденьтесь, пан Лесь, и всех прошу вернуться к работе.

— А мне не во что переодеться,— добродушно сообщил ему Лесь.

— В халат,— холодно посоветовала Барбара.— Да побыстрее...

За пятнадцать минут, проведенных в раздевалке и в умывальне, Лесь спел несколько песен и прежде всего из понятных соображений арию тореадора из «Кармен». В живописном костюме танцевальными, кокетливыми па он вошел в комнату, где его ждали ближайшие сослуживцы... Лица их ничего хорошего не предвещали.

— Ну и?.. — начала атаку Барбара.

— Ничего,— радостно ответил Лесь и тотчас понял, о чем его спрашивают.— Ах нет, все! То есть не все!

— Спятил! — констатировал Януш, с омерзением разглядывая его.

— Ну, не прямо ведь сейчас,— рассудил Каролек.

— Где купоны? — ледяным тоном потребовала Барбара.— Сейчас же отдайте купоны!

— Нету,— вскричал безмерно счастливый Лесь.— Нету с собой! Да и не годятся уже! Все испорчено абсолютно!

После почты он успел провернуть множество дел. Проверил и подтвердил свой счет в банке, отвез домой все документы и вместе с купонами тщательно спрятал. На всякий случай решил не таскать все это с собой.

Теперь его радостное сообщение привело группу в некоторое замешательство. С одной стороны, радость по поводу малорадостного факта уничтожения всего казалась по меньшей мере странной, а с другой, купоны все-таки уцелели и это весьма утешало. Неизвестно было, заявить Лесю претензии по поводу оставленного дома самого интригующего на сегодняшний день объекта или, напротив, поздравить? Несомненное сияние его физиономии позволяло надеяться на лучшее — истерзанный коллектив робко предчувствовал благосклонность судьбы.

— Говори как человек, или я тебя отлуплю,— сорвался Януш.— Учти, я в последнее время сделался нервный.

— Результаты?! — крикнул Каролек.— Какие результаты?!

— Гениальные! — с энтузиазмом провозгласил Лесь.— Выпали кое-какие деньжата!

— Сколько?! Что там выпало, черт?! Сколько?!

— Три четверки! На эти, по десять! Я посчитал, будет около восемнадцати тысяч! О Кармен, Кармен, любишь ли ты меня?!..

Могучий запев Леся смешался с бурным восторгом сослуживцев. Под мотив бессмертной арии пятеро пали в объятия друг друга. Лесь удовольствовался вдохновенным «трам-там-там-там», не принимая участия в объятиях, ибо костюм затруднял резкие движения. На нем были надеты два халата, один нормально, а другой задом наперед, и вся эта конструкция сдавливала не хуже смирительной рубашки. Из-под халатов торчали голые ноги, обернутые — не простыл бы — казенными полотенцами.

— Что там происходит? — с дрожью спросил главный инженер зава, услышав рев и вопли, долетающие из соседних помещений.— Заглянуть, что ли? Вдруг его линчуют?..

— Ни за что!!! — с ужасом возопил зав.— Я не приму участия в этом! Ничего не слышу! Ничего не знаю! Я хочу быть нормальным хотя бы еще месяц!

— А почему только месяц? — изумился главный столь скромным требованиям.

— Конкурс,— тихо прошептал зав.— В течение месяца объявят...

В сверхурочные часы окончательно признали Леся героем. Оставленные дома купоны были отнесены за счет сверхъестественного Лесева Провидения, которое, правда, не пригодилось бы, не случись вся эта история с огнетушителем; но к логике все отнеслись равнодушно: деятельность огнетушителя отметила, запечатлела в памяти этот день, столь насыщенный событиями. Когда весь коллектив в прекрасном настроении решил пораньше оставить службу и отправиться по домам, вдруг обнаружилось — Лесю покинуть здание невозможно. Вся его одежда годилась лишь в прачечную, а выход на улицу в двух халатах и с полотенцами на босых ногах представлялся слишком экстравагантным.

— Ну и свиньи же вы,— запричитал Лесь.— Поезжайте ко мне и привезите одежду. Дам ключ, не знаю, дома ли жена.

Герою следовало помочь. Потянули бумажки, ехать выпало Янушу. Лесь остался в бюро, остальные отправились восвояси.

Януш и Барбара подходили к автобусной остановке, когда неподалеку увидели красивую девушку. Януш вдруг оцепенел.

— Господи, прости! — в испуге прошептал он. Странная реакция на появление собственной невесты, уже издали улыбнувшейся ему, очень удивила Барбару. Она тоже остановилась и вопросительно подняла брови.

— Чтоб мне помереть на этом самом месте,— зачастил Януш, махнув рукой красивой девушке, и скривил жалкую гримасу, означавшую приветственную улыбку.— Барбара, спасай! Из-за всего этого бедлама насмерть забыл о свидании с Данкой! Мы должны ехать к портному, заказывать мне свадебный костюм! Не могу!.. После всех скандалов просто не могу ей сказать, что еду одевать этого болвана! Свадебный, понимаешь?!.. Барбара, поезжай вместо меня!

Барбара все усвоила в мгновение ока. Из-за последних неудач семейная ситуация у всех членов группы до крайности обострилась: один лишь намек на неотложные служебные дела грозил непредвиденными последствиями. Будущее супружеское счастье Януша оказалось бы под вопросом.

— Ладно. Давай ключи.

— Адрес знаешь?

— Знаю...

Красивая девушка подошла к ним, и довольный Януш удалился с ней, нежно придерживая за локоток, а Барбара села в автобус.

Отыскав Лесеву квартиру, она несколько раз позвонила, подождала, потом открыла ключом дверь. Осмотрелась и начала искать шкаф.

Это было бы пустяковым делом, кабы в последний раз порядок не наводил лично Лесь, о чем Барбара, конечно, понятия не имела. В ходе поисков она все более поражалась оригинальности живущей здесь женщины: обувь лежала в корзине с грязным бельем, в шкафу на полках мужская и женская одежда была перемешана, мужские галстуки пребывали в постельном белье, а носки — в письменном столе. Освободив Лесев пиджак из-под кружевных ночных сорочек, Барбара извлекла дамские чулки из кармана этого же пиджака и пожелала во что бы то ни стало познакомиться с этой необыкновенной женщиной. Она поняла бы все, будь в квартире кавардак. Но при идеальном порядке и блистающей чистоте, странным образом нарушенной лишь осколками разбитой на пороге комнаты супницы, Барбара не понимала ничего.

Она отыскала для Леся всю соответствующую одежду за исключением рубашки. Рубашек нигде не было, и Барбара, отказавшись от поисков, принялась размышлять над разбитой супницей.

Касенька тем временем взяла в детском саду ребенка, купила продукты и возвращалась домой в чувствах смешанных и весьма двойственных. Она твердо помнила, что где-то ночью, по возвращении Леся, устроила запланированный непристойный скандал. Возмущение и негодование сменялись беспокойством, ибо она никак не могла вспомнить подробностей скандала и уж понятия не имела, как Лесь этот скандал воспринял. По ее мнению, он должен встретить ее сейчас дома полный раскаяния, испуганный, уступчивый, обещающий исправиться, но, возможно, она переусердствовала со скандалом и Лесь обиделся.

Открыла дверь, вошла: в собственной ее комнате совершенно чужая, молодая и красивая женщина задумчиво стояла над кипой мужниных вещей. Касенька опешила.

Барбара, гадая, где бы отыскать рубашку, услышала звук ключа и поняла — возвращается необыкновенная хозяйка. С любопытством посмотрела на дверь.

Дамы молча и неподвижно некоторое время изучали друг друга. В голове у Касеньки взрывались мысли одна страшнее другой. Лесь погиб в катастрофе, а эта женщина привезла его одежду!.. Забралась воровка и сортирует вещи!.. Лесь оскорбился, решил ее бросить и прислал за вещами любовницу!.. Не смеет показаться ей на глаза!.. Он арестован, и это инспекторша делает обыск!..

— Что это значит? — спросила Касенька прерывающимся голосом.— Как вы сюда попали?

— У меня ключи есть,— рассеянно ответила Барбара.— Где у вас лежат его рубашки?!

— В шкафу,— машинально сообщила Касенька.— А зачем вам рубашки?.. В чем же дело?!..

До Барбары наконец дошло: надо объясниться.

— Ох, извините, я коллега вашего мужа. Он сейчас сидит на работе в двух халатах, а больше ничего нет. Надо было приехать за одеждой, собирался наш сотрудник, но в последнюю минуту не смог, вот и пришлось мне. А рубашек вовсе нет в шкафу, ничего не могу найти.

Касенька испытала неимоверное облегчение и вместе с тем совершенно растерялась. Она, правда, привыкла к сногсшибательным подвигам муженька, но до сих пор он еще никогда не терял одежды и к тому же на работе. Что же еще, Боже праведный, случилось на этот раз?!

Выражение ее лица побудило Барбару прекратить поиски. Через четверть часа начали искать вместе и обнаружили рубашки хозяина дома в тумбе с обувью. В свою очередь, выражение лица Барбары побудило Касеньку к откровенности, тем более что осколки супницы предательски хрустели под ногами.

Взаимные объяснения затянулись, приобрели характер личный, и непонятно как обычно сдержанная Касенька поведала Барбаре угнетающие свои проблемы. Кульминацией Касенькиных признаний стала сцена в кабацком стиле.

— И вы всего лишь супницу... Больше ничего? — спросила Барбара со странным блеском в глазах.

— Да,— смутилась Касенька.— Знаете, я не умею, опыта нет... А вы? Вы умеете скандалить?

Барбара с минуту молчаливо смотрела на нее.

— О, да...— в ее голосе прошли модуляции опытной тигрицы.

Касеньку разобрало любопытство. Решительно необходимо с этой женщиной поговорить поподробней. Она вышла в кухню и поставила на газ чайник.

— Давайте по чашке кофе,— оживилась она.— Видите ли, у меня столько проблем...

Через час обе дамы по уши погрузились в чрезвычайно поучительный обмен опытом. Диапазон обсуждаемых вопросов расширялся с каждой минутой, а хрупкая поначалу нить взаимного любопытства и симпатии приобрела мало-помалу крепость корабельного каната.

Оставленный на службе Лесь развлекался бодрящим душу пением и упоительными мечтами. Но через два часа замерзли ноги и захотелось есть, а потому певец обратился к темам прозаическим. Куда, к черту, пропал Януш с одеждой? Под трамвай, что ли, попал? За два часа в любом случае можно дойти до его квартиры и вернуться даже пешком! А вдруг разъяренная Касенька не угомонилась за прошлую ночь и продолжает загадочную активность? Вдруг взяла и арестовала его одежду?..

Переполошившись, он снял с ног полотенца, отправился к телефону и набрал свой номер.

Голос жены в первый момент жутко испугал его, и он бросил трубку. Потом в голову заползла коварная мысль: жена дома... а чего это столько времени делает там Януш?!..

Возмущенный, задетый за живое, полный подозрений, он набрал номер снова.

— Слушаю,— ответила Касенька как бы второпях.

— Что такое? — отозвался Лесь.— Что вы там делаете столько времени? Может, и меня примете в вашу компанию?

— И не надейся,— отвергла решительно Касенька.— Я занята. Не дури нам голову.

И положила трубку.

Лесь онемел. Услужливая фантазия тут же подсобила: жена в объятиях этого кабана — картина отвратительная, развратная, разнузданная!.. Значит, вот до чего дошло?!.. У этой женщины нет чести, совести, стыда! А Януш!.. Коллега, друг называется!.. Лицемерный, беспардонный скот! Нет, этого он так не оставит!..

Шлепая босыми ногами, он помчался в раздевалку, где висело скомканное тряпье — его одежда в недавнем прошлом. Пиджак еще куда ни шло — просто выглядел старым и грязным, но пальто и, что хуже, брюки имели чудовищный вид. Про носки не стоило и вспоминать.

Лесь яростно осмотрел слипшийся, жирный темно-коричневый комок, бросил его на пол и помчался снова в комнату. Схватил телефонную трубку, дабы помешать идиллии в собственном доме, во всяком случае, акустически, но передумал. Нет, это ничего не даст, это лишь спугнет наглую, развратную парочку, а ведь надо изобличить их на месте, да и по телефону ведь не съездишь Янушу по морде! Необходимо туда попасть! И сейчас же!..

Через четверть часа после Лесева звонка Барбара и Касенька вдруг поняли, что этот звонок означал. Увлеченные разговором, двумя французскими журналами, анализом целой коллекции предметов косметики и подробным обсуждением недостатков, преимуществ и привычек своих мужей, они совсем забыли о поводе знакомства. В дикой спешке, проклиная свою забывчивость, они запаковали приготовленную одежду и, договорившись встретиться в ближайшее время, расстались с большим сожалением. Каждая открыла в другой массу интересного, и обе решили продолжить знакомство и всячески упрочить его.

Негодование Леся било через край: пробежав несколько раз спринтерскую дистанцию раздевалка — рабочая комната и обратно, он принял, наконец, историческое решение. Мужественно натянул пиджак и халат, босые ноги, вздрогнув от омерзения, сунул в сырые, осклизлые ботинки, схватил скомканные брюки, пальто, галстук и рубашку и выбежал с работы. Внизу осторожно выглянул из подворотни и, обождав, пока на улице будет поменьше народу, выскочил и перебежал на другую сторону. Решил схватить любую машину — по Кредитовой было одностороннее движение. На стоянку такси идти побоялся — вдруг еще наткнется на милиционера. Спрятался в подворотню на противоположной стороне и, выскакивая то и дело, отчаянно махал проезжавшему транспорту.

Два свободных такси при виде внезапно выскочившего из подворотни невероятно экипированного типа прибавили скорость. Другие машины поначалу тормозили, но при его приближении стрелой уносились вдаль. Немногочисленные прохожие оглядывались, останавливались на безопасном расстоянии.

Лесю становилось очень и очень не по себе. Ноги замерзли в осклизлых башмаках, кое-как свернутая экс-одежда валилась из рук, хуже того, сзади, у другого торца подворотни собралась кучка детей, оживленно комментирующих сенсационное явление.

Заинтригованная ребячьим гамом сторожиха вышла взглянуть, что творится в ее подворотне:

молодец, одетый в пиджак и в нечто вроде короткой бежевой юбки, из-под которой торчали голые ноги, метался и размахивал узлом какого-то ужасного тряпья. Сторожиха захлебнулась ужасом, потом пронзительно завопила:

— Псих!!! Спасите!!! Милиция!!!..

Лесь совсем обезумел: оглянулся, подергался туда-сюда, выскочил из подворотни и бросился прямо на очумелую толпу прохожих, собравшуюся на пути к стоянке такси. «Запросто могут задержать», — вертелось в голове и, ничего толком не соображая, он оскалил зубы и ринулся прямо на них, яростно рыча.

Оторопелые поначалу прохожие разбежались в момент. Великолепным спринтом Лесь мчался к стоянке на площади Малаховского, перестав, правда, рычать, но все еще грозясь оскаленными зубами, заклиная в душе судьбу подбросить хоть одно такси.

Скорей всего, разбежались бы и таксисты, покинув своих четырехколесных друзей, не окажись случайно на месте молодой водитель, как раз завязавший роман с некой замужней дамой. Странным своим одеянием Лесь напомнил ему застигнутого врасплох любовника, спасающегося от разъяренного мужа, а спринтерский бег только подтверждал подобное предположение. Он гостеприимно открыл Лесю дверцы:

— Садитесь!

И сорвался на полной скорости.

Предоставленная себе Касенька приступила к корректировке наведенного Лесем порядка, равным образом и к корректировке своих взглядов, перевернутых разговором с Барбарой если не вверх ногами, то уж на девяносто градусов наверняка. Убеждение в эффективности скандальной ночной выходки несколько стушевалось. Она ведь, в сущности, не знала реакций Леся на этот вид протеста против его недостойного поведения. Может, только так и надо, а может... В сомнениях и колебаниях она раскладывала вещи на свои места, размышляя, приступить ли сразу к продолжению Великой Сцены или сначала проверить, какое впечатление оставила прелюдия. Характер склонял к осмотрительному выжиданию, но горький опыт заставлял сомневаться в благотворном влиянии равновесия, спокойствия и рассудительности на непредсказуемые поступки супруга. Злая и возмущенная, недовольная собой, беспокойная и неуверенная, ждала она его возвращения.

Под неприятным впечатлением разговора с водителем, который горячо защищал нелегальных хахалей и ратовал за справедливое наплевательство на обманутых мужей, Лесь влетел домой, пылая жаждой мести. Все еще прижимая к себе страшные лохмостья, достиг наконец порога комнаты, где застал невинную идиллическую картину: старательно разбирающую его рубашки Касеньку и послушно играющего в кубики ребенка. Остановился, сбитый с толку, блуждающим взглядом отыскивая куда-то запрятанного Януша.

— Где он?! — взревел оскорбленный супруг согласно требованиям классической трагедии.

Странный вопрос и дикий вид Леся ошеломили Касеньку, и она застыла с рубашками в объятиях, глядя на него в изумлении и не отвечая.

— Где он?!!! — после повторного рева до разумения Леся дошло вдруг присутствие отпрыска.— Где этот кабан?! При ребенке?!!!

Оригинальное сопоставление ребенка и кабана потрясло Касеньку, и она обрела голос.

— Как ты выглядишь! — воскликнула она с ужасом и удивлением.— Почему не переоделся!

— Тебе не стыдно!!! — заорал Лесь в святом негодовании.

Это он злится, что так долго заставили его ждать на службе без одежды, размышляла она виновато. Энергичные меры, увы, приходилось отложить на будущее. С обычным чувством справедливости она призналась себе: в этом есть, конечно, и ее вина... И примирительно сказала:

— Ну ладно, ладно. Может, мы и задержались, но ты сам виноват. Мы не могли найти твои рубашки. А Барбара уехала уже полчаса назад!

Лесь как раз открыл рот, дабы пригвоздить Януша следующей филиппикой и запротестовать — на него же и сваливают вину за развратные действия собственной жены, но тут его сразило имя Барбары.

— Что? — спросил он, сбитый с толку.— Какая Барбара?

— Барбара приехала вместо Януша за твоей одеждой.

— Это как?!.. А Януш? Януша не было?..

— Да нет же, говорю же, приехала Барбара. Она вместо него отправилась в последнюю минуту. Ты, видно, ее не дождался? Положи это грязное тряпье и иди мыться.

Это Леся добило. Он имел полную возможность дождаться Барбару с одеждой. Получение одежды процесс деликатный, сближающий. Как прекрасно из желанных и недоступных рук принять галстук, рубашку, брюки и надеть на себя, дабы после, в приличном костюме, провести с Барбарой хоть минуту один на один. И вместо этого он мотался по городу как последний кретин, в тряпках циркового клоуна! Да что же над ним, несчастным, такое тяготеет!..

А Касенька, непонятно оживленная, настроенная против всяких ожиданий вполне дружелюбно, снова вызвала подозрения. Януша не было, факт, а вот где шлялась жена до поздней ночи? Почему ведет себя не так, как должна?.. Не вознамерилась ли она... не решилась ли... не пришло ли ей в голову бросить его?!..

При мысли, что именно теперь, в зенитный момент его жизни, жена могла так перемениться, Лесь потерял голос. Круговерть впечатлений, множество самых разнообразных событий — все это совсем сбило с толку: надо доискаться правды и разрубить запутанный узел супружеских отношений. Но не сейчас... Кабы объявить радостную тайну, продемонстрировать миру вообще и жене в частности победу его таланта, явно одержать триумф!.. К сожалению, ничего этого нельзя, проклятый выигрыш в спортлото срывает с его головы свежие лавры! И в самом деле — заклятье на нем, не иначе!..

Под тяжестью заклятья, страшась жены, лишенный одежды — один костюм был уничтожен, второй Барбара, не попав на службу, забрала с собой и по телефону сообщила об этом Касеньке — Лесь на следующее утро отправился на работу в черном вечернем костюме, бальной бабочке и в лакировках. Хорошо бы показаться в этом наряде стервесторожихе из подворотни напротив, этой полоумной, которая заподозрила в нем чокнутого, но Лесь отказался от искушения — у него были сейчас дела поважнее, чем лестное мнение местных дворников. Вдруг сослуживцы упрутся и возжелают своими глазами проверить счастливые купоны? Как ни крути, выход один — заткнуть им пасть деньгами. Купоны были на предъявителя, и теоретически он мог беспрепятственно получить выигранную сумму... Казалось бы, после вчерашнего номера с огнетушителем его ближайших друзей уже ничто не способно удивить. Даже элегантный вечерний костюм не произвел впечатления, поскольку сразу по приезде на работу он небрежным жестом бросил на стол кругленькую сумму, дабы поделить ее на всех участников. Из газеты «Жиче Варшавы» он узнал точную сумму выплаты, и теперь девятнадцать тысяч шестьсот восемьдесят злотых никак не хотели поделиться на шесть, что увлекло выигравших весьма основательно и надолго. Взаимное возвращение друг другу сдачи несколько затянулось, потом солидарно и честно устанавливали, кто кому и сколько даст взаймы, чтобы ликвидировать самые срочные нужды, а когда расчеты наконец закончились, оказалось, Леся нету — отправился на пиво.

Тут-то, вопреки всем ожиданиям, ему и удалось удивить сослуживцев сверх всякой меры!

— Эй, послушайте,— резко заговорил Стефан, возвращаясь в комнату после пятнадцати минут отсутствия.— Откуда у него деньги?

Трое подняли головы от чертежей и недоуменно посмотрели на него.

— Как это откуда! — заерзал Каролек.— Ведь мы выиграли в спортлото!

— Когда? В последнее воскресенье, то есть позавчера?

— Не в прошлом же году!

— Ну так примите к сведению: спортлото платит по средам, а сегодня вторник. Ну, ваше мнение?

Троица поразилась несказанно.

— Да-а,— протянул Януш.— Точно, по средам. Тут что-то не так.

— Деньги у него? Откуда? — опешил Каролек, ибо обладание деньгами в последнее время было выше понимания коллектива.

— А я про что спрашиваю?

— Чушь,— решительно заявила Барбара.— Нет у него денег. Знаю от его жены.

— Так ведь он нам дал!!!..

Отрицать этот факт было трудно, и на пару минут все растерялись. Затем начали выхватывать из карманов только что полученные деньги, рассматривали их недоверчиво и беспокойно, словно опасаясь какого-либо фокуса, подвоха или галлюцинации. Наконец, Януш покачал головой.

— Тут что-то не так. Эта его вчерашняя болтовня, оставил, мол, купоны дома, сразу показалась мне подозрительной. И что за фортель он опять выкинул?

— Какие, к черту, деньги, если за свет не заплачено,— вспомнила Барбара.— А я знаю, свет отключили, его жена брала взаймы у родственников.

— Откуда тогда он их, черт побери, откопал?!..

Дабы распутать загадку, все бросили работу. Каролек высказал веское предположение насчет нападения и грабежа. Стефан подозревал скорее какой-нибудь роман с богатой старой чудачкой.

Януш и Барбара обсуждали возможность выигрыша в карты по принципу «дуракам везет». По мнению Влодека, Лесь что-то такое взял и куда-то продал...

Сколько голов — столько умов, и проку никакого. Оставалось с напряженным любопытством ожидать виновника торжества.

Свободный наконец от навязчивых мороков, не предчувствуя ничего плохого, Лесь забежал на службу только за одеждой, привезенной Барбарой. Беззаботно вошел в комнату и оказался в ловушке.

Дверь прикрывал Стефан, в руке держал наготове большую печать для чертежей. Остальные окружили пойманного. Выражение лиц у любимых друзей совершенно очевидно не обещало ничего хорошего.

— Говори! — приказал Януш.— Откуда деньги. Это не спортлото, мы знаем, но ежели они у тебя были, пока мы все тут клянчили паршивые сто злотых, я собственноручно спущу с тебя шкуру!

У Леся испарина выступила на лбу. И что за проклятие опять над ним нависло?! Оглянулся испуганно вокруг.

— Почему это не спортлото? — спросил он жалобно и с некоторой претензией.

— Спортлото по средам платит,— холодно информировала Барбара.

— Вот черт,— пробормотал Лесь ужасно разочарованно и притих.

Барбара права, ясное дело. А он хорош! Хотел поскорее отделаться от ненавистных купонов и позорной правды и вылетел с этой оплатой. Эх, надо было умотать из дому на весь день, пусть хоть в вечернем костюме и лакировках, которые к тому же давят в подъеме. После бы как-нибудь отоврался. А теперь что? Что ему, дураку, теперь делать?

— Знаете,— начал он беспомощно,— я-то думал, сегодня среда...

При самом большом старании нельзя было выдумать лучшего ответа, чтобы окончательно запутать слушателей. Сначала всем понравилось: верно, так и есть, и Лесь полностью оправдался. Перепутал дни, подумаешь, с каждым может случиться... Но что-то и как-то не укладывалось, причем столь очевидно, что вообще ничего нельзя было понять.

Первым спохватился Стефан и возопил:

— Кто тут рехнулся? Он или я?

— Или дирекция спортлото,— подхватил Януш.— Одним словом, дом без крыши!

— А может, сегодня в самом деле среда? — неуверенно заметил Каролек, все еще не окрепший в мыслях.

— Вот именно! — оживился Лесь.— Очень даже возможно...

— Вы перестанете или нет! — гаркнула Барбара.— Ведь он нас всех до сумасшествия доведет! А я говорю — вторник, значит, и есть вторник!

— Но ведь могла бы быть и среда! — твердил Лесь, желая всячески запутать компанию.

— Хватит! — взвыл Януш.— Вторники, среды, да тут спятить можно. Признавайся, календарная жертва, откуда деньги?!

— Со вчерашнего! — горестно вздохнул Лесь.— Вот вам крест! Поклянусь чем хотите!

Лесь поспешно согласился в случае нарушения клятвы предоставить свое бренное тело всевозможным болезням, включая чесотку и помрачение ума. Сослуживцы вздохнули с облегчением. Последнее дело иметь в коллективе законченную свинью. Теперь можно было заняться другим, более занимательным пунктом программы.

— Выкладывай, откуда деньги? — последовало категорически.

— Чудо,— набожно ответил Лесь.— Чудо и только. А в спортлото мы в самом деле выиграли, только денег, наверное, не получим...

После долгих, подробных объяснений истина воссияла в замороченных мозгах сослуживцев. Финансово подтвержденный Лесев талант стал уже несомненен, и сияющий свежей зеленью лавр вполне приятно почил на его челе. Великий и столь во всех отношениях полезный триумф художника почтили сначала минутой уважительного молчания, а после несколькими минутами хвалебных воплей. Финансовые последствия печального недоразумения были сочтены справедливыми и достойными хвалы. Только на все вопросы о субботнем вечере и воскресном утре удовлетворительного ответа не получилось — Лесь категорически отказал в признаниях на эту тему.

Взрыв таланта имел широкий диапазон. Чувствительная душа художника расцветала поначалу робко, затем все решительней. Не только зав мастерской и главный инженер, но и кадровичка перестали чинить бестактный контроль за его опозданиями и относились к нему с доброжелательным уважением. Золотой дождичек позволил устранить досадные, вгоняющие в бессонницу помехи. Друзья и сослуживцы перестали фыркать на Леся и насмешничать, напротив, смотрели на него с симпатией, снисходительно, а порой даже с восхищением.

Но самый сладкий нектар всегда отравит капля дегтя. Странное поведение жены нет-нет да всплывало в памяти Леся, угрожая душевным разладом.

Однако взбудораженная Касенька понемногу успокаивалась, и энергичный, обновленный Лесь предался единственному занятию, которое отвлекало его от запутанных и досадных проблем и давало благостный духовный покой. От творил вдохновенно, почти в экстазе, доверив полотну всякие свои тревоги и разлады...

Время, согласно своей природе, неслось неудержимо. Денежное вливание позволило коллективу возобновить финансовую борьбу на служебной территории. Одержимый творческим безумием, Лесь три четверти времени отдавал рождающимся шедеврам, а одну четверть жене, коей занялся особо. С одной стороны, он старался загрузить ее настолько, чтобы у нее не хватало времени на возможные подозрительные контакты, а с другой, всячески доказывал: муж у нее — идеал и нечто внеконкурентное. Жена примирилась с этой новой разновидностью супружеских мучений, терпеливо ожидая новых творений гения. Зав мастерской вкупе с главным инженером совершали сверхчеловеческие подвиги, дабы спасти мастерскую и притом сохранить здравомыслие.

И вот наступил великий день. Великий и великолепный — сравнительно с ним до сих пор пережитые великие дни оказались чепухой и рухнули в Лету.

Великий день начался с обычного, прозаического телефонного звонка на столе у зава мастерской.

Зав вместе с главным инженером, оба в уксуснокислом настроении, занимались весьма неприятными делами. А именно, рабочими планами на будущий год, который просматривался далеко не в розовом свете, и Лесом, который просматривался еще хуже, чем будущий год.

— Я не спорю, одаренный молодец,— уныло рассуждал зав.— Ну и что? В последнее время уходит с работы в двенадцать — у него, видите ли, сразу пополудни самое хорошее освещение. Я уж не говорю, когда является на службу... Мне вовсе не жалко ему света — истинный талант надо поддерживать, а вам признаюсь, проще на быках пахать, чем заставить работать это дарование. Ведь четвертый квартал идет!

— На будущий год у нас мало заказов,— мрачно вторил главный.— Если сейчас сорвем сроки...

Он не успел предсказать, что случится в результате срыва договоров. Зазвонил телефон, и зав, очень довольный, быстро снял трубку — все-таки на несколько минут оттянется обсуждение ожидающих его ужасов.

— Ну-у-у! — ревел голос в трубке.— Поздравляю, поздравляю!..

— Спасибо,— машинально ответил зав.— А кто это говорит?

— Что, не узнаешь? — ревело по-прежнему во весь голос.— Ну, понятно, заважничал? Интервью раздаешь? Автографы?

Зав наконец узнал голос своего приятеля из Союза архитекторов, но при отвратительном настроении находчивостью не блеснул.

— Брось глупые шутки,— вяло отмахнулся он.— В чем дело?

— Неужели еще не знаешь? Ну ясно, не знаешь, известие только что получено!! Ха-ха!

— Какое известие? — в голосе зава нарастало беспокойство, смешанное с какой-то туманной робкой надеждой.— Да что такое?

— Ха-а-а! — снова гремел голос.— Вы получили первую премию за этот ваш курортно-туристический комплекс! И вся реализация за вами! Ну что, ставишь мне за добрую новость, а? Оказывается, у вас великолепная концепция колористики!..

Главный инженер, сперва равнодушно следивший за физиономией зава, встревожился. Зав покраснел, побледнел, снова покраснел, а потом начал задыхаться. Свободной рукой рванул галстук, суматошно пытался расстегнуть рубашку, главный вскочил ему помочь, оторвал пуговицу и бросился к дверям.

— Пани Матильда, воды!!!..— крикнул он в панике, уверенный, что из-за некоего страшного известия зава вот-вот хватит апоплексический удар.

Все еще висящий на телефоне зав начал махать рукой — успокойтесь, мол,— но это махание походило скорее на конвульсии. От счастья он охрип, в горле у него забулькало — не удивительно, что главный инженер и прибежавшая с водой пани Матильда перепугались не на шутку. Главный пытался даже вырвать у зава трубку, но тот судорожно прижимал ее к уху.

Когда столь драматичный телефонный разговор закончился, все сослуживцы сбежались на отчаянный крик пани Матильды.

Зав мастерской положил трубку и посидел немного молча, чтобы прийти в себя. Однако это оказалось выше его сил. Вместо спокойного, официального объявления, информации о заслуженном успехе последовал рывок: зав набросился с поцелуями на главного инженера. Главный еще успел подумать: пожалуй, его кто-то сглазил, раз все психи в мастерской именно его избирают объектом своих страстей, когда до него дошли крики зава.

— Конкурс!..— орал он, щедро раздавая поцелуи направо и налево.— Наш конкурс!.. Первое место!.. Реализация наша!.. Колористика...

Смысл криков дошел наконец и до остальных собравшихся у дверей сослуживцев, онемевших в первый момент при виде странных выходок начальства.

— Ну да?!! — первым завопил Януш и еще недоверчивый, но уже счастливый бросился на шею рядом стоящему коллеге.

— Прочь, ты, козел!!! — взвыл, вырываясь, рядом стоящий коллега, коим оказался Стефан.— Рехнулся?! Девок тискай!

Весь коллектив повел себя не менее буйно, чем зав мастерской. Атеист Влодек упал на колени и воззрился в небеса. Пани Матильда, рыдая от счастья, выпила воду, принесенную начальнику. Барбара и Каролек исполнили под собственный аккомпанемент фигуру польки-галопа со всеми па. Лесь невпопад затянул благодарственную песнь. Главный инженер, теперь уже добровольно и по собственной инициативе, пал на грудь заву, все еще охотно принимавшему все доказательства радости.

Стихийные проявления помешательства вскоре упорядочились, и вся мастерская исполнила вокруг упоенного счастьем зава нечто похожее на триумфальный пляс, от коего все здание задрожало. После чего все окончательно выдохлись.

Служебные обязанности на оставшуюся часть рабочего дня были отменены. Зав мастерской со слезами умиления выслушал из Союза архитекторов официальное сообщение и подробности оценки проекта. Он охотно сообщил эти подробности всем желающим, и вот блеск, ярче солнца и звонче бронзы, раззолотил одного из сослуживцев и ослепил все глаза и умы.

Оказывается, на решение жюри отдать пальму первенства именно этому проекту повлияла больше всего гениальная, новаторская, внушительная концепция колористики! Масштабы Лесева таланта превысили все ожидания!

Таким вот манером вся мастерская из бездны конфликтов и склок махнула на вершины успеха, как в служебном, так и в личном отношении. Финансовые хлопоты забылись, будто их и не бывало,— первая премия удовлетворяла все текущие потребности. Реализация проекта заполняла план работы не только на будущий год, но и на следующие, ибо вместе с премией посыпались заказы и на другие подобные объекты по всей стране. Зав мастерской и главный инженер начали привередничать, капризничать и назначать свои собственные сроки. Все видели впереди солнечную перспективу относительно нормальной жизни, заполненной в должных пропорциях работой, отдыхом и личными делами. Отовсюду громогласно звучали поздравления и пожелания. За спинами всех работников лестные отзывы шумели, словно крылья, и зав мастерской на этих крыльях вот-вот готов был воспарить в небеса.

О Лесе говорили все. Зав и главный нашли наконец прекрасный выход и для себя и для него. Дисциплинарное угнетение дарования было недопустимо, но и отказ от его работы тоже немыслим. Колористика была творением Леся, и должна была его творением остаться!

— Переведем его на полставки,— предложил зав.— Это самый простой выход.

— Вообще единственный выход,— поддакнул главный инженер.— Он способен работать только порывами. Ладно. Свою долю пусть вырабатывает в течение квартала. Разок подольше посидит, разок вообще не придет, зато не будет этой ежедневной волынки.

— А захочет, пусть дома сидит,— оживился зав.— Малевать все равно будет, ясное дело, даже и заставлять не надо. Господи, прямо с плеч долой!.. И как это раньше не пришло в голову?

— Да ведь только теперь можем себе позволить обходить предписания,— трезво заметил главный.— До того мы на краю пропасти балансировали...

Общий оптимизм сильно повысил градус благородства и любви к ближнему. Решили задать в Союзе архитекторов большой бал вскладчину, дабы отметить успех и подкупить родственников — жен, мужей, женихов, невест и прочих.

— По двести злотых с морды можем себе позволить,— вдохновенно изрек Януш.— Ну, пускай по триста... Семья — тоже люди, им тоже от жизни кое-что причитается.

— Постойте,— прервала Барбара.— А Лесь? Еще ведь Лесь остается.

— В качестве развлечения? — полюбопытствовал Каролек.

— Это само собой, но ведь не свиньи же мы! Я во всяком случае не хочу быть свиньей, не знаю, как вы.

Разговор шел в отсутствие Леся, который использовал свое полуденное освещение на иной территории.

— Неважно, хотим или не хотим,— решил Януш.— Боюсь, у нас просто не получится. Быть свиньей не так-то легко. Тут без призвания не обойтись. А в чем дело?

— В деньгах. Он свалял дурака с этим спортлото совершенно фантастического, но честно отдал свои деньги. По-моему, надо ему вернуть.

— По-моему, тоже,— поддержал Каролек.— Это несправедливо, зато гуманно. Я — за. А ты?

— Разумеется, за,— ответил Януш.— К тому же, между нами говоря, мы ему обязаны первой премией. Ясно, оконфузился, но свое дело сделал...

— Ну, спросим еще Влодека и Стефана...

Влодек и Стефан согласились с ходу. Вернуть деньги решили сразу по получении премии, пока что не оповещая ни о чем Леся, дабы сделать ему приятный сюрприз.

Долго ждать не пришлось. Закрытые для большинства смертных двери Союза архитекторов распахнулись перед победоносным коллективом и приглашенными гостями, а нанятый по этому поводу оркестр грянул бравурную музыку. Сны и мечты зава мастерской были весьма и весьма близки к реализации, с двумя, правда, исключениями. Среди красочных сентенций никак не отыскивалась льстивая арабская надпись, а среди высоких государственных мужей, приносящих поздравления, никак не отыскивался премьер. Однако не все сразу, путь к вершинам только начинается, и мелкие неувязки устранятся сами собой в следующий раз; посему в душе зава мастерской блистала ничем не омраченная картина лучезарного будущего. В благородном порыве он преуменьшал даже собственные заслуги, превознося всех и каждого и особенно Леся.

А Лесь пребывал в экстазе. В ушах распевали скрипки и фанфары, гордо вскинутую голову приятно щекотал лавровый венок. Разлад и беспокойство растаяли, исчезли безвозвратно. В глазах счастливой жены распознавался нежный блеск, восхищение, обожание, и наконец-то, впервые в жизни Лесь чувствовал себя хоть в некоторой степени понятым и оцененным.

Мрачные подозрения испарились, словно утренний туман. В порыве восторга он рассказал Касеньке о жестокой борьбе с судьбой, избравшей своим орудием купоны спортлото, а она взамен рассказала всю правду о себе. Не какой-то там хахаль задержал жену той памятной ночью, а гусь — птица невинная, благодарная и полезная. Неслыханное дело, чтобы запеченный гусь когда-либо разбил чье-нибудь счастье.

Взаимному доверию, бесспорно, способствовал обнаруженный в разгар бала конверт, завязанный красной ленточкой и положенный на столик, где значилось место Леся, в коем лежало около шестнадцати тысяч золотых и красивая открытка с надписью:

«Разумеется, это была среда! Мы не свиньи. Благодарные должники».

В понедельник после бала вопреки обыкновению сильно запоздал Януш. Медленно и неуверенно вошел он в рабочую комнату, сел за свой стол, дрожащими руками зажег сигарету и пристыженно посмотрел на сослуживцев.

— Ох, как нехорошо получилось...

Мрачный тон Януша не повлиял на мажорное настроение группы. Три пары глаз уставились на него с беззаботным любопытством.

— А почему? — удивился слегка Каролек.— По мне, так все обстоит неплохо.

— Как кому,— уныло буркнул Януш.— Я скотина. Не знаю, как теперь выйти из положения.

— Да ты вовсе не был уж так пьян,— великодушно запротестовал Лесь.

— Совсем чуть-чуть,— присоединилась Барбара.— Ну приспичило тебе пройтись в полонезе с директором треста, что тут такого. Он заупрямился лишь из скромности.

— Я — с директором треста? — возмутился Януш.— С ума вы все посходили. Не помню ничего такого, и вообще не об этом речь.

— А о чем? — поинтересовался Каролек.

— О Гене...

По понятным причинам Геня не был фигурой, которая пользовалась особой симпатией коллектива. На всех трех физиономиях появилось неприязненное выжидание.

— А что он опять натворил? — хмуро осведомилась Барбара.

— Опять Геня? — поморщился Каролек.— Неужели он вечно будет путаться в наши дела?

Януш понуро засмотрелся вдаль.

— Недоразумение,— вздохнул он тяжело.— Я все видел, потому и опоздал, что смотрел фотокопии.

Знаете, ведь они получили поощрительную премию... Оказывается, ничего не содрали у итальянцев, отправили свой проект. Совсем другой. Все честно, как порядочные люди.

Трое сбитых с толку приятелей молча переваривали услышанное.

— И мы собирались грабануть их собственный проект?! — ужаснулся Каролек.

— Вот именно,— коротко согласился Януш.

— Слава Богу, не сперли, так в чем дело?

Януш даже подскочил.

— Я-то теперь каков? Законченная свинья и скотина! Оклеветал парня ни за что ни про что. Сочинил целую историю, еще и вас натравил, сделал из парня черт знает кого — прохвоста, вора!.. Оправдать его надо или нет? Надо? А как? В газете, что ли, объявление давать? Или прийти к нему, дай, мол, мне по морде? Понимаете, холера знает, как теперь быть!..

Три пары обескураженных глаз глядели на него, и сочувствие на трех физиономиях сменилось растерянностью. Высокое понятие о справедливости не замедлило отозваться уколами совести.

— К нему являться, может, и не следует...— неуверенно начал Лесь.— А вообще-то, в самом деле что-то надо...

— Обидели человека,— вздохнула Барбара.

— Сам напросился,— недовольно возразил Каролек.— Сунулся тут со своими фотооттисками! Значит, наврал?

— Пожалуй, отчасти,— ответил Януш.— Честно говоря, у них была идея малость слизать, да сразу отказались. Генька меня, конечно, разыграл, но ведь соображать надо, чего свинство устраивать.

Компания всерьез призадумалась.

— Надо с этим кончать,— решил Каролек.

— Ясно, только как?

— Не послание же покаянное строчить,— рассудила Барбара.— На бумаге ничего не зафиксировано, значит, извиняться надо не на бумаге. На словах.

— Правильно,— загорелся Лесь.— Облаял его, так? Ну, теперь надо обратно отлаять и баста.

— Отлаять обратно, всем, кто знает, сообщить.— Каролек тоже воодушевился.— Кому об этом говорил?

— Только вам, больше никому.

— Ну, значит, еще Стефан и Влодек. Их тоже позовем.

Привели Влодека и Стефана, сообщили о роковой ошибке и о намерении обелить репутацию Гени. Церемонию постановили провести торжественно и ритуально. Януш под столом и на четвереньках трижды отречется от всех поклепов, пролаяв в промежутках и в конце.

С момента сообщения результатов конкурса зав мастерской раздумал консультироваться с психиатром. Радостное потрясение, полагал он, лучшая панацея от возможных умственных помрачений, вызванных прошлыми заботами и огорчениями. Атмосфера в мастерской вроде бы очистилась, дружный коллектив наливался бодростью и пока не проявлял отклонений от нормы. Даже Лесь вел себя как принято, хотя в его случае отклонения были бы вполне допустимы — ведь художественная натура не любит себя стеснять правилами.

Поэтому зав деловито и без помех заходил во все комнаты мастерской, не испытывая желания забаррикадироваться в кабинете, когда издали доносились какие-нибудь вопли. К тому же дикие сцены, потрясавшие его психическое здоровье, разыгрывались обычно в сверхурочные часы, во время же рабочего дня его не волновало никакое дурное предчувствие.

Он собрал со стола служебные документы, подлежащие обсуждению, и отправился в коллектив архитекторов.

Недалеко от их комнаты он услышал резкие отрывистые звуки, напоминающие лай. Увлеченно обдумывая проблему детального обследования местности, он не обратил на это особого внимания, только несколько удивился — откуда в служебном помещении собака. Открыл дверь, взглянул и замер.

Вокруг выдвинутого на середину комнаты Каролекова стола сидело на корточках пять человек с физиономиями серьезными и торжественными. Под столом на четвереньках пребывал Януш, покаянно глядя в пол.

— Гав, гав, гав! — лаял он хриплым басом.— Геня не скотина и не свинья! Гав, гав, гав!..

— Три раза,— проворчал кто-то предостерегающе.

Зав и не пытался понять кто. Если бы под столом лаял Лесь, происшествие можно было бы как-то обосновать. Но Януш! Очевидно, независимо от всех достижений, «нечто» неумолимо распространяется и не щадит никого...

— Геня не скотина и не свинья! — отчаянно завывал Януш. Потом... самое страшное: — Гав, гав, гав! Гав, гав, гав! Гав, гав, гав!..

Зав дрогнувшей рукой закрыл дверь в бедлам. На ватных ногах добрался до кабинета. Вспомнил, что в детстве был слабеньким и хилым. Взял телефонный справочник и, в конце концов, нашел раздел: «Врачи»...

Часть третья

Путь к славе

Группа архитекторов в проектной мастерской увеличилась еще на одну рабочую единицу.

Лестное количество заказов и благородный энтузиазм зава, твердым курсом идущего к оптимальному обеспечению потребностей общества, снова привели к сокращению сроков работы. Коллектив трудился за двоих и за троих, безуспешно пытаясь справиться с изобилием заказов.

Зав удостоился чести приглашения на беседу к одному из государственных мужей. После беседы глубокое волнение и чувство высокой ответственности поселились в его душе и обосновались в ней, судя по всему, надолго. Не менее четко запечатлелось убеждение, что количество работы не только не уменьшится, а даже увеличится.

Посему пригласили еще одного сотрудника. Иностранца, соотечественника самого нерешительного во всей истории принца. Нового сотрудника горячо рекомендовал сам государственный муж. Зав охотно согласился взять на работу иностранца, считая, что собственная его слава не только не пострадает, напротив, ее ореол распространится далеко за пределами отечества. Его не отпугнула даже полная невозможность как-либо объясниться с новым подчиненным, который на глаз показался весьма приятным и симпатичным.

Пришлось пока что ограничиться впечатлением чисто оптическим: иностранец не знал польского. Едва-едва и чуть-чуть объяснялся по-английски. В группе, куда его определили, двое владели французским, двое неплохо немецким, по-английски же разговаривали примерно на уровне заморского гостя. О датском — родном языке нового сотрудника — никто и понятия не имел.

В довершение всех бед его звали странным именем, выговорить которое не было никакой возможности. Почти час Барбара, Каролек, Лесь и Януш, бросив все занятия, повторяли слово «Бьёрн», всеми силами и способами пытаясь воспроизвести акцент бородатого молодого человека с мягким взглядом голубых глаз.

— Хватит,— заорал остервенелый от бесполезных усилий Януш.— Все едино, как это звучит, ясно одно: нечто короткое на «бэ» — это он. Он тоже привыкнет. Оставим это, на шее более важные вещи.

Зав, сам в глубине души несколько обеспокоенный своим решением, привел молодца в комнату коллег-архитекторов, поручил втянуть его в работу и тут же улетучился, не вдаваясь в детали оного втягивания. Рекомендовал относиться к нему вежливо и по-дружески и произвести хорошее впечатление.

Лишняя пара рук очень даже не мешала, и Януш поспешил выполнить приказ начальства. Он всячески принялся устраивать нового сотрудника за свободным столом, дабы передать ему часть работы. Первые минуты реализации хороших намерений привели к мрачному вопросу: а существуют ли хоть какие-то общие черты между представителями разных национальностей. Разум оказался понятием чисто теоретическим.

— Сядешь здесь. Вот здесь,— указал Януш место за столом жестом столь выразительным, что нельзя было его не понять.

Иностранец с интересом осмотрел доску и стул.

— Я так,— вежливо ответил он.

Януш застрял на развороте к своим чертежам и удивленно взглянул на него.

— А кто не так? — покосился Януш.

— Ва ба? — явно спросил иностранец, глядя на него с добродушной симпатией.

— Вот вам ролики для вашего Бобика или как его там,— объявил, входя в комнату, Влодек.— Матильда разыскала на складе. А рейсшину, так и знайте, Ипочка от сердца оторвал. Подавитесь. А шнура нету.

— Ладно, шнурок найдется,— рассеянно ответил Каролек, поглядывая на сцену за соседним столом.— Слушай, я не понимаю, чего ему...

— А разве кто-нибудь понимает? — удивился Влодек.

— Мне показалось, он по-польски говорит. Сказал: «Я так».

— А кто не так? — рассудительно заметил Влодек.— И чего это он так?

— Посажу его за тем столом. Неизвестно, кто не так. То есть известно, никто другой там не сядет, и чего он на это упирает?

— А может, у них сажают по нескольку штук за одной доской? Чтобы не скучали...

— Одурел, я на картинках видел: у них места побольше, чем у нас. Януш, чего он говорит?

— Черт его знает,— пыхтел Януш, в поте лица пытавшийся объяснить иностранцу, как подготовить стол для работы. — Давайте рейсшину, сам приделаю, разговорами ни черта не добьешься.

При виде роликов иностранец безусловно и наглядно удивился. Он издал несколько вопросительно интонированных горловых звуков, осмотрел рейсшины, прикрепленные на остальных досках, подвигал их легонько и жестами показал, что не понимает отсутствия кульмана, то есть перпендикуляра на рейсшинах. Он осмотрел привинчиваемые Янушем ролики, обследовал механизм приспособления, и на лице его отразились полные неуверенность и сомнение.

— Для него и ролики внове? — ухмыльнулся Лесь.— Дичь какая-то на этом Западе... А еще толкуют про ихний технический уровень!

Иностранец махнул рукой по левому краю чертежной доски и загулькал явно вопросительно.

— Скажи, работаем, мол, на роликах, у нас нету третьей руки для перпендикуляра,— подсказал Янушу Каролек.— У них, может, и есть, а у нас нету.

— Сам скажи,— проворчал Януш.— Я занят. И вообще, вдолбите ему, что это параллельные, а у меня больше нету сил.

Каролек и Лесь бросили работу. Несколько насильно оторвали иностранца от Януша и принялись за какие-то анатомо-технические объяснения, видя в этом единственный шанс на успех. Через пятнадцать минут все обороты старых фотооттисков были разрисованы, причем чаще всего фигурировал мотив трехрукого человека. Пока Януш приспосабливал стол для работы, в голову нового сотрудника усиленно вбивалось убеждение, что где-то в Европе существуют таинственные существа о трех руках, работающие с традиционными рейсшинами. По нарисованным на старых фотооттисках чудесным историям выходило: существа эти эмигрируют из Польши, не оставляя после себя никаких следов, если не считать отрубленных, по-видимому топором, третьих рук. Иностранец балдел и тупел на глазах.

— Ничего, он когда-нибудь привыкнет,— утешал Лесь.— Говорят, дрессированные обезьяны даже на машинке печатать умеют.

Януш отер лоб и закурил.

— Ничего не поделаешь. Раз козе смерть, берем быка за рога.

Сия эффектная пословица немало озадачила присутствующих. Сосредоточенный Януш отмахнулся от объяснений и ринулся в лобовую атаку на иностранца. Посадил за стол и разложил перед ним несколько старательно выбранных чертежей. И похоже, стена непонимания таки треснула.

В голубых иностранных глазах впервые блеснуло любопытство. Новичок внимательно осмотрел разрез строений и сделал рукой жест сечения.

— Snit, Cup.

— Правильно, разрез,— согласился Януш.— Разреза еще нет. Not jet. Ты сделаешь, понял? Это эскизы. You. Machen. Arbeiten *.

В горле чужестранца забулькало, словно он чемто давился, заикал, заскрежетал — словом, выражал полное одобрение.

— Ему нравится,— обрадовался Каролек.— Я сразу говорил: это административное здание у нас неплохо получается.

— Человек дикий, а вкус есть,— согласился Лесь.

Первые трудности были преодолены, и новый сотрудник начал понемногу приспосабливаться, вполне благожелательно выслушивая весьма вольные трактовки своего имени. Служебная жизнь коллектива снова обрела разнообразие и свободу маневра.

Интенсивное обучение польскому языку давало слабые результаты. За отсутствием единого способа

---

* Вы *(англ.).* Делать *(нем.).* Работать *(нем.).*

взаимопонимания использовались нужные в данный момент слова из каких-нибудь других языков, причем никто из заинтересованных лиц не отличался излишним педантизмом насчет грамматических правил. Чужеземец вообще плевать хотел на грамматику.

— Дает мне калька, ты. Please *,— обращался он с приветливой улыбкой в голубых глазах к пани Матильде. Улыбка, вероятно, была и на губах, но из-за густой бороды это лишь угадывалось. Пани Матильда в ответ всякий раз нервно вздрагивала.

— Не имеется план фундаментен,— деловито сообщал Януш, стараясь говорить предельно понятно.— Ты gehen ** к инженер.

Однако два выражения, с непонятным упорством употребляемые иностранцем, вызывали особое недоумение. Одно — подчеркивало, что речь идет о его персоне, а второе звучало как «висель».

— И чего он все про свой индивидуализм талдычит? — ворчал Каролек.— Он так, да он так. А кто не так, к черту?

— Отъединиться желает,— объяснил Лесь.— Слышал насчет коммунизма, вот и психанул. Думает, у нас все общее, а он хочет быть индивидуальностью.

— А вдруг это, наоборот, согласие? — задумался Януш.— Он, мол, на все согласен, а другие пусть как хотят. Ведь приехал же он в Польшу и сидит тут...

— Возможно. Почему-то ведь явился сюда... Кто знает, вдруг да хочет дать понять, что ему наш строй нравится?

«Висель» беспокоил больше, чем возможное отношение чужеземца к строю. Звучало это слово ежедневно и постоянно и заинтриговало всю группу донельзя.

— И чего он лезет, черт побери, с этим виселем? — нервничал Януш.— И чего он имеет в виду?

_____

* Пожалуйста (*англ.*).
** Идти (*нем.*).

— Верно, это сокращение от висельника,— твердил Лесь.— Его кто-то научил, а он привык.

— Допустим. Ну а что у него при этом на уме? — размышлял Каролек.— Чаще всего кроет этим словцом при обсуждении проектов. Может, он Януша так поносит?

Тайна висельника в конце концов измучила всех. Потребовали объяснений от зава. Зав мастерской, ежедневно подвергавшийся атакам оголтелых от любопытства сослуживцев, после долгих и бесплодных поисков знатока датского, обратился в последнюю инстанцию — к государственному мужу, который протежировал новому сотруднику. Усилия несколько ошеломленного сановника увенчались успехом, и ответ пришел по той же лесенке, что и вопрос, только в обратном направлении.

— Он вовсе не говорит «висель»,— сообщил зав, счастливый, что ему удалось выяснить столь животрепещущую проблему.— Он говорит «we shell». Английское. Будущее время ко всему. А «я так» по-датски значит «да, спасибо». Купите датский словарь и не делайте из меня идиота.

По сему случаю купили единственную доступную датскую книгу — «Польско-датский разговорник». Сей труд целиком почти заполняли рассуждения о вкусной и здоровой пище. Судя по данному произведению, оба народа ничем не свете не интересовались, кроме потребления пищи и закупки продуктов. Про одежду там упоминалось от случая к случаю. Посему чтение разговорника привело к естественному результату.

Прекрасным весенним днем улыбчивый чужестранец вошел в служебную комнату, несколько запоздав, положил на стол завернутую в небольшой листик бумаги колбасу и триумфально изрек:

— Кал... баса!

Наступило тревожное, сосредоточенное молчание. Потом Каролек вполголоса выдал:

— Моча тенора...

— Что?! — спросил изумленный Януш.

Каролек слегка засмущался.

— О Боже, по ассоциации. Есть такое дурацкое перекручивание слов. «Кол баса» и «зуб тенора» и так далее. Что, не слышал?

— А,— Януш как-то растерялся.— Сначала «висель», теперь «кал тенора», ой, пардон, кол... баса...

— Прекрати, из-за тебя колбасу перестану есть! — возмутилась Барбара.

Чужеземец рассматривал их с любопытством.

— Калбаса! — повторил он с радостной гордостью.

— Кол! — поправил Януш.— Кол! Кол! КОЛБАСА! Боже мой, он нас всех доведет до идиотизма. Меня наверняка доконает этот словесный кавардак! Только хочу сказать «я так», тут же хватаю себя за язык, может, я не так, может, вообще все наоборот! Польский уже забываю!

— Вот он полегоньку научится, и ты вспомнишь,— утешил Лесь.— У него уже неплохо получается!

Изучение польской речи и в самом деле продвигалось, хоть и небыстро, зато постоянно. Почему-то Бьёрн-Бобик для оживленных конверсаций выбрал Каролека и частенько на нем оттачивал свое мастерство.

— Сколько имеешь сантиметры, ты? — спросил он неожиданно, прерывая сосредоточенную тишину в комнате и разглядывая Каролека с любопытством.

Каролек поднял голову от чертежа и удивленно захлопал глазами.

— Какие сантиметры?

Чужестранец, нахмурив брови, продолжал его разглядывать.

— Сколько имеешь сантиметры? — повторил он с усилием: — Долго... сти...

— Иисус Христос! — простонал Каролек.— Это он про что?!

— Какие-то интимные подробности выясняет,— осторожно и наудачу предположил Лесь.

— Да уж, ты сказанул,— фыркнул шокированный Януш.— Наоборот, я слышал, они очень тактичный народ...

— Идиоты,— спокойно вступила Барбара.— Он говорит «долгости», длины, значит.

— Дльюны! — обрадовался датчанин.— Сколько сантиметры ты имеешь?

Замешательство в комнате продолжалось. Настырный иностранец не на шутку ошеломил Каролека.

— Не знаю,— пробормотал он.— Чего, Господи?!

Бьёрн встал с места, подошел и показал рукой от башмаков до макушки.

— Здесь, там,— повторил: — Сколько сантиметров ты имеешь?

— А, какой рост? Высота? — обрадовался Каролек.

После долгих и многочисленных расспросов наконец уразумели: у любознательного Бьёрна был брат, очень похожий фигурой на Каролека. После других, еще более жутких словесных мытарств выяснили: оного брата Бьёрн решил осчастливить подарком в виде закопанского кожуха, размеры же задумал выпытать у Каролека. После передачи необходимых сведений Каролек разошелся и предложил самолично примерить кожух перед покупкой. Узы дружбы постепенно крепли.

— Я те любит,— сообщил Бьёрн вскорости, глядя на Каролека с доброжелательной улыбкой.

— Господи милостивый, ну чего он ко мне липнет, как репей к собачьему хвосту?! — возопил Каролек.

Януш, радуясь, что избежал агрессии иностранных чувств, не отказал себе в удовольствии поиронизировать:

— Любит тебя, не слышишь, что ли. А к кому ему еще липнуть? Любимое существо ох как притягивает...

— Но почему ко мне? — протестовал Каролек.— Почему именно ко мне?

— Дам те рыла,— благостно улыбнулся Бьёрн.

— Не хочу! — застонал Каролек, отнюдь не соблазненный подобным обещанием.

— И напрасно,— съязвил Лесь.— Пусть даст, посмотрим, что это такое.

— Что такое рыло? — наивно удивился Януш.

— Я те любит,— повторил Бьёрн, упорно обращаясь к Каролеку.— Отвяж са.

— Надо же! Любопытно.— Барбара с интересом прислушивалась к беседе.— Он, верно, имеет в виду что-нибудь другое.

Путем изощренного дознания и последующего анализа других столь же поразительных высказываний были установлены два источника пикантных польских словечек. Оказывается, датчанин бросил отечество и временно перебрался в чужую страну из-за некой молодой соблазнительной дамы; их отношения, вероятно, отличались столь бурной эмоциональностью, что обучение языку в ее обществе ограничивалось лишь одной областью. Остальные уроки чужестранец получил в совершенно иных местах, а точнее, в пивных. Он просто не мог жить без пива и почему-то с самого момента приезда считал, что уличные киоски — единственный источник этого нектара. Там-то, прохлаждая и услаждая гортань несколько раз на дню, он заодно услаждал память народной лексикой, что в сочетании с уроками дамы сердца принесло плоды неординарные и поэтичные.

— Поедет вся группа,— самоотверженно решил зав.— Темп обследования местности необходимо взять рекордный, в целом все надо разработать на месте, на вас ложится большая ответственность!

После сих вдохновенных слов участники совещания продолжали сидеть молча. Совещание было чрезвычайное, созванное по чрезвычайным обстоятельствам в сверхурочные часы, и обсуждалась тема тоже чрезвычайная.

Архитекторы уже давно подозревали — нечто готовится. Туманные высказывания зава мастерской, всевозможные его намеки, странное волнение по временам — все это приводило к мысли, что контакты с высокопоставленным мужем не останутся без резонанса. Так и вышло. Резонанс получился весьма основательный. Под видом обычного проектирования началась великая революционная акция по модернизации исторических объектов в туристических целях.

В первую голову пошли места, где планировалась реализация конкурсного проекта. Высоким стилем и с жаром зав мастерской сообщил своим нескольких ошеломленным масштабами мероприятия подчиненным о расширении диапазона их деятельности.

— Будем реализовывать не только конкурс! — заявил он с размахом.— Делаем все! Обследуем весь городок, всю территорию, ремонтируем существующие строения, в работе учитываются и ближайшие развалины замка! Развалины в прекрасном состоянии!..

Перепуганная группа уже видела перед собой перспективу обследования без малого половины страны. Охваченному эйфорией заву были нипочем какие-то границы или кордоны.

Основательно оглушив огромной задачей всех своих сотрудников, зав перешел к конкретике. Начинать следовало с того, чем территория располагает.

— Это значит как? Нам и по полям-лугам мотаться? — не удержался обеспокоенный Януш, прерывая воцарившееся на чрезвычайном заседании чрезвычайное молчание.

— Нет, все геодезические замеры сделаны. Обследованию подлежат все здания, а в особенности развалины замка. Необходимо решить, что разобрать, что консервировать, что восстанавливать...

— А не надо ли пересчитать крыс, обмерить паутину, взвесить скелеты? — попытался сострить Каролек.

— А паутину на метры или как? — поинтересовался Лесь.

— Там наверняка и белая дама появляется... — подзуживал Януш.— А может, и черная...

202

Зав в своем творческом полете был выше булавочных уколов, а потому легко парировал все выпады.

— За дамой можете приволокнуться на досуге,— усмехнулся он.— Паутину в свободное время сматывайте в клубки. Зато есть очень благоприятное обстоятельство. Местность перед самой войной была подготовлена саперно-ремонтной бригадой, водопроводная сеть хорошо сохранилась, кое-где ею даже пользуются, и, кажется, она подведена под самый замок. Все это вы тоже должны учесть...

— А каким образом, позвольте узнать? — подозрительно вкрадчиво заговорила Барбара.— Перекопать всю территорию?

Зав замахал рукой самым кокетливым манером и торжествующе объявил:

— Представляете, есть документация. В местном народном совете есть, от немцев остался план со всеми сооружениями и коммуникациями. Все учтено. Возьмете этот план и сверите его с нынешним положением дел, внесете возможные изменения, и можно делать проекты с покраской. Стефан и Влодек подъедут на два-три дня, сориентируются в водопроводной и канализационной сетях.

— Ладно,— подумав, заявил Януш.— Это меняет ситуацию. Иначе работы хватило бы на полгода!

— Исключено! — запротестовал зав.— Закончить необходимо за несколько недель. Поэтому и едут все.

— А где мы будем жить и где работать? — озабоченно спросила Барбара.— Обследование надо провести на месте. Одни только обмеры ничего не дадут, пояснительная записка необходима, в случае чего трудно уточнить.

Зав чуть-чуть смутился.

— Там есть такой экс-пансионат, теперь уже бездействующий. Отлично его обживете, даже помещение для работы найдется. Правда, достать столы и доски — вот проблема. Попросим местный совет, чтобы дали уборщиц... Он, верно, малость запущенный, зато расположен в очень красивых окрестностях. Справитесь, не сомневаюсь.

Многочисленные согласования письменно и по телефону подтвердили лишь одно: все нужно было везти с собой, местные власти располагали лишь одним письменным столом и чуть ли не цистерной чернил. Но поскольку пансионат находился далеко и от городка и от развалин, требовались средства передвижения. Единственным таким средством оказался Владеков мотороллер, каковой отремонтировали за счет мастерской и конфисковали на время под жалостные вздохи владельца.

— Радуйся, что машину не отбираем,— пресек его жалобы Януш.— И вообще тебе чистая прибыль. Мотороллер на ходу, а что случись, так свои пять тысяч все равно получишь.

— Только, чур, я ни при чем, если грохнетесь где-нибудь,— предостерег Владек уныло.

Наконец организационные проблемы были разрешены и текущие дела закончены. В первых числах мая на живописном шоссе из Зомбковиц Щлёнских появился чудной табор. Во главе колонны тарахтел самосвал, нагруженный пятью большими чертежными досками, пятью козлами, пятью вертящимися стульями, пятью чемоданами, рулонами кальки и бристоля, узлами с постелью, одной электроплиткой и одним чайником. За самосвалом тащилось такси марки «Варшава», а за такси рокотал мотороллер. Других средств передвижения группе найти не удалось.

— Кака красивы страна имеете вы! — Бьёрн с искренним интересом смотрел в окошко, сидя в такси с Барбарой и Лесем.

— Слушай, сиди прямо, черт, чего все валишься на одну сторону! — орал выведенный из терпения Януш Каролеку, который прикорнул за его спиной на мотороллере.

— Да не могу я прямо, там какая-то пружина торчит и колет меня кое-куда,— оправдывался Каролек.— Смотри, вон замок уже видать!

— Где?

— Налево, на склоне.

— Точно, вроде бы не совсем разрушен.

Табор проехал городок и начал взбираться серпантином в гору.

— Не дай Бог, пойдет дождь, в самый раз будет мотороллером разъезжать,— поморщился Лесь.

— Splendid *,— говорил Бьёрн.— Красива разна край.

Барбара молчала — ее одолели самые мрачные предчувствия.

Пансионат был воздвигнут на крутом склоне около ветки главного шоссе. После того как ввернули лампочки и открыли ставни, когда-то забитые гвоздями, пансионат оказался прямо-таки гостиницей люкс. На всякие мелочи вроде выбитых стекол, некоторых снятых с петель дверей и огромных потеков на стенах и потолке решили не обращать внимания. Самое главное — из крана на кухне тонкой струйкой потекла вода. Это вызвало всеобщее удивление и нечто вроде почтения к довоенным сантехническим достижениям.

— Не будем же мы здесь киснуть всю жизнь,— воскликнул оптимист Каролек.— Ну а для курорта здесь чистый рай.

— А в саду бьет фонтан! — оживленно крикнул с улицы Лесь.

— Где ты нашел сад? — полюбопытствовал Януш.

— За домом, пониже, должен же быть сад или нет?

На задах пансионата сбегала вниз переплетенная чащоба кустов и всевозможной зелени. В том месте, где зелень затянула стену здания, била вверх солидная струя воды.

— Точно,— обрадовался Каролек.— Действует! Надо же...

— Малость странное место для фонтана,— критически заметил Януш.

Струя вдруг потеряла упругость, съежилась, зашелестела в листве и исчезла.

_____

* Великолепный, роскошный (англ.).

— Где же фонтан? — спросила Барбара, выйдя на лесенку.

— Только что работал,— ответил Каролек, пораженный исчезновением фонтана, равно как и его местонахождением.— Било, било и вдруг сдохло.

— Интересно,— начал Януш и замолк.

В зелени снова зашуршало, струя взметнулась и опять забила с прежней силой.

— И в самом деле,— удивилась Барбара.— А я думала, вы по привычке ерунду городите.

Фонтан с минуту функционировал и вдруг исчез так же внезапно, как и появился. На лестнице показался Бьёрн, вытирающий полотенцем руки.

— А что есть фон... тан?

— Spring-water,— осенило Каролека.— Только его уже нет. Был да сплыл.

— Видно, работает периодически,— неуверенно заключил Януш.— Автомат, что ли, здесь? А вообще-то странное место для фонтана.

— А я собирался руки вымыть,— пожаловался Лесь.— Так редко удается вымыть руки в фонтане!

— Можешь и под краном вымыть, не больно ты важная птица,— посоветовал Каролек и обратился к Барбаре.— А в кране что за вода? Пить можно?

— Сначала шла ржавчина, теперь уже чистая. На всякий случай будем кипятить.

— Не понимаю, зачем устраивать фонтан в таком дурацком месте,— упрямо твердил Януш.— Ведь вода подмывает строение...

Он замолчал, из зелени снова вырвалась струя.

Крики на улице привлекли из кухни Леся с мылом в руках.

— Ну, я иду мыться в фонтане,— крикнул он и вернулся в кухню закрыть кран.

Фонтан исчез. Лесь появился на пороге.

— Черт! — Он поглядел на то место, где только что звенел серебристый ручеек, и снова отправился в кухню.

Фонтан вновь забил.

Похоже, не все в порядке. Компания созерцала струю до того момента, как Лесь кончил мыть руки и остановился в дверях.

— Ну и как? — спросил он с надеждой.— Не работает?

— Ну-ка пойди открой опять кран,— нахмурился Януш.

— Зачем? Ведь я уже умылся,— запротестовал Лесь.

— Иди открой и не закрывай, к нам сюда вернись.

Лесь было заколебался, но выполнил поручение. Струя воспряла с удвоенной силой. Лесь выбежал.

— Работает! — обрадовался он.

— Работает, чересчур хорошо работает,— буркнул Януш.— Иди закрой. Черт все возьми, подмоет стену. Пока мы отсюда уедем, халупа рухнет.

— Пока что не рухнула, даст Бог, еще продержится,— утешил его Каролек.— Труба лопнула только в одном месте, остальное, кажется, в порядке. Хорошо еще, снаружи лопнула, а не внутри.

— Тут могут поджидать всякие сюрпризы,— зловеще предрекла Барбара.— Давайте сразу проверим всю электропроводку.

За исключением пустяковых изъянов, как-то: розетка в кухне, предназначенная для плитки, работала лишь в том случае, когда на нижнем этаже поворачивали выключатель, а свет в комнатах зажигался с помощью выключателя в подвале,— электричество работало безупречно. На крыше обнаружили даже громоотвод. А возможность в любое время устраивать фонтан с помощью крана в кухне всем пришлась по вкусу и компенсировала малочисленные неудобства. В саду открыли тропинку, сбегавшую круто вниз, прямо к городку, что сокращало путь по меньшей мере в пять раз. Сразу обсудили и способ передвижения с места на место.

— Двое покатят по шоссе на мотороллере, а трое на своих двоих прямо вниз,— планировал Януш.— После один оставит второго на месте и вернется за третьим, потом за четвертым и так далее. Всякий раз будет все ближе ездить, потому как оставшиеся все время будут бежать навстречу.

— А в дождь и грязь и совсем припустят как миленькие,— заметил Каролек.— Съедут прямо с горы, пожалуй, успеют и раньше мотороллера.

— Пока что грязи нет и давайте не тратить времени даром,— потребовала Барбара.— Прежде всего планы! Предлагаю пойти за ними прямо сегодня...

Председателя местного народного совета в городке небо одарило грандиозными амбициями. Он собирался войти в историю независимо от сравнительно небольшого размера вверенных ему территорий. При известии, что в ближайших окрестностях будет сооружен импозантный курортно-туристический центр европейского пошиба, привлекающий своей живописностью валютных иностранцев, его переполнил восторг просто сверхчеловеческий. Лицам, способствующим реализации вожделенных проектов, готов был звезду с неба достать, не то что... Однако с планами дело обстояло особо.

Он, обладатель бесценного уникального документа, детально информирующего о богатствах подземного оснащения территории, не мог избавиться от дурного предчувствия: а что, если другие займутся историческими работами, а его обойдут, загонят в темень и неизвестность. И вообще сбросят со счетов. Нет, пусть уж он лично останется властителем документа. Порешил также отличиться инициативой, размахом, организационными талантами, личным обаянием, не задумываясь, хватит ли у него пороху на все это.

Уже в первый вечер, перед заходом солнца, вся группа собралась у дверей ратуши и осматривала рыночную площадь городка. Из-за своеобразного рельефа местности эта самая площадь представляла собой нечто вроде амфитеатра. Председатель совета, не выходящий из экстаза с самого начала своего пребывания на посту, вознамерился увековечить площадь каким-либо фонтаном, памятником или открытой площадкой для мероприятий и развлечений.

Нелегкий выбор принес оригинальные плоды. Амфитеатром уходящие склоны выровняли, причем земляные работы, видимо, шли еще полным ходом, а посередине утрамбовали глиняную площадку. Рядом с ней красовалось огромное бетонное нечто, похожее на гигантскую лохань, в которой даже слонихи могли бы развлекаться постирушками. Правда, отсутствие воды допускало и разные другие толкования. А несколько минут назад архитекторы убедились: решение председателя совета неизменно. Святой документ — огромный, густо покрытый линиями и немецкими надписями лист — он, видите ли, может показать только в служебном кабинете, и не часто, и не всякому, да, может, в конце концов, позволить рассмотреть лист и переписать некоторые данные, и ничего больше. Ни в коем случае нельзя не только вынести его из здания, но, Боже упаси, даже потрогать. Документ уникален, порча или потеря были бы действиями непоправимыми и необратимыми.

Понапрасну ошеломленная компания просила и доказывала. Понапрасну объясняла: план следует отвезти в светокопировальную мастерскую, а не наоборот. Напрасно устрашала трудностями, связанными с невозможностью пользоваться документом, напрасно рекламировала преимущества фотокопий, выполненных с него. Председателя не пугали неопределенные сроки и колоссальные издержки. Председатель был неумолим!

— Интересно, что это здесь такое? — задумчиво всматривался Лесь в центр рыночной площади.

— Бассейн?..— наугад влепил Каролек.

— Если только для уток,— буркнул Януш.— Кто тут уместится?

— Клумба с цветами,— процедила Барбара.— Вы лучше подумайте, что делать?

— Был уговор: план дадут сразу и мы сделаем фотооттиски,— забубнил Януш.— Никому и в голову не пришло, что председатель совсем с ума спрыгнул. Черт собачий, просто не знаю, как быть.

— Может, кокнуть его...— неуверенно предложил Лесь.

— Иностранец...— осенило Каролека.

Детально информированный Бьёрн живо заинтересовался темой и начал атаку. Придерживаясь данных ему инструкций, начал с секретарши.

— Красива ваша край,— произнес с восторгом.— Красива женщина имеете вы.

Как солидный возраст, так и многочисленные изъяны в красоте его собеседницы сразу же поставили под вопрос искренность высказывания. Однако секретарша тяжело перенесла до этого визит в народный совет прекрасной Барбары и прибытие представителя другого пола встретила с удовольствием. А Бьёрн мужественно и очень доброжелательно продолжал:

— Я иду ваш босс. Я хочу говорить. Ты, красива женщина, анонс.

Как и предполагали хитрецы, Бьёрна приняли мгновенно. Председатель совета впервые в жизни видел настоящего иностранца в роли своего клиента и счел это счастливым предзнаменованием славного будущего. Несмотря на все свои беспокойства и занятость, он ожидал изложения дела с нескрываемым интересом.

Экзотический посетитель вошел к нему с выражением трогательной грусти в голубых глазах.

— Дай бумага,— попросил он умоляюще.— Этот бумага, ты, дай!

Председатель испытал некоторый шок. Внезапно испуганный, он вспомнил — бумага кончилась, а новых поступлений пока не предвиделось. Он не был уверен, надо ли разглашать этот факт представителю чужого западного государства... А вместе с тем глубокая печаль в глазах и в физиономии просителя, его умоляющий тон свидетельствовали о суровой необходимости получить желаемый предмет. Председатель слегка опешил. В сущности, ведь он не знает обычаев на Западе, что-то тут, верно, не в порядке: гость, вероятно, навестил один из местных рассадников питания. «Этот чертов Юзефович со своей рыбой...» — подумал он и ощутил невыносимую тяжесть собственной ответственности за все. После чего обалдел окончательно.

— Минуту,— засуетился он.— Подождите. Ein Moment.

Рысцой выбежал из своего кабинета, после чего сотрудники местного совета затрусили в разных направлениях по городку.

— Нету в магазине, принесите из дому! — потребовал решительно председатель.

Бьёрн терпеливо ждал. Окажись на его месте Януш, Каролек или Барбара, они, разумеется, в отсутствие хозяина вломились бы в шкаф и украли план. У Бьёрна такая мысль даже не мелькнула. Он спокойно ждал, а минут через пятнадцать председатель с радостной улыбкой вручил ему три рулона туалетной бумаги.

— Niuht zu klein? * — заботливо осведомился он.

Бьёрн не пытался понять вопрос. По его мнению, в этом здании говорили на каком-то жаргоне, где встречались немецкие слова. Приученный уже экономить разные материалы, выдаваемые весьма скупо, он был убежден, что получил «паек» для приехавшей сюда по служебным делам группы, с удовольствием принял дар, после чего вернулся к теме.

— Дай бумага! — затянул он снова.

Теперь до председателя дошло: видно, речь шла о чем-то другом.

— Какую бумагу? — спросил он недоверчиво.

— Документ. Дай документ. План инсталяций. Оригинал. Спасибо. Прошу. Дай.

Председатель понял. Ни за какие блага мира не хотел бы он быть невежливым, но еще больше не хотел расставаться с наиценнейшим в его жизни документом. Из упорных приставаний иностранца уразумел: прибывшей группе старый план нужен так же, как и ему. Он отбросил возникшее было

---

* Не мало ли? (*нем.*).

подозрение о шпионской афере, зато в голове у него забродил некий, пока не очень ясный, замысел.

— Ничто,— рапортовал Бьёрн, вернувшись.— Он не давать.

— Выхода нет,— расстроился Януш.— Всю работу с начала. Чтоб этого дурака парша обсела!

— А если поджечь город? — предложил неунывающий Каролек.— Пока будут спасать имущество, мы сопрем план...

— А может, по служебной лестнице...— задумалась Барбара.— Чтоб ему приказали отдать план — его начальство чтоб приказало...

— В конце концов, и можно бы. Да ведь без толку, представляешь, сколько это будет продолжаться? Тут уже весь комплекс построят, а они все будут выяснять отношения. Нет, я его, пожалуй, накачаю...

Неясный замысел, все еще зревший в голове председателя, вынудил его поспешно принять приглашение слегка подкрепиться. Ибо стечением обстоятельств у него возник такой же план в отношении Януша, как у Януша в отношении него. Стечением обстоятельств оба противника реагировали на крепкие напитки удивительно похоже. Поэтому взятый со старта скоростной темп подействовал на обоих весьма одинаково.

Подглядывавший и подслушивавший под окном местной ресторации Каролек должен был доставить Януша вместе с планом на мотороллере в пансионат. И вот он с ужасом услышал, как председатель в благородном порыве отдает Янушу все свое имущество: материальные ценности в виде денег, недвижимости, свиней и птичьего двора, а также уступает ему свое служебное положение вместе с планом и жену с детьми, а Януш со слезами и столь же благородно умоляет его не торопиться. Далее Каролек с ужасом увидел, как председатель силой тащит Януша в помещение местного совета, дабы вручить ему бесценный документ, а Януш энергично протестует, упирается ногами в разрытую землю, а руками цепляется за слоновью лохань. Затем глазам Каролека открылась совсем диковинная сцена: председатель, видимо в припадке альтруизма, рухнул перед Янушем на колени с криком:

— Сердце из груди вырву! На, бери!..

При этом выхватил из внутреннего кармана какие-то вещи и совал их силой за рубашку зареванному Янушу.

Когда наконец и Януш упал на колени перед лоханью и стал давать председателю какие-то секретные и клятвенные обещания, Каролек попытался вмешаться. Никакого результата это не возымело — оба друга в полном согласии его прогнали.

Сведения, доставленные Барбаре и Лесю, вскоре подтвердились громкой, на два голоса песней «Красный пояс»; джентльмены то и дело провожали друг друга туда и обратно. Председатель и Януш, скованные цепью полного взаимопонимания, никак не решались расстаться, а «Красный пояс» раскатистым эхом летал по холмам, лугам и лесам.

— Что это такое? — поинтересовался на следующий день Януш, со стоном хватаясь за голову, когда совместными усилиями его удалось вырвать из объятий глубокого сна.

— Бумажник председателя местного совета,— сухо сообщила Барбара.— Вот тебе порошок от головной боли, выпей кофе и вымойся в фонтане. Работа тяжелая.

— Какой бумажник, Господи? — застонал Януш.— Ты что, пьяна? Откуда бумажник?!

— Вместо плана ты вчера принес председателев бумажник и полный комплект фото его семьи и дальних родственников. Принять план ты отказался наотрез, ключ от ратуши выбросил в воду, спасибо, Кароль нашел. Кроме того, Кароль слышал, ты ему чего-то там наобещал. Не знаю, что из этого компота получится, надеюсь, он тоже ничего не помнит. Давай оклемывайся и ступай возврати ему все.

Легкое недомогание, коим участник битвы за план страдал до вечера, сыграло свою роль: возвращая председателю бумажник и фотоснимки родственников, Януш забыл про ключ от внешних дверей ратуши. Забывчивость легко объяснимая, поскольку ратуша с утра была нормально открыта вторым ключом, который всегда находился у уборщицы. Расцветшие накануне в сердце председателя нежные чувства несколько поникли из-за плохого самочувствия, но после возвращения бумажника и фотографий вспыхнули заново. Хозяин городка и прилегающих окрестностей приступил к реализации своих собственных великих надежд. Он, правда, был несколько не уверен в успехе предварительных действий, учиненных накануне вечером. Однако подробности этих действий, равно как и всего вечера, начисто исчезли из его памяти.

А великие надежды относились к великому историческому мероприятию. На ближайшее время приходилась какая-то годовщина эпохального для городка события. Председатель совета не знал, сколько лет прошло: триста, шестьсот, а может, всего двести пятьдесят. Точно не знал он и сути события: кажется, это была закладка первого серебряного рудника, а может, его уничтожение неведомым каким-то катаклизмом. Однако он предпочел круглых триста лет основания рудника и задумал отметить славную дату художественными выступлениями, доход от которых предназначался на восстановление местных исторических объектов.

Некогда начальство подало блестящую идею инструктору окружного комитета. И вот два месяца назад сей новоявленный драматург, пользуясь советами секретаря парторганизации, закончил пьесу. Произведение это, насквозь пропитанное историческими традициями, необходимо было поставить во время торжеств. Весьма сложное воспитательное действо происходило то в серебряном руднике, то в замковых покоях и, соответственно, подчеркивало достойное осуждения разделение на классы и зверство кровопийц. Шедевр страдал одним только недостатком. Вдохновенный инструк-

214

тор малость переусердствовал и создал великое множество действующих лиц.

Естественно, не хватало артистов. Уже решили ангажировать почти весь ближайший госхоз в качестве статистов, привлечь городских жителей для второстепенных ролей, но не удавалось найти главных исполнителей.

Пьеса воспевала историю молодой аристократки, без взаимности влюбленной в работника физического труда на руднике ценного металла. Папаша аристократки, владелец замка и шахты, крайне отрицательно относился к чувствам единственной дочери, а физически трудящийся молодец, увлеченный панной родного ему класса, относился к аристократке с полным равнодушием. Далее конфликт усложнялся: на руку аристократки претендовал граф из более отдаленных мест, который живо возмущался положением дел. Обманутая в своих чувствах аристократка проявляла неустойчивость характера, то оказывая своему избраннику различные услуги, то негативно влияя на папашу, который с удовольствием урезал заработки и ухудшал и без того невыносимые условия труда рабочего класса. В конце концов в результате длительных контроверз и осложнений наступила всеобщая катастрофа. Шахту затопило, граф из отдаленных мест погиб по ошибке, папашу хватил апоплексический удар, разочарованная аристократка убила себя собственноручно, другие лица погибли от других причин, на руинах всего и вся остался лишь несгибаемый, монолитный, как гранит, работник физического труда, всматривающийся вместе с избранной панной в хотя и светлое, но весьма отдаленное будущее.

Статистов из госхоза едва хватило на массовые сцены, как-то: забастовка в шахте, бал в замке, катастрофа и другие события. Роль папаши-кровопийцы председатель совета решил воплотить лично, соседей и сослуживцев назначил на прогрессивные роли, но кандидатов на главные все еще не было.

И вот в прибывшей на обследование местности группе он усмотрел спасение и избавление от хлопот. Роль гордой и страстной аристократки прямо-таки создана для Барбары! Меланхолическая физиономия Леся очень подходила влюбленному графу, и лишь в выборе благородного физического работяги можно было колебаться между Янушем и Каролеком. Председатель предоставил им самим решить проблему.

— Только согласятся ли они? — беспокоился инструктор-автор, посвященный в председательские намерения.

— У меня найдется на них управа,— таинственно сообщил председатель.— В крайнем случае уступлю им кое в чем...

Сердце закололо при мысли хотя бы на минуту расстаться с бесценным планом, но даже воеводские власти были оповещены о славном юбилее: ради такого события стоило пожертвовать многим.

На заходе солнца усталая, изрядно приунывшая группа отдыхала после тяжкого труда на нижнем конце своего садика. Обследование шло полным ходом, обмеряли строение за строением, и все было бы хорошо, кабы не перспектива дополнительных работ по благоустройству территории из-за незнания водопроводной и санитарной сетей. Как раз обсуждали, надо ли изводить председателя изучением плана по нескольку раз в день, когда снизу раздались невразумительные окрики и прерывистое дыхание возвращавшегося Януша.

— Послушайте! — лихорадочно выдохнул он, плюхаясь на поваленный ствол.— Есть шанс! Сейчас скажу! Ну и буза, сдохнуть можно!

— Охолони сначала,— прервал Лесь.

— На кой черт так лететь в гору,— резонерски заметил Каролек.— Тяжело ведь.

— Да уж, с горы было бы куда легче,— рассвирепел Януш, все еще пыхтя.— Возможно, полечу сейчас с горы, ежели вам не понравится. Но все, конец, я за вас согласился.

— И что ты опять нахимичил? — покачала головой Барбара.

— Боже, опять он нас во что-нибудь вляпает! — охнул Каролек.

— Делать он катастроф? — заинтересовался Бьёрн.

— Тихо, вы! — потребовал Януш.— Слышали небось, через две недели у них тут исторические празднества. Знаете?

Четыре пары глаз следили за ним беспокойно и недоверчиво, а четыре рта выжидательно молчали.

— Так знаете или нет, черт побери? — нервничал Януш.

— Ну,— раскрыл рот Каролек.— А что?

— Ну, так мы примем участие. Председатель на коленях умолял и руки целовал, чтобы мы сыграли в спектакле. У них, видишь ли, актеров нету. Сначала я хотел его послать — много-де работы,— а потом сообразил тут можно кое-что выгадать.

— Ну, дальше! Не тяни резину,— вцепилась Барбара, потому что Януш сделал перерыв и победоносно пыхтел.

— Я взял и согласился. Ничего не поделаешь, мы здесь звездами почитаемся!

Компания, разумеется, обалдела основательно. Януш взглянул на друзей и предусмотрительно отодвинулся на другой конец ствола. Заинтересованный не совсем понятным спором Бьёрн рассматривал всех со все возрастающим любопытством.

— А правда, не откомандировать ли его вниз по склону,— предложил Каролек далеким от восторга тоном.

— Думаю, сбрендил! — высказала Барбара общее мнение.— Что, нам тут делать нечего?

— А тебя одного не хватит? — вкрадчиво спросил Лесь.— Обязательно всем?

— Болваны вы, трубы,— нетерпеливо прервал Януш.— Иерихонские. Даром я, что ли, согласился!

Мрачная группа вдруг оживилась — мелькнула надежда.

— Я ломался сколько мог,— с удовольствием продолжил Януш.— Мария Каллас меньше бы капризничала! Сговорились наконец: за спектакль он подкидывает нам старый план!

— Ну да? — возопил Каролек.

— Не шутишь? — недоверчиво покосилась Барбара.

— О Боже, чудо! — всплеснул руками Лесь.

— Ноги мне целовать должны,— самодовольно прогудел Януш.— Представление, подумаешь тоже, каждый скажет пару слов и все. А за план стоило бы и в опере спеть!

— Предпочитаю в цирке,— засмеялся Каролек.— Но ничего не поделаешь, придется в тутошнем представлении. А в самом деле чудо, половина работы с плеч долой. А я уж думал, придется нам до поздней осени куковать...

Януш снова подвинулся поближе к друзьям.

— С завтрашнего дня начинаем репетировать, а он с утра даст документ. Бобик поедет во Вроцлав и закажет фотооттиски. Надо будет ему все на бумажке написать, а в светокопировальной мастерской прочитают — чтобы без недоразумений. Две копии надо сделать сразу, одну для нас, а вторую для этого Гарпагона, а то всю жизнь нам отравит...

Охолонув от первого шока, группа вполне оценила огромный успех. Получение необходимого документа стоило всех жертв. В самых доступных выражениях объяснили Бьёрну его задачу и приступили к детальному обсуждению драмы.

— Ты будешь вкалывать антипатичную аристократку,— сообщил Барбаре Януш.— Из того, что я понял,— отрывки только видел,— ты от добродетели совсем спятила — гоняешься за каким-то пролетарием, а время от времени устраиваешь заваруху. Лесь сойдет за графа и влюблен в тебя без взаимности...

— Как это?! — вырвалось у Леся.— Опять?!..

— Один из нас, ты или я, сбацаем этого пролетария,— кивнул Януш Каролеку.— А второй — то ли его свояк, шурин, черт его знает, в общем, он лупит графа по морде.

— Уж лучше графа по морде, только бы она за мной не бегала,— иронически фыркнул Каролек.

— Идиот,— надулась Барбара.— Господи Боже, да что это за пьеса? Кто ее состряпал, откуда выкопали? За всю жизнь такого бреда не слышала!

— Никто не слышал,— согласился Януш.— Местный продукт, написал комитетчик, а председатель и секретарь парторганизации внесли руководящие коррективы. Пролетарий ухлестывает за невестой, тоже пролетарской косточки — из городской торговли, из обувного.

— Тем более предпочитаю лупить графа по морде,— решил Каролек.— Могу прямо сейчас начать...

— Вот и хорошо,— подозрительно быстро согласился Януш.— А я, значит, пролетарий.

— И я за тобой должна бегать? — поинтересовалась Барбара.— А нельзя ли узнать, почему ты от меня бегаешь?

— Гнилью от тебя несет — доченька магната, к тому же еще капиталиста. В конце концов совсем звереешь и бросаешься с башни.

— А граф? — поинтересовался Лесь.

— Гибнет понапрасну. Получает в морду, теряет всякое разумение и сваливается в затопленный рудник. И вообще все дохнут. Остаюсь только я и эта панна из городской торговли. Правда, не очень понятно, как вода залила шахту — шахта вон там вверху, над нами...

— Вход над нами,— уточнил Каролек.— А глубина где-то ниже...

— Здесь вообще несколько входов-выходов!

— Подожди, а почему она не желает графа? — Лесь явно обиделся за сиятельную персону.

— Говорил же я, распутство ей покою не дает, а граф здоровьем слабоват...

— Раздеваться не стану! — прервала Барбара.— Можете зарубить себе на носу! И так уборщица в местном совете всякий раз плюется при виде меня!

— Может, у нее просто такой нервный тик...— буркнул Каролек.

— У тебя, Барбара, испорченное воображение,—
оскорбился Януш.— Это высокоморальное произведение для юношества. Классовая борьба и всякое
такое.

— Ладно, а почему графа то и дело по морде
лупят? — гнул свое Лесь.— Мало того что никакой
взаимности, мало что хилый, так еще и по роже...

— А в свободные минуты он еще к этой панне
из торговли подваливает. Свояк пролетария, то есть
Кароль, брат этой панны, так что сам понимаешь...

— Ну, привет,— заерзал Кароль.— Ты этого не
говорил!

— Нет? Забыл, наверно. Все равно, решай сам,
выбирай по душе. Заигрывать с этой панной или ее
добродетель оберегать?

— Да я уж лучше по части добродетели. Пусть
так. Ну, вроде все обсудили, можно сыграть просто
так, без репетиций. А propos *, где они репетируют?
Я не видел. Небось тайком?

— Пока в госхозе, вон за этой горкой. Репетируют массовые сцены, по очереди проводят забас-
товку в руднике и бал в замке. Вместо нас инструктор сам читает все роли. Завтра после работы идем
в госхоз и начинаем...

Председатель с тяжкими вздохами и бесчислен-
ными предостережениями, не скрывая опасений,
беспокойства и полного отсутствия доверия, лично
запаковал священную реликвию и торжественно
вручил Янушу.

— Я вас прошу... Не дай Боже, что случится...
Сами понимаете... Может, лучше под охраной...

Ошарашенная группа торжественно поклялась,
что ничего не случится. Снабженного многочисленными письменными инструкциями Бьёрна проводили на автобус.

— А справится он? — запричитал Лесь, заразив-
шись паникой председателя.— Пусть уж лучше едет
в Варшаву, там в мастерской сделают оттиски!

---

* Кстати, между прочим (фр.).

— Да не дури ты голову, во вроцлавском проектном бюро им займутся,— с нетерпением ответил Януш.— Метек там работает, я велел к нему идти. А до Варшавы далеко и долго.

— А может, кому-нибудь из нас лучше?..

— Исключено, все играем в спектакле. Только Бьёрн может.

Вечером клуб в госхозе был битком набит сплошными актерами. На возвышении стояла Барбара с листками в руке и с большим чувством отчитывала коленопреклоненного Леся:

— Прочь от меня, пан граф. Вы, сударь, лишь дохляк, а жажду силы я, которая в народе бьет ключом.

Ожидающий своей очереди Каролек нетерпеливо покашливал, а Лесь на коленях ныл с возрастающим жаром:

— О богиня! Не говори таких слов! Ведь то не люди, то скотины!

— О дочь моя! — гремел чуть позже председатель.— Опомнись! Встань, сударь граф! Позволь со мной в бильярдную, единственная дочь моя истерпла...

— Чего?!..— вырвалось у Каролека с первого ряда.

— Истерпла, — повторил председатель, глядя в роль.

— Ну истерпла, значит, одеревенела, замерла! — нервно пояснил автор пьесы.

А в следующей сцене Януш сжимал в объятиях раскрасневшуюся панну из обувной торговли, уверяя ее вяло и нудно:

— Мы вместе пойдем и разрушим этот вертеп зла и угнетения. Снова трое наших погибли, а тиран остается безнаказанным. Там наша цель!

Панна из обувной торговли висела у него на плече, мешая переворачивать машинописные страницы, а разгоряченный автор требовал указать цель вытянутой рукой и самозабвенным жестом; теряя по очереди то текст, то невесту из народа, Януш понемногу начал сомневаться, в самом ли деле они совершили удачную сделку.

Всю тяжесть своей роли он почувствовал, когда, стоя в обществе Барбары около соломенного мата для парников, представляющего грязную лужу, сказал:

— Панна графиня, запачкаешь обувь...

— Так перенеси меня,— прочитала в ответ Барбара.

А Януш как раз вычитал из текста, что должен смотреть вдаль, не слушать нахальную аристократку, и посему уставился на плакат «1 МАЯ — ПРАЗДНИК РАБОЧЕГО КЛАССА», уныло обдумывая, как бы ему отвертеться от роли звезды. Оставалось только сломать ногу, больше в голову ничего не лезло.

— Ну, неси меня. Чего ждешь? — читала Барбара.— Боишься?

Недовольный Януш продолжал молчать, все-таки поморщившись при мысли о сломанной ноге. Барбара оторвалась от рукописи.

— Да неси же, черт побери, чего застыл, как соляной столп!

— Таскай тебя! — возмутился вырванный из раздумий Януш.— Я что тебе, культурист?

— Вы должны панну графиню перенести! — настаивал автор.

Януш перестал артачиться. По другую сторону соломенной лужи Барбара переменила мнение.

— Хочу вернуться,— капризничала она.— Неси меня обратно...

— Послушайте, ради Бога, пан автор, вы не слишком переусердствовали? — заорал разъяренный Януш, когда Барбара потребовала тащить ее в четвертый раз.— Что я, всю пьесу буду гонять с ней по этой соломе? Сократите малость эту самую гимнастику!

— Следует показать, что даже любовь правящих классов была тяжела для народа,— поучал автор.— Эта сцена — доказательство. И вообще, не охайте при этом, вы олицетворяете мощь, крепость и физическую силу народа.

Каролек, сидючи в зале, развлекался, пока не наступил момент его выхода. Только тогда до него дошло, почему Януш согласился на столь мучительную роль пролетария. Углубившись в свой текст, Каролек открыл: primo[1], панна из народа контактирует с братом куда чаще, чем с женихом, secundo[2], с начала до конца пьеса заполнена моральными сентенциями брата в количествах, превышающих человеческие возможности, и tertio[3], никакая память не выдержит головоломного стиля оных сентенций. При словах: «Сестричка моя любезная, дитя, кое баюкать будешь в объятьях, доживет до лучшего будущего, а мы, братья, пойдем соединяться в зное и труде!..» — Каролек пришел к выводу, что из двух зол уж предпочитал бы весь спектакль носить на руках Барбару.

Однако что-либо менять было уже поздно, и группа приступила к заучиванию ролей.

Как раз в это время зав мастерской, бледный, растерянный и очевидным образом подавленный, читал главному инженеру спешное письмо, только что полученное от группы, обследующей местность.

— Я в панике, вы только послушайте!.. «Барбара выступила в роли куртизанки, в результате половина аборигенов при виде ее плюется и осеняет себя крестным знамением. Бобик выклянчил три рулона туалетной бумаги, очень пригодилась. Януш надрался с перерывом в биографии и спер у председателя бумажник с деньгами и коллекцию семейных фотографий. Планирует поджечь город...»

— Денег у них не хватило? — прервал подавленный главный.— Да, а тогда зачем им, на Божескую милость, коллекция семейных фотографий председателя?! И что даст поджог города?!

---

[1] Во-первых (*лат.*).
[2] Во-вторых (*лат.*).
[3] В-третьих (*лат.*).

— Да нет,— охнул зав— Они не могут добыть из местного совета этот немецкий план. Стараются что-то придумать, а я боюсь, ими скоро займется милиция. Не знаю, может, вам стоит туда съездить?

Главный помрачнел.

— Плохо. План действительно необходим, мы ждем оттиски, чтобы дать ориентировочную стоимость работ по водопроводно-канализационной сети всей территории. Сейчас ехать не могу, только через несколько дней... Может, попробовать через воеводство?

— Они что-то в этом роде предлагают. Но вы знаете, это очень нежелательно. Наш принципиальный аргумент — исключительная выгода строительства в тех местах...

— Да, и умеренные расходы...

— А начнем про всякие трудности, все дело к чертям... Завалим план работ на ближайшие два года и скомпрометируем вице-министра. Не говоря о прочем, ведь уже начались разговоры насчет доходов от данного туристического комплекса. Иисус-Мария!..

После сих благочестивых слов зав вдруг смертельно побледнел, взгляд приобрел какое-то особое выражение, на лбу заблестели крупные капли пота; главный инженер подумал, что зав излишне волнуется, и счел необходимым его как-нибудь успокоить.

— Ну, все не так уж плохо, постараемся организовать бумагу из воеводства к этому председателю...

— Лесь...— прервал его зав хриплым шепотом.— Лесь еще пока ничего там не натворил...

Главный хватал все на лету и моментально понял зава; слова утешения застряли у него в горле. Начал быстро перебирать разные меры спасения, в чем весьма определенно мешал ему навязчивый образ Барбары в роли распутной куртизанки. Наконец, ему удалось избавиться от наваждения и встряхнуться.

— Необходимо тотчас же телеграфировать. Запретить всякие попытки похищения плана. Пусть пока занимаются строениями и замком. С властями я разберусь без вас. Сделаем вид, для нас, мол, это дело второстепенное, просто разные согласования по водопроводно-канализационной сети. Сейчас позвоню, а Матильда отправит срочную телеграмму...

В пансионат с фонтаном одновременно прибыли Бьёрн из Вроцлава и телеграмма из мастерской. Бьёрн, весьма гордый, привез две первые фотокопии, встреченные радостными приветствиями.

— А остальные когда? — поинтересовался Каролек.

— Тры дьен,— победно возвестил Бьёрн.

— Три дня,— машинально перевел Януш.— Слушайте, я ни черта не понимаю. Чего этот Ипочка от нас хочет?

Телеграмма гласила: «НИЧЕГО НЕ ДЕЛАЕТ КАТЕГОРИЧЕСКИ ТОЧКА ЗБЫШЕК СТРОИТ СВЕРМУ ТОЧКА СДАТ ИСВЕЗТИ Е ТЕЛАТЬ ЗАМОК ТОЧКА НЕ ПОДГАТЬ НЕЦОД ИППОЛИТ».

— И что за нецод? — удивленно спросил Каролек.

— А Збышек строит сверму? — удивился в свою очередь Лесь.— Что такое сверму?

— На почте все перепутали,— сказала Барбара.— Надо как-нибудь расшифровать, раз послали телеграмму, значит, дело срочное.

— Может, имеет в виду лохань? — задумался Януш.— Ты писал ему об этом шедевре на рыночной площади?

— Не помню,— сознался Каролек.— Думаешь, это «не топтать лохань»?

— Черт знает, что это. Бобика легче понять. Я так разумею: он сердится, что мы ничего не делаем. Видно, одурел — полгорода обмерили, да еще в каких дурацких условиях!

— Тут еще и о замке,— вздохнул Лесь.— Может, замок делать в первую очередь?

— Возможно, наоборот: «не делать замок»? — совсем сник Каролек.

— Черт ногу сломит! — взорвалась Барбара.— Так делать или не делать?

— Дело ясное,— подытожил Януш,— этого Збышека со сверму мы не расшифруем ни за какие сокровища, это может быть все, что угодно. Надо торопиться, факт. На всякий случай сделаем замок, если окажется не надо, выбросим все, и дело с концом.

— Ни за что ни про что такую работу провернуть?! — возмутился Каролек.

Барбара поддержала Януша.

— Он прав. Через неделю придет телеграмма: «Прислать готовое обследование замка». И что? Ясно, ведется настоящая война за туристические объекты, то есть за памятники, замок ему может срочно понадобиться в качестве аргумента. Я хочу, чтобы Ипочка выиграл. Не знаю, как вы.

— А я нет, что ли? — буркнул Каролек.

— Да все хотим,— объявил Лесь.— Только вот не знаю, удастся ли нам разгадать следующую телеграмму...

— Пошлем телеграмму с вопросом,— решил Януш.— А теперь за работу!

Группа дружно погрузилась в водоворот труда. Бьёрна отправили чертить обмеренные объекты, поскольку громко выкрикивать обмеры на местности надо было членораздельно и вразумительно. Он торчал у доски и с увлечением чертил по доставляемым эскизам, старательно избегая детальных описаний. От описаний Бьёрна мягко отговорили после одного чертежа, где значилось: «Стэн отин тисам exactly *». Вдумчивый анализ и найденный эскиз позволили установить, что надпись гласила: «Стена вокруг той же самой толщины».

А главный архитектор, он же зав, с безумными глазами показывал главному инженеру телеграмму от фривольных подчиненных: «ЧТО ТАКОЕ НЕЦОД И СВЕРМУ ОТВЕЧАЙ СРОЧНО ЯНУШ».

_____

* Точь-в-точь, точно (англ.).

— Господи, да что же такое «нецод» и «свер-му»?! — стонал инженер.— Вы знаете?!..

— Нет,— чуть не рыдал зав.— Проверил по всем энциклопедиям, в словаре иностранных слов и указателе польских городов. Нигде нет. Не могу уяснить, зачем это им понадобилось!

Главный инженер глубоко задумался.

— Да, надо ехать...— решил он со вздохом.

Через три дня непрерывной работы Бьёрн оторвался от доски и отправился во Вроцлав за обещанными фотооттисками и планами с покраской. Группа вкалывала вовсю. Времени до представления оставалось мало, и даже при наличии суфлера хотя бы что-нибудь из текста надо было выучить на память. Каждую свободную минуту использовали на зубрежку.

— Эти деревья у нас в проекте,— говорил Януш.— Только к чему бы это привязать?.. От кровопийцы не возьмем ни гроша. Из штрека нового крупинки серебра ему мы не дадим, пока не выполнит наши условия. Что там дальше?

— Я сам встану на страже,— подсказал Каролек.

— Ты встанешь или я?

— Ты. Привяжем к углу этого крайнего сарая.

— Сарай на слом!

— А у нас обмер со строениями. Барбара, пиши!

— Я сам встану на страже,— согласился Януш.— Шестнадцать двадцать три по оси...

— А мы должны смотреть, как женщины наши и детишки мрут с голоду,— орал Каролек, сворачивая рулетку и переходя на другое место.— Семь четырнадцать тоже по оси. Запасов нет у нас и уж сегодня нам продовольствия не хватает...

— Пищи, еды,— поправила Барбара.— Есть нам нечего. Что ты делаешь, обмеряй от сарая все тут по прямой! А то после не разберешь, какой угол!

— Есть нечего,— покорно бубнил Каролек, возвращаясь на предыдущее место.— Забыл, что дальше!

— А помощь-то откуда,— подсказала Барбара, державшая в объятиях жуткое количество бумаги с пояснениями да еще пьесу.

— А откуда помощь придет, кто знает. Ниоткуда, верно, а совесть моя не переносит преступленья. Двадцать два восемнадцать. А что с этим склоном? Сплошной камень!

— Кажется, тут как раз фундамент под террасу,— ответила Барбара.— От меня.

— Как это терраса от тебя? — удивился Януш.— Что ты имеешь в виду?

— Помощь от меня, не терраса. Я являюсь из мрака.

— Верно. Кароль, теперь ты.

Присевший около сарая на корточки Каролек не слышал.

— Хорошо, на нуле! — бодро крикнул он.

— Дурак! О графине! — рявкнул Януш.— Пусти, я уже записал. На чем остановились?

— На графине, балбесы,— не выдержала Барбара.— Я из мрака явилась, слепые вы, что ли?

— Панна графиня,— буркнул Каролек, наклоняясь с рулеткой в другом месте.

— От меня помощь придет,— неохотно процедила Барбара.

— И восемь шестьдесят,— вступил Януш.— И в чем нам панна графиня поможет, это народное дело.

А против Леся ополчились злые силы. Мало того, что ему пришлось мастерить декорации к пьесе. В довершение бед пьеса разбудила задремавшие было чувства к Барбаре. Ведь он ежедневно падал перед ней на колени с нежными словами, ежедневно пытался обнять ее стан и поцеловать руку, ежедневно ледяная Барбара отказывала ему в своей любви. Правда, свершалась эта жестокость согласно тексту инструктора, прочитанному по машинописным страницам, но отталкивающие фразы и презрительные насмешки больно отдавались в чутких Лесевых ушах. Барбара не желала его ни в жизни, ни на сцене. И вот пришпоренная весенней природой и вдохновенными строками инструктора фантазия Леся поскакала во всю прыть. После каждой репетиции, после всякого слова аристократки, пренебрегающей чувствами графа и его худосочной фигурой, он погружался в черную меланхолию и с душераздирающей искренностью вычитывал разные свои признания.

— Вы играете всех лучше,— убежденно и восхищенно заявил режиссер, он же автор пьесы.— Вот бы все так играли!.. Вам надо в актеры идти, а не архитектурой заниматься. Я диву даюсь, что вы не в каком-нибудь варшавском театре...

Погода стояла прекрасная, и Лесь малевал огромные декорации под открытым небом. Умостившись на садовой лестнице, Лесь создавал на картоне и фанере фрагменты замкового интерьера, имея перед собой на дальнем плане подлинную модель, а на близком — старый, заброшенный, разваливающийся, когда-то покрашенный в крапинку овин. Вокруг под уклон сбегал небольшой лужок, а прямо у его ног начинались городские постройки. Лесь старательно заканчивал портреты предков на готической стене и, отворачиваясь от них к крапчатому овину, повторял рвущий за сердце текст:

— Цветок мой, о, почто даришь меня презреньем? Не отворачивай любезного ты лика...

В эту минуту и появился главный инженер, загнанный сюда беспокойством не столько своим, сколько завовым, который, по его мнению, паниковал без всяких на то оснований. Главный приехал машиной Стефана, благодаря чему свободно передвигался по всей местности. Не застав никого в пансионате, он отправился на природу отыскивать сослуживцев, которые, по сообщениям аборигенов, находились на склонах, неподалеку от городка, или где-то около замка.

Прекрасно ориентируясь в проектном плане местности, инженер без колебаний рванул на соответствующий склон и сразу за последними городскими строениями увидел зрелище странное и незабываемое.

На лужочке перед огромным, прислоненным к сложной конструкции картоном стоял на садовой лесенке Лесь с палитрой и кистью и выписывал причудливые рамы вокруг больших смазанных прямоугольников. И пока главный растерянно моргал, переживая первое потрясение, Лесь прервал работу, повернулся к крапчатому овину неподалеку и горько продекламировал:

— Почто же сердце каменно твое?

Замер и некоторое время молчал, всматриваясь в хозяйственную постройку в ожидании ответа. Овин молчал, молчал и притихший от ужаса инженер.

— Ах, возьми назад жестокие слова! — возопил вконец расстроенный Лесь. Главный мучительно ждал какого-нибудь ответа от крапчатого овина, хотя не очень понимал, как даже такое невероятное событие прояснит эту сцену.

Лесь взмахнул кистью и оторвался от прямоугольников.

— Оставь, оставь душе моей надежду! — умолял он.— Через некоторое время я, быть может, обрету твою взаимность! И почему это меня влечет к тебе, а тебя нет? О, я готов на все — твое смягчить бы сердце!

Овин снова отказался отвечать. Главный инженер не слышал ничего, кроме эха страстных Лесевых словес. Лесь резко повернулся, и лестница закачалась.

— О нет! — громко запротестовал он.— Ты шутишь надо мной!

Главный подозрительно посмотрел на большие крапчатые ворота. И ворота, да и вся постройка пребывали в равнодушном молчании.

Лесь взял другую кисть и смочил ее в подвешенном на лестнице ведре.

— Ах, то обыкновенная девичья строптивость,— улыбнулся он снисходительно и мазнул кистью по картону.— Но как она жестока! — возроптал он, снова обращаясь к овину.

Сопоставление замызганного овина с девичьей строптивостью оказалось не по силам главному инженеру. Он тихонько выбрался из зараженной безумием территории, глубоко набрал воздуха несколько раз и направился к замку.

Сокращая себе путь тропинкой в гору, он мрачно размышлял о том, что Лесь, по-видимому, не натворил большой беды только потому, что чокнулся. Сердобольные коллеги попросту отстранили его от всяких работ. Но почему же не сообщили об этом заведующему мастерской?..

Он почти добрался до самого замка, когда из-за полуразрушенной стены услышал знакомые голоса. Подошел ближе и услышал:

— Не допущу, чтоб ты позорил девичью честь моей сестры. Здесь дыра какая-то! — В тоне Каролека звучала значительно большая заинтересованность дырой, чем сестриной честью.— Что будем делать?

— Проверь глубину,— посоветовал Януш.— Может, это подземелья? Поехали дальше.

— Фредерик,— обратился Каролек и замолк.

Главный пытался как-то успокоить сумятицу в голове. Насколько он знал, у Каролека не было родственников.

— Метра четыре с половиной, а на дне вроде обвала что-то,— сообщил Каролек.— Ну, что там дальше?

— Ах нет, ах нет, не говори ему об этом, он убьет его,— с явным нетерпением скороговоркой выпалила Барбара.— Пусть твоя невеста из сферы обслуживания возьмет отпуск и полазает тут с нами.

— Да обмеряй же, чего ждешь? — торопил Януш.

— Да, ты права, сестра моя,— ответствовал Каролек.— Тяготы эти возьму я на себя. Два десять на восемьдесят пять.

Главный инженер душераздирающе застонал и опустился на ближайший камень из-за страшной слабости в ногах. Он вдруг и полностью понял зава мастерской.

Бьёрн прибыл на вокзал во Вроцлаве хорошо нагруженный. В портфеле было сорок роликов для рейсшин, двадцать экземпляров аккуратно сложенных фотооттисков да еще заткнутая сверху картонная труба мощных габаритов. В трубе покоились тщательно свернутые планы с покраской вместе с председателевым оригиналом плана.

Он с облегчением поставил портфель на скамью в огромном зале ожидания и осмотрелся. Отдых пошел ему на пользу — гортань возжаждала любимого напитка. Взглянул на часы — до поезда еще полчаса,— купил билет и отправился в буфет.

Чудной его язык, да и внешний вид с первого взгляда выдавали иностранца, к тому же иностранца валютного. Видный иностранец с Запада этак беспечно оставил на скамье плотно набитый заграничный портфель...

Через четверть часа Бьёрн вышел из буфета и с удивлением обнаружил исчезновение багажа. Сперва подумал, может, перепутал скамейку, может, ошибся какой-нибудь пассажир, а потом уж испытал легкое беспокойство. Ему как-то рассказывали ужасные и неправдоподобные истории о случаях воровства в Польше. Кража портфеля со служебными, никому не нужными документами представлялась совершенно бессмысленной, и удивление его возрастало. Тут он припомнил нервозность председателя совета и взволновался по-настоящему. Вскорости ушел его поезд, и только тогда, наконец, он начал выяснять неприятное недоразумение.

Ушел и последний в этот день поезд в направлении Зомбковиц Щлёнских, когда дежурный милиционер в привокзальном отделении закончил писать фантастический опус под названием «Протокол», а расстроенный и ошеломленный Бьёрн наконец сообразил, что случившееся — не досадное недоразумение и не веселая шутка, а мрачная действительность. Фантастика милицейского протокола объяснялась просто: представитель власти после беседы с потерпевшим на двух языках — польском и русском — сделал бесспорный вывод о пропаже чемодана с тайными документами.

Главный инженер, войдя в курс занятного положения группы, с любопытством рассматривал диковинный фонтан. Но вот явился подавленный Бьёрн с кошмарным известием. Первая реакция группы — страшная нервная слабость и сосание под ложечкой. Затем отказали мозги и органы речи. Затем все порешили, что этого просто не может быть. Затем стали припоминать блаженные времена человеческих жертвоприношений разгневанным богам и с вожделением поглядывать на незадачливого датчанина. А затем уже начали думать трезво и реалистически.

— Это чересчур,— простонал Януш.— Всякое могу представить, что чтобы стырили план... И что теперь нам, Боже праведный, делать?!!!

— Повеситься,— посоветовал Каролек.— Только коллективное самоубийство кое-как может спасти нашу честь.

— Уж лучше отравиться,— горестно предложил Лесь.— Чем-нибудь мягким, без мучений, сил нет сколько пришлось вынести...

— Совсем спятили! — вскинулась Барбара.— Этот идиотический спектакль вам все мозги отшиб. Мужчины вы или нет — из-за черт-те чего сразу же ломаются!

— И это, по-твоему, черт-те что? — горько сетовал Януш.— Заморочили мужика, сваляли дурака, насильно, можно сказать, вырвали план, на коленях орали, вернем, мол, в идеальном состоянии, даем слово чести, и что? И проворонили единственный экземпляр! Обормоты, растяпы, дебилы, разгильдяи, полоум...

— Ползадницы в форточку,— подсказал Каролек.

Януш сбился и захлопал глазами.

— Что? Почему пол?..

— Так еще глупее, чем всю задницу,— фыркнул Каролек.

— Ладно,— прервал главный инженер.— История в самом деле дурацкая, но необходимо найти выход.

— Ясно, необходимо,— поддержала его Барбара.— Ни в коем случае нельзя признаваться в пропаже. Об этом и речи нет, Януш прав, стыдоба!

— И таким вот кретинам доверена общегосударственная акция по изменению туристического облика страны! — патетически раскатился Януш.— И от таких, как мы, зависит строительство целых объектов!..

— Хватит! — оборвала Барбара.— Такие, как мы, должны этот паршивый документ вернуть.

— А как? Воришек по Вроцлаву ловить?!

Главному инженеру наконец удалось прорваться в разговор:

— У вас есть две фотокопии, надо этот план просто восстановить.

Группа в молчании уставилась на него.

— Он же не на кальке был сделан,— вздохнул Каролек.

— А на чем?

— На довоенном астралоне...

На сей раз замолчал и главный инженер.

— А вдруг да этот вор, разобравшись, отошлет план или подбросит? — наивно спросил Лесь.

— А как вор разберется — перепугается до чертиков и все выбросит в реку или разорвет,— мрачно возразил Януш.

— Или сожжет,— добавил Каролек.— Нет, хорошего ждать не приходится. Давайте реально.

— Порядок,— вдруг энергично прервал главный.— Надо просто достать лист астралона. Какой он?

— Тонкий,— объяснил Януш.— Не больше ноль трех миллиметров, а скорее даже ноль два, но разницы в одну десятую никто не заметит. По краям пожелтелый.

— Края — чепуха, всегда можно сказать, что в светокопировальной желтые края обрезали. У вас две копии...

— Наша никуда не годится,— прервал Каролек.— Ее уже расчертили, надорвали, к тому же вся в яичнице.

— Перестань горы городить! — поморщилась Барбара.— У председателя вторая копия в прекрасном состоянии и даже не сложена, а свернута рулоном. И вообще... сколько раз я просила не работать, пока жрете!

— Ну так сделаем план по этой второй копии!..

Атмосфера немного разрядилась. Каролек явно оживился.

— Помните, мы ему отдали лучшую копию, очень хорошо выполненную. Подписи подделаем, единственная забота — чертова печать с вороной, которая как назло хорошо получилась.

— Печать — пустяки,— отмахнулся Януш.— Вырежем на ластике, нынешние печати сопрем, и дело с концом. Главное — как у него выпросить копию, не посвящая в затею. Серьезно говорю — уж скорей повешусь, чем признаюсь, что эту заразу прошляпили. Или нелегально удеру на Запад, потом ищи-свищи!..

— Правильно. А к старости глядишь и вернешься,— добавил Лесь.

— Откуда возьмем астралон? — деловито спросила Барбара.

— Институт картографии,— ответил главный.— Или армия. Возможно, у них есть еще довоенные запасы. К счастью, у меня там хорошие знакомые, разумеется, все это надо сделать неофициально...

Вопреки первоначальному решению главный инженер уехал в Варшаву на следующий день на рассвете с заданием достать пожелтелый астралон в рекордно короткие сроки. Группа постаралась утешить Бьёрна, подавленного и угнетенного. Терпеливо выслушали его исключительно длинную и непонятную речь, вернее, скрежеты и гурготы, где изредка мелькали польские слова. В общем все это смахивало на торжественную клятву.

— Сдается, он обещает никогда в жизни не терять никакого плана,— неуверенно перевел Каролек.

— Ну и слава Богу,— утешился Януш.— Кажется, это народ солидный и никогда не нарушает данного слова...

Теперь предстояло заполучить копию от председателя народного совета.

И сразу выяснилось: единственный выход заполучить желаемое, не открывая насущных причин,— кража. Добровольно и по пустяковому поводу председатель с ней не расстанется. Хуже того, попытки овладеть фотокопией сразу же возбудили бы у него далеко идущие подозрения, пришлось отказаться от легальных методов.

— Вообще-то мы привыкли,— утешал всех Каролек.— В прошлый раз не удалось — не тот грунт, да и мы еще птенцами были. Теперь сумеем.

— Надо все за одну ночь обстряпать,— раздумывал Януш.— Вечером спереть, за ночь начертить и к восьми утра подбросить обратно. Нельзя дать ему повод что-нибудь заподозрить, а то после начнет разглядывать сделанный нами план — не дай Бог, какие-нибудь несовпадения, тотчас заметит...

— Да брось ты,— фыркнула Барбара.— Не так уж легко запомнить все детали на такой кобыле. И вообще, за одну ночь не успеем, хоть тресни. Надо иметь сутки.

— За день он точно спохватится!

— Надо его чем-нибудь занять. Лучше бы все сварганить прямо теперь, когда столько суматохи с торжествами и представлением...

— Пока что у нас нету астралона...

— Это будет самый настоящий взлом,— размечтался Каролек.— Мы еще и в шкаф должны забраться в его кабинете...

— Нет, всего лишь полувзлом,— уточнил Януш.— Ключ от уличных дверей я ведь так и не вернул ему, а посему самого опасного избежим. А в помещении любая отмычка сработает.

— А отмычки-то и нет...

— Расплющим кусок проволоки, тоже мне сложности. В любом случае надо торопиться, неизвестно, когда Збышек привезет астралон.

— Сглазили нас, вот что,— посетовала Барбара.— Вечно дополнительная работа, да еще с глупостями! Мы когда-нибудь будем наконец работать спокойно, как люди?

Каролек принялся за ювелирное изготовление немецкой печати на большом чертежном ластике. Януш пыхтел над отмычками, делал их столько, что можно было бы отомкнуть замки повсеместно, во всех народных советах. Барбара, Лесь и Бьёрн взяли мощный темп по обследованию территории.

В самой большой комнате пансионата, превращенной в производственную, кипела работа: трое в спешке чертили, четвертый в поте лица отрезал микроскопические кусочки ластика, а пятый аккомпанировал сбивчивыми ударами по металлу.

— Надо было в часовщики податься,— ворчал Каролек с некоторым самодовольством.— Похоже, у меня талант.

Януш рассмотрел под лампой кусок красиво изогнутой и расплющенной проволоки.

— Отмычка — блеск,— хмыкнул он.— Еще штуки две, и будут все размеры.

Каролек недоверчиво покосился на него:

— Думаешь, у тебя тоже секретный талант? Может, всерьез подумаем...

— Так ведь и собираемся.

— Только бы на сей раз дурака не свалять,—

вклинилась Барбара.— Надо учесть все варианты. И ни в коем случае нельзя возбудить подозрений!

— Хорошо бы сейчас, пока в городишке такой шухер,— вздохнул Лесь.

— Да ты что! — запротестовал Каролек.— До поздней ночи на площади народу навалом, и все нас знают. Кто-нибудь да увидит, как вылезаем с рулоном из ратуши! Не взрослые, так дети.

— Дернул их черт ставить пьесу на этой лохани,— буркнул Януш.

Председатель после долгих колебаний решился использовать амфитеатральную площадь в качестве зрительного зала. Работы шли полным ходом. На склонах мастерили скамьи для публики, а площадку внизу, приспособленную под сцену вместе с лоханью для слонов, покрывали досками. Лохань, торчавшая над поверхностью, представляла некоторые трудности, их преодолели, однако, следующим образом: часть сцены сделали более высокой и предназначили поочередно для антресоли в замковых покоях, разных уровней рудника и сада на природе. Самоотверженная работа вершилась на общественных началах, невзирая на время суток, а посему и в самом деле в любое время дня и ночи рыночную площадь заполняли люди. Захваченные небывалым развлечением городские и пригородные дети затрудняли монтаж поболе заковыристой лохани.

— Есть три возможности,— размышляла Барбара.— В зависимости от того, когда Збышек привезет астралон. Перед торжествами, во время или после. Хуже всего после, тогда председатель очухается и начнет спрашивать план.

— До спектакля тоже плохо — полно народу шляется,— продолжил Каролек.— Хорошо бы во время.

— Раздвоиться нам прикажешь? — проворчал Лесь.

— Неважно, когда лучше, важно, как в каждом из трех случаев,— рассудил Януш.— Начнем от хронологии. Всего спокойнее утром, потому как нет этих чертовых деток. Кто-то один войдет в здание, вломится в шкаф, то есть, я хотел сказать, откроет отмычкой, заберет копию плана...

— И вылезет на радость публике с рулоном огромным, как пушечное дуло, да? — прервал Каролек.

— Напротив. Выходить с рулоном нельзя ни в коем случае. Рулон подается в окно второму человеку.

— А окно председателя на втором этаже и выходит аккурат на площадь!

— Но ведь ратуша — не крепость, окон много,— вступила Барбара.— В другом конце здания есть, прошу прощения, дамская уборная. Даже если все комнаты будут заперты, эта будет открыта. Из окна уборной рулон опустить лучше всего на веревке.

— А обратно?

— Так же. Кто-нибудь войдет с пустыми руками, опустит веревку и поднимет рулон. Закроет в шкафу и привет.

— Правильно, все просто,— согласился Каролек.— Остаются две проблемы. Чтобы нас не увидели и чтобы председатель один день не ведал о пропаже своей копии.

— Развлечем его чем-нибудь,— предложил Лесь.

— Кто? — запротестовал Януш.— Будем вкалывать как бешеные, этот план — неделя нормальной работы. Любые полруки важны! Пояснения к чертежу по-немецки готическим шрифтом!

— Збышек,— нашлась Барбара.— Останется на день и пусть как угодно его забавляет. Напоит, покалякает насчет водопроводно-канализационной сети, все равно. Только бы этот тип не сунулся в свою рабочую комнату!

— Очень хорошо,— одобрил Януш.— Надо еще обдумать, чтобы нас никто не заметил.

Минутку помолчали. Четверка напрягала зрительную память, вспоминая детали рыночной площади, ратуши и соседних строений.

— Тоже просто,— вдохновился вдруг Лесь.— Пусть и увидят нас, только бы не узнали.

— Опять горбы предлагаешь? — усмехнулся Каролек.

— Дело говорит,— задумался Януш.— Используем опыт. С налетом на поезд нас ведь никто не заподозрил, а милиция там была. Надо переодеться...

— Лучше всего,— прервала Барбара,— переодеться так, чтобы приняли за кого-нибудь другого. За кого-нибудь, кто постоянно бывает в ратуше по службе.

— Ночной сторож или еще кто-нибудь?

Соображение всем показалось дельным, только вот людей, присутствие коих в ратуше на восходе солнца не возбудило бы подозрений, приискали с некоторым трудом. Среди других персонажей предложили: милицейский патруль, истопника центрального отопления, группу пьяных хулиганов и уборщицу.

— С милицией я бы не рисковал,— прикидывал Януш.— Центральное отопление не работает — лето, к тому же его вообще нет. На хулиганов здесь почему-то неурожай, остаются только уборщицы.

— Которая плюется на Барбару, отпадет,— заметил Каролек.— Никто из нас не уменьшится до ее габаритов.

— А вторая на сносях и весьма,— уточнила Барбара.

Снова воцарилось озабоченное молчание.

— Ха! — воскликнул Каролек.— Придумал!

Все, на исключая Бьёрна, повернулись к нему. Каролек как-то неуверенно взглянул на Барбару.

— Тут есть церковный сторож, такой сгорбленный, один из нас переоденется под него. Верно, бессонницей мучается, потому как все время бродит ночами. Я сам его видел. Он тогда следил за Янушем, помните оргию с председателем? А вот Барбаре придется забеременеть!

— Очумел? — взвилась Барбара.

— Переоденешься уборщицей! Платок на голову, очки — она в очках,— живот, если кто и увидит, подумает, она тоже бессонницей мается. Ну,

240

церковный сторож, ну, уборщица, кто ж нас заподозрит?

Януш повернулся к Барбаре, которая от возмущения на миг лишилась дара речи.

— Отличная мысль! Не спорь! Не все ли равно, как мы вырядимся — да хоть хоботы прицепим! Главное, чтобы никто про нас и не вспомнил. Мы, допустим, горбатые, она на сносях!..

— Постой, а если увидят двоих горбатых, тогда как? — запротестовал Лесь.— Этот один удвоился? Двойной сторож, так?

— А пускай глазеют на здоровье! Пускай думают что хотят, только не про нас!

Уборщица войдет в ратушу, сторож подождет под окном...

— А второй сторож посторожит на площади...

— И через неделю весь городок и окрестности будут знать о жуткой интрижке беременной уборщицы со сторожем в двух лицах. Сторожа ксендз вышвырнет, а уборщицу уволят кадры. Вы совсем одурели...

Но протест Барбары потонул в общем согласии. Сразу же приступили к поискам камуфляжного тряпья. Умеренных размеров горбики чрезвычайно уподобили Леся, Кароля и Януша церковному сторожу, а пышущая злостью Барбара в мгновение ока оказалась в интересном положении.

— Смотрите-ка, как похожа! — восхитился Каролек.

— А ты согни ноги в коленях,— посоветовал ему Лесь, пока Барбара с явным омерзением выпутывалась из привязанной шнуром подушки.— Этот сторож пониже и вообще немолодой... Наверняка шаркает ногами.

Заинтригованный Бьёрн требовал объяснений. С помощью двух словарей его известили о намерениях группы, приведя тем самым в полное потрясение. Интенсивный курс обращения с отмычками дал неожиданно прекрасные результаты, и в сущности не хватало только очков для Барбары-уборщицы.

— Надо телеграфировать Збышеку, пусть привезет из Варшавы,— решил Януш.— Срочная успеет дойти...

Зав мастерской сам от себя пытался скрыть, что главный инженер после визита к архитекторам явно переменился. Загадочные слова «нецод» и «сверму» не выяснились, главный показал полнейшее равнодушие к этому вопросу, утверждая, что забыл про них спросить, и зав предпочитал не вникать во все перипетии его инспекционной поездки. А возникающие порой невольные картины и предположения вызывали шум в ушах и расстройство дыхания. Если таинственная эпидемия коснулась даже главного инженера, то для себя зав просто не видел уже места на земле.

Главный запустил свои служебные дела и вел необыкновенно подвижный образ жизни вне стен мастерской. К тому же отказался раздобыть план служебным путем. Более того, потребовал от зава подписать проект курятника на тысячу голов птицы, умолчав о причинах сего и равно о деталях подписываемого объекта. Блестевшая в его глазах решимость отбила у зава охоту протестовать.

Когда же наконец в мастерскую пришла телеграмма: «ПРИВЕЗИ ОЧКИ ЛЮБЫЕ ВОЗМОЖНО БОЛЕЕ СЛАБЫЕ», зав всерьез задумал сменить профессию и сделаться лесничим в самых дебрях самого огромного лесного массива в стране.

Главный инженер был человеком необыкновенно лояльным, симпатичным и вызывающим доверие. Лояльность вынуждала его сохранить в тайне столь неблаговидную для группы историю, а потому не мог он дать своему начальнику никаких объяснений. А благородный характер, весьма высоко ценимый всеми окружающими и знакомыми, облегчил его задачу. Его знакомец в Институте картографии пошел навстречу и рекомендовал зава складом, который обещал разыскать в старых запасах несколько листов астралона формата А-0, но при одном условии. Воздвигнув себе некоторое время тому назад куриную ферму, кладовщик вынужден был задним числом узаконить построенный курятник, подписав post factum сделанный проект правомочным лицом...

Взяв себе на помощь Стефана, который ничего не понимал, но согласно поручению занял оживленным разговором стража у входа, главный инженер самым обыкновенным образом украл в Институте картографии три листа старого астралона.

Группа, истерзанная своей тернистой тропой, почти бросила обследование местности во имя драматического искусства, дабы ублажить председателя местного совета. Замок пребывал в запустении. Обмеры двигались черепашьим шагом, зато на соседних лугах, дорогах и холмах гремели высокие слова потрясающей коллизии аристократки и пролетария.

И вот день великого торжества настал. Оборудованная к представлению рыночная площадь выглядела солидно, на общественных началах сшитые костюмы были готовы, приглашенные из более дальних мест гости начали съезжаться, а пожарный оркестр настраивал инструменты.

Пополудни начался марш к старым рудникам, у входа в которые председатель и другие знаменитости проявили свой ораторский талант. Оркестр сыграл несколько гимнов, официальные гости выпили по рюмке вина, после чего процессия опять же маршем вернулась в городок, где вскорости должно было начаться представление. После представления планировался фейерверк и бал в народном пивном заведении.

Утром короткий, но обильный дождь подмыл одну из досок, образующих нечто вроде лестницы в проходах между скамьями на амфитеатральном склоне рыночной площади. Первым попытался пройти по доске учитель физкультуры. К счастью, молодость и натренированность помогли ему съехать до авансцены на задних частях тела и отделаться лишь ушибом локтя. Около доски сразу же поставили двух школьников, которые предупреждали об опасности, заботливо поддерживая под локоть переступающих через ловушку зрителей менее ловких или пожилых.

Главный инженер прибыл с астралоном уже в сумерки, когда пьеса шла к кульминации. На сценической лохани, на епископском троне, заимствованном из костела, восседал председатель народного совета и обсуждал со своим техническим директором, в быту местным ветеринаром, проблему предотвращения стачки, а по другую сторону сцены Барбара с омерзением отшатывалась от ухаживаний графа-Леся. Гигантские декорации заслоняли вид на долину и спрятанные за ними кулисы. Двое одаренных электриков висели с помощью кошек на двух ближайших телеграфных столбах, где были прицеплены прожекторы, и умело меняли цвет и интенсивность освещения с помощью разноцветной бумаги. Занавес, выполненный по проекту Януша в виде нетипично высоких ширм, быстро расставляемых глубоко озабоченными своей миссией школьниками, соответствовал своему назначению. Иными словами, все шло на лад.

Главный инженер, проезжая через городок, понял, что в пансионате никого не застанет, оставил машину выше площади и отправился на представление. Его угораздило наступить прямо на подмытую доску — служба охраны с начала спектакля перестала функционировать, и главный, старавшийся пройти тихо и не обращать на себя внимания, с глухим грохотом рухнул вниз прямо на барабан в оркестре.

Продавленные ногами зрителей доски мягко прогибались под ним, увеличивая скольжение, вокруг раздавались испуганные восклицания, главный инженер, съезжая вниз, изменил позицию и приземлился головой вперед. Скольжение по наклонной плоскости завершил внезапный и зловещий гул барабана. Председатель на полуслове прервал скандальные предложения угнетателя рабочего класса, Барбара и Лесь поперхнулись и замолчали.

— Боже, что там стряслось? — всполохнулся Каролек, ожидавший за кулисами своей очереди вместе с Янушем и частью персонала госхоза.

— Какая-то свалка в оркестре,— рапортовал Януш, прильнув к щели в стене замкового покоя.— Кто-то, кажется, свалился сверху... Постой... Боже милостивый, Збышек!!!

— Збышек приехал?! — Каролек быстро отпихнул Януша от щели.

— Какого черта он бьет в барабан?! — нервничал отпихнутый Януш.— Даже если привез астралон, нельзя же прерывать представление!..

Главный инженер, пытаясь подняться, локтем и коленом двинул в барабан, который гулко бухнул еще парочку раз. С помощью ближайших зрителей он наконец принял вертикальное положение. Ошеломленный своим непредусмотренным антраша, он поспешно поднялся наверх, куда уже не добирался прожектор, и устроился около прохода, чуть выше предательской доски.

— Рабочий день увеличить на час! — гремел ветеринар, не обращая внимания, что его собеседник не закончил фразу.

Председатель вызубрил роль так, как никогда и ничего не зубрил в школе, и машинально ответил согласно тексту. Инструктор-драматург, уже весь похолодевший со страху, вздохнул с облегчением, ибо некоторая неувязка в репликах ускользнула от внимания отвлеченных Збышековым падением зрителей и представление пошло дальше без помех.

— Збышек приехал,— прошептал Лесь Барбаре, украдкой отрывая жаркие губы от ее руки.

— Весь город в курсе,— буркнула Барбара и вырвала руку.— Вы надоели мне, граф...

— А вы, панна, восхитительны,— горячо заверил Лесь и снова зашептал: — Хоть бы знак дал, есть ли этот астралон...

— Да есть, конечно, без него не приехал бы...

Между упрямой аристократкой и навязчивым графом появилось некое странное взаимопонимание, никак не соответствующее содержанию пьесы. Интерес зрителей явно возрос.

— Надо его сюда притащить,— шептал в это время Януш Каролеку.— Беги и приведи его сюда, иначе мы все околеем от нервотрепки! А мне уже пора на эту чертову сцену...

Внимание зрителей, сидевших на самом верху, неподалеку от подвижной доски, несколько рассеялось. За своей спиной они узрели темную фигуру, крадущуюся змеиными движениями. Фигура добралась до прохода, присела на корточки и начала странно шикать. Диалог графа с аристократкой как-то подувял: дама и ее поклонник бросили интересоваться друг другом, зато согласно и с напряжением начали всматриваться в темную верхотуру зрительного зала. Первые ряды повернулись спиной к сцене, когда Каролеку удалось наконец исчезнуть в темноте вместе с главным инженером,— потом уже весь амфитеатр сидел спиной к сцене. Инструктор проклинал все и вся, а председатель был нешуточно близок к апоплексическому удару.

Когда пролетарий появился на сцене, на него налетели и влюбленная аристократка, и враждебно настроенный граф. Горячий шепот донесся даже до оркестра.

— Привез астралон? — прошипела Барбара.

— Черт его знает,— отшипел пролетарий.— Кароль за ним пошел...

— Дочь моя, удались! — взревел председатель-отец с великолепно сыгранными отчаянием и беспокойством.

А по тексту удалиться приходилось графу. Пролетарий и аристократка проявили нервозную рассеянность.

— Надо как-то договориться,— пробормотал Януш, не реагируя на гнусные крики капиталиста.— Давайте в антракте...

Однако договориться было трудно: кто-нибудь постоянно пребывал на сцене. Главный стал базой, передающей известия за кулисами. Было внесено

246

предложение, и в антракте между вторым и третьим актами мероприятие согласовали окончательно.

— Все погибшие могут уйти пораньше,— сообщил Януш.— Только я, как идиот, должен тут торчать до конца. Кароль, тебя черт берет сразу за графом, померев, переодевайтесь и бегите к ратуше. А я буду кланяться как можно дольше...

— Не забудь председателя,— напомнила Барбара.— Вцепись в руку и не отпускай, это даже кстати. Я сбегу сразу после самоубийства...

— Так ведь горбов и подушки для беременности нету,— забеспокоился Каролек.

— Збышек привезет. Вот ключи. Все приготовлено в чертежной...

— И съезжай немного ниже. Там, на задах, ниже ратуши, в сторону костела, есть такой двор — вокруг сарайчики. Оставь все там, там и переоденемся. Сторожу до окна рукой подать, вот уборщице придется обежать ратушу вокруг...

— А где Бобик? — спросил главный инженер.

— Сидит среди зрителей. Желает смотреть представление.

— Может, его вызвать? Он знает, где и что...

— И так уже из-за нас суматоха, больше не надо!

— Поезжай скорее, а то не успеешь! Сегодня лучше всего все обделать, вообще единственная возможность, балаган будет продолжаться до послезавтра!..

Звонок призвал актеров на сцену. Главный инженер, введенный в курс дел весьма поверхностно и в самой общей форме, отдал Каролеку очки и, не поняв толком, что следует привезти, отправился в пансионат. Поднимаясь в гору довольно крутым серпантином, он подметил в себе удивительное явление. Чем дальше уезжал он от своих сослуживцев, тем лучше работали его мозги. Правда, когда сумятица в голове улеглась, куда ощутимей отозвались в теле контакты с доской и барабаном, чего сгоряча он не заметил. Однако главный предпочитал любые ушибы неприятной путанице в мыслях.

Он извлек из машины солидный рулон астралона, нашел в рабочей комнате запакованный узел, с интересом проверил на клочке кальки печать, исполненную Каролеком, и остался доволен сделанными приготовлениями. Стол, освобожденный от всех мусорных залежей, ждал председателеву копию, вокруг в непривычном порядке покоились необходимые орудия труда, печать была выполнена безошибочно. Главный инженер растрогался и решил посильно помочь энтузиастам.

Четвертый акт завершался, когда до посвященных донесся слабый отголосок машины. Главный привез костюмы взломщиков. Отъезда машины никто не слышал, бал в замке заглушил все звуки.

Согласовать последние действия в антракте между четвертым и пятым актами было просто невозможно. За кулисами с красными пятнами на лице метался инструктор-автор, председатель наскоро пытался решить вопрос, переодеться ли актерам в обычную одежду или остаться при дальнейших развлечениях в исторических костюмах, неординарно заинтересованный главной героиней воеводский чин старался ворваться за кулисы, а ответственный за все мероприятие партсекретарь пребывал в унынии и тревоге. Пиротехник сидел на столбе в качестве осветителя, и никоим образом нельзя было решить, в какой момент его можно освободить от этих обязанностей, дабы он успел на гору, где неопытный его помощник стерег взрывматериалы и оборудование для фейерверка. Благодаря усилиям партсекретаря этой последней проблемой в конце концов занялись все.

— Видите, что делается. Содом и гоморра, на сторожа и уборщицу никто не обратит внимания,— шепотом комментировал Каролек.

— После представления все понесутся на гору смотреть фейерверк,— волновался Януш.— Здесь почти никого не будет. Лишь бы успеть! Сразу к Збышеку...

— О Боже, не забыл ли он отмычки,— беспокоилась Барбара.

Эпический спектакль подходил к концу, Барбара обрушилась с замковой башни, председатель пал, сраженный ударом, электрик-пиротехник бросил разноцветные бумажки и благополучно съехал со столба, почти не замеченный зрителями, громогласные аплодисменты и крики «браво» исполнили благостью душу инструктора. Интерес к сцене не уменьшался, и пока что никто не уходил из зрительного зала, ибо среди кланяющихся актеров наблюдались хотя и непонятные, но весьма занимательные интермедии. Председатель местного совета силой тащил на просцениум упирающуюся звезду, одновременно пытаясь оторваться от вцепившегося в него пролетария. На первые же крики «автора, автора» сияющий драматург-инструктор выбежал на сцену и помог начальнику...

Граф Лесь добрался до главного инженера первым с незначительным опозданием и, пожалуй, случайно. Главный, не очень-то знакомый с топографией места, ошибся двором и ожидал с узлом на задах отделения милиции. К счастью, как раз здесь вел путь к запланированным сарайчикам, и крадущийся между строениями Лесь наткнулся прямо на узел.

Минутой позже сюда же попал Каролек, который хорошо понял, где они оказались, и при виде двух маячивших в темноте подозрительных типов едва не схлопотал сердечный приступ.

— Боже! — зашипел он.— Как вы сюда попали? Скорей выметаемся, здесь милиция!

Главный инженер ужасно занервничал, сообразив, что угодил куда-то не туда. Лесь разнервничался еще больше. С площади доносился нарастающий шум и говор. Узел задвинули в самое темное место, в кусты под каким-то забором.

— Где же Барбара?! — отчаивался Каролек.— Уже давно померла, должна быть здесь, Господи, время!..

— Сейчас фейерверк начнется! — затрепыхался Лесь.— Все сначала рванут туда, а после свалятся нам на голову. Скорее же за дело!..

— Начинайте без Барбары! — предложил главный.

— Исключено!.. Уборщица!.. Увидеть могут!..

— Куда она пропала, на Божескую милость?!.

А Барбара не являлась по не зависящим от нее причинам. Интервенция инструктора помогла председателю вырваться из рук Януша и выпихнуть на первый план главную звезду представления. Партсекретарь позаботился о прославлении пролетария. Барбара и Януш, крепко схваченные за руки автором, кланялись, принимали поздравления и давали интервью, улыбаясь при этом судорожно и страдальчески. Их окружил плотный круг поклонников — побег на дело был исключен.

Председатель переживал звездный час своей жизни, и в душе его клокотал вулкан восторга. Приватно ему сообщили, что власти порешили не только отметить его дипломом, но и присудили некую государственную награду. Это было выше его сил. Посему он задумал немного уединиться, прийти в себя и успокоиться, чтобы в своем качестве хозяина города мужественно провести дальнейшие мероприятия. Все-таки залихватская пляска, удалое пение, слезы счастья и прочее могли как-то не понравиться высоким гостям.

Итак, он проскользнул за кулисами и отправился в ратушу. Под оркестр, говор и крики толпа двинулась к ближайшему холму, а председатель — в свой кабинет. Упал в кресло, дрожащими руками открыл ящик стола и извлек плоскую бутылочку рябиновки.

И сразу же приятное тепло успокоило взвинченные нервы и подогрело чувство гордости и счастья. Все переживания вечера, страшные моменты, начиная с барабанного прибытия последнего зрителя и кончая осложнениями с пиротехником, уплыли вдаль, осталось лишь сознание успеха. Председатель подлил в винтовую пробку еще разок, затем третий и четвертый...

Барбары все еще не было. Из темноты около Леся и Каролека вынырнул главный инженер, то и дело выглядывавший на улицу в нервах и сомнениях.

— Все ушли! Если красть, только теперь,— зашептал он.— Сейчас от ракетных огней станет светло. Боже милостивый, когда вы успеете выкрасть, ведь печати еще надо обратно подбросить!..

Поспешные, сбивчивые слова главного только подбавили масла в огонь беспокойства. Суматошный Лесь нервно бросился развязывать узел. Каролек трясущимися руками укреплял на нем горб, а над Каролеком с той же целью колдовал главный.

— Быстрее, черт, кто-нибудь придет! — спешил главный.— Ну и порядочек у вас, нечего сказать!

— Барбара! — в панике сбивался Каролек.— Барбара должна туда! Она ведь уборщица! На сносях!..

— Да идите же наконец,— погонял главный.— Давай! По лестнице, что ли, не поднимешься?!.

— Давай! — вторил Лесь.

Каролек совсем запутался и очумел. Он во что бы то ни стало хотел объяснить своим подельникам разницу между церковным сторожем и беременной уборщицей, но не мог найти слов. Так и стоял на коленях около узла, прижимая к себе подушку с длинными тесемками.

— Но Барбара... Как быть... Кто же уборщица!..— упирался он отчаянно.

— Ну так привяжи подушку себе, черт, какая разница! — чуть не закричал Лесь.

— Он прав,— подзуживал главный, тоже доведенный до крайности.— Раз надо, будь уборщицей! Все равно!

У Каролека совсем голова поехала. С помощью главного, совсем уже не соображая, что делает, приладил на себе подушку, повязался платком и достал из кармана очки.

— Ничего не вижу! — ахнул он.— Что ты привез, все расплывается!

— Других не было. Да идите вы ко всем чертям! Я сторожу на площади!

Каролек больше не сопротивлялся. Схватил ключ, отмычки и помчался на улицу вслед за Лесем. Оба нервной рысцой обежали ратушу с тыла. Лесь встал у назначенного окна, а Каролек потрусил дальше, к входу.

В этот момент вспыхнул, взлетел фейерверк.

Председатель в своем кабинете поперхнулся рябиновкой. И хотя в душе воцарился благостный покой, а в голове немного стучало, распорядитель праздника, однако, сообразил: ему надлежит быть не здесь, за приятным рабочим столом, а там, среди приглашенных и чествуемых мужей. Минуты отдохновения пролетели слишком быстро. Потрясенный собственным скандальным поведением, он сорвался, оставив бутылку, раскрытый стол, раскрытую дверь в кабинет, и, судорожно прокашливаясь, помчался вниз. На пороге ратуши остановился, вдохнул свежего воздуху, закрыл глаза и постоял чуть-чуть, дабы прочистить горло и унять внезапную муть в голове.

Крадущийся у стены Каролек, замирая и трепеща, добрался до двери и выловил нужный ключ из кучи всяких железных приспособлений. Уже собирался подняться по лестнице, когда услышал покашливание и окаменел. Сердце застыло, в голове засвербила спасительная мысль: надо немедленно превращаться в уборщицу. Он быстро вытащил из кармана очки, нацепил на нос, благодаря чему перестал видеть совершенно. Так и застрял на месте, ошарашенный и лишенный всякой творческой инициативы.

Ракетницы снова бабахнули. Председатель раскрыл сомкнутые веки, и пред очами его в пурпурном свете огней фейерверка предстал горбатый Каролек в платке на голове, в очках и на девятом месяце беременности.

Каролек по-прежнему ничего не видел, кроме красноватого мерцания, где качалась какая-то размытая фигура, которая вроде бы застонала. Каролек не знал, что делать, посему неподвижно пребывал в той же позиции.

Председатель, сознавая, что несколько злоупотребил успокоительным средством, снова застонал, снова закрыл глаза и затряс головой, надеясь спугнуть дикую галлюцинацию. Потом горестно закрыл руками лицо.

Свидетелем страшной для обеих сторон сцены был главный инженер. Одиночество пошло на пользу его мозгам. Когда в красном свете увидел на пороге ратуши председателя, а напротив — невероятного Каролека, он начал что-то припоминать о различии полов и ему стало не по себе. Только теперь он понял незаменимость Барбары. Мужественно, однако, взял себя в руки и вклинился в происходящее.

Пурпурный отсвет погас, и темень стала еще темнее. Председатель, убрав ладони с лица, осторожно глянул. Его робкая надежда таки оправдалась: на месте окаянной нечисти в темноте стоял обычный человек.

Главный инженер решительно взял под руку хозяина города.

— Будьте добры, помогите дойти до фейерверка,— в тоне его прозвучала отчаянная решимость.— Буду весьма признателен, если вы меня проводите.

Намерения председателя целиком совпадали с просьбой незнакомца, которого, показалось, где-то видел. В беспокойстве, не стоит ли перед ним один из покинутых государственных мужей, он поспешил служить проводником, не подозревая, разумеется, что главный решил в случае чего увести его на место торжеств силой.

Каролек, услышав голос главного, малость опомнился.

Два расплывшихся пятна в зареве фейерверка исчезли из поля зрения его вооруженных очками глаз. Дверь в ратушу стояла открытой. Каролек споткнулся на лестнице и стремительно влетел в дверь.

Председателев кабинет тоже был открыт. В окно падал свет — на этот раз зеленый, отмычка прекрасно подошла к замку в шкафу, а печати сами лезли в руки из открытого стола.

Через пару минут Лесь с бьющимся сердцем и свернутой копией плана переулками мчался к машине главного инженера, а Каролек перед дверью ратуши колебался, закрыть ли дверь или оставить как есть. Очки он снова водрузил на нос и, ничего не видя, пошатывался с ключом в руке.

Так его и застали Барбара и Януш, которым только что удалось вырваться из когтей инструктора и поклонников. При виде фигуры на лестнице ратуши остановились, наглухо ошеломленные.

— Господи, уборщица!..— перепугался Януш.

— Спаси и сохрани, это же Кароль!..— прошептала изумленная Барбара.

Януш вгляделся и с некоторым усилием поверил собственным глазам.

— Вы все тут окончательно опупели?

При виде чудесного превращения Кароля в уборщицу у него помутилось в голове.

— Пылищи страсть, утром не успею,— гнусавым фальцетом пропел Каролек. Потом как-то неловко повернулся, споткнулся и слетел с лестницы. Очки упали.

— Пыль вытираю...— попробовал дискантом, вдруг узнал друзей и заговорил нормально: — А, это вы. Я думал, люди...

Барбара перевела дыхание.

— Господи, кому в голову пришло тебя нарядить уборщицей?!

— Кабы Лесь, я не удивился бы,— добавил все еще ошеломленный Януш.

— Не знаю,— занервничал снова Каролек, вставая с земли.— Само собой как-то получилось.

С него уже было довольно приключений. Кое-как рассказал друзьям о случившемся, и Януш с Барбарой успокоились.

— Закрыть,— решил Януш.— Где печати?

— В кармане.

— Тем более закрыть. Лучше, чтобы туда пока никто не входил. Поставим сразу все печати и подбросим обратно.

254

— Я больше не пойду! И вообще с меня хватит этой беременности! Это дело Барбары!..

— Хорошо, хорошо, я сама пойду... Успокойся, не раздевайся здесь! Линяем!..

Через час новая уборщица пробралась в ратушу и подбросила печати обратно в стол. В час ночи сытые впечатлениями народные толпы укладывались почивать, в пансионате с фонтаном восемь рук чертили сразу со всех сторон на одном столе, а главный инженер правдами и неправдами склонял председателя отправиться на покой. Председатель с похвальным упорством рвался трудиться в ратуше, главный же тащил его в противоположную сторону, не будучи уверенным, совершена ли уже кража. Около трех утра главный победил.

До самого вечера следующего дня председатель безрезультатно пытался избавиться от навязчивого посетителя из Варшавы. Вывезенный на машине не только за пределы города, но и района, он ошеломленно выслушивал поразительные, по большей части противоречивые предложения главного инженера, поглощал завтраки и обеды в каких-то забегаловках, изучал глубину придорожных кюветов и осматривал встреченные по пути санитарные устройства. Сильная головная боль мешала ему сосредоточиться и понять, зачем он вообще куда-то поехал. Увлекший его за собой тип отличался блистательной изобретательностью, жуткой мнительностью и нерешительностью — он постоянно менял направление, возвращался, блуждал, петлял и ездил кругами. Председатель местного совета в конце концов перестал что бы то ни было понимать, перестал слушать, даже протестовать перестал и в мрачном молчании мечтал только о возвращении в родимый дом. Он жаждал прилечь в тихом, спокойном местечке, положить холодный компресс на бедную головушку и закрыть глаза.

Главный инженер выполнил порученное ему задание точно и безошибочно.

В два ночи группа отерла чело и победно рассмотрела скопированный план. Триумф был, правда, несколько смазан пустяковой недоделкой.

— Брал эти печати свободно,— укорял Януш Каролека.— Не мог внимательней посмотреть?

— Посмотреть мог, а что толку,— возражал Каролек.— Сколько помех, да еще очки ни к черту не годные.

— А кто знает, там ли эта печать,— проворчала Барбара.— Наверно, где-нибудь в пожарной охране.

— В пожарную охрану вламываться не пойдем, а сейчас проверим, нет ли у самого председателя. Если есть, стащим, припечатаем, а завтра подбросим.

На тщательно вычерченном плане не хватало маленькой, чуть смазанной печати инспектора пожарной охраны. В конце концов решили взять план в ратушу и перед водворением в председательский шкаф попытаться поставить и печать. Это избавило бы от дальнейших усилий и нервирующих сложностей.

Необычайно трудолюбивая уборщица снова явилась в ратушу. Из окна дамской комнаты спустился шнур. Один горбун — Лесь — привязал к шнуру солидный рулон, другой — Януш — дежурил на площади в тени лохани, третий — Каролек — торчал на углу улицы на тылах ратуши. Главный инженер ждал в машине сразу за городом.

Через четверть часа заработал мотор, и вся группа, втиснувшись в машину прямо в маскировочных костюмах, мчалась в пансионат, где все еще кающийся Бьёрн готовил ужин.

— Ну, нам повезло,— вздохнула с облегчением Барбара, запихивая под ноги подушку, снятую с себя.— Это просто счастье, что председатель упился и оставил все настежь. Ни одна отмычка не подходит ни к столу, ни к кабинету, специально проверила. Замки сломаны, открываются плохо. Хорошо работает только один, от шкафа — недавно поставили новый...

Роль графа основательно взбудоражила Леся. Его давние чувства снова возгорелись в душе. Огонь, правда, несколько поумерился, и нежная страсть несколько изменила форму и выражение. Руины замка вызывали разные романтические ассоциации, и перед глазами графа возникали картины всевозможных героических подвигов. То в башне томилась прекрасная кастелянна и спасал ее из беды влюбленный рыцарь, то бородатые разбойники нападали на даму в карете, то на сорвавшегося с цепи медведя или тигра бросался с копьем мужественный оруженосец, а вот поединок на ристалище... Призер на турнире, влюбленный рыцарь, атаман разбойников и мужественный оруженосец — у всех была одна физиономия, которую Лесь имел возможность часто созерцать в зеркале.

Но увы! Башня лежала в развалинах и ни в малейшей степени не годилась для темницы, тигров здесь не сыщешь, хоть тресни, насчет разбойников тоже было плоховато — местные хулиганы — вялые растяпы — при всем желании не могли их заменить. Пошлая действительность не имела нужного реквизита, и хочешь не хочешь Лесь ограничивался мечтами.

Работы по обследованию подходили к концу. На закате солнца активность замирала: в неосвещенном замке сумерки спускались раньше и затрудняли обмеры. Барбара, Каролек, Януш и Бьёрн отдыхали на опушке рощицы неподалеку от городка и поедали помидоры в ожидании Леся, который получил задание отдать камеру от мотороллера на вулканизацию. Перед ними на пологом склоне тянулся весь в цветах лужок, а на лужку пасся молодой бычок.

— Чтобы тут развернуть туризм, нужен солидный капитал,— разглагольствовал Януш, посыпая солью помидор.— Гостиница в замке, бассейны, экскурсии в старые рудники, представляете, как все это можно разрекламировать?

— Бассейнами никого не удивишь,— вяло отреагировал Каролек.— Гостиница в замке и рудники — это уже кое-что...

— У них, может, и ни черта нету, а рекламируют,— прервала Барбара.— И люди ездят. Разве у нас умеют показать как надо? Нам бы шустрягу по рекламе — и полный вперед!

— Да вообще тут надо мозгами пораскинуть,— заметил умный Каролек.— Говорят, один американец учинил себе свадьбу в Яновце. Так вот: бросить повсюду клич — свадьбы в польских замках — самые радостные, самые фундаментальные!

— И драть за это чудовищные деньги, иначе наверняка почуют подвох...

— Весь объект окупится за два-три года, а дальше чистая прибыль. Представляете? Выигрываем борьбу за туризм, получаем заказы на ближайшие десять лет, всеобщее развитие строительства...

— А рекламщика где возьмем? — съязвила Барбара.

Вспыхнувший было энтузиазм увял вдруг, как сорванный цветок. Каролек запихнул в рот целый помидор и обиженно забормотал что-то невразумительное. Януш недовольно пожал плечами.

С противоположной стороны лужка показался Лесь. Отдал камеру и теперь медленно шествовал к друзьям, весь поглощенный сценой бегства на вороном скакуне с кастелянной в объятьях. Гнался за ними отвратительный кастелян.

— Пасется-то он пасется, а мало ли что в башку ему встрянет...— проворчал Януш.

Барбару и Каролека удивило это замечание. Лесь шел, правда, медленно, склонив голову, но в такой позиции он вряд ли бы дотянулся губами до травы. И не было никаких оснований считать, что он в данную минуту пасется.

— Почему это он пасется? — спросила удивленная Барбара.

— Ну, а что он делает? Не видишь разве — жует себе да жамкает.

— А я не вижу,— запротестовал Каролек.— Идет себе и ничего не рвет.

Теперь уже Януш удивился.

— Одурел ты, что ли? Зачем рвать? Нормальный непосредственный контакт морды с травой.

Барбара и Каролек вытаращились на Леся, решив, что просмотрели какие-то его жесты.

— По-твоему, он жует траву? — недоумевала Барбара.

— Чушь,— фыркнул Каролек.— Идет отключенный, даже не наклоняется. Видать, помидор в голову ударил — фантазирует на ходу.

Януш оторвал взгляд от бугая и удивленно уставился на Каролека.

— О чем это вы? — подозрительно спросил он.

— Да о Лесе. Идет себе и на траву ноль внимания...

— А, о Лесе! Так я же про быка!..

Бык пасся спокойно, словно барашек. Лесь был уже в центре лужка и подходил к быку все ближе. Досужая компания наблюдала за ними с любопытством.

— Отважный малый этот Лесь,— удивился Каролек.

— Да что ты, он просто не видит быка...

— Тихо,— шикнула Барбара.— Может, они просто не видят друг друга.

— Кажется, быка надо схватить за хвост у самого основания, дернуть, перевернуть, тогда он свалится и не встанет,— оживился Януш.

— Будет лежать, даже если отпустить? — любопытствовал Каролек.

— Если бы. Без посторонней помощи так и надо сидеть и держать годиков этак пять.

— Этого, который за хвост, или самого быка?

— Ну, тут уж более или менее безразлично.

— А ты в случае чего схватишь быка за хвост?..

Януш посмотрел на интервьюера и постучал пальцем по лбу. По-прежнему задумчивый Лесь продефилировал до середины лужка. Бык поднял морду и посмотрел на него. Даже на расстоянии нескольких десятков метров был заметен не слишком доброжелательный взгляд.

— Этот animal *. Добра есть? — спросил вдруг Бьёрн, прислушиваясь к разговору с большим вниманием.

— Не очень...— буркнул Каролек.

— От человека зависит,— пояснил Януш.— Его лучше бы всего зажарить и съесть.

— Сейчас? — удивился Бьёрн.

— Сейчас, пожалуй, нет,— сказал Януш без иронии.

Уже несколько минут как бык перестал щипать траву и жевать. Он следил за Лесем, наклонив рога и напружинив корпус. Лесь махнул руками — левой перед собой, а правой вроде бы что-то отгонял сзади. Группа наблюдателей замерла.

Странный жест самым очевидным образом не понравился быку. Неожиданно он пригнул голову, затопал, отфыркиваясь, и стартовал. Земля и трава вместе с вырванным без усилия колышком фонтаном взвились в небо. Лесь услышал за собой топот погони ревнивого кастеляна и невольно пошел побыстрей.

Наблюдатели мгновенно вскочили на ноги. Резкие жесты и крики, по-видимому, разозлили быка окончательно — он набрал скорость. Лесь поднял голову и, удивленный энтузиазмом сослуживцев при его появлении, даже остановился. Опасность с тыла пугающе нарастала.

— Беги!!! — орал Януш.— Беги! Боже!!!

— Оглянись!!! — вопил Каролек, исполняя какой-то дикий танец.

До Леся наконец что-то дошло. Он оглянулся: за ним мчалась яростная гора, сверкающая злобными глазками. Он замер на мгновение и сразу же рванул бешеным галопом двумя метрами впереди бугая. По счастью, чуть наискосок, и чудовищу пришлось изменить направление. Выиграв таким манером несколько метров, Лесь отчаянно мчался вперед, топоча почти так же, как бык. Кастеляны и скакуны

---

* Животное, скотина (англ.).

9—4

тут же вылетели из головы, на миг промелькнули корриды и тореадоры, после чего все исчезло, кроме панического страха.

— Убьет же его! Боже, убьет! — трагически стонала Барбара.— Чего вы стоите, делайте что-нибудь!!!

Упрек был совсем не по делу. Никто из присутствующих не стоял. Все скакали, размахивали руками, топали ногами, бегали по кругу, стараясь отвлечь от Леся внимание разъяренного бугая. Казалось, ничто уже не спасет его, чудовище пыхало буквально за его спиной. И тут несущийся Лесь попал ногой в кротовую нору и растянулся, проехав на животе по земле. Бык пролетел над ним на добрых метров двадцать вперед, уперся, развернулся и помчался опять.

Однако взбудораженный дикими воплями друзей Лесь успел вскочить, тоже молниеносно повернулся и рванулся в другом направлении — прямо к ним.

Рощица, где на опушке отдыхало трудовое общество, была небольшая, из молодой поросли. Тоненькие березки и сосенки не давали возможности влезть на безопасную высоту. Правда, был некоторый шанс, что рощица немного задержит азартного зверя. Прежде чем запыхавшийся, бледный от ужаса Лесь достиг первых кустов, вся группа в панике разбежалась, скрываясь за стволами понадежней.

Бугай на опушке и впрямь приостановился. Бешеным, налитым кровью оком повел вокруг, увидел много несимпатичных ему существ, фыркнул злобно и пошел вслепую.

— Януш, берегись!!! — орал согласный хор.

Януш исполнил грациозный пляс вокруг молодой березки.

— Барбара!!! — отчаянно завопили через минуту.

— Господи, может, когда-нибудь он выдохнется?! — стонал Каролек, отбрасываемый центробежной силой от спасительного ствола, вокруг которого он вращался в седьмой уже раз.

— Это очень... О Боже!!!.. Зверски сильное животное!..— скулил Януш в ответ.

Вся группа с небывалой живостью играла во что-то вроде скоростных пряток, передвигаясь при этом какими-то кенгуриными прыжками. Разве что игра никого не веселила, поскольку бодрый бугай и не собирался прекращать охоту. Бежать из маленькой рощицы было совершенно бесполезно: между ней, дорогой и первыми постройками лежало открытое пространство.

— И как это тебе в башку стрельнуло, что тому неизвестно, что может этому прийти в башку,— замысловато ругался Каролек в адрес Януша.— Надо же сказануть!..

— Лови его!!! — надрывалась Барбара.— За хвост!.. И крутани!..

— Сама лови! — гневно отпыхивался Януш.— Черт, и чего этот скот во мне усмотрел?!!

По неизвестным причинам бугай оставил в покое Леся и атаковал Януша. В отличие от резвого быка архитекторы всякой резвости лишились. Надежда постепенно сводилась к нулю: видимо, до самого конца света они обречены торчать в проклятой рощице в обществе упорно атакующего чудовища.

И вдруг свершилось чудо. На лужке появился немолодой абориген в мятой шляпе и с веточкой в руке. Спокойно и лениво он пересек пастбище и, с интересом глядя на игры среди деревьев, подошел к быку.

— Ну, ну, малец,— пожурил он чудовище с некоторым неудовольствием.— Иди сюды, малец. Не беги. Ну же, ходь сюды.

Осатанелый зверь вдруг удивительно присмирел. Потрясенные работники умственного труда, ожидавшие кровавого побоища, так и замерли кто где стоял. Хозяин поднял волочившуюся за быком веревку с колышком и с упреком обратился к ним:

— Чего скотину дразните... Ну да ладно, его полезно малость побегать...

И удалился обратно через лужок, а покорное, словно барашек, чудовище потянулось вслед, провожаемое пятью парами полных ужаса и недоверия глаз.

Точнее говоря, лишь четыре пары глаз выражали ужас. Пятая пара контрастировала с ними блеском первобытного восхищения. Пятая пара глаз принадлежала Бьёрну.

— Прекрасна край, animals, прекрасна драка! — восторженно выкрикивал он, возвращаясь домой вместе со всей группой, едва передвигающей ноги.— Я говорю мои friends *! Каникулы в Польша!

Когда он наконец умолк под фонтаном, из всех его восклицаний удалось выжать следующее резюме: польские бои с быками значительно интереснее испанских. А разводить и пасти на лугах диких, нападающих на туристов животных он признал удачным и оригинальнейшим замыслом. В тот же самый вечер он засел за письма ко всем своим знакомым, не скрывая, что хочет всячески рекомендовать страну, где можно предаться свежим, бодрящим, необыкновенно занимательным развлечениям.

Энтузиазм Бьёрна весьма заинтересовал компанию. Группа как раз кончала обследование и обмеры останков барочного камина.

— А знаете, это не так глупо,— провозгласил Януш, разбудив эхо в зале, называемом некогда рыцарским.— Этот бык сделал нам неплохую рекламу. Кстати, где Бобик?

— Пишет пригласительные письма,— ответил Каролек.— Я его уговорил накатать их побольше. Я тоже считаю, это лучше, чем все потуги нашего туристического бюро. Официальным рекламам они не верят, а вот если кто-нибудь ихний лично напишет, так пол-Европы сюда кинется...

---

* Друзья, родственники (*англ.*).

— Хорошо бы получить заказы еще до окончания строительства,— размечталась Барбара.

— Хорошо бы, да сколько это еще будет тянуться,— наморщился Януш.— Боюсь, к тому времени они уже все позабудут...

— А могли бы начать приезжать...

— Сюда?!..

— Нет, куда-нибудь еще. Валюта нам пригодится. Вообще-то я не знаю, может, одного бугая маловато. Может, еще что-нибудь организовать? Кабанов, к примеру, или еще что?..

Все взгляды невольно устремились на Леся, который от возмущения даже перестал набрасывать эскиз деталей камина.

— Вы что, одурели? Откуда я вам кабанов достану?

— А бугая откуда добыл? — парировал Каролек.— У тебя всегда выкаблучивается черт-те что! Ну-ка пошевели мозгами. Если не кабанов, так еще что-нибудь...

Лесь недовольно пожал плечами, сравнил свой эскиз с оригиналом, и вдруг ослепила его неожиданная мысль: а в самом деле, сколько перемен за последние два года! Постепенно, шагами, а может прыжками, преодолел он огромный путь! Его уже не считают балдой и позором мастерской, недоделанным безвольным придурком. Напротив, вся группа взирает на него с уважением, надеждой, восхищением, от него ожидают важных инициатив... Что бы он ни сделал, все теперь кажется ценным, интересным, полезным...

И сейчас от него требуют великой и замечательной идеи, способной принести пользу всей стране, обогатить государственную казну и приумножить славу отечества. Кабаны?.. Кабанов нет, однако надо что-то придумать! Нельзя же подвести своих коллег!

Он поднял голову от эскиза и взглянул на друзей, оживленный еще не слишком-то отчетливой мыслью.

— Подземелья, здесь есть подземелья...

С минуту помолчали.

— Кабаны опасны,— предостерег Януш, все еще размышлявший насчет кабанов.— Когда у свиней потомство, они кидаются на всех.

Барбара и Каролек ошеломленно молчали. Понимали, видно, Януш все еще думал про кабанов и диких свиноматок, но ведь Лесь начал про подземелья — под замковыми подвалами. Картина подземелий, где дикие свиньи пестуют поросят и бросаются на посетителей, лишила их голоса.

Лесь взглянул на Януша бессмысленным взором.

— Да они старые,— ответил он неуверенно.— А вообще-то, при чем здесь потомство?..

— Потомство,— нетерпеливо объяснил Януш.— Подсвинки. Не знаю, бывает ли потомство у старых, но ведь есть же и молодые дикие свиньи!

Теперь Лесь ошалел. Барбара и Каролек переглянулись.

— Один из них спятил, не знаю кто,— озаботилась Барбара.

— А мне сдается — оба,— убежденно констатировал Каролек.

— В чем дело? — удивился Януш.— Речь шла про кабанов? Шла. Так подсвинки. Подсвинки у диких свиней, вы же сами хотели кабанов...

— Да нет же, о подземельях уже речь,— запротестовал Лесь, и Януш посмотрел на него изумленно.

— Подземелье...— начал Януш.

— Господи спаси! — безнадежно воскликнула Барбара.

Через несколько минут недоразумение разъяснилось. Оставили проблему кабанов за неимением таковых и углубились в раздумья на предложенную Лесем тему.

— А откуда ты знаешь, что здесь есть подземелья? — поинтересовался Януш.— Мы еще подземельями не занимались.

— Да слышал кое-что. Говорил мне тут один. Пастух из госхоза, очень старый. Есть, говорит, подземелья, ведут до старого рудника, когда-то давным-давно там держали узников, кто-то даже жену замуровал.

— А зачем? — полюбопытствовал Каролек.

— Точно неизвестно. Есть две версии. По одной, жена была страшна как смертный грех и больная, а этот хотел от нее избавиться, а по другой — все наоборот. Молодая и красивая, на него плевать хотела, а на поклонников клевала.

— Грубиян,— буркнула Барбара.— По любой версии.

— Грубиян не грубиян, а мысль хорошая,— сказал Януш.— Кто это придумал?

— Не знаю,— ответил Лесь.— Не я и не пастух из госхоза. Так, поговаривают.

— Откуда пастух-то свалился? — спросил Каролек.

— А он меня развлекал, пока я декорации делал. Симпатяга.

На коротком совещании согласно, даже с восторгом, решили обследовать все, что удастся, под подвалами. Зрелое размышление показало: только на редкость подлинные, мрачные и некомфортные подземелья могут привлечь капризных, избалованных и не в меру требовательных валютных туристов. Экскурсия в подземелья, где на каждом шагу можно сломать ногу, заблудиться или получить по голове обломком с осыпающегося потолка — это, вне всяких сомнений, острое ощущение для пресыщенных, свихнутых от благосостояния капиталистов.

— А помимо всего прочего, у них там ерунда, а не подземелья...— презрительно заявил Лесь.— Спустятся в погреб — ну малость влажные стены, ну что-нибудь капает, тоже мне... Даже заблудиться негде, везде свет, не говорю уж об уборных... А вот у нас!..

— Еще не знаем, что у нас.

— Ну так узнаем!

— Найти бы только вход,— вздохнул с надеждой Каролек.— Дальше все пойдет само собой...

Длительные, настойчивые и значительно более тщательные, чем того требовало обычное обследование, поиски в погребах растянулись надолго. Зав мастерской полагал, что группа уже давно должна закончить работы на месте и вернуться в бюро. Но понапрасну он слал тревожные письма и телеграммы, понапрасну грозил не высылать больше зарплату. В ответ дождался Бьёрна, объяснения которого усилили его беспокойство.

Бьёрн лучился восхищением и рассказывал бесподобные вещи. В его сообщениях таинственные, мрачные покои и бои с быками перемешались со скелетами красавиц и каким-то старым человеком, совершенно заву неизвестным. Привезенные оттиски и планы неизменно свидетельствовали, что группа вела обследование добросовестно, тщательно, детально и уже успешно закончила. Пора начинать работать над проектом.

— И чего они там возятся? — нервничал зав мастерской, терзая главного инженера.— Вы там были, пан Збышек, что там — развлечений много? Почему они не возвращаются? И какой-то старый человек?..

— Понятия не имею,— задумался главный.— Ничего там нет. Маленький городок и госхоз. Ох, сдается, мне, что-то опять надумали...

При вторичном допросе Бьёрн подтвердил прежние показания.

— Очень старый человек,— сказал он и повторил это неоднократно на разных языках.— Одна дама, красавица молода, она есть скелет. Он знает. Старый человек. Она подземелье, скелет.

Таинственные подземелья перевернули все вверх ногами, на сей раз у зава и главного. Телефонный разговор с Янушем, который что-то пытался объяснить сперва про кабанов и диких свиней с подсвинками, потом про подземелья, лишь увеличил полное замешательство. Зав абсолютно растерялся: надо ли включить в проект кабаний заповедник или замковые подземелья. Главный не проявлял большой охоты уточнить ситуацию. После долгих разговоров, дерганий и домыслов порешили снова провести инспекцию на месте.

В субботу пополудни зав выехал своей машиной, захватив главного инженера, который вопреки обыкновению оставался замкнут и молчалив. Зав мастерской все более нервничал и всеми силами старался не думать о предстоящей встрече и предстоящих сюрпризах...

Люк в подземелье обнаружили в самом глубоком подвале. Одна из каменных плит зашаталась. Наступил на нее Лесь, и Каролек в последний момент успел спасти его от падения в темную пропасть. Плиту перевернули и укрепили камнями, старательно обезопасив люк.

— И что бы такое тут могло быть? — размышлял Каролек, освещая глубокий черный провал шахтерской электрической лампочкой на длинном шнуре, подключенной к автомобильному аккумулятору, взятому на время в местной машинно-тракторной станции.

— Как это что? Подземелья, разумеется,— удивился Януш.— Что за глупый вопрос?

— Я не об этом. Что бы тут организовать в будущем? Как использовать? Все в прекрасном состоянии, сами видите, чем глубже, тем лучше сохранилось, не пропадать же... Что бы тут устроить?

— Винные погреба, разумеется,— безапелляционно заявил Лесь.— Само напрашивается.

И в самом деле, помещение когда-то использовалось под винные погреба. В одной стене даже было вмуровано несколько огромных бочек.

— Не знаю,— засомневался Каролек.— По мне так лучше оборудовать подземное казино. Здесь и вон там только немного расширить проход. Рулетка и всякое такое...

— И невезучим сразу головой вниз — вот сюда? — усмехнулась Барбара, показывая провал под камнем.

— Да, он прав,— вздохнул Януш.— Для казино здесь подходящая атмосфера. А что толку, все равно не дадут согласия. Надо уж остановиться на винных погребах.

— А там внизу что?

— Посмотреть надо...

— А это не опасно? — забеспокоился Каролек.— Туда надо спускаться с какой-нибудь техникой безопасности. Снаряжение всякое, больше людей, и вообще это уж дело исполнителя.

— Только теоретически,— возразила Барбара.— А на практике мы знаем, как бывает. Начнется волынка — переписка, разрешения, подтверждения, в ход пойдет вся бюрократия, и черт его знает, что из всего этого выйдет. Если хотим чего-нибудь добиться, должны ткнуть в нос готовый материал. Подземелья никак не учитывались, и если мы сами не сделаем, их не используют. А я считаю, хотя бы один проект надо довести до конца! Хватит халтуры! Раз уж начали, доделываем все!

Благородный энтузиазм Барбары не остался без резонанса.

— Прямо-таки революционный порыв,— буркнул Януш.— Но, в общем, ты права, конечно...

— Еще бы не права. Пока нас этот самый порыв не одолеет, все так и будет идти шаляй-валяй! — воодушевилась Барбара.

— Надо основательно подготовиться.— Каролека уже обуяла решимость.— Веревки, свет, запас продовольствия.

Уже на следующий день в подвале собрали все необходимое. Снаряжение состояло из четырех электрических фонариков с запасными батарейками, двух мотков шнура толщиной чуть не в корабельный канат, одной кирки, одного большого молотка, пачки средней величины погребальных свечей, двух килограммов колбасы, десяти плиток шоколада, килограмма кускового сахара, двух термосов с кофе, восьми бутылок газированной воды, пачки школьных мелков и подобия веревочной лестницы длиной в три метра.

— А зачем ты погребальные свечи купил? — полюбопытствовала Барбара.— Думаешь, мы туда с концами загремим?

— А они восковые.— Каролек помогал Янушу закрепить веревочную лестницу.— Восковые свечи лучше, а других восковых не было. Не майся предрассудками.

Четверо первопроходцев по очереди, с некоторым трудом спустились по веревочной лестнице. В свете свисающей сверху шахтерской лампочки виднелся коридор с каменным сводом, ведущий куда-то вдаль.

На стене виднелась большая стрела, указывающая направление.

— Ничего себе древность,— пожал плечами Януш.— Не более пятидесяти лет. Интересно, кто и чем здесь занимался?

Никто не успел ответить: сверху раздался глухой грохот, так что дрогнули стены. Шахтерская лампочка раскачивалась. Четверо посмотрели вверх и замерли от ужаса.

Каменная плита, закрывавшая люк, упала в свое гнездо. Выход был закрыт.

— Как это случилось? — спросил Каролек, помолчав.

— А не пнул ли кто-нибудь?..

— Что ты? Там же никого нет!

— Стержень вылетел.— Януш поднял толстый железный заржавленный болт, упавший сверху вместе с обломками.— Плита раскрошилась. Поворачивалась на этом стержне. С другой стороны, наверно, что-нибудь есть аналогичное.

— А лампочка не погасла! — удивился Лесь.

— Чего ей гаснуть — шнур не порвался, вот и не погасла. Хоть свет, слава Богу, есть.

— И что теперь? — Барбара тревожно, как и все остальные, рассматривала роковую плиту.— Удастся открыть?

— Черт его знает,— пробурчал Януш.— Если приподнять снизу, может, и сдвинется. Сейчас попробую. Кароль, придержи лестницу.

Веревочная лестница висела вместе с лампочкой, зажатая плитой. Януш влез по лестнице и надавил изо всех сил. Лестница оборвалась.

— Давай-ка на нас обопрись,— предложил Лесь, когда Януш и Каролек поднялись с земли.

— Бесполезно,— мрачно ответил Януш.— Плита и не шевельнулась. Без этого болта не пойдет.

— Ну и дела! До конца дней, что ли, здесь торчать?

— Ладно, попробуем...

После четверти часа усилий всякая надежда выйти из подземелья погасла. Четверо беспокойно переводили глаза друг на друга. Каролек прервал наконец молчание:

— Что делать?

— Кажется, ты в самый раз купил погребальные свечи,— вздохнул Лесь.

— Идиот,— отрезала Барбара.— Хочешь не хочешь, а придется искать другой выход. Ты же сам говорил: пастух утверждает — есть выход через рудник.

— Рудник, сдается, давно завалился ко всем чертям. Но ничего не поделаешь. Идем! — распорядился Януш.

— Нам даже направление указано...

— Фонарики погасить. Держать только один. Черт знает, сколько придется топать...

— А не остаться ли нам здесь и подождать, пока разыщут? Еще заблудимся в этих катакомбах...

— Через триста лет обнаружат наши скелеты,— запричитал Лесь.— Ни одна живая душа не знает, куда нас понесло.

— Дурак, Бобик знает.

— Бобика нету.

— Есть. Уехал на несколько часов и тут же обратно. Увидит, нас нет, забеспокоится. Организует поиски...

— Когда? Через неделю?

— Ну и что? Еда есть, вода есть...

— И будем тут сидеть как дураки целую неделю, лучше уж с толком использовать время!..

После краткого обмена репликами решили идти. Отмечать путь, следить за временем, в случае чего вернуться. Выбитые в каменной стене стрелы внушали некоторую надежду. Разделили провизию, снаряжение и двинулись в путь.

Подземелье на диво прекрасно выглядело. Длинный коридор привел к колодцу с вбитыми в стенку железными скобами, на дне колодца начинался новый коридор, круто уходящий вниз, а в конце его друзья уткнулись в каменную лестницу.

— Так и до центра земли недолго,— хмыкнул Лесь.

— Ведь мы были на холме. Раз надо идти понизу, идем понизу,— заявил Каролек.— Чего летите как на пожар, я не успеваю!

Януш, шедший первым, несколько замедлил темп. Каролек мелком подчеркивал выбитые в стене стрелы, чтобы в случае чего легче было возвращаться.

— И влаги совсем нет, странно,— отметил Януш.— И воздух свежий... Нетипичное подземелье!

Барбара самодовольно улыбнулась.

— Говорила же — шикарно можно оборудовать.

— Слушайте, а где же скелет? — вопросил Каролек.

— Какой скелет?

— Этой самой, ну, неверной жены. Коли замуровали ее под замком, мы, верно, прошли то место?

— Черт его знает. Сообрази хорошенько, скелет-то в стене замурован. Нам сейчас только и дела стены простукивать, найдется когда-нибудь.

Каменные ступени кончились. Коридор сузился. Януш вошел первым в какое-то помещение, посветил и замер на месте. Идущая следом Барбара налетела на него.

— Ты чего...— и вдруг замолчала.

В небольшом помещении, узком и тесном, устрашенная группа уставилась на белеющую у стены кучку костей и нарисованный сверху на каменной стене череп.

— Вот тебе и на...— прошептал Януш.

Еще немного помолчали.

— Здесь, верно...— заплетался Лесь.— Верно, та жена, которая...

— Ничего себе жена,— саркастически бросила Барбара и зажгла свой фонарик, осветив кости.— По моему скромному разумению, обыкновенные свиные ребрышки...

— Что?!

— Ребрышки свиные. А рядышком косточка от свиной ножки. У человека таких костей не бывает.

Атмосфера явно разрядилась. При ближайшем рассмотрении кучка костей утратила свою кошмарную символику. На череп перестали обращать внимание.

— Не знаю, кто тут сожрал ребрышки и ножку, но эффект хорош,— восхитился Каролек.— Если что, череп можно оставить и рассказывать: вот здесь и найден, мол, скелет преступной жены. Или какого-нибудь узника. Смотрите, железяки какие-то... Узник умер с голоду, прикованный к стене...

— Тоже мне цепи-кандалы,— поиронизировал Януш.— По-моему, самый обычный шлямбур. Я еще не слыхивал, чтобы узников шлямбурами приковывали...

— Не мелочись,— разозлилась Барбара.— Кароль прав, по ходу дела сотворим легенду замка. Непременно преступная жена и вечный узник, и не влезай с реалистичной своей башкой! Пошли! Куда?

Из помещения было два выхода. Немного поискав, обнаружили на стене стрелы. Коридор под прямым углом свернул, и группа снова задержалась, удивленная следующей неожиданностью.

Вдоль коридора шла толстая чугунная труба, исчезавшая в стене. Януш с досадой поглядел на нее.

— Все понятно. Помните, этот водопровод до самого замка? Мы еще почему-то отказались искать его на месте...

Труба тянулась довольно далеко. Потом, видать, расхотела опускаться к центру земли и свернула влево, а группа двинулась направо. До сих пор удобное, сухое и довольно обширное подземелье вдруг превратилось в труднопроходимый, тесный коридор.

— Пока что все было слишком комфортно,— пыхтел Януш, на четвереньках пролезая через завал из окаменелой земли.— Кажется, теперь мы увидим настоящее подземелье!

— О Боже! Посвети малость назад! Башкой ударился! — взмолился Каролек.

— Не бейся головой в потолок, тут может обвалиться,— предостерег Лесь, зацепился за что-то и рухнул вниз с земляной кучи руками вперед. Руки въехали в какую-то вонючую склизкую жижу.

— Господи! — взвыл он.— Тут такое... Такое дерьмо...

Все вернулись. Со стены скатилось несколько камней.

— Перестаньте валять дурака, а то и в самом деле обрушится,— нервничала Барбара.— Боже, откуда это несет?..

— Да Лесь тут...— начал Каролек, но сам поскользнулся и плюхнулся рядом с Лесем.— Мать честная, ну и ну... Куда это мы вляпались?

— Да тут было...

Вонючая грязь сосредоточилась небольшими лужицами на довольно большом расстоянии. По очереди поскользнулись Барбара и Януш. Беспокойство росло, росла и влажность. По стенам уже стекали ручейки, а под ногами чавкала жижа, когда в свете фонаря Януш увидел завал, преградивший дальнейший путь. Перед завалом зиял черный колодец, отвесно обрывающийся вниз.

— И что теперь? — безнадежно спросил Каролек.

Януш посветил вниз, пытаясь заглянуть в колодец.

— А я знаю? Или лезем, или возвращаемся.

— А какой дорогой возвращаемся? Через эти вонючие...

— Ну, а как? Знаешь другую дорогу? Тоже мне чистоплюй, от нас уже и так несет, как из...

— И какой смысл возвращаться, ведь выхода-то нет,— подавленно размышляла Барбара.— Знаете, сколько мы уже шляемся? Почти шесть часов!

— А,— оживился Лесь,— вот почему я такой голодный!

В темноте он не заметил иронических глаз своих спутников. Голод в такой обстановке — чушь какая-то. Однако вскорости его замечание нашло-таки сочувствие.

После раздумий и тщательного обследования колодца решили продолжить экспедицию. Сумели даже привязать веревку.

— Я спущусь первый,— потребовал Януш.— Вы ждете, пока не крикну.

— Только уж кричи потише,— взмолилась Барбара.— И без тебя все обвалилось. Крикнешь, вообще конец.

— Ладно, дерну веревку трижды.

— А не перекусить ли нам сперва? — осведомился неуверенно Каролек.— Неизвестно, что внизу...

Продукты в виде колбасы, шоколада и газированной воды съели, сидя на краю черного провала и опустив туда ноги. К термосам с кофе Барбара не разрешила прикоснуться.

— Неизвестно, что еще будет,— многозначительно напомнила она.— Кофе — на черный день.

— Еще чернее, чем теперь? Ничего себе,— меланхолически вздохнул Лесь.

— Да, хорошенькое местечко мы отыскали для пикника,— заметил Каролек.

— Надо было всякий разум потерять — сюда переться,— проворчал Януш.— Дотопали бы до водопровода — и обратно.

— Кто же знал, что плита завалит выход...

Обвязанный одной веревкой Януш спустился по второй, на которой узлы распределили через каждые полтора метра. Три рывка дали знать, что дорога свободна, подтянули первую веревку и опоясали Барбару. Каролек спускался последним, без страховки.

— Не бойся, будешь падать — поймаем,— утешил его Лесь.

— Если уж падать, так падать без веревки,— рассудил Каролек.— Самое худшее — сломаю ногу, а веревка, если оборвусь, перережет пополам...

Внизу стояла вода. Коридор уходил вниз, и вода прибывала. Низкий свод не позволял выпрямиться. Экспедиция первопроходцев изрядно приуныла.

— Сахар размокнет,— буркнул Каролек, заметив, как впереди идущий Януш погрузился в воду выше пояса.

— Ну и привяжи его себе на голову,— разозлился Януш.— Тебе, видать, больше делать нечего!

Не успев покруче обругать Каролека, Януш споткнулся обо что-то под водой, с головой ушел в черную жижу и потерял фонарик. Попытались пошарить на дне — пустая затея. Януш взял Лесев фонарик. Он, оказывается, споткнулся о какой-то порог. Дальнейший путь удалось пройти практически на четвереньках, причем между поверхностью воды и сводом места оставалось только для головы. Каролек продвигался на корточках, держа в поднятых руках драгоценный пакет с сахаром.

— И долго так еще? У меня руки-ноги затекли совсем!..

— Кажется, дальше повышается,— неуверенно обнадежила Барбара.

— Отличное местечко для западных туристов. Так и вижу, как они здесь бултыхаются...— ядовито пропыхтел Януш.

Уровень воды наконец начал понижаться. Напоминающий коридор проход сменил направление и постепенно пошел вверх. Ведущий экспедицию Януш уселся на небольшой куче камней и вытер со лба пот и грязь.

— Не знаю, как вы, а я намерен отдохнуть,— решил он.— Кажется, худшее позади.

— Ежели исходить из конфигурации местности,— размышлял Каролек,— ежели опять же коридор проходит через рудник... Надо было спуститься, пройти под речкой, потом снова подняться наверх в другом склоне. Эта вода, кажется, и была под речкой.

— Мы идем десять часов,— заметила Барбара.— Скажем, два километра в час, прошли двадцать километров...

— Да ты что? Какие два? Полкилометра в час еще туда-сюда!

— Я имею в виду в среднем. Сначала шли быстрее.

— А как вы думаете, выберемся мы когда-нибудь отсюда? — мрачно спросил Лесь.

В этот момент погас второй фонарик. Полная темень и кстати произнесенная фраза Леся не вызвали паники только потому, что у всех перехватило голос и дыхание. Барбара и Каролек одновременно включили свои фонари, и два луча света рассекли мрак.

— Еще раз сказанешь что-нибудь в этом роде, кто-нибудь и выйдет, а ты останешься здесь наверняка — я позабочусь сам...— пресек все дальнейшие разговоры Януш.

Далее коридор незаметно, но неуклонно поднимался, что немного успокоило горемык. Новоявленные открыватели совсем выбились из сил, но шли и шли вперед, пролезали на четвереньках, проползали, спотыкались, падали и скользили. Внешний вид четверки оставлял желать лучшего. С потолка и стен зловеще осыпались камни. От основного коридора все чаще уходили в разные стороны многочисленные ответвления. Темп продвижения замедлился, всякий раз надо было справляться, в какой из веток выдолблены спасительные указатели.

— Вот гениальные люди были,— чуть не со слезами пробормотал Каролек.— Я бы им памятник поставил за эти стрелки.

— На стрелы не больно-то похоже, но главное, хоть ведут куда-то,— согласился Януш.— Представляете, каково бы нам пришлось без них?

— Неделя блужданий обеспечена,— согласился Лесь.

Каменные ступени вели наверх. Коридор расширялся порой в небольшие гроты. В каждом из них начинались быстрые перешептывания и поиски дальнейшего пути, указанного стрелами. Время шло...

Зав мастерской и главный инженер прибыли в пансионат с фонтаном поздно вечером. Застали одного Бьёрна, с коим три дня назад расстались в Варшаве.

— Где остальные? — спросил главный.

Бьёрн задергался, занервничал.

— Они иди до замок. Визит подземелье.

Зав и главный обеспокоенно переглянулись.

— Какое еще подземелье? — едва выговорил зав.— Так здесь кабаны или подземелье?

— Когда пошли? — нахмурился главный, не заботясь о сумятице в мозгах у зава.

— Утро. Девят час. Они все имеет. Фонарь, и вода, и колбаса, и две веревки.

Главный схватился за голову. Зав бессмысленно разглядывал Бьёрна.

— Ничего не понимаю,— переспросил он.— Зачем колбаса? Для кабанов? А не перепутал он?

— Я не путал,— обиделся Бьёрн.— Визит до подземелье долго. Внимание, опас... стность. Они делать реклама туристы. Я тоже.

Зав окончательно запутался. Главный быстро все сообразил и нервно заговорил:

— Отправились обследовать подземелье. Господи Иисусе, совсем ошалели! Так вот оно — дополнение к обследованию, о чем не хотели говорить! И что им только в голову приходит?!

— Поехали! — простонал побледневший зав.

Бьёрн привел начальников в подвалы. В самом глубоком нашли большой автомобильный аккумулятор, к которому был подключен длинный шнур. Шнур исчезал в щели между плитами в полу.

— Что это значит, на Божескую милость? — волновался зав.— Почему здесь это? Что они сделали?

— Спустились вниз,— вздохнул главный.— Видимо, подняли эту плиту. Там, очевидно, есть лестница или еще что. Попробуем...

Попытка вытащить плиту не удалась. При выпадении болта она улеглась удобно и основательно. Об этом, конечно, не знали ни зав, ни главный, ни Бьёрн, а посему никак не могли угадать, каким образом группа ушла в подземелье.

— Может, в другом месте спустились? — раздумывал главный инженер.— И уже домой вернулись?..

В темном пансионате не было ни души. Оставался только один ответ: архитекторы заблудились в подземельях.

— Если до утра не вернутся, необходимо собрать спасательную партию,— решил главный инженер.— Сообщить администрации, пожарной охране, запросить спасателей горняков... Если бы хоть знать, где они спустились...

Зав мастерской никак не мог справиться с комом в горле...

А пропавшая группа стояла в очень тесном отрезке коридора. Два фонаря светили вверх, на четырех лицах засохшая грязь скрывала бледность, четыре пары глаз в отчаянии высматривали возможность спасения. Януш в который раз пытался сориентироваться.

— Ну хорошо: там колодец уходил вниз, почему здесь не быть колодцу наверх?

— Кстати, тот удобнее, наискось идет...— припомнил Каролек.

— В самом колодце еще можно подняться, а вот как до него добраться?..

Почти вертикальная шахта начиналась метрах в двух над головами. В гладко выдолбленные стенки невозможно было упереться.

— Попробуй вбить скобу,— предложил Каролек.— Ты ведь альпинист.

— Был альпинистом,— уточнил Януш.— Десять лет назад и один раз. Здесь бы скорее надо спелеолога. И во что вбивать скобу, в кого-нибудь из нас? Монолитная скала не шутка!

— Выше вроде есть щели!

— Выше будет легко, только вот здесь черт-те что!

— Да, с головками у нас все в порядке,— причитала Барбара.— Только завзятый идиот сюда полезет. Ладно, хоть живы пока...

— Особой живостью тоже не похвастаешься...

— Деваться некуда, делаем пирамиду,— решился Януш.— Подбодритесь и не мотайте головой, когда я полезу по вам. Барбара, освещай обоими фонарями!..

Пирамида развалилась всего три раза. На четвертый скоба была вбита в щель.

— Нет, вы только подумайте, как мы предусмотрели снаряжение,— с благоговейным волнением изрек Лесь.

— Стойте тут и ждите,— приказал Януш.— И не торчите под самой дырой, того и гляди что-нибудь свалится. Я возьму веревку и попробую ее там закрепить. Хорошо, захватили две... Ага, узлы завязать надо!

С помощью веревки, поочередно, с трудом одолели трубу. Наверху стало ясно: силы на исходе и вот-вот начнется истерика. Дальнейший путь преградил нависший, частью уже рухнувший свод — протиснуться можно было едва-едва. Кругом валялись остатки балок и разное гнилье — очевидно, когда-то свод поддерживали деревянные крепления.

— Рудник,— прошептал Каролек.— Надо говорить шепотом...

— Тихо,— шепнул Януш.— Старайтесь ничего не задевать. Все это держится на честном слове.

— Я пойду последняя,— чуть не рыдала Барбара.— Все из-за меня...

— Идиотка,— шикнул Януш.

Лесь молча взял Барбару за плечи и подтолкнул сразу за Янушем. Проползая, словно змеи, по одному, первопроходцы протиснулись рядом с обвалом. Едва замыкающий Каролек оказался с друзьями, едва с облегчением вдохнули затхлый воздух, как что-то тяжко и глухо загудело и провисший свод рухнул. Дорогу обратно засыпало.

— В самый раз успели,— сопел Януш, пробираясь вверх по коридору.— Теперь надо рыскать только здесь. Обратно пути нет.

— Вы что, железные? — заохал Каролек.— Может, отдохнем?

— Ночевать здесь собрался? — напустился на него Лесь.— По-моему, уже недалеко.

— Да нет, хорошо бы кофейку...

— Подожди, одолеем проклятущую лестницу. Может, наверху будет получше?

Неровно выбитые каменные ступени тянулись бесконечно. Кое-где с площадок уходили вглубь ответвления коридора. Стрелок уже не было, но группа все время поднималась.

Ступени кончились неожиданно. Новый коридор, показавшийся в свете фонарика, позволил распрямиться. Измотанные вконец пионеры-первопроходцы подкрепились кофе с сахаром. Вкус и аромат сахара оставляли желать лучшего — Каролеку все же не удалось спасти его от сырости. Однако никто не капризничал.

Вошли в новый грот. Отсюда коридоры вели в четырех направлениях. Стрелок не было. Компания растерянно остановилась.

— И что теперь? — спросил Лесь.

— По-моему, свежим воздухом тянет,— неуверенно проронила Барбара. — Не знаю откуда...

— С поверхности.

— А где поверхность?

— Надо зажечь свечу,— посоветовал Каролек.— Посмотрим, как заколеблется пламя.

Зажечь погребальную свечу оказалось делом нелегким. Спички в карманах вымокли и никуда не годились. Рассуждали насчет искры из электрической батарейки, как вдруг Барбара вскрикнула и потрогала макушку.

— На колени! — завопила она.— Как только я увидела воду, пришпандорила спички шпилькой к волосам. Сухие, что твой перец!

— Я видывал в жизни перец и посуше,— фыркнул Януш.— Но вдруг да загорится...

Зажгли три свечи. Их подняли повыше у входа в три коридора, четвертый, коим пришли, понятно, игнорировали. Только одно пламя слегка отклонялось к центру зала.

— Сюда! Дует оттуда! Кароль, на всякий случай отмечай мелом стены!..

Ток свежего воздуха явно усиливался. Через несколько метров коридор сузился и понизился. Януш на четвереньках протиснулся в тесную дыру, и ползущая за ним Барбара вдруг заметила, что он как-то странно дрыгает ногой и вроде бы кричит. На всякий случай отползла, толкнув в свою очередь ботинком Леся.

Януш задом застрял в дыре, а руками упирался в какие-то корни, всеми силами стараясь не съехать по крутому, заросшему склону, который не столько увидел, сколько нащупал в чернильно-черной ночи.

— Люди, выбрались! — орал он радостно.— Сдохнуть мне на этом месте, вышли! Господи, падаю! Конец чертовым подземельям!!!

— Что ты говоришь? Не слышу! — нервничала Барбара.— Внимание, назад! Опасность!

Лесь попятился на Каролека, у которого места было чуть побольше, и забеспокоился:

— Что там еще? Барбара почему-то лягается и орет.

Каролек бросил рисовать стрелку.

— Господи прости, может, падает?!..

Гадая, чего там возится Януш, Барбара на всякий случай схватилась за брыкающуюся ногу. Януш повис головой вниз, фонарь выпал, покатился и погас. Вцепившись в ногу Януша, Барбара выползла наружу, задохнулась от счастья, отпустила ногу и съехала следом за ним. Лесь услышал внизу странное барахтанье, рванулся и покатился за друзьями. Последним прибыл Каролек.

Исцарапанные, избитые, счастливые следопыты уселись на корточки на крутом склоне, держась за какой-то ствол.

— Ноги моей больше не будет ни в одном погребе,— восторженно клялась Барбара.— Пусть провалятся все подземелья! Пусть себе туристы вытворяют что хотят, только без меня!

— Да уж, просто чудо,— приходил в себя Каролек.— Просто не понимаю, как живы остались.

— Психов всегда Провидение оберегает,— поучал Януш.— А будь мы вдобавок пьяны, всю дорогу вообще песни бы распевали.

— Боже, как есть хочу! — охнул Лесь.

— А где мы находимся? — спросил Каролек.

— Не все ли равно. Главное — на земле. Сориентируемся, когда рассветет. Кстати, у кого часы еще ходят?

— Без четверти час,— сообщила Барбара, осветив часы фонариком.— И всего-то мы там провели неполных шестнадцать часов.

— А мне показалось, шестнадцать лет. Небо заволокло, темень кромешная...

— До рассвета еще не меньше трех часов. А если тучи, то и больше. Не сидеть же здесь три часа...

— Давайте попробуем спуститься...

— Темно, как у черта в кладовке. Переломаем руки-ноги...

— Веревку привяжем к этому стволу!

Освещая путь единственным фонариком, поддерживая друг друга и подстраховываясь веревкой, начали спуск. Крутой склон внезапно кончился. Под ногами оказалась гладкая твердая поверхность.

— Слушайте, шоссе!

— Интересно, которое. И где мы оказались, черт подери?

— Здесь — гора, тут — низина... Куда идем?

— Никуда,— задыхалась Барбара.— С меня хватит. Хотите — идите, а мне и здесь хорошо. Ног не чувствую, рук не чувствую, вообще ничего не чувствую!

— А я, наоборот, всего слишком много чувствую,— засмеялся Каролек.— Она права, я тоже остаюсь. Здесь где-нибудь подождем...

Лесь лязгал зубами.

— Холодно, холера. Еще воспаление легких схватим...

— Можно костер разжечь.

— Спустимся с шоссе,— предложил Януш.— Здесь не так круто, соберем сучьев и разожжем огонь. Везде влажно, пожара не будет. Испечем на палках остатки колбасы. Жалко, пол-литра не захватили...

— Что? — оживился вдруг Лесь.— Как это не захватили? У меня в кармане плоский бутылек!

— И чего раньше, балбес, не сказал?!..

— Да тренькало в голове, мол, сказать чего-то надо, и забыл...

Из последних сил герои набрали в темноте небольшую охапку сучьев, ветвей и коры. Лязганье зубов становилось все громче. Через пятнадцать минут огонь разгорелся; приятное тепло и приятная Лесева бутылка сделали свое дело. Победоносная, но смертельно усталая экспедиция улеглась, тесно прижавшись друг к другу среди густых переплетенных кустов; у ног потрескивал костерок. Усталые и счастливые голоса попритихли, все реже чья-то рука подбрасывала в огонь сучья, и, наконец, благословенный сон одолел чудом спасшихся первопроходцев.

Паника захлестнула зава мастерской. Ложиться спать он и не думал. Не находя себе места, он бегал по всему пансионату и старался избавиться от

284

ужасного кома в горле. Ответственность за жизнь вверенных ему сослуживцев мельничным жерновом лежала на душе. Собиралась гроза, сгущалась темень, а он никак не мог найти, где включается свет, погашенный Бьёрном. Мерцала лишь электроплитка в кухне, работавшая по неведомым причинам.

Небо затянули тучи, и вокруг пансионата сгустилась кромешная тьма. Была уже полночь, главный инженер отправился на отдых, и зав чувствовал себя отчаянно одиноким. Посидел в какой-то комнате, горько подумалось: что ни случись, независимо от причин несчастья, все свалится на него. Эта мысль не давала покоя — он вскочил и снова начал ходить по всему помещению. Выглянул в одно окно, в другое — повсюду ночь, вышел на балкончик над невидимым садиком и, всматриваясь в темень, обдумывал способы спасения сослуживцев.

Простоял так довольно долго. Замерз — было прохладно и сыро,— собирался уже вернуться в помещение, когда услышал какие-то отдаленные звуки. Казалось, перекликаются голоса. С бьющимся сердцем наклонился, напряженно прислушиваясь, но голоса не приближались, хотя слышались где-то неподалеку. За кустами поблескивало неверное пламя.

Зав покинул балкон и влетел в комнату к главному инженеру. Тот одетый лежал на постели, в темноте светился огонек сигареты.

— Пан Збышек, там какие-то голоса! — воскликнул зав мастерской.— Вдруг это они?

Главный вскочил в мгновение ока. Спотыкаясь в темноте, они выбежали на балкон, наклонились через парапет, стараясь что-нибудь услышать или рассмотреть.

Какие-то люди негромко переговаривались за кустами, огонек то вспыхивал, то угасал. Но никто не продирался через кустарники к пансионату.

— Нет,— вздохнул главный.— Если бы они, вернулись бы сюда. Кто-то в лесу бивуачит.

— В эту пору? И в такую пасмурную ночь? Кто же?

— Может, хиппи? Уже появились и в Польше и вроде любят такой образ жизни.

С интересующей начальство стороны долетел ветерок и принес неопределенный, безусловно неприятный запах. Главный понюхал и скривился.

— Чувствуете?

— Да, похоже, эти гнусные хиппи,— проворчал зав.— Наркотики курят. Ужасный смрад, и как они только выдерживают?

— Сероводородом несет... И гниль какая-то. Грязны, наверно, до невероятия...

— Боже милостивый, какого рожна полезли они в подземелье! — схватился за голову зав мастерской.— Свод может обрушиться! Вдруг их засыпало?

— Я проверил документацию,— сообщил главный инженер.— Подземелья использовали для водопровода. До самого потока... знаете, коридор спускается вниз... до потока все в очень хорошем состоянии. В прошлом году работала бригада водопроводчиков, у них там база была, работали по восемь часов, ели там... Даже какие-то знаки на стенах сделали. Повыше есть контрольный колодец, я надеюсь, выйдут через него.

— Может, и выйдут...

— Идите спать, ждать нет смысла. Ничем не поможем в темноте, а завтра понадобятся все силы. Уж домой-то добрались бы.

Зав теоретически согласился с инженером, но лечь в постель просто не мог. Вздремнул не раздеваясь, беспокойно и мучительно, постоянно просыпался и, наконец, в пять утра не выдержал и встал.

За окном занимался пасмурный день. Зав выбрался из пансионата, посмотрел на шоссе, перешел на другую сторону, в садик, и остановился на лестнице, безнадежно осматриваясь вокруг. Его шаги разбудили главного, который тоже спал в одежде и всю ночь видел всякие ужасы. Он спустился вниз и остановился за спиной зава.

— Не вернулись...— горько вздохнул зав.

— Пять минут шестого. В семь мы должны быть внизу в милиции.

Утренний ветерок снова донес какой-то ужасный запах, и зав снова поморщился.

— С утра курят наркотики! Надо запретить это безобразие. Дышать нечем.

— Может, просто не моются месяцами,— заметил главный и, чтобы хоть немного отвлечь внимание начальника, добавил: — Надо им сказать пару теплых слов. Если хотят курить эту дурь, пусть уберутся куда-нибудь в другое место.

Оба спустились в мокрую траву и продрались через заросли несколько в обход. Подошли к месту, откуда ночью доносились голоса, раздвинули густой кустарник и замерли в полной растерянности.

Под огромным кустом дикой смородины, сном праведных почивали убийственно грязные, оборванные и смердящие Барбара, Каролек, Лесь и Януш, сладко и нежно прижавшись друг к другу. В ногах — холмик догоревшего костерка.

Зав и инженер довольно долго созерцали эту идиллию, одновременно испытывая безграничное облегчение и невыразимое удивление.

— Боже мой, почему же они не пришли домой?! — воскликнул главный, рванувшись к ним через кусты.— Спрятаться, что ли, задумали от нас?

Зав мастерской бросился к вновь обретенным сослуживцам, словно волчица к волчатам. От объятий его удержала лишь кошмарная вонь. Упреки сменялись восторженными воплями. Внезапно разбуженные исследователи подземелий смурными глазами смотрели на ошалевшего от счастья начальника, ничего толком не соображая...

— Как же мы могли такое вообразить,— оправдывался Януш, когда все, вымытые и переодетые, уселись за вполне заслуженный завтрак.— Мы же уверены были, что оказались в незнакомой местности, сил уже не было блуждать в темноте.

— А вы тоже хороши — свет не включили! — недовольно буркнула Барбара.— Мы бы увидели!..

— Я считал, глаза привыкнут и мне удастся хоть что-нибудь разглядеть, вас увидеть,— смутился зав.— К тому же не работает ни один выключатель...

Путешественники, отдохнув и придя в себя, выдали, наконец, начальству тайну проведенных исследований.

Зав разделил энтузиазм пылких новаторов и согласился включить в проект подземные коридоры, мимоходом обдумывая, каким образом получить согласие высших инстанций. Бьёрн четырежды выслушал сообщение о вояже, дотошно расспрашивая каждого участника. Главный никак не мог отделаться от мысли о химическом составе необыкновенно стойкого запаха...

В Варшаву отправились все вместе: Барбару, Каролека, Леся и Бьёрна запихали в машину зава, а главный вместе с Янушем воспользовался Влодековым мотороллером.

— Уж вы, пожалуйста, пан Збышек, постерегите Януша,— конспиративно прошептал зав.— Боже упаси, ни одного не оставлю без присмотра. Никогда не знаешь, что им еще придет в голову...

Бульдозеры и землечерпалки уже начали работать на пологих склонах, радуя сердце председателя местного совета, когда зав мастерской получил толстый пакет из-за границы.

Пребывающий уже на лоне отчизны Бьёрн докладывал об одержанных успехах.

— Ничего не понимаю,— сообщил зав главному, в третий раз читая письмо, составленное наполовину по-польски, наполовину по-английски.— Что он имеет в виду? Вы посмотрите только. Пишет, сделал все, чтобы компенсировать ужасную ошибку...

Какую ошибку? Поставил, мол, группу в ужасное положение и вынудил совершить тяжкое преступление... Какое еще преступление, Боже милостивый? Сделал нам рекламу по всей Скандинавии, и все туристические агентства уже планируют Польшу... И в самом деле, сдается, грядет жуткое количество туристов, меня уже спрашивали, не знаю ли чего на этот счет, потому что целью экскурсий называют наши объекты. Да ведь объектов-то этих еще нет! Замок заказывают на разные торжества... Какие-то дни рождения, свадьбы... Пожалуй, на пять лет хватит! Польское турагентство пока что направляет иностранцев в другие места. Для нас это успех, уже теперь ощущается повышенный приток валюты, и вообще эта реклама неоценима, но с чего вдруг на него нашло? Почему?

Главный инженер слегка смутился.

— Ну... знаете... Насколько я помню, он вроде потерял, случайно конечно, часть документации по обследованию местности... Пришлось делать заново. Он очень переживал и, кажется, обещал постараться искупить свою вину. Сообразил, как мы заинтересованы в рекламе туризма.

— Хорошо, а какое преступление?!

— Ну, ясное дело, перепутал слова. Хотел как-то про свою вину...

Зав мастерской с некоторой недоверчивостью принял объяснения главного инженера и начал просматривать присланные вместе с письмом проспекты, а главный срочно созвал совещание весьма заинтересованного темой коллектива. На совещании было решено посвятить начальника в минувшие события, не останавливаясь, разумеется, излишне подробно на иных деталях.

Взаимодоверие и доброжелательность снова воцарились в мастерской.

Проспекты прямо-таки излучали хвалу и восхищение. Душа зава пребывала в упоении, и будущее представлялось ему озаренным северным сиянием.

Одного только он так никогда и не понял. Почему именно скандинавские туристические агентства наперебой рекламировали уникальные бои быков в Польше? Насколько ему удалось сориентироваться, ведь для корриды используется особая порода горных быков...

ТАЙНА

Перевод с польского
И. Колташевой

Я разглядывала свою физиономию в зеркале придирчиво, дотошно и неприязненно.

Мерзость. Глазенки несуразные, нос какой-то нелепый, лобик этакой умственной кретинки, к тому же вроде лысоватый, ротик тоже так себе, уши... Ну уж хватит, уши нормальные, даже не особенно лопоухие, только их все равно не видно. А вот волосики, смилуйся Боже, все равно что ворох сена на скудной землице...

Я осмотрела себя вполне безжалостно, после чего подвела итоги. Половинкой ума оценивала собственную красоту в зеркале, а другой половинкой удивлялась, как нечто подобное могло вызвать восторг у мужчины. Разве что у психа или слепца. Каким бы ни блистала я интеллектом, оригинальностью и прочими скрытыми достоинствами, нет, тип не мог влюбиться до смерти, даже до легкого гриппа...

Разумеется, спровоцировал сию уничтожающую самокритику именно тип, и следует признаться, на этот раз тип достался мне и в самом деле уникальный. Мало того что красавец, к тому же загадочен донельзя. Несколько лет я пыталась его раскусить, несколько лет что-то не сходилось, ускользало, а теперь как раз весь мой жизненный опыт вопиял: взыскующая связь входит в критическую фазу. Да, пожалуй, не грех и подумать кое над чем: красотой не блещу, значит, что-то тут еще...

От зеркала в ванной меня оторвал телефон. Звонила Зося.

— Ко мне не забежишь? — соблазняла она.— В наш район не собираешься? Поговорить бы надо.

— А что случилось?

— Да ничего особенного. Не по телефону. Или мне приехать?..

— Я собираюсь в город, буду недалеко от вас. Зайду часа через два. Ладно?

— Идет. Жду. Привет.

Я вернулась к зеркалу. Коль скоро придется выйти из дому, надо оштукатурить унылую мордель. Еще немного полюбовалась своей персоной, так, из чистого мазохизма, и вдруг утешилась: да ведь дай Боже, чтоб при виде такой физиономии кто-нибудь плюнул мне вслед... Сей момент полетела бы я играть во что придется; такой плевок — это ж лучше не придумаешь, выигрыш гарантирован. Правда, сегодня, похоже, только вхолостую разбазарю отличную примету.

И я занялась косметикой, мрачно размышляя насчет типа. Да, сознаюсь, он мне необходим. Все еще необходим. Надо его завоевать, безоговорочно пленить. Только вот чем? Ведь не этой же моей морделью! Пластическая операция, понятно, отпадает, нет, здесь необходимо сенсационное открытие, успех...

Какая-то жалкая серая извилина шевельнулась в голове и пискнула: при чем здесь открытие или успех? Все было хорошо, пока в рот ему смотрела, все пошло к черту, когда терпежу не хватило. Дурацкая это привычка — все подмечать да иронизировать, любовь должна быть слепа, пожалуй, лишку прозрели мои глупые глаза...

И я опять прибегла к помощи глупых моих глаз, дабы осмотреть внимательно себя в зеркале. По ходу размышлений подкрасилась: все более или менее нормально, нечего преувеличивать, даже вовсе не так уж плохо, кое-что изменилось на плюс, вроде бы и не такая уж лысая и нос не особо щеголяет своей красой. Ворох сена удалось причесать, правда, заблуждаться не стоит: легкий ветерок, да что там ветерок — дуновение, и хана!

Лестничная площадка непонятно почему пробудила во мне объективность. Я внезапно возмутилась. Между четвертым и вторым этажом мне предстала и обратная сторона медали, что само по себе было фантастикой, ибо до сих пор я преуспевала лишь в страусиной политике и в самоедстве. В конце концов, будем беспристрастны: не только из-за меня и по моей вине!

У моего кумира тот еще характерец: эгоист, эгоцентрист, мегаломан и к тому же лицемер. Симулирует перед самим собой благородные побуждения, а цель у него всегда оправдывает средства. Снисхождения и сочувствия в нем примерно столько же, сколько в каменном надгробии, а что до чувства юмора — тут и гиппопотам дал бы ему сто очков вперед. Любое дело доводит до шедевра: мытье стекол в машине, ремонт чемоданной ручки, необходимая постирушка, равно занятие любовью и выращивание помидоров — все должно быть блеск-лоск. Решительно в любом занятии только превосходная степень, не иначе: а вдруг, Боже спаси и сохрани, кто-нибудь где-нибудь сделает что-нибудь лучше! Верно, комплексы какие с раннего детства...

И это скопище совершенств к тому же блистательно упаковано. Высокий, богатырская грудь, красивое лицо с удивительно правильными чертами, меланхолия в сапфировых глазах, осененных ресницами кинозвезды, Грета Гарбо стушуется, закрасневшись от зависти. Блондин, естественный завиток надо лбом... Завиток, правда, такой же естественный, как я архиепископ, но уложен-то втайне, никто знать не знает.

И все это вместе взятое, конечно же, обрушилось на меня. Блондин, никуда не денешься, вечная моя судьба... Пробивался росток великой любви между нами, пробивался, да так и не пробился.

Больно уж много во мне дефектов: во-первых, моя, извините за выражение, красота, во-вторых, всякие огрехи ума и воспитания. Может, здесь и есть зернышко правды — что же еще, кроме врожденной глупости, заставляет меня постоянно себя пилить. Я раскаивалась, пыталась вырваться из самоедства, пока меня не отрезвило наконец следующее рациональное наблюдение: при таком умственном отставании я бы просто-напросто не закончила среднюю школу. И вообще сомнительно, почему научилась читать-писать. А научилась-таки, да к тому же четыре арифметических действия одолела, таблицу умножения на память вызубрила, более того, знаю даже, что Илья Эренбург — вовсе НЕ БЫЛА последней любовницей Гитлера, и даже различаю ферму от ферматы. А посему высокий градус дебилизма просто отпадает, ох, не так все просто...

Где-то между двумя маршами того самого второго этажа долбанула меня жуткая обида. Заполучить кумира хотелось ведь, да еще чтоб кумир проникся ко мне неземной любовью!.. Отступать не в моем характере, а посему вместе с обидой стартовала надежда — вдруг да случится что-нибудь сногсшибательное и он узрит во мне чудо, воспылает, падет к моим ногам, умоляя простить столько лет своей слепоты, вот только бы себя самого переделал, а собственно, почему бы и нет, ведь порыв безумного счастья все изменит...

На последней ступени лестницы я уже отлично знала: ничего из всего этого не выйдет. И он себя не изменит, не загорится, не воспылает ко мне. Красавица я или уродина, умная или дура — все чепуха, и никакие мои достоинства не помогут, пора расставить все точки, а бредовые иллюзии подложить под скорый поезд.

Но до расстановки знаков препинания так и не дошло. Растеряла всю решимость, видно, на последней ступеньке лестничной клетки и влетела в таинственные события, поразительные и ужасные...

— Ничего особенного,— успокоила меня Зося.— Возможно, понапрасну бью тревогу, просто надо взять себя в руки...

Но взяла она в руки почему-то не себя, а стаканы и кружки: то расставляла их на столе, то снова убирала в буфет, рассеянно осмотрела свою ужасающе чистую кухню — что-то ее явно не устраивало: в конце концов отобрала у меня пепельницу, нервно вымыла и убрала на полку.

— Во-первых, сдается, ты заразилась от Алиции,— констатировала я с неудовольствием, потому как все это напоминало сцену, которую мне довелось наблюдать мно́го лет назад.— Правда, Алицию давно уже отпустило. А во-вторых, отдай пепельницу, иначе придется пепел стряхивать на тарелку.

Зося посмотрела на стол и на полку.

— А, прости, пожалуйста. Глупости, вовсе я не заразилась от Алиции. У нее нет детей, а я из-за Павла... Не очень-то охота оповещать об этом всех и каждого. Послушай, твой Дарий... Чем он, собственно, занимается?

— Что касается оповещения, так у меня нету громкоговорителя,— заметила я сухо.— А в чем дело?

— Ну, молчать-то он, надеюсь, сумеет?..

— По-всякому. На некоторые темы только и делает, что молчит.

Зося погасила газ под чайником и прислонилась к буфету, озабоченно поглядывая то на меня, то в прихожую за моей спиной. Я тоже смотрела на нее и прикидывала, как бы она отреагировала, если открыть правду об имени так называемого Дария.

Его звали вовсе не Дарий, а Божидар, и я сама предпочитала об этом не вспоминать. Возможно, для своих родителей он и был даром Божиим, но все же, по-моему, соображать надо, каким имечком снабжаешь младенца. Скажите на милость, что делать с таким именем в наше время? Такое имя пристало мужу в рыцарских доспехах, с рапирой и стилетом или, на худой конец, с гусарскими крыльями*, но уж никак не мужчине с зонтиком. С горя я переделала Божидара в Дарика, и все были убеждены, что Дарик — уменьшительное от Дария. Эту самую правду про его имя я скрывала изо всех сил...

Зося вдруг очнулась, заварила чай, сгребла со стола пол-литровый горшок в красный горох и достала нормальные чашки.

— Чай сейчас настоится. Так вот... Думаю, он все-таки как-то и где-то функционирует...

— Наверно. Не знаю где.

— Неважно. У него есть свои ходы. А ты, кажется, от него совсем обалдела...

— Было,— честно призналась я.— По-моему, уже проходит. А ты что, узнала какие-нибудь его тайны? Охотно послушаю, изреки наконец, в чем дело.

Зося пожала плечами, разлила чай и села за стол.

— Чушь. Я на твоего вовсе не молюсь, а вдруг все-таки поможет. Очень боюсь за Павла, подозреваю, он увяз в наркотиках. Нет, не потребляет, хуже — торгует.

Ошарашила меня Зося фундаментально.

— Ничего себе, хуже?! Все лучше, чем травиться, торговля не вредит здоровью! А вообще, как это тебе в голову взбрело, позволь осведомиться?!

— Встретила его с весьма сомнительными парнями... В последнее время деньги у него завелись, у меня совсем не просит...

— А ты с ним говорила?

— Поссорились. Велел не лезть не в свое дело, ответил как нормальный сын нормальной матери. Я расстроилась и наорала, что он, мол, на моем содержании и я за него морально отвечаю...

— Сама понимаешь, как они все это любят...

---

* Принадлежность гусарской экипировки: высокая бляха в форме птичьего крыла или рамки с вправленными в нее перьями, чаще всего орлиными или ястребиными. *Здесь и далее прим. переводчика.*

— Еще бы! Ума не приложу, как теперь с ним помириться. А может, твой Дарий... как ты считаешь?..

И тут-то моя страждущая душа почуяла добычу и вцепилась в нее всеми когтями. Деятельность Божидара была окружена непроницаемой тайной, никогда еще мне не удавалось не только туда прорваться, но даже разнюхать что-нибудь, и вот, пожалуйста, такая возможность. На наркотики мне плевать, Павел, конечно, беспокоил, но самое главное — не удастся ли познакомиться с делами Божидара, подбросив ему ситуацию с наркотиками.

— Бог его знает, но попробовать стоит. Он постоянно лезет в такие дела и возится с какими-то подозрительными юнцами. Ходы у него наверняка есть. Может, Павел и будет в претензии, но раз уж влип, не до церемоний. Самое тяжкое преступление сойдет со скидкой, учитывая его полную незапятнанность. А то втянется, сама понимаешь, хуже будет.

— Не пугай меня.

— Да я не о том. Просто сейчас покамест первые шаги. А запустишь — все осложнится. Сейчас влип по глупости, по неведению и сразу же опомнился — не за что цепляться. Хочешь с ним поговорить?

— С кем? С Павлом? Ведь я тебе...

— Нет, с Дариком.

— А... Нет, сперва ты. Намекни и сориентируйся, что скажет.

— Тогда объясни подробней, что и где видела и прочее.

— На задах Нового Свята.— Зося перестала колебаться. — Я искала скорняка, он вроде бы там работает в будке, реставрирует и всякое такое. Будки не нашла, зато увидела собственного сына в теплой компании. Просто подонки!.. Нет, постой, не просто. Подонки — да, а кроме них еще парень с девушкой, знаешь, такие осоловелые, худые и несуразные, а подонки — явные комбинаторы. Сразу видно. Шахеры-махеры явно вели между собой, конспиративно. Хуже всего, за ними наблюдал хмырь, совсем на них не похожий. Старался им не показываться, возможно, сыщик... нет, пожалуй, нет, понимаешь, я даже убеждена, тут что-то другое...

— А как он выглядел?

— Средних лет, средней упитанности, среднего роста. Физиономия гладкая, обычная, вот нос, как бы это сказать... клецкой... Такая длинная мягкая клецка, а сам нос вовсе не длинный, нормальный, только совсем без хряща и без кости. Будто из теста слеплен. Видок у этого типа, знаешь, ужасно лицемерный. Глядел на Павла. Я специально постаралась его запомнить, ох, у меня все как-то путается, понимаешь, главное — тамошняя атмосфера...

— Погоди,— прервала я.— У тебя великолепно получается.

Нарисованная Зосей физиономия так и замаячила у меня перед глазами. Уверена, видела эту морду в натуре и определила бы ее в идентичных выражениях, а вот когда и где видела, Бог знает. Клецка вместо носа, а вдруг кто другой, просто похожий, и где я эту физиономию лицезрела?..

— А что?.. — забеспокоилась Зося.

— Да ничего особенного, кое-какие ассоциации...

Я в свою очередь описала субъекта, и обнаружилось явное сходство. Что касается Павла, мы решили: у страха глаза велики, не так страшен черт и тому подобное. Деньги, убеждала я Зосю, еще ни о чем не говорят. Павел мог получить за уроки или за ремонт — хорошо разбирается в машинах. Божидара следовало подключить на всякий случай, а скорее всего, для моей личной выгоды.

Только я вернулась домой, позвонил Павел и коротко спросил:

— Ты дома?

— Дома.

— Так я заскочу. Привет.

Через десять минут я уже открывала ему дверь. Поглядела пристально — все нормально, забота вроде бы его не гложет. Однако я ошиблась.

— Меня заело,— сообщил он таким тоном, будто выиграл в лотерею.— Расскажу, о чем речь, и так уж мать, кажется, успела кое-что телеграфировать: я видел твою машину у нашего дома.

Я обрадовалась — услышу донесение прямо от виновника торжества.

— Валяй!

Павел начал складно, видать, заранее все обдумал.

— Понимаешь, вонь учуял. Не полез бы туда, кабы не смердело. Из-за одного тут, приятель еще из школы, хотя и не кончил ее. Клюнул на пудру, дальше — больше, теперь сидит на игле, словом, развалина от человека осталась. Я ему денег одолжил...

— Кретин.

— А ты бы на него посмотрела. Гниль одна, да жалко ведь. Знаю, не отдаст, да что там! Не в этом дело. Известно, откуда все берется: аптеки, привозят-продают и так далее, а у меня, знаешь, так выходит, глупо даже признаться: подонки сбывают эту дрянь при полной поддержке властей.

Он взглянул на меня вопросительно. Что я могла ответить?

— Давай дальше. Откуда у тебя такие сведения?

— Обернулось все так... Случайно напоролся, ну, пожалуй, не совсем случайно, знаешь, заинтересовало. Жулье и наркоманы в полном симбиозе, сечешь? Это уже точно, только однажды я нарвался на мужика... вовсе неподходящий какой-то, что-то странное... Не исключаю, может, и он нарвался на меня: я входил, он выходил из одной такой шмаги — притона то есть. Не знаю, как сказать, впечатление не то, такие персоны там не случаются, места другие. И вообще все не клеилось. Вскорости менты загребли братию вместе с товаром, а на другой же день все они благополучненько цвели на свободе. Знаю людей, малость поспрошал, да пасть все на замке держали. А спрашивал я осторожно, ведь недолго и ножом схлопотать. Выглядело все так: вышли на свежий люфт — и убытков не понесли, как мыслишь, что бы сие значило?

— А менты какие?

— Один в мундире из комиссариата болтался, а двое так — ни то ни се.

— И все уехали вместе с сыщиками?

— И тот в мундире с ними, правда, похоже, по дороге потерялся.

— А тот неподходящий здесь при чем?

— Вот именно. Сменили место. Было несколько пунктов, я все проверил и заземлился — ни одного нету. Пошевелил головой, получается: смыло их с горизонта сразу после того, как тот неподходящий мэн к ним наведался. Может, тут и никакой связи, только нюхом чую — есть что-то. Перетащились в другое место, где мне их не сыскать; все вместе смердит — мочи нету, не знаю, что делать.

— А тебе зачем?

— Хочу,— заартачился Павел.— Жив не буду, хочу дознаться, в каком болоте живу и есть ли там дно. А если есть, то на какой глубине.

— Пойми, в этой стране все стоит на голове, а значит, дно высоко наверху. Я тоже хотела бы кое-что увидеть, да только зря задираю голову. Мать колотун бьет, рассказал бы ей все.

— Так она же крик подымет. А я хочу дознаться, хоть тресни. Тот неподходящий покоя не дает, мелькнул всего разок да исчез — не возит ничего, не посредник и не наркота, а всю музыку знает. Наверняка. Опекун?..

— Да-а...— протянула я.— Слушай, а как насчет проблем, что за проблемы?

— Ерунда. Сама понимаешь. Чтобы малость влезть в интерес, смекнуть, что да как, симулировал участие в деле. Посредничал три раза, шепнул про меня тот кореш, почти что взяли в штат, а когда я попятился, стали угрожать. Извиваюсь помаленьку, как змей, а надо бы сразу отсечь. Они всех шантажом держат, мордобитьем грозят и даже финиш обещают. Да плевать мне.

— Ты на этом заработал?

— Не без того же! А вообще-то весь мой доход из мастерской, вкалываю не надрываюсь, а насобачился здорово. В аферу я влез не из-за денег.

У меня мелькнуло, что на месте Зоси я бы тоже психанула, хотя дела обстоят не так уж плохо. Парень вроде бы знает, что делает, старается держаться по краю трясины, надо бы только стеречь, чтоб не спихнули. Задачка прямо-таки для Божидара.

Павел поерзал и решился на признание: если уж по правде, так не со мной хотел поговорить, а как раз с ним. Я с восторгом согласилась.

Мы увиделись на следующий день, но Павла разговор с Божидаром разочаровал, а я просто вдрызг расстроилась. Божидар нас не просветил, зато дал понять, ничего, дескать, нового мы ему не сообщили, все знает сам. Спорить с нами не пожелал. От всех афер с наркотиками потребовал отвалить, выводы мы делали идиотские, взяточничество в стране — дело обычное, и факт, что торговцев выпустили на волю, ни о чем еще не свидетельствует. Неподходящий мэн явно кто-то посторонний, а то и вовсе оптический обман. Павла подстрахуют где надо, дабы выкарабкался без ущерба для здоровья, а вот кто подстрахует и как, нам не объяснил.

Павел свое разочарование попытался скрыть. Поумней меня оказался, а верней, ему было плевать на доброе отношение моего кумира. Я же, напротив, после его ухода стесняться перестала, откровенно все выложила, и меня призвали к порядку. Взбешенный моей назойливостью, Божидар сперва саркастически предложил мне самой и удовлетворить свое любопытство, а после категорически запретил встревать не в свое дело. В свою очередь, я так взбеленилась, что вся эта наркотическая чепуха вкупе с неподходящими подозрительными делягами из пустяковой занозы превратилась в целое копье! Решила не сдаваться. Пусть думает что хочет, сама все разузнаю, распутаю все секретики, если таковые существуют, перестану поджимать хвост и раз и навсегда покончу с дебильной кретинкой, какой меня почитают!

Короче говоря, меня захватил долгосрочный амок.

Павел позвонил через две недели под вечер и отчеканил без предисловий:

— Встретил тех двоих. Парень с девушкой, наркоманы, это они там все время путались, посредники. Встретил случайно. Ехали в трамвае на Прагу.

Так, вот она — моя проблема, я сразу поняла, о чем он говорит.

— Те, что скрылись? — удостоверилась я.

— Именно. Я поехал за ними. Хочешь поглядеть, где это?

Конечно, я хотела. Зачем мне это, не очень-то представляла, но всяческие осмотры всегда считала в высшей степени полезными; кроме всего прочего, поеду назло Божидару. Договорились с Павлом через полчаса у ювелирного магазина в Аллеях Иерусалимских, и я вылетела из дому с такой силой отдачи, что только на лестнице сообразила проверить, не забыла ли юбку.

На месте оказалась раньше договоренного и посему зашла в магазин, чтобы зря не торчать на улице. Сразу же увидела пани Крыскову, с которой завела приятельские контакты в «Орно». Она стояла у витрины в углу, рядом какой-то пан, а напротив них продавщица. Больше в магазине никого не было. Я направилась к ней, цокая каблуками, пани Крыскова оглянулась и махнула мне рукой так, словно это она назначила мне здесь свидание, а не Павел.

— Вы только взгляните,— завела она.— У нас редко такие вещи встретишь.

Я подошла. Все они, возбужденные, в красных пятнах, что-то внимательно рассматривали. Я тоже поглядела: бриллиант, не очень большой, но глубокий и неимоверно чистый, голубой воды. На черном бархате коробочки лучился, словно живой.

— Четыре и восемь десятых карата,— сообщила пани Крыскова вполголоса.— Почти пять. И вы ни за что не поверите, сколько стоит. Гроши! А ведь советский.

Она назвала сумму. Двести двадцать тысяч и в самом деле при нынешних ценах чепуха. Еще не полностью усвоив сообщение, я обалдело уставилась на камень и наконец спросила:

— И его можно купить?

— Наверно,— заколебалась продавщица.— Мы получили камень для продажи...

— Вот это так оказия,— шепнула пани Крыскова, выразительно акцентируя слова.

Пан ничего не говорил, только пожирал глазами драгоценность. Я по-прежнему блаженно балдела, поскольку меня это не касалось: не было двухсот двадцати тысяч не только с собой, но и вообще. Если постараться изо всех сил, смогла бы наскрести половину. А пани Крыскова продолжала шепотом искушать меня:

— Подумайте, ведь задаром! Исключительный случай, вы продадите камень в три раза дороже, да еще и спасибо скажут! Я вам помогу...

Идея наконец дошла до меня и даже заинтересовала. Но как прикажете понимать: цена по меньшей мере вдвое меньше настоящей, а бриллианты за бесценок на земле не валяются. Конечно, без пани Крысковой мне бы и в голову не пришло покупать камень — я никогда в жизни не блистала оборотистостью в делах. Бриллиант стоил дешево несуразно, и, если бы не мнение знатока, я решила бы, что он фальшивый или с каким-нибудь дефектом. Пани Крыскова многие годы работала с драгоценными камнями, без сомнения, дело знала профессионально, сама занималась куплей-продажей, и коли теперь соблазняла меня, то наверняка хочет помочь подзаработать. Соблазн был, разумеется, велик. Я горестно вздохнула:

— Нету столько денег. И сегодня не успею собрать, а вот завтра... Нельзя ли этот камень оставить за мной?

— Как это оставить за вами? — спросила продавщица без всякого энтузиазма.

— Да так, обыкновенно. До завтра, до одиннадцати утра. Приду первой, к одиннадцати.

— Разве что в одиннадцать... Ладно...

— Надо будет ее отблагодарить,— прошептала мне на ухо пани Крыскова.

Я кивнула. Бриллиант все больше привлекал меня. Молчаливый пан вдруг очнулся.

— Кто первый, тот и получит,— решительно заявил он.— Вдруг мне удастся раздобыть деньги раньше?..

— Сами решайте,— сухо прервала продавщица.— Подожду до открытия магазина и ни минуты больше.

Я не собиралась пререкаться с этим паном. Он не тянул на человека, располагающего суммой выше ежемесячной пенсии, к тому же и так все это дело представлялось мне весьма туманным, а потому я покорно согласилась с приоритетом более богатой особы. Успеет раньше, пусть купит. Сегодня вряд ли удастся, магазин через полчаса закроют, а завтра пусть будет, как будет.

Продавщица спрятала камень. Выходя из магазина, в дверях я наткнулась на Павла. Пани Крыскова последовала за мной.

— Вот как дело обстоит,— начала она, игнорируя Павла.— Мне в принципе запрещено покупать такие вещи, я ведь работаю в этой сфере, впрочем, у меня тоже нет нужных денег. Предлагаю на паях. Вы будете его продавать?

— А что делать? Деньги я займу, их отдавать надо.

— Ну, а я войду в долю. Если вы согласитесь. У меня с собой семьдесят тысяч, могу вам дать сейчас же. А потом соответственно поделимся. Согласны?

Я обрадовалась. Участие пани Крысковой придавало солидности всему предприятию. Я взяла деньги, пани Крыскова спешно простилась и вернулась в магазин. Павла прорвало.

— Это что такое? Покупаешь бриллианты?

— Вот именно. Не слишком много, пока что всего один. Эта пани понимает толк. Едем?

— Едем... Погоди-ка... А ты всерьез покупаешь бриллиант?

— Собираюсь, а что?

— Да нет, ничего. Потрясно. Не привык к таким покупкам. Ладно, поезжай прямо на Прагу, а после я покажу куда.

Поехали, уже на мосту Павел заговорил о главном.

— Они не хотят, чтобы их все знали. Сама понимаешь, поставщики наркотиков не любят светиться. Во всяком случае, некоторые. У них там есть один такой...

— Перестань мямлить со мной как со слабоумной,— прервала я раздраженно.— Об этом все знают, давай конкретно!

— Ну так вот, парень с девушкой были как раз посредниками, за посредничество и за молчок получали свою долю. И они тоже смылись. А тут в трамвае их увидел, ну и рванул следом.

— А с тобой что? Отбрехался или как?

— Думаю, да. Потерял доверие, но, видно, трогать не станут — вокруг тишь и благодать. Даже странно, думал, хуже будет. Или Дарий что предпринял?..

Я всерьез задумалась, слегка недовольная необходимостью вообще шевелить мозгами на эту тему.

— Возможно, и не потребовалось. Давай рассуждать здраво. Полети ты сейчас с доносом, что бы ты мог сообщить? Продавали наркотики там-то. Ну и что? Они ведь давно уже смылись... И собственно, что дальше?

— Мог бы их узнать в лицо.

— Я думаю, кому надо, тоже их знают. В лицо.

— А я в курсе насчет цен...

— Они тоже. Та еще сенсация. Еще что-нибудь?

Павел призадумался.

— Пожалуй, нет. Стоило им смыться, я все козыри потерял. Раньше были шансы так все подстроить, чтобы их захомутали прямо на стыке, или, к примеру, учитывая то да се, помочь добраться до главного поставщика, а теперь уже хана. Знаешь, ты права, я для них просто фуфло, им на меня плевать. Неглупая организация.

— Вот именно, чего же тебе еще нужно?

— Как это чего — докопаться хочу! Вляпался, чувствую — смердит, а откуда? Хочу их найти, навести кого надо и поглядеть, что из этого выйдет. И здесь уже кое-что раскопал, только вот тропки в логово нету.

— А те двое не навели тебя?

— Нет, я, слава Богу, не чокнутый и за руку их не хватал. Вышли из трамвая, поплелись, я за ними, на дистанции, конечно. Через какие-то проходные подворотни и дворы, я даже не знал, что такие заныры есть еще, понятия не имею, на какой улице все это числится. В одном дворе мои голубки куда-то скрылись, и тю-тю... Покажу тебе, где это, и у меня предложение. Поглядеть...

— Погоди, у меня тоже предложение. Покажешь, купишь газету и уткнешься в нее.

— Зачем это? — изумился Павел.

— Да просто чтоб не светился твой циферблат, так, кажется, говорят. Самое лучшее — газета. Они тебя знают, раз отцепились, не лезь по новой, иначе займутся тобой поэнергичнее. А меня никто не видел. Пойду одна.

Павлу это не понравилось.

— Я бы хотел тоже...

— Или ты покупаешь газету, или я поворачиваю оглобли. Всему есть границы, даже лопоухости. Учти, я сама на материнских позициях много лет. Тебе бы не газету, а чугунок на башку насадить. Тоже хорошо заслоняет.

Я оставила его в машине с «Подругой», иной прессы в киоске не нашлось, и отправилась в указанном направлении. Трассу Павел описал подробно, прошла две подворотни и два двора, потом еще улицей и проходным коридором в каком-то доме, пока не уперлась наконец в подвальную дверь, наглухо запертую на засов. Из человеческих экземпляров встретила худющую нищую бабу с огромной продуктовой сумкой, а также грязного сопляка с фонарем под глазом. Повернула назад, выглянула на соседний двор-колодец, по-видимому, двор уже вел в ненужном мне направлении, вернулась обратно — сопляк как раз отодвигал засов на двери в подвал. Интересно, что он здесь делает? Я притаилась в закутке, где он не мог меня заметить. Тут-то и сообразила, чем занимаюсь: таскаюсь по Праге по каким-то подозрительным закоулкам, вместо того чтобы искать у знакомых деньги на дело! Все эти развалюхи не зайцы, никуда не денутся и до будущей недели, а бриллиант подождет только до одиннадцати...

Не будь семидесяти тысяч от пани Крысковой, очень даже возможно, махнула бы я рукой на выгодное капиталовложение, полезла бы за сопляком в подвал, и покой мне обеспечили бы навсегда. Однако легкомысленно взятые деньги, как ни крути, обязывали, и времени у меня оставалось в обрез. Бросила я сопляка, дворы, наркоманские проблемы и в темпе рванула к машине, так что даже напугала Павла.

— Что случилось? За тобой погоня?!

— Нет,— ответила, трогаясь с места.— Только пора и о делах подумать — мне сейчас надо насобирать денег! Пока ничего интересного, а ты не дрейфь, вернусь, как только проверну бриллиантовую аферу...

В ювелирный я и в самом деле явилась первой. Продавщиц было две, моя вчерашняя стояла у прилавка, вторая что-то укладывала в витрине.

— Добрый день, пани,— поздоровалась я вежливо.— Вот деньги. Покупаю этот бриллиант.

Она бегло взглянула на меня, и, клянусь, взглянула опасливо. А может, мне показалось...

— О чем речь? — холодно спросила она, помолчав.

— Да о бриллианте, который вы отложили для меня. Мы еще вчера вечером рассматривали его...

— Бриллиантов нет,— отрезала она бесстрастно и показала на застекленную витрину, где лежали серебряные кулоны.— Вот наличный товар.

Я и разочароваться не успела, подумала только, не набекрень ли у нее зрительная память.

— Да нет же. Я напомню пани. Бриллиант советский, четыре и восемь десятых карата. Мы смотрели камень вчера в половине седьмого, была здесь и пани Крыскова...

— Пани Крыскова здесь не работает.

Я удивленно воззрилась на нее.

— В чем дело? Вчерашний пан купил, да?

— Никакой пан ничего не покупал... Мы не даем сведений о клиентах!

Она говорила сухо, нетерпеливо и не больно-то вежливо. Я обалдело оглянулась. В магазине уже собралось несколько покупателей, а к часовщику стоял хвост из трех человек, но мы разговаривали в самом конце прилавка, в стороне, и никто нас не подслушивал. Что это на нее наехало? Верно, продала камень еще вчера вечером и не с руки признаться. А почему, собственно? Не выжму же я из нее второй бриллиант!

Итак, ловкая афера накрылась. Это было столь естественно, нормально и в полной гармонии с моим жизненным опытом, что я даже не расстроилась. Пани Крыскову я уведомила насчет фиаско только вечером, по телефону.

— Знаю,— отреагировала она сразу же.— Этого и опасалась, думала только, что не успеют.

— Кто и чего не успеет?

— Разговор не телефонный. Не зайдете ли ко мне завтра?

— Разумеется, я ведь должна вернуть вам деньги. В котором часу?

— В начале второго всего удобнее...

Явилась я на Старе Място в великой надежде что-нибудь узнать — положеньице меня заинтриговало. Пани Крыскова в служебном помещении была одна — сослуживцы ушли на обед, только кто-то остался дежурить в магазине. Мы могли говорить свободно, но все-таки пани Крыскова понизила голос.

— Сняли с продажи перед самым закрытием магазина,— сообщила она мрачно.— Официально именуется: пошел на переоценку; но дело вовсе не в этом. Кое-кто камень купил.

— Знакомый?

Пани Крыскова пожала плечами.

— В известном смысле. Все они знакомые, покупатели таких вещей...

— И кто же они?

— А вы не знаете?

Я наивно пялилась на нее.

— Понятия не имею... Сотрудники?..

— Какие там сотрудники! Подумайте сами. Те, наверху...

Хотя я никогда не задумывалась, кто же, собственно, правит в моей стране, и политикой не интересовалась, недоумение мое прошло быстро. Даже и мой идиотизм имел пределы.

— Ну ладно. А зачем продавщица откалывает такие штучки? Не могла просто сказать, не удалось, мол, камень оставить, и привет? Я бы ведь не покусала!

— Вы же могли крик поднять,— пояснила пани Крыскова.— Она вас не знает, а покупатели на все способны. Боялась. Не имела права вообще камень выставлять, такие вещи проходят только через подсобки, товар для посвященных. Да еще при такой цене. Бриллиант почти пять каратов, голубой воды, глубокий, знаете, сколько он стоит на самом деле? Миллион двести, и это абсолютный минимум!

— Откуда же взялись двести двадцать тысяч?..

— Пересчет по официальному курсу рубля на злотые. Камень-то советский...

Крыша у меня совсем поехала.

— Время от времени приходят от них такие вещи,— терпеливо объясняла пани Крыскова.— Цены ничтожные, на прилавок это не попадает, директор магазина получает распоряжение, а тут как раз директорши не было на месте, продавщица показывала камень тому пану, не мне же, я оказалась там случайно. А пан этот чей-то родственник. Кабы имел с собой деньги, купил бы сразу, вы же видели, денег у него не случилось... Помните, когда-то официальная цена доллара была двадцать четыре злотых, а на черном рынке более ста, и с официальным пересчетом на рубли то же самое...

Я расстроилась не из-за потерянного навара — обычное мое невезение,— а из-за мошенничества как системы. Закулисные махинации, крутые тропки и окольные пути — да... здесь правды не доищешься...

Пани Крыскова вздохнула.

— А я уж понадеялась, что по случаю удастся воспользоваться,— призналась она грустно.— Я как раз без денег, из-за дочери, они дом строят, все деньги ухнули. И попался же мне этот бриллиант, как слепой курице зернышко, кабы знать!.. Возобновлю-ка я старые знакомства, драгоценные камни вообще-то идут через магазины, только никто их в витрине не выставляет...

Я старалась просчитать всю комбинацию, да плохо получалось, слишком много неизвестных. Ни с какой торговлей бриллиантами, открытой или потайной, никогда не имела дел, а валютный пересчет всегда был для меня за семью печатями.

— И что, после продают? — спросила я неуверенно.

— Кто?

— Да те, кто покупают.

— Продают, как не продавать. В основном в Вене...

Мы посмотрели друг на друга. Один за другим возвращались сослуживцы пани Крысковой, и она замолчала. С дальнейшими пояснениями пришлось повременить я, попрощалась и вышла. Пани Крыскова, прощаясь, приложила палец к губам...

Недоумок позвонил как раз в тот момент, когда я наконец двинула мыслительный процесс в действие и приступила к обдумыванию разведки переулков на Праге. Субъект с клецкой на морде валандался где-то на обочине моего разума, и я почти чувствовала его топотание по моим мозговым извилинам. Божидар, упорно не желая пылать чувствами, надменно пренебрегая всеми моими, надо честно признаться, довольно мизерными сведениями, выбивал меня из равновесия со дня на день все больше и больше. Жизнь и так не баловала меня, а звонок сразу же сбил с темы и лишил всякой благожелательности.

Недоумок добрых лет восемь меня боготворил и липнул, как заграничный пластырь. Он, видите ли, решил стать поэтом. Стихоплетствовал вовсю и умолял, чтобы я правила эту потрясающую мазню, занятие весьма тяжкое, ибо в его, с позволения сказать, «поэзии» нечего было править. «Она стояла, она бледнела, смотрели все, она сомлела...» Это у него сцена со свихнувшейся от ревности дамой, которая намекает друзьям, что покончит с собой, только вот раздумывает, не кокнуть ли сперва своего неверного аманта. Сюжет был мне поведан изустно, прозой, ибо из поэтического текста никакими силами невозможно было его дедуцировать. К тому же из сего месива решено было изготовить эпос на манер «Пана Тадеуша» Адама Мицкевича или просто «Илиады»...

Я старалась намекнуть автору, что поэзия ему явно не дается, лучше бы поискать иное применение таланту. Он в конце концов согласился и выдал рассказик. Честно говоря, опус получился слабоват сравнительно с сочинениями третьеклашек-второгодников, особенно если наставниками у них были малоквалифицированные учителя. При полном отсутствии содержания, вся новеллка была ни о чем, да к тому же ни в одном предложении грамматика не учитывалась вовсе. Единственное, что у него не хромало — орфография: не делал ошибок.

Новеллка взбесила меня окончательно, и я посоветовала отправиться с ней на телевидение — мол, заинтересует, сделают сценарий. Он обрадовался столь оригинальному совету и, кажется, в самом деле им воспользовался, так как на длительное время оставил меня в покое.

Когда мы познакомились, он, понятно, представился, только его фамилия моментально вылетела у меня из головы. А визитку я потеряла незамедлительно. По телефону тут же узнавала его и сразу же отзывалась: «А, это пан», а посему он считал, что все о'кей, и не называл себя.

Звонок оторвал меня от увлекательных планов. Недоумок занудно умолял о встрече. Я попыталась наврать что-нибудь, но, будучи занята иной материей, нужного аргумента не нашла. Пора было, кстати, оплатить счета на почте ввиду скандального опоздания — от очередей я просто шарахалась,— так что хорошо бы совместить оба сомнительных развлечения. Вспомнила про кафе «Мозаика» около почты и назначила ему свидание. Он напирал на спешку, ну и ладно, пусть будет завтра в шесть вечера.

— Нет, я в последнее время не писал,— заявил он с ходу, и я вздохнула свободно.— Всякие неприятности, знаете ли, и в смысле вдохновения туговато. Хочу с вами посоветоваться. Извините за высокие слова, но ведь вы таки самая умная.

Я поперхнулась первым же глотком кофе. Господи Иисусе...

— Я того, понимаете, ничего не понимаю. На компьютерах сижу, а тут на тебе, чудеса в решете. Ну, привезли машины, в Австрию за ними ездили, ведь они и сами могли прийти, а они все же поехали и сопровождали. Оказалось — лом один.

Я изо всех сил изобразила интерес.

— Что лом? Эти машины?

— А как же. Ни на что не годятся. Вроде бы привезли для работы, а велели разобрать на части; приблизительно говоря, вообще все не то.

Я понятия не имела о компьютерах, но сейчас мне показалось, что речь не только о науке.

— Расскажите все еще раз. Я в компьютерах ни бум-бум. Для какой работы, и что не то?

— Так они для расчетов же — не просто прибавить-отнять, а для расчета, например, движения. И для управления. А привезли все совсем другое, проще гораздо, на базе таких плат, которые работают по-разному, и если получается, то открывается заслонка. И потому когда в них что есть, то вылетает.

Вроде бы говорил обычные слова, а смысла в них было столько же, сколько в его поэзии. Я уразумела так: «вылетает», потому как что-то испортилось.

— А будь все в порядке, тогда не вылетит? — спросила я. Казалось, над столиком в кафе нависла какая-то абракадабра.

— Да нет, напротив. Именно должно вылетать. А в тех, что привезли, что-то сбоит, поэтому то вылетает, то нет. Машина зацикливается, а такого не должно быть. Программа как бы испорчена.

В голове мелькнула вдруг глупая ассоциация:

— А на чем зацикливается?

— Да вот именно, не на числах или хотя бы графиках. Какое там, крутятся какие-то игрушки — подковки, карты, ну там дамы, валеты, а то вдруг апельсины или сливы...

Тут меня осенило, и я очумела, собственным ушам не поверила.

— Так это же игральные автоматы! Вам простонапросто привезли игральные автоматы!!!..

Он сразу обрадовался.

— Ну вот, я же говорю, вы самая умная. Я позабыл слово, а это оно самое. Они итальянские. Мне велено их разобрать на части, все блоки отдельно, а что дальше с ними делать будут, не знаю. Документация у меня вообще на другие, какие-то английские. И это все служебная тайна: ведь я же знаю, что деньги на них ушли те самые, отложенные на настоящие компьютеры, только меньше — ведь этот хлам дешевле. Впрочем, я не того, не знаю, они могли и просто так получить, всякие обломки, а только сказали, мол, заплатили. Небось взяли и подделали счета.

Я судорожно вспоминала что-нибудь про его работу. Нет, я никогда не интересовалась, а он, наверно, не говорил. И что за организация пускается на такие фокусы?

— А где вы работаете? — спросила я, уже с искренним интересом.

Недоумок даже обиделся.

— Как это, я думал, вы совсем в курсе, я ведь говорил. В мастерских при проектном бюро. И в самом бюро — то тут, то там, где понадоблюсь.

— А в каком проектном бюро?

— Ну... в нашем. У нас там все отрасли. В ведомстве.

И в каком таком ведомстве, Боже милостивый?! Что он под этим понимает?! Я посмотрела на него Горгоной, недоумок смутился, поерзал на стуле — тяжелый, неумолимый мой взгляд возымел свое страшное действие.

— Ну, знаете... На Раковецкой...

— В Главной школе сельского хозяйства или в тюрьме? — чеканила я безжалостно.

Недоумок взглянул на меня. В глазах его выражался столь горестный упрек, что Горгона скукожилась. Ладно уж, видать, название организации в горле застряло, а на этой Раковецкой мало что осталось.

— МВД?..

Он едва кивнул. Окаменел бедняга, а я тем временем собралась с мыслями. И чего они все боятся — ну ясно, на тему МВД все окутано непроницаемой тайной, Божидар тоже об этой организации прямо никогда не говорит. Наваждение какое-то да и только. Ясно, пустились в странную аферу, не первую, да и не последнюю, подделка счетов — подумаешь тоже, а вот на кой черт им испорченные игральные автоматы?.. Собственное казино собираются открыть? С испорченными?!!..

— А их легко починить? — У меня мелькнули кое-какие соображения.

— Что починить?

— Эти автоматы.

Недоумок вышел из гранитного оцепенения, пошевелился, вздохнул, покачал головой.

— Подкупить бы кое-какие части, почему нет. Скорее да. Но они вовсе не покупают. И вообще не велят ничего исправлять, просто разобрать. И зачем им это, ведь нельзя же их переделать. Значит, не годятся никуда, только для игры. Или еще на что-нибудь.

Дело меня заинтриговало всерьез. В игральных автоматах я очень даже понимала толк. Зацикленный автомат может платить бесперебойно, надо только его застать в нужный момент... Минутку, но ведь все это механическое, барабанное. Какое отношение они имеют к кибернетике? Наверное, какая-нибудь новинка...

Недоумок уставился на меня как на святую, и в его взгляде отражалось одно лишь благоговение, что явно тормозило мыслительный процесс.

— И что? — спросила я нетерпеливо.— Что же вас во всем этом беспокоит? И чем я могу помочь?

Моя горячность не особенно его наэлектризовала, однако вялое выражение лица сменилось некоей озабоченностью.

— Ну, я не знаю. Мне все кажется, что-то не так. Я думал, вы посоветуете, честно говоря, дело ведь в другом. Я начал с автоматов, потому что мой знакомый, коллега, значит, он с ними работал. И пропал. Вот я сейчас вместо него и работаю.

Поначалу я никак не могла сориентироваться, что его угнетает: то ли пропажа коллеги, то ли его работа.

— Ну?

— И я все не могу узнать, что с ним случилось.

Уразумев, что все-таки речь о коллеге, я попросила рассказать подробнее.

Недоумок явно оживился.

— Так он не пришел на работу. Значит, это я понял, что его нет, потому как меня перетащили на этот хлам вместо него. Нормально, допустим, не пришел так три дня, а его все нету. Я думал — заболел, позвонил — никого нет, я и ходил к нему несколько раз — без толку. В кадрах спросил осторожно, уволили или в отпуске, хотя если бы так, он бы мне сказал. Не в командировке ли? Ничего не узнал. Это уже, постойте, пять, нет, шесть дней, как пропал.

— А семья? Жена, дети?..

— Что семья?

— Его семья.

— У него нет жены. Родителей тоже нет. Вообще никого, одинокий. Девушка есть, я с ней повидался, а она тоже ничего не знает, правда, они уже как бы разошлись, вот она и думала, потому, мол, он и не звонит. У нее ключи есть от его квартиры, мы с ней туда пошли, вот мне и захотелось с вами повидаться.

Кажется, недоумок подбирался наконец к главному.

— И что? — нажимала я.

— А там у него все не так.

— Как не так? Объясните!

Она говорит, эта Пломбир, ее так смешно называют — Пломбир, все так зовут, я даже не знаю, какое у нее имя. Так вот, Пломбир говорит, больно уж большой порядок в квартире. Всегда бардак, то есть с вещами и так далее, только бумаги были в порядке, а теперь наоборот. Вещи все уложены, в шкафу и везде, а в бумагах ералаш.

— В каких бумагах?

— А в разных, в каждом доме полно бумаг, а у него еще больше, чем у других. Даже свидетельство об окончании школы и табели школьные за все

318

годы, только диплом в отделе кадров. Всегда порядок в письменном столе, блокноты, календари, много всего,— а теперь недостаток. Пломбир считает, что больше было и разложено кое-как. Она нашла такую записку, даже несколько — он всегда все записывает: например, что купить, потому как ему неохота все помнить, так вот, хлеб, значит, лампочку либо масло... А на одном листочке написано такое странное...

Он достал бумажник, порылся в нем и осторожно пододвинул ко мне маленькую бумажку в клетку.

— Пломбир говорит, это мне.

Я взглянула на бумажку, он придерживал ее пальцем на столике. Меня бы не удивило, подсунь он бумажку и обратной стороной.

Текст выглядел так:

Пломбир
Пышка
Знание
молоко XXXXXX
крыса
календарик за прошлый год
чипы пэ
Пиявка

Я внимательно прочитала и посмотрела вопросительно.

— А почему это вам? И что все вообще значит?
Недоумок ответил по очереди.

— Пломбир сказала — для меня, а уж она знает; все из-за этой Пышки. Он меня так звал иногда, я раньше был толстый. Такой пухленький, значит, мы с ним знакомы еще со школы. Задумай он купить пышки, то и написал бы «пышки», одну пышку зачем покупать, да еще с большой буквы. Вот и выходит, что это я, а Пломбир мне должна передать. А про остальное понятия не имею. А вам как раз и хотел показать, вдруг вы поймете.

Вера в меня и надежда на меня просто-таки расцвели на его физиономии: я почувствовала себя обязанной проявить максимум проницательности, даже еще больше, хоть и годилась для такой задачи, как вол для кареты.

— Ну ладно, давайте подумаем. Пломбира и Пышку долой. Знание. Так? О чем он мог знать или вы?

— Я ничего не знаю, видимо, он... Сразу скажу, молоко не в счет.

— А почему?

— Перечеркнуто. Эти крестики. Он все перечеркивал так еще со школы. Не чертой, а крестиками рядом. На молоко давайте не обращать внимания.

— Ладно. Итак, допустим, он нечто знал. Теперь крыса...

Он сразу прервал меня шепотом.

— Крыса — это не крыса. То есть не животное. Мы так между собой называем одного типа на работе.

Я ляпнула не думая первое, что пришло в голову.

— В таком случае получается, были у него подозрения насчет Крысы. Может, имел какие-то сведения. Что это за субъект?

— Гнида такая, хуже не бывает, извините за выражение. И что он мог про него узнать, давно всем известно — жуткая сволочь.

— Так, похоже, наоборот? Крыса что-то пронюхал?..

При этих словах недоумок весь передернулся. Раскрыл рот, помолчал, снова закрыл.

— Сохрани Господь Бог, если Крыса докопался до чего-то, о чем ему знать не надо. Уж тут обязательно случилось бы что-то кошмарное...

Не имея понятия о предполагаемых кошмарах, я пока что напрягалась насчет этого листочка бумаги.

— Минутку. Попытаемся дальше. Календарик за прошлый год. Вы что-нибудь понимаете?

Недоумок по новой отмолчал свое, видно, оторопь еще не прошла.

— Я не знаю, а Пломбир говорит, календарик исчез. Где-то под конец года. Еще когда был нужен. Пропал и все тут, а он думал, украли. Даже нервничал.

Исчез. Календарик. И владелец календарика тоже исчез...

— А знаете, похоже, дело вовсе не в календаре, а в его пропаже... Уж очень много всего наисчезало, вы упоминали и про другие бумаги?.. Говорите, Пломбир считает, будто бумаг меньше, значит, и они исчезли?

На добродушной глуповатой физиономии, в честных, наивных глазах появился смертельный испуг.

— Ох, эта ваша догадка вполне возможна. От ваших слов у меня в голове проясняется, я знаю, вы очень умная. О Боже, вдруг и в самом деле...

— Ладно, дальше. Чипы пэ. Это что такое?

— Чипы первичные,— глухо прошептал недоумок.— Это про автоматы. Мы об этом разговаривали, их ведь велели разобрать на первичные блоки, и между собой мы так и называли...

Некая схема постепенно вырисовывалась в моей голове. Смутная, естественно, и необязательно правильная. В тексте осталось еще последнее, пожалуй. Итак, еще вопрос:

— Пиявка?

Недоумок взмок. Я, видимо, принуждала его к неимоверному труду: если столь же тяжко ему давались поэтические творения, ничего удивительного, что получались не наилучшим образом...

— Вот именно, я над этим думал и думал, потому как стало кое-что совпадать, только я думал, может, не так думаю. У нас в школе была учительница, Пиявкой ее прозвали, то есть это не фамилия, это между нами, учениками. Ужасно была, как бы это сказать, настырная. Если прицепится, прямо как пиявка — не оторвешь. Не приведи Бог самому руку поднять, она вроде бы спрашивала что-нибудь одно, а если какой дурак вылезал с ответом, так она вцеплялась в него мертвой хваткой. Про все начинала спрашивать, давила, как удав. Человек даже и мог ответить, да остерегался, как бы случаем язык не распустить...

Сопоставления уже сами напрашивались. По-моему, я приближалась к разгадке всего шифра.

— Не знаю, так ли это, но, похоже, ваш коллега с чем-то выступил против Крысы,— развернула я свою аргументацию.— И либо в связи с этим исчезли его бумаги, либо сам он решил исчезнуть — ему угрожали. Бумажку написал на всякий случай, в расчете на то, что вы поймете. По-видимому, надеется на вашу помощь или просто хотел предостеречь. С Пломбиром вы об этом говорили?

От такого изобилия соображений недоумок растерялся. Его рот непроизвольно открывался и закрывался, и вместо гримасы отчаяния на его физиономии изобразились неуверенность и беспокойство. Короче, полная дезориентация. В конце концов он выдавил:

— Ну, того... С Пломбиром — да, ведь она нашла записку и отдала мне — это, говорит, явно тебе. И о календарике. Прочитала и сказала: календарик за прошлый год у него потерялся. А все прочее она не понимает, но тут что-то нечисто.

— Неглупая девица,— похвалила я.— Насчет Крысы знает?

— Представления не имею, пожалуй, нет, мы об этом никому не говорили, у нас такой шифр был, как бы сказать, секрет между нами. Правда, возможно, он ей кое-что и намекнул...

Я снова взглянула на листочек, недоумок уже начал потихоньку тянуть его к себе.

— Чипы первичные. Сведения, надо полагать, касаются именно автоматов. Что-то тут подозрительное. Крыса связан с ними?

— Ну как же. Напрямую. Распоряжается, решает и так далее, даже сам работает, по профессии он электронщик...

И тут-то до меня дошло, какой беды он так боялся: его мрачные предчувствия, по всей видимости, оправдались. Какие только махинации нельзя было провернуть с помощью этих игральных автоматов! Афера вырисовывалась весьма четко. Хоть бы недоумок был малость посмекалистей. А то проворством мысли он напоминал дождевого червяка.

— Не хочу вас огорчать, но боюсь, с вашим коллегой дело обстоит плохо,— сказала я возможно мягче.— По-видимому, он разгадал фокус с этими автоматами и нарвался на неприятности. Вам бы лучше ради собственной пользы в эту аферу не встревать, хотя, должна признаться, она меня до чертиков интересует.

Недоумок, который таращился на меня изо всех сил, откинулся на спинку стула и тяжело вздохнул.

— Понимаю, как не понять. Так все и было, как вы говорите, я всегда верил, что вы мне поможете. Мало того, он понял, так еще объясняться к Крысе полез. А про то, о чем знал, наверняка все записал — любил делать заметки для себя. А заметки-то и пропали, заодно и другие записки, потому и бумаг оказалось меньше. Но я этого так не оставлю. Я дознаюсь, что случилось с Казиком, с моим коллегой значит,— ведь, возможно, он просто скрылся. Как вы думаете, что бы такое сделать?

— Заявить в милицию, что ли?..

Услышав подобный вздор, всякий нормальный человек постучал бы весьма энергично пальцем по лбу. Недоумок же отреагировал спокойно, как пень.

— Заявить-то я могу, только какой толк. Не захотят у нас, так и милиция ничего не поделает. А у нас запретят, это точно. Мне чего-нибудь наврут, и дело с концом. А я вот размышляю: если Казик убежал, как вы, пани, думаете, куда?

Афера заинтересовала меня не на шутку, гораздо больше, чем наркотики и бриллианты, поэтому я сдержала раздражение и не фыркнула даже: каким образом, черт побери, могу представить, куда подевался абсолютно чужой мне человек. Посоветовала прижать к стенке эту Пломбир, ведь должна же она знать хоть что-нибудь о своем многолетнем хахале. Проваландались вместе вроде бы лет шесть, наверное, ездили куда-нибудь, может, укромные уголки у них были в лесной глуши или еще что в таком роде. Слышала же она от него хоть что-нибудь, видела его приятелей...

— Так из приятелей только я один,— вздохнул недоумок.— Но вы правильно мыслите. Я попробую, а Пломбир вполне посодействует, потому как она расстроилась. И вообще мне-то нельзя, а ей ничего не стоит попробовать пойти в милицию. Если что, так я вас, пани, уведомлю...

Тадеуш, мой приятель еще по прежней работе, позвонил на следующий день, ужасно озабоченный: у него прострел, даже с постели встает с трудом, а тут спешная работа, и я аккурат могу помочь.

— По-моему, ты всегда любила делать предварительное обследование, обмеры,— напомнил он неуверенно и просительно.— Надеюсь, у тебя это не прошло?

— Нет. По-прежнему люблю. Пристрастие не очень-то обыкновенное, но таки есть. А что, у тебя планы какие-то?

— Не столько планы, сколько совесть замучила. Взял работу, подписал договор — частное поручение, в принципе должен быть проект — капитальный ремонт: обследование и обмеры, как понимаешь, необходимы. И так по-дурацки сложилось, никого не могу найти. Эва со мной возится, да еще на работу ходит...

— Все ясно. А участок большой?

— Не хочу тебя пугать, но, честно говоря, впечатляет. Строение и солидный кусок территории на Праге, все довоенное и неизвестно, в каком состоянии. То есть известно в каком — ремонту капитальному подлежит, только вот этот чертов прострел — не успел рулетку взять в руки.

Он назвал адрес. До этого момента я колебалась: с одной стороны, обследованием всегда любила заниматься, да и неловко отказать Тадеушу, а с другой, времени нету, голова занята совсем другими делами. Мне не больно-то хотелось встревать в эту канительную работу, от которой уже отвыкла, но, услышав адрес, я с ходу загорелась энтузиазмом. Именно там находился возможный новый притон, его-то и хотел разыскать Павел, а меня от поисков оторвала бриллиантовая блажь. Может, и не в том самом строении, где-нибудь рядом, но и то хорошо. К радостному удивлению Тадеуша, я согласилась без уговоров.

— Постой-ка, ведь второго человека надо, есть помощник?

— Я так и знал, что могу на тебя рассчитывать. Помощник есть, я тебе на десерт оставил. Он работал бы один, если бы ты не согласилась, он у меня в напарниках по этому заказу. Гутюша с тобой будет работать.

— Гутюша!..

— Я так и думал, ты обрадуешься...

Правильно думал, я сразу повеселела. Я просто обожала Гутюшу, он был работяга добросовестный, да еще и развлекал меня на полную катушку. Он жонглировал польским языком самым удивительным образом, особенно когда нервничал, так что договориться с ним порой бывало трудновато. Но тут все мог объяснить Тадеуш, а мне оставалось лишь приятное общение с Гутюшей. Посему я согласилась на Гутюшу без всяких оговорок.

— Работа срочная?

— Да. Если уж точно, начать следовало неделю назад. Ты могла бы завтра приступить?

Само собой — как раз планировала с завтрашнего дня шастать на Праге в поисках притона.

— Ладно, обследование и обмеры сделаю, но чертить будет Эва, у меня и приборов нет. С Гутюшей ты договоришься или мне самой?

— Да я с ним уже договорился, ты только позвони, в котором часу и прочее. Телефон его у тебя есть? А в моей благодарности не сомневайся. До гроба не забуду...

— Гутюша, а что там будет? — спросила я по дороге назавтра утром.

Гутюша на сей раз пребывал в спокойствии и высказался более или менее внятно.

— Кооператив это получил. Многоотраслевой. Мелочевкой малой будут заниматься, а все вместе — производство, бюро и так далее. Комнаты гостевые, столовка и так далее. Этакая веерная программа, и сдается мне, себе кусок урвут — квартиры понаделают и так далее.

— А сейчас там что?

— Да всякая всячина. В основном люди живут, только жить там так же удобно, как волу в полушубке щеголять, сама увидишь. До войны склады понатыканы были, теперь тоже мешанина всякая. Поликлинику себе тоже отгрохают.

— А куда подеваются все, кто там сейчас?

— Никуда. Все к этому кооперативу относятся, так, поперемещают туда-сюда и здание приспособят к новому профилю.

— А нам рабочее местечко отвели?

— Отвели. На третьем этаже, номер четырнадцать. Ключ у меня.

— Сперва покажешь мне объем работ, ведь Тадеуш говорил что-то об участке. Погода как раз что надо, так что начнем с помещений, но глянуть на место хотелось бы.

Моросил дождь, когда мы подъехали. Вход был с другой стороны, не там, где я успела побывать, но я сразу сориентировалась: строения и участок вместе образуют как бы угол двух улиц и могут иметь общие входы-выходы. Хмурый, обшарпанный четырехэтажный дом настроения не прибавлял.

Наша комната оказалась на третьем этаже и была в некотором смысле оборудована: два стула, стол, электроплитка, какие-то полки, шкафчики и ящики, и даже — ошеломительный комфорт — кошмарного вида уборная. Я выглянула в окно. Большой двор с трех сторон ограждали строения вроде нашего, а четвертую замыкал одноэтажный барак и старая ржавая сеточная ограда. По неприглядности двор вполне соперничал с нашей уборной: разоренный, захламленный, в выбоинах и ухабах, в одном углу возвышалась груда щебня и мусора, поросшая сорняком, далее — утрамбованная земля, бетон и строительные отходы. В процессе осмотра я локализовала проходные дворы и подворотни, где шлялась в поисках наркоманского притона, они находились левее: если бы я тогда определила дорогу по азимуту и могла напрямик протаранить стены и ограды, оказалась бы в нашем дворе.

Гутюша знал об окружении все.

— Тот барак — дом призрения. Детский сад или что-то в этом духе, во всяком случае для детей малость того, развитых наискосок. Пока неясно, что с ним делать, может, и снесут, а обмерить придется. Весь участок наш, до той сетки. Дом, высунься поглубже в окно, увидишь весь от левой водосточной трубы до кучи щебенки направо. Щебень тоже надо обмерить — его уберут. Остальное нас не касается.

— А сия возвышенность?

— Развалины. Еще после этого, как его, пожара войны. Что-то стояло, обрушилось, возможно, остались подвалы. Место спорное.

— То есть как?

— Утрясают. Заказчик хотел бы все оттяпать, да, пожалуй, не получит, и вон ту четвертушку,— Гутюша описал рукой небольшое полукружье,— отдадут другим, а Тадеушу придется делать забор. Изолироваться. Нам тоже начхать, как там решат.

Да, работка предстоит что надо. Понятно, почему Тадеуш собирался сделать все сам: обследование территории под снос можно поручить кому угодно, а обследование для перестройки и ремонта требует точности и дотошности. Гутюша для меня был сущим даром судьбы: монтаж, электрическое и санитарное оборудование знал превосходно, хотя в принципе и работал конструктором.

Начали мы с четвертого этажа, пока что оставив в покое чердак, потому как я не взяла с собой халат, а пыль там скопилась с допотопных времен. Через три часа спустились этажом ниже.

— Эва не начнет чертить, пока мы не дойдем хотя бы до какого-нибудь конца,— буркнула я озабоченно.— Работа на срок?

— Две недели,— ответил Гутюша.— Было три, да одна пролетела. Я потом тоже сяду за чертежи. Ничего, поддадим жару, пойдет.

Я осмотрела ближайшую дверь.

— Что там? Не дай Бог, квартира?

— Квартира. Не страшно. Если жильцов нет, придем попозже.

На звонок открыла пятнадцатилетняя девочка, которую вовсе не интересовали наши проблемы. Она уселась с книгой за стол, игнорируя наше присутствие. Любопытно, что придумает Тадеуш,— на жилое помещение эта квартира не годилась ни в коем разе.

— По-моему, все столярные работы делать заново, и вообще следует пробить окна, если это для людей назначается, а не для коров,— заметила я критически.

— Да уж, надо бы,— согласился Гутюша.— Запиши в объяснительной, у них тут напряжение.

Я уже не искала причин, почему в жилой квартире вместо окон электропроводка высокого напряжения — времени не хватало. Гутюша локализовал выводы электрических проводов и обмерил расстояние от розетки до стены и до пола. К девочке зашла подружка. Я удивилась; в такую пору обе должны быть в школе.

— Эта психопатка ко мне пристала,— начала подружка прямо от двери.— Почему не сказала мне, что ее выпустили?

Вдруг увидела посторонних в соседней комнате и примолкла. Девочки зашептались, с минуту как будто спорили, иногда повышая голос, так что до меня доносились отдельные слова.

— Каська просто дура,— горячилась подружка.— Он из нее веревки вьет.

Они еще пошептались про какую-то Каську и про что-то еще, потом наша хозяйка заглянула к нам.

— А вы еще долго здесь будете? — спросила она вежливо.— Нам к часу пора в школу.

Я почему-то порадовалась, что девочки не прогуливают.

— Вам далеко? — спросила я, взглянув на часы.

— Нет, близко, минут пять ходу.

— Сейчас половина первого. Успеете. Нам тут еще работы на пятнадцать минут.

— Даже меньше,— поправил Гутюша.— Уборная без канализации по вертикали.

— Стенки надо проверить. Беги с нулем к внешней.

Девочек наши занятия не интересовали, они шептались и хихикали, сидя на топчане. Через десять минут мы ушли.

— Что, тут живет какая-то психопатка? — спросила я Гутюшу с легким беспокойством, обмеряя коридорчик у лестничной клетки.— Я предпочитала бы обойтись без психов, с ними хлопот не оберешься.

— Два семьдесят восемь,— ответил Гутюша.— Есть, но она приходящая. Бывает изредка. Кажется, какая-то мамаша какого-то ребенка из этого малолетнего исправительного дома. Погоди, тут не хватает калорифера. Есть выход и зашпунтовано.

Какое-то все-таки облегчение, что не я буду заниматься проектированием, а Тадеуш. Не позавидуешь такой творческой работе.

Помещение рядом оказалось единицей административной. Три присутствующих работника совершенно нас проворонили, увлеченные без памяти обсуждением несправедливости чего-то распределенного. Здесь была газовая плита с духовкой и ниша с ванной, где не наблюдалось водопровода.

На втором этаже мы решили отдохнуть.

— Приведи в порядок эти наброски,— порекомендовала я Гутюше.— Если собираешься чертить, лучше сам это сделай. А я пересчитаю обмеры, поглядим, на сколько не сходится.

— Надо бы про ключи смекнуть,— ответил Гутюша, разворачивая фольговый пакет с завтраком.— Эти чинуши пойдут домой, а нам здесь торчать. Подожди, я схожу к ним, глядишь, чайник одолжу и стаканы, пообедаем, а то с голодухи много не нафурычишь.

Я отвыкла от Гутюшиной лексики за последние годы: очевидно, он имел в виду, что голодному работа не в радость. Гутюша-снабженец оказался на высоте: позаимствовал все, даже кофе и чай, забыл только про ложки. Размешивая сахар в стакане шариковой ручкой, сообщил, что на первом этаже два частных суперпредприятия: дворничиха держит нечто вроде публичного дома, а экс-работник кооператива, ныне пенсионер, торгует водкой. Блудилище владельцу не мешает — дворничиха на хорошем счету и частная инициатива поощряется, а пенсионер зашибает бабки на паях с кадровиком и потому почитается священной коровой. Никто ничего не видит и не слышит — ликвидируй эту малину, кадровик потерял бы вторую зарплату.

Обмеры четвертого и третьего этажей разошлись у нас всего на десять сантиметров, это значило: primo — обмеряли мы тщательно, secundo — с домом покончили на удивление добросовестно. Сложили вместе листки с эскизами, и набросок объекта начал явственно вырисовываться.

После трех дней каторжных мучений мы очутились наконец в подвале.

— Что бы это такое могло быть? — спросила я, похлопывая рукой по неструганым доскам, напоминающим дверцы стенного шкафа.— Что за ними? Это наша крайняя стена.

Гутюша щелкнул затвором рулетки, и лента со свистящим шорохом уползла в футляр. Подошел к доскам и приложил ухо.

— Кажется, был подвальный ход дальше,— решил он.— Ничего не вижу — темно, как в негритянском черном кофе.

Таинственный проход не на шутку заинтересовал меня. Пробраться в том направлении — это же награда за нашу галерную работу. Гутюшу не требовалось долго уговаривать, ведь Тадеушу необходимо знать такие вещи, придется что-нибудь тут придумывать и обмеры необходимо сделать. Не тратя лишних слов, Гутюша ухватился за одну доску.

— Сделано на совесть. Смотри-ка, вот тут малость подается. Ты придержи, а я надавлю.

Получилось наоборот: мне пришлось надавить, а Гутюше рвануть, но в данном практическом случае нас не особо заботило правильное употребление глаголов. Однако доску оторвали понапрасну, оказалось, дверная — в ней с одного боку врезан защелкивающийся замок, а с другого прибиты петли. Открывались двери на нас, только вот ручки не было — решила дело оторванная доска. Гутюша энергично рванул и отлетел назад, а у меня железка, подобранная для придавливания бумаг, вывалилась из рук.

Я заглянула в темную нишу и потянула воздух.

— Вонь какая-то. И опять дверь. По-моему, у нас фонарик есть, поглядим, где тут петли.

— Холера, занозу всадил,— поморщился Гутюша. Он пососал палец, огляделся и достал из сумки фонарик.— Эта штука, наверно, противостоит наперекор всему.

Учтя Гутюшины соображения, я подумала, что вторая дверь открывается от нас, но наваливаться всем телом было неохота. Гутюша посветил сперва туда, потом сюда, обе стороны выглядели одинаково — неровная поверхность сколоченных досок. Ниша пропиталась каким-то странным запахом.

Занятые дверью, мы внимания не разбазаривали и только теперь, в поисках петель, увидели еще кое-что. Гутюша обвел фонариком это нечто, луч света на мгновение замер, после чего рывком вернулся влево.

От увиденного совсем перехватило дыхание, и так уже затрудненное из-за смрада.

Довоенные стены подвала оказались двойные, между ними находилась дилатационная щель. Две стены рядышком, обе в полтора кирпича, вместе — почти восемьдесят пять сантиметров, между двумя дверями из неструганых досок должны образовать ровную поверхность, разделенную посередине двадцатисантиметровой щелью; с правой стороны такая поверхность имелась. А с левой было выдолблено, вернее, выкрошено узкое вертикальное углубление, а в углублении стоял... человек. Да, да, неестественно вытянутая человеческая фигура.

— Так и сердчишку недолго с копыт долой,— пробурчал Гутюша.— Вишь, где прятки себе затырили... да из башки вон...

Шалая фразочка Гутюши отвлекла меня от страшного первого впечатления: пока над ней размышляла, присутствие духа, ускакавшее было добрым галопчиком, снова вернулось. Скопытиться от сердца и в самом деле можно было с ходу, запрятали по-идиотски, именно «затырили» — притащили и позабыли. Из-за налипшего слоя какой-то дряни трудно было сразу распознать в фигуре витринный манекен, старый и заплесневелый, изображавший, надо полагать, мужчину.

Мне удалось наконец пошевелиться, сделать шаг назад и шепнуть Гутюше:

— Не трогай, еще развалится, а нам придется убирать.

— Ты что?! — возмутился Гутюша.— Труп, что ли, щупать?

— Какой труп, спятил? Разве труп способен сохранять вертикальное положение? Это старый манекен, наверно, его украли и спрятали, пожалуй, еще до войны.

Гутюша с недоверием посмотрел на меня, на манекен и снова на меня.

— Думаешь?.. Возможно. Еврей портной, к примеру, спрятал перед немцами...

— Не перед, а от немцев,— поправила я машинально.— Нет, пожалуй, от немцев он бы сам себя прятал, а не манекен... Или ты думаешь, внутри у него что-нибудь есть? Ценности — в куклу, а куклу в подвал?

Гутюша оживился от моей догадки. Предложил осмотреть с пристрастием, вдруг да обнаружится что-нибудь ценное. Я ничего не имела против, только сначала отделаться бы от работы, кроме того, здесь стоял странный и крайне неприятный запах. Я опять потянула воздух, принюхалась и подытожила:

— Только не сейчас. Сколько времени проторчал, так проторчит еще немного, проветрится к тому же. Не чувствуешь разве, как пахнет? Похоже, какой-то консервант.

Я отошла, так у меня заслезились глаза. Запах, казалось, знакомый, только с парфюмерной примесью и еще чем-то, так что драло горло и резало глаза. Гутюша сосредоточенно принюхивался.

— Лак для полов,— решил он.— Только более элегантный — древесный, наверно.

Я охотно согласилась — кой черт голову ломать и придумывать несусветные объяснения. Конечно, он прав: лак для пола на совесть дерет горло и глаза, правда, здесь он благоухал деликатней и послабей, чем при целевом употреблении, да еще какой-то парфюмерной кислятиной отдавал. Я бросила заниматься обнюхиванием и вернулась к проблеме дверей.

— Потом все осмотрим спокойно, сперва закончим весь интерьер,— решила я.— Если насвинячим, затолкаем все в эту щель и делу конец. Убирать мусор не собираюсь.

— Оставлять на виду нельзя, еще стрельнет что кому-нибудь в башку,— рассудительно поддержал Гутюша.— Смотри, вот тут петли, дай-ка я пихну...

Пихание эффекта не достигло. Вопреки нашим предположениям, вторая дверь открывалась так же, как и первая — к нам, то есть ее надо было потянуть, только вот за что? По всей видимости, пройти можно было в одну сторону — оттуда сюда, а не отсюда туда. В области темени у меня засвербило нечто вроде мысли.

— Обследуем после, без спешки. Давай обмерим только дверной проем и уйдем — в носу щиплет невыносимо.

Гутюша послушно обмерил, задвинул на место полуоторванные доски и призадумался.

— Слушай-ка, а вдруг это не манекен, а самый обыкновенный труп?..

Я записала обмеры и постучала по лбу карандашом. Гутюша, похоже, совсем обалдел, хотя... черт его знает... Правда, мне не доводилось слышать, чтобы труп сам собой держался вертикально и благоухал лаком для пола, но всяческих консервирующих средств изобретено в последнее время до холеры и все возможно. А вдруг он просто-напросто висит? Мы ведь не разглядывали внимательно, запах тошнотворный и видок такой — любоваться, в общем, не тянет. На первый взгляд — манекен как манекен, только старый и облупленный...

А окажись манекен трупом, последствия катастрофические! Вместо обмеров даем показания, милиция рыщет повсюду, нас выбрасывают из подвала, пломбируют вход, забирают бумаги, к тому же нас, упаси Боже, подозревают, все кувырком, препятствия неодолимые, а обследование надо закончить в срок...

— Гутюша, типун тебе на язык,— заартачилась я.— Не городи чепухи, еще накличешь. Будь хоть сто трупов, а для нас манекен и точка. Подумай логически, у нас чертовски мало времени.

Гутюша, вопреки видимости, умел думать логически, а потому решительно отвернулся от трупа. В подвалах нас ожидал еще миллион мучений: километры разных проводов и кабелей, к тому же действовала местная котельная. Самое жуткое место во всем здании!

Дождь давно перестал лить, но с домом мы разделались и выбрались во двор только на третий день.

Кооперативный дворник прицепился к нам, как репей к собачьему хвосту. Заявил, ему, мол, велено соблюдать закон, и представил нам вбитые в землю колышки, означающие границу территории. Колышки дугой огибали развалины, и по ним требовалось установить ограду. Таскался сторож за нами повсюду, смотрел в руки и все нудил, чтобы мы случаем не переступили запретной черты — за что последовало бы страшное наказание. Какое — он не уточнял, равным образом непонятно было, кто оное наказание понесет: мы, Тадеуш или заказчик. Убрать из проекта эти завалы всем было на руку, отпадала проблема расчистки и вывозки щебня, а посему дворницкие директивы нас устраивали.

Мы опустили с крыши шнур, на конце которого привязали камень, и Эва могла теперь взяться за чертежи. Словом, со всем обмеренным хламом мы отправились к Тадеушу.

— Да, с самого начала говорили, там кусок двора принадлежит к соседним владениям,— поддержал Тадеуш дворницкое занудство.— Вроде что-то там утрясали, но я им довел до ума все преимущества, если плюнут на эти щебеночные бугры, и они поспешили прийти к согласию.

— И верно,— поддакнул Гутюша в своей манере.— Кобыла с возу, бабе легче. Разве что сделали бы санки с горки.

— Санки с горки остались теперь тем детям,— заметила Эва, привычная к Гутюшиной манере.— Где остаток территории?

— Пока нету, тебе что — мало? И так хватает дел с этим кусочком. А ты вообще-то была на месте?

— Была разок. Поеду еще осмотреть, потому как эта жертва прострела пока еще ни туда ни сюда. Одного его надолго не оставишь.

Тадеуш уже не валялся в постели, а геройски передвигался по квартире, хотя спина совсем не сгибалась. Надеялся, правда, через неделю начать вкалывать.

— Самое главное сейчас — барак для детей,— сказал он задумчиво.— Обмерьте вы эту заразу с дотошностью часовщика, предвижу, начнутся баталии и каждый винтик будет важен. Выиграет наверняка кооператив, у него своя рука где надо, пусть хоть детям дадут что-нибудь приличное.

Я решилась немного пооткровенничать насчет моего рабочего рвения, ведь Тадеуш мог оказаться весьма полезен.

— Любопытные дела творятся вокруг объекта,— подкинула я косточку.

— А на что мне вокруг? — удивился Тадеуш.

Я рассказала о наркотиках, о таинственном притоне, находящемся где-то рядом. Призналась, что намереваюсь туда проникнуть под предлогом более полного обследования местности.

— Кое-что я уже разведала и знаю направление, да пока что не хватало времени на дополнительный осмотр.

— Ну! — подтвердил Гутюша.— Я под конец понял, куда ее несет. Только в проходе стоит то ли труп, то ли манекен. И воняет.

— И что, это входит в проект? — взволновался Тадеуш.

— Нет, стоит за дверью,— успокоила я.— Прямо в дилатационной стене. Как закончим, хорошо бы симулировать продолжение работ. Сделаю вид, необходимо, дескать, дополнительное обследование подвалов, и погляжу, что там такое.

— Судя по всему, делать вид не очень-то понадобится, без дополнительных обмеров и так не обойдется,— деловито заметила Эва.— А общество в лице Гутюши тебе обеспечено.

— В случае чего подтвердите, что я там шастаю в качестве легального труженика. А то вообразят еще, что я шпионка или еще кто... Террористка, например.

— В силу моей восторженной признательности засвидетельствую не глядя все, что пожелаешь,— торжественно поклялся Тадеуш.— А нельзя ли узнать, на кой тебе сдалась эта наркоманская берлога? Замешан кто-то?

— Ну как же, небось Дарий велел,— съязвила Эва.

— Убраться он мне велел. А меня снедает любопытство. Есть мнение, что во всем этом замешаны крупные шишки.

— Если ее когда-нибудь не пришьют, то я Паганини,— пророчески изрек Тадеуш и, поморщившись, сел за стол, где были разбросаны эскизы.

— А мне-то казалось, ты без ума от милиции! — фыркнула Эва.

— Да при чем здесь милиция? Добросовестная милиция такую малину с удовольствием бы ликвиднула. На мой взгляд, здесь орудуют важные лица. Жуткий клубок, кто в нем запутан, не поняла еще, а предполагаю самое худшее; честно говоря, до правды докопаться винтиков не хватает.

— Дай Бог здоровья, а умишко и такой сойдет,— вдруг наставительно брякнул Гутюша.

Я повернулась к нему.

— Гутюша, ты, надеюсь, понимаешь, что я открыла тебе страшную тайну и трепать языком не следует?

— Я что — себе враг, садист что ль набекрень,— обиделся Гутюша.— С кем попало носом не трусь.

— Умоляю, сделайте этот барак до того, как вас посадят на много лет,— зажалобился Тадеуш.— Мне чертовски неохота делать смету дважды...

— А все эта Сушко, пани начальница. Мне сдается, она сама забрала ребенка и куда-то подевала. Милиция в конце концов найдет его...

— Шляется и шляется: чокнутая, так запереть надо и всех делов. Вы пошлите кого-нибудь, ради всего святого, ведь живет же она где-то.

— Да я сама пойду...

Шепчущиеся бабы заметили меня и замолчали. Их секреты меня совсем не интересовали, я сидела на корточках почти у их ног, в конце коридора, так как Гутюша не мог добраться с рулеткой до противоположной стены и передвигал какой-то хлам, а я держала ноль. Мы честно выполняли поручение Тадеуша и старались замерять точно. Детей как раз отправили гулять, и мы вкалывали высунув языки, чтобы успеть до их возвращения, но меблировка барака сводила на нет героические наши усилия.

Все строение представляло собой нечто чудовищное. Строили барак из любых попавшихся под руку материалов, злостно смешав их без складу и ладу, в довершение бед часть барака занимала поликлиника, снабженная безумным количеством изощренных установок. Возводил этот монстр не иначе как маньяк.

— Гутюша, присядем на минуту и сообразим, что есть что,— предложила я, закончив детские помещения.— У меня тут дерево, кирпич, бетон, гипсолит и прочее. Давай отметим все на нашей мазне, иначе потом не разберемся.

— Держится все на старом кирпичном фундаменте,— сообщил Гутюша, усаживаясь рядом со мной на останках старой стены под открытым окном какой-то комнаты.— Сохранился фрагмент подвала, но часть барака, вон та, другая сторона — бетон.

Мы начали обозначать материал стен на листочках набросков. Дети уже возвращались с прогулки, тихие и покорные. Они медлительно и неуклюже переваливались через порог и исчезали в бараке, видно, усталые, хотя трудно понять отчего. Они не бегали, не играли в мяч, правда, я в то время работала в помещении и могла не заметить их повадку.

— Иди, пощупай два последних окна,— поручила я Гутюше.— У нас записано — менять, а я не знаю что на что. Дерево на кирпич или кирпич на дерево.

Гутюша встал и отправился к дальнему краю строения. В помещении за моей спиной раздался шум: кто-то вошел и начал набирать по телефону номер — явственно слышался треск, а потом гудки. На другом конце взяли трубку.

— Пан поручик? — заговорил женский голос почти над моей головой. По-видимому, телефон стоял недалеко от окна.— Ну так я не знаю, того ребенка нет. Заведующая не хочет заявлять... Думает, мать забрала мальца... Та, чокнутая... Да, Сушко... Я сама ее видела, заявилась и сидела с ребенком... Какая там загородка, и половины нету... Кто должен поставить? Так, знаете, пан поручик, фондов нету, рабочего нету... Позавчера, да, под вечер. Пожалуй, около шести... Да я звонила, только вас не было, а после не смогла — она тут в канцелярии торчала... Что?.. А, какое там, чепуха всякая, что у панов магазин, или еще там что... Да в основном дети болтают, а я слышала... Ладно, только после восьми, раньше не могу...

Щелкнула положенная трубка. Одновременно вернулся Гутюша.

— Пани Ната,— очевидно, за стеной появилась другая женщина,— заберите все эти полотенца, у малышки опять кровь носом пошла...

— Кирпич,— объявил Гутюша и потянулся за эскизом.— С этой стороны кирпич, а с той — дерево.

Я сразу не смогла сообразить, о чем он, так меня заинтересовал телефонный разговор. Какая-то ненормальная... похоже, та, приходящая, украла собственного ребенка. По непонятным причинам факт должен сохраняться в тайне. Черт-те что, вечные тайны...

Одноэтажный барак занял два полных дня. Мы сообщали всем, кто попадал под руку, что еще вернемся уточнить детали. Таким образом открылся путь к наркоманскому притону, нужному мне, в общем-то, как дыра в мосту.

Божидар объявился на следующий день вечером и принялся меня упрекать: заходил, видите ли, трижды и не заставал. Желая избежать никчемной перепалки, я не стала напоминать о том, что предупреждала его насчет своей работы, и поспешила похвалиться добытыми сведениями.

— Там провоняло все, не только кукла,— суммировала я, дав ему полный отчет.— Ничего определенного, но что-то зловещее в атмосфере. Проход в подвал ведет в одну сторону, словно бы специально, если придется сматываться; ребенок у них пропал, заведующая избегает милиции, а какая-то пани Ната по-тихому доносит обо всем. Я еще там буду, что мне проверить, как думаешь?

— Где это находится точнее? — спросил Божидар, слушавший до сих пор молчаливо, с каменным лицом.

— Я сказала адрес.

— Предпочитаю проверить сам...

— А я обещала Гутюше, что без него к манекену не притронусь!

— Меня интересует не кукла, а пропавший ребенок. Не нравится мне все то. Мальчик мог...

Он замолчал. Пауза затянулась.

— Что мальчик?

— Ничего. Как все дети. Мог спрятаться где-нибудь, ты говоришь, там много строительных завалов...

Память стартовала спринтом, перед глазами возникла картина, виденная четыре дня назад. Гора щебенки, колышки, воткнутые в землю, и сторож, размахивающий руками, злобно оберегающий эту границу. Я смотрела ему в спину, собственно говоря, не смотрела, лишь взглянула, но общий вид запечатлелся в моем мозгу. Пригорок в одном месте словно выгрызен, видимо, обвалился — из-под слоя земли проступала часть стены и подвального свода, упавшая тонкая березка уже слегка завяла. И дети... Дети, играющие в песке... Детям все равно, что у них под руками: песок, разбитый кирпич, гравий, угольная крошка, земля...

Мне представилось страшное продолжение... Дети играют на грудах мусора около обвала — копают большую яму, щебень осыпается на одного ребенка, присевшего на корточки... Дети недоразвитые — вялые, равнодушные — могли никому и слова не сказать...

Меня просто катапультировало со стула.

Уже стемнело, когда мы доехали до места, горели фонари. Мои видения Божидар не комментировал, молчал почти всю дорогу. Осмотрел весь участок, потом барак с детьми, прочитал все надписи и вошел, велев мне дожидаться во дворе, да еще так, чтобы не бросаться в глаза. От пояснений воздержался.

Я уселась на знакомой стенке. Разобранная оградная сетка, местами вообще оторванная от столбов, лежала на земле. На этой опрокинутой сетке стояли двое, парень и девушка, оба молоденькие. Стояли неподвижно — статуи да и только. По одежде — хиппи. Через пару минут в повисшую на единственной петле калитку прошел милиционер. Форма, надо полагать, обязывала его избрать законный путь, хотя через заваленную сетку было ближе, а может, и вправду принял тех двоих за вкопанные в землю статуи. Во дворе оглянулся и не спеша двинулся в барак.

Еще через пару минут из барака появилась баба, подошла к двум статуям и что-то спросила. Парень промолчал, даже не взглянул на нее, девушка еле-еле покачала головой, но трудно было понять, соглашается или отрицает. Баба, по-видимому, спросила снова; не получив ответа, рассвирепела и заорала:

— Зачем языком молоть, мол, чего-то знают, коли пасть разинуть лень! Милиция пришла, можно и уважить человека, дак нет! Только голову морочите.

Двое отрешенно смотрели в пространство. Баба злобно передернула плечами и вернулась в барак.

Окно, под которым я сидела, на сей раз было закрыто. Вдруг там зажегся свет и послышались голоса. Я встала, заглянула в окно, увидела Божидара, милиционера и заведующую, ту самую, что шепталась, когда я на корточках сидела у нее под ногами. К ним присоединилась недовольная баба.

Я некоторое время рассматривала их, ничего не разбирая в нечленораздельном говоре, потом отвернулась, снова уселась на место и посмотрела на сетку.

Двое бесследно исчезли. Смылись, пока я пялилась в окно. И вдруг меня осенило: ведь они наверняка знают о пропавшем ребенке, хотели сказать, да не решились. Я совсем расстроилась. Господи Боже, что тут происходит?!..

Вся компания из барака выкатилась на улицу. Я встала.

— Нету их,— нервничала баба, беспомощно переминаясь.— Вон там стояли. Лабуда какая-то, молчали и пялились...

— Спугнули вы их, вот что. Эх, меня бы позвать,— ворчал милиционер.— Пойду погляжу, может, еще где попадутся. Имени не сказали?

— Какое там. Глухонемые, одно слово.

Божидар элегантно попрощался, кивнул мне, я прошла в основное строение и подождала его у выхода.

— И что?! — спросила я судорожным, тяжелым шепотом.

— Ничего. Щебнем не засыпало — позднее все видели этого ребенка. А второй раз ничего не осыпалось.

Меня немного отпустило.

— И что? — повторила я чуть спокойней.

— Ничего. Наверно, мать забрала. Я займусь этим. Я решила не отставать.

— А ну как этот притон в самом деле где-то здесь, а мальчик увидел чего не надо. Но не стали же они его... Ведь не убили же, Боже праведный, а вдруг похитили и спрятали?..

— Можно допустить что угодно. Не знаю. Тут еще какие-то молодые люди замешаны, не видела их?

— Видела.

— Куда они пошли?

— А я знаю? Как раз в окно заглядывала, а их и след простыл.

— Ну конечно, тебе необходимо смотреть в окно, чтобы и тебя заодно увидели. А я оставил тебя во дворе специально, ты должна была за всем следить, для чего же я еще тебя с собой брал? Ладно. Где этот ваш манекен?

Я скрипнула зубами и показала пальцем в подвал. Про мальчика и наркотики подробней поговорить не удалось. Божидар был весьма недоволен мной. И мне внушалось, что мое встревание во все дела лишь умножает препятствия и что как следопыт я ни к черту не гожусь. Я снова разозлилась и в сердцах забыла рассказать ему о недоумке, брокованных автоматах и пропавшем коллеге. Представившаяся мне ужасная картина оползающего щебня и гибнущего ребенка еще дома оборвала мое сообщение, а теперь, после суровой нотации, мне захотелось буквально забиться в какую-нибудь щель. Мальчик пропал, приятель пропал, эти двое тоже пропали, эпидемия пропаж разразилась на всю катушку. Намеревалась все обсудить с ним как с человеком, не хочет — не надо, тайна на тайне едет и тайной погоняет, я тоже обзаведусь тайнами, и пусть все катится к черту!

Рассталась я с моим хмурым кумиром злая, надутая и готовая объявить войну.

Где-то после двенадцати позвонил Гутюша и сообщил, что нам необходимо попасть на склад. Там где-то есть выводное отверстие водопровода, которое мы сдуру прошляпили. Найти необходимо и лучше всего сейчас же.

Пожалуйста, могу и сейчас.

— Сани смазаны,— встретил он меня весело, когда я подъехала на условленное место.— Сдержим сроки. Эва взлетела свечой, половину уже оттяпала. Я бы мог и один, да первое primo — склад забит полками, неохота меблировкой заниматься, а ты всегда поможешь; второе primo — при такой оказии загляну-ка я в этот экспонат.

Половину дороги я размышляла над его системой primo и пришла к такому выводу: первое primo, легкость скольжения саней, сравнивалось с темпом работы, второе же primo, свеча, ассоциировалось со взлетающим реактивным самолетом, а третье primo, экспонат, означало манекен. Я кивнула и согласилась с последующим текстом: Гутюша планировал намертво запереться в подвале, дабы нам не помешала дворничиха или сторожиха.

Запасные ключи пока еще находились у нас. Мы разделались с работой и спустились в подвал уже частным образом. Гутюша накрепко закрыл дверь, достал из портфеля фонарик и потянул уже сорванную доску.

Манекена в нише не было.

Мы стояли в тесном проходе и таращились на неровно выдолбленный простенок. Гутюша светил фонариком так, словно манекен был с таракана, чуть ли не в цементные выбоины заглядывал. Я занервничала, где-то под ложечкой екнуло.

— Ну, горчица вся вышла,— откомментировал Гутюша.— Куда он подевался?

— А мне откуда знать? Наверно, кто поставил, тот и забрал.

— Портной, что ли?

— Какой портной?.. А! Ты спятил, еврейский портной со времен войны, скорей всего, давно уж умер! Нет, тут побывал кто-нибудь другой...

Да, очередная тайна.

Ужасные подозрения вперегонки сменялись одно другим.

— Вот так номер,— поразился Гутюша.— Нет чтоб сразу раскурочить, теперь весь сейф из-под носа увели. Наверняка ему брюхо распотрошили — искали что-то, на черта он сдался иначе, гнилье эдакое. И смердел.

Я решилась уточнить ситуацию.

— Гутюша, обмеры закончили, пора взглянуть правде в глаза. Боюсь, труп был настоящий.

Гутюша оставил в покое пустую выдолбленную нишу, повернулся и разочарованно посмотрел на меня.

— Так ведь я с самого начала говорил! Только почему он стоял? Фокус какой-то. Ты серьезно думаешь, труп?

— Подозреваю.

— Ну, манатки пора паковать, и деру.

— А что?

— Если был труп и стоял, не сам же он встал по стойке смирно? И сам не лакировался этим лаком? Его убили, ясно, криминал. Стой он тут со времен войны, и стоял бы дальше, а его нет, значит, этот фрукт созрел куда поздней, совсем свежий. И что делать?

— Спасибо сказать, что его вообще нету. Чего шебаршиться без толку: здесь ничего нет, а было ли, кто знает?

— Ты меня запутала. Ведь мы его видели?

— А тебе что, приспичило откровенничать на эту тему? Кто в курсе, когда мы обмеряли проем? Могли и сегодня, ведь мы делаем же дополнительные обмеры, а сегодня здесь ничего нет. До конца работы спокойствие обеспечено. Заглянуть бы, что там дальше, не лежит ли в следующем подвале?

Гутюша вполне оценил преимущества спокойствия и не заметил в моем предложении вопиющего абсурда. Он приналег на вторую дверь, что-то там подковырнул инструментами, и нам удалось открыть на себя дверь без всяких поломок. Я пошарила наверху, нашла выключатель и зажгла свет.

Этот подвал был просторный, основательно захламленный, точнее говоря, склад картонных коробок и разломанных фанерных ящиков. Между ними валялись останки какой-то мебели, бочек, железяк и Бог знает чего еще. Мы добросовестно обыскали все углы, ни трупа, ни манекена не нашли, и на этом наше обследование закончили, ибо подошли к очередной двери в конце помещения. Дверь была заперта.

— Здесь его нет, и мне плевать,— категорически заключил Гутюша.— Но вообще, ежели фрукт был зрелый, я дознаюсь, как это он шастал взад-вперед.

Любопытно, что он имеет в виду? Я перестала ощупывать замок на двери и отправилась в обратный путь через доски и коробки.

— А как ты дознаешься?

— Есть у меня один такой. Если посчитать, то и побольше таких найдется...

Пока мы добирались до машины, не на шутку заангажированный Гутюша успел поведать, что «таких» в общей сложности трое, занимаются расследованием преступлений, только разными методами. Все более или менее связаны с милицией и прокуратурой, с одним Гутюша вместе учился в школе и через него познакомился с остальными. «Один такой» вовсе не летает по городу с бамбером и с дубинкой, а сидит в кабинете и работает мозгами. Второй вкалывает таксистом, а третий усердно позирует в одном учреждении.

— Это порядочный тип,— рассказывал Гутюша.— Разные документы к нему идут, а он перекладывает их с места на место — ходу-то им нету — и скрежещет зубовьями, аж эхо отдается. По бумагам такое получается, что нервы горят коротким замыканием, ну ничего, говорит, подождем — уверен, что все изменится. Я им скажу об этом трупе, пусть знают, чтоб знали. Может, что и вытанцуется.

— Если в самом деле труп,— заметила я.— А вдруг все-таки манекен?

— Все равно интересно. Был, сам не ушел, забрали его, а дверь закрытая. Это уже не лейкипереливайки. Афера изо всех дыр не прет.

Я поняла, что Гутюша имеет в виду таинственность дела.

— Вот бы знакомого из судебной экспертизы заиметь! — вздохнула я, трогаясь с места.— Так, на всякий случай. Попади к ним и в самом деле труп, уж знали бы, когда помер, недавно или много лет назад. Может, и еще что откопали бы — только черта с два до сути довинтишься.

— Я малость покручусь где надо и тебе все по кабелю перекину,— обнадежил Гутюша.— Одного из прозекторской тоже неплохо знаю. Он из этих лесных домоседов, сам когда-то нашел ногу в лесу и по ноге целого человека отыскал.

Я заинтересовалась.

— Нашел всего человека?

— Да нет, выдедуцировал. Остального человека не было, наверно, кто-то сожрал в лесу, ни следа не осталось, одна нога.

— И что надедуцировал?

— А был один такой, принимал участие в чертовски крупной акции по отлову торговых контрабандистов. Всех их поймали прямо на суете с багажом, да кое-что там с товаром случилось. Пропал, испарился, как сон. И тот один тоже пропал.

— И это все у твоего знакомого из одной ноги выстроилось?

— Нет, объясняю же: из ноги сотворил человека. В ноге был старый перелом или что, так этот нашел его по рентгену, тот всего только год назад ногу снимал, а мой нашел. Ну, малость нажал, где следует...

Разговорчивый Гутюша представлял собой настоящий кладезь сенсаций. Я решила вцепиться в него зубами и когтями. Закинула удочку, не слышал ли чего про наркотики.

— А то как же,— отрапортовал Гутюша.— Одного тут знаю, на том и сидит. Он игрок, во все играет, на этом пункте у него вороной конек, а денег вечно не хватает. Пару раз что-то там растрезвонил, и бенц. Он, правда, не знает, что я знаю. А вообще-то он их ловит.

Так, секунду! Растрезвонил?.. Ага, растратил, наверно!

— Погоди. Кого он ловит?

— Да тех, кто торгует. И поставщиков. И товар ловит.

— Понимаю. А товар разок спустил на свои делишки?

— Ну да. Не все, понемногу, только это дорого, так он и сбацал, чтоб на игру было. А кто там считает, сколько наловили. Хочешь, могу с ним перегукнуться.

Еще бы я не хотела. Изо всех сил хотела. Тайна ужасная, от которой кровь в жилах стынет, и хватит с меня роли дуры во всем этом спектакле. Душа моя уперлась всеми лапами на тернистой дороге к разгадке. Дороге!..

Ожидала меня не дорога, а окольные тропки да блужданья по буеракам.

— Бесподобно выглядишь,— оглоушил меня Божидар, когда я вылетела в коридор на скрежет ключа в дверях.

Вот удивил так удивил! Я с трудом удерживалась от желания помчаться к зеркалу, украдкой взглянула на себя лишь через пару минут. Все совершенно обычно, ничего не изменилось, и что, черт побери, он во мне высмотрел? Может, поиронизировал? Он шутливо улыбался, в глазах пробегали смешинки: все это столь же неожиданно, словно развеселилась, к примеру, статуя Командора. Боже милостивый, ну и качели: неужели моя личная жизнь не может протекать малость поспокойнее?.. Да, правда, я ведь сама выбрала...

Все еще ошеломленная, я с места в карьер выпалила:

— Манекен из подвала испарился. Ты, верно, в курсе?

— А ты как думаешь?

— Так и думаю. Насколько я тебя знаю...

— Слегка. Положим, кое-что мне известно.

— Так скажи на милость, в чем дело. Мы с Гутюшей во второй раз заподозрили, что это не манекен, а труп.

— Честь вам и хвала, молодцы, лучше поздно, чем никогда.

Казалось, после восхищения моей красотой меня уже ничем не удивишь, а все же... Я, понятно, принялась расспрашивать.

348

— Удивляюсь твоей недогадливости,— усмехнулся он явно иронически.— Ведь все пропахло формалином.

— Да что ты?! Это формалин?! А я думала — лак для пола!

— Формалин, естественно, очень характерный запах. Сенсаций не жди, труп мумифицировали давно. Вряд ли кто заинтересуется, чье тело и откуда взялось.

Именно в это самое мгновение в разговор вклинилась сама судьба в виде Гутюши. Позвонил, влетел стремительно в комнату и при виде Божидара слегка окаменел. Я познакомила их, подчеркнув, что Гутюша участвовал в находке. Божидар и бровью не повел, а Гутюшу, напротив, словно подменили. Я пересказала ему услышанное, попросила Божидара продолжать, однако он заявил, что изложил все и продолжения не последует. Гутюша неподвижно сидел на краешке тахты и молча таращился на него.

— Я того,— изрек он наконец, еле разжимая губы.— Забежал, проходил мимо и снова бегу. Я за рулеткой.

— За какой рулеткой?

— Ты небось прихватила рулетку. А мне нужна.

По-моему, я рулетку не брала, Гутюша все сложил в свой портфель. На всякий случай заглянула в сумочку, а потом в холодильник — с меня бы сталось запихать рулетку вместе с продуктами.

— Ну, я уж и не знаю,— огорчился Гутюша.— Ищи вот теперь иголку в компоте. Я думал — у тебя, а если нет, значит, потерял.

— Может, осталась в подвале?

— Возможно. А я мимо как раз, так ближе, чем туда, думал, ты... Ничего, завтра туда забегу. Не буду мешать, спешу.

Закрыв за ним дверь и вернувшись к Божидару, я сразу ощутила перемену атмосферы. Вроде такой же, а прямо-таки полыхает другим настроением, флюидами или чем-то в этом роде. На всякий случай я вышла в ванную и осмотрелась в зеркале: нет, все в порядке, моя красота при мне. Подбросила парочку вопросов — если нельзя о загадочном трупе, пусть прояснит насчет пропавшего мальчика и о двоих хиппи. Ничего, ноль, все возможно, сомнительно, допустимо и требует расследований. Что касается моей персоны, то я слишком навязчива, нахальна, люблю проехаться за чужой счет: вместо того чтобы действовать самостоятельно, использую его, Божидара. Радостное оживление у меня мгновенно сменилось менее мажорным чувством и, когда я закрывала за ним дверь, душа моя не просто роптала, но кипела от ярости.

В полную прострацию я не впала лишь потому, что через пять минут после ухода недовольного мной кумира позвонил Павел.

— Есть кое-какие новости.

— Не раздражай меня! — прошипела я свирепо в телефонную трубку.— Говори сразу! Что знаешь, откуда?

— Приятель поссорился со своими предками и слегка раскололся. Под мухой был, факт. Папаша в министерстве внешней торговли сидит, в семействе у них скандальчик случился — папаша дела с коноплей проворачивает...

— Да уж, вышел из конопель по солнышку? — вырвалось у меня.

— Что? Погоди, ты о чем?

— О папаше. Поговорка такая: делишки, значит, на свет Божий вышли.

— Не знаю, может, и в самом деле. Слушай, в жизни не угадаешь, откуда товар. Из Советского Союза! То есть не коноплю привозят, а гашиш.

— Официально?

— Ну, ты даешь! Официально только на медицину, а с остальным, понятно, крутят бизнес. Адам вообще в контрах, ему давно уж вся наркота поперек, как и мне, а теперь и вовсе плюнул на бабки и ушел из дому. А перед тем кое-что разнюхал. От папаши товар плывет к одному типу, которого Адам знает только по фейсу, папаша перед ним стелется, но кто он такой, Адам не в курсе. Описал мне его, понимаешь, я в отпаде: точно тот ферт, про которого я тебе говорил. Помнишь, я один раз его видел, а после он растворился.

— Это который с клецкой на морде?

Павел ошеломленно молчал. Мать честная, клецку-то мы обсуждали с Зосей, а не с ним. Вдруг вспомнила про того типа да и ляпнула наше мнение насчет клецки. Павел задумался.

— Точно, так и есть. Ну да, на морде у него и вправду клецка...

Божидар окончательно вылетел у меня из головы. Привязалась же ко мне эта клецка! Того и гляди, начнет сниться разная мучная продукция — галушки, к примеру, лапша в ромбики и квадратики и всякое такое. Господи, где моя голова, Павла-то надо от нашего следствия шугануть, дело очень уж скользкое и опасное, пускай перестанет нарываться!

— Ладно, отваливай от этого предприятия. Скажи только, как фамилия папаши и где живет.

— А я знаю?

— Как это не знаешь?! Ведь Адам твой приятель!

— Так я ж у него не бывал. Они неплохо законспирировались. К тому же у Адама другая фамилия — официально он от первого брака матери, ловчили из-за каких-то там запретов, чистое средневековье, он под бодуном проболтался, так может, что и не так. Я усек — первый муж был для прикрытия, а второй женился позже. Ну, и не стали менять фамилии, потому у Адама своя фамилия; тут, знаешь, высокие партийные боссы, куда мне с моим рылом. У Адама фамилия Погодовский, а как у папаши — не знаю.

— Матерь Божия,— охнула я.

— Если надо, адресок расстараюсь...

Я осадила его.

— Отвяжись, сказано. Мы-то мелюзга по сравнению с ними. Им хоть бы хны, а тут речь о жизни и смерти. Не валяй дурака самолично, адрес — да, а насчет остального — не смей пальцем шевельнуть без меня.

С великой неохотой Павел обещал не высовываться, но, конечно же, разузнать ему не терпелось не меньше, чем мне, и справедливо опасался, что своим ходом знание не придет. Впрочем, согласился все же со мной, чем доставил большое облегчение, поскольку я еще и Зоси побаивалась...

Гутюша поймал меня по телефону на следующий день вечером.

— Может, выйдешь поговорить... Диво дивное, а внутри у меня полный патефон. Подрулила бы на Черняковскую, я на углу жду.

Согласовали угол, и я приехала через десять минут. Сначала заподозрила — не хотелось ему пешком топать до меня, к тому же и до дому его потом подброшу. Оказалось — ничего подобного, причина была совсем иного рода.

Он объявил мне с некоторой запинкой, что испугался Божидара. Побоялся снова его встретить, не хотел рисковать. Я удивилась и даже толком не спросила почему.

— Я, слышь, малость опупел,— объяснил Гутюша.— Не хотел встревать между дверями, потому и не пришел, чтобы тебя просветить, только когда он, этот твой, такие разговоры говорил, то меня заклинило. Мало ли, вдруг он опять у тебя сидит.

Я ответила, что не сидит и что совсем ничего уже не понимаю. Гутюша помотал головой.

— Петрушка получается, мертвец-то был натуральный и не старый, а свежий. За мумию сошел — так сверху его воском намазали, облили, значит, расплавленным. Убит самым обыкновенным способом, без вреда для здоровья, следов никаких, значит, этак мягко, постепенно удавили. Формалином после продезинфицировали, а стоял, потому как пришпандорили к доске вертикально.

Как смысл, так и форма коммюнике оглушили меня основательно. Я молчала. Гутюша продолжал.

— Одно только совпадает, копать официально не будут, хоть и кокнули его недавно. Две недели тому, а может, и меньше. Остальное — потемки. А кто его из подвала забрал и когда, вообще никто не в курсе. А уж кто его там установил — вообще черная могила...

Я обрела голос.

— А он что, в анатомичку попал? Догадываюсь, информация от тамошнего приятеля?

— Ну, как сирота, вроде подкидыша.

— Какой еще подкидыш?

— Как подкидыш притопал. Кто-то его в наилучшем виде туда доставил, верно тот самый, кто забрал из подвала. А они там такие вещи не выбрасывают в мусорный контейнер, а хвать на стол и давай кромсать. И больше никому не сообщили.

Гутюшина интерпретация событий могла ошеломить сама по себе, а у меня еще сердце защемило при мысли о Божидаре. Если Гутюша говорил правду, Божидар лгал. Но зачем, Боже милостивый! Может, его самого обманули?

— Гутюша, ты уверен, что это правда? Не взяли тебя на понт?

— Железо,— заверил Гутюша без всякой обиды.— Мой приятель обещал сам это все раскочегарить келейной украдкой. Я уже все знал, когда пришел к тебе, и язык у меня отнялся: с этим твоим лучше не спорить, потому как того... Ну, как-то не очень...

Гутюшино замешательство вспыхнуло вдруг коротким замыканием. И все-таки я не обратила на него особого внимания (может, тактичность его заела и прочие субтильности). Меня просто замордовали собственные сомнения, а все потому, что сама хотела их иметь. Не могла же я вот так сразу, немедленно и без всякого сопротивления согласиться на детронизацию моего кумира и божества.

Я вернулась домой и на полную катушку предалась отчаянию...

На следующий день позвонил недоумок.

Последний ум у него отбило, отказался говорить по телефону, и я снова назначила ему свидание в «Мозаике», хоть почта на сей раз была мне ни к чему.

Я не сразу нашла место для парковки и, пока дожидалась, увидела его перед дверью в кафе. Он прощался с девушкой, с минуту они еще поговорили. Я не видела толком ее лица, только силуэт. Форма и посадка головы, линия плеч — все очень характерно, пожалуй малость неправильно, но очаровательно, да и к тому же красивые, длинные ноги. Интересная девица. Я уже начала было раздумывать, что такая девушка нашла в недоумке, но тут мне пришло в голову, не Пломбир ли это. Она ушла, а недоумок вошел в кафе.

Я села за столик, спросила, кто такая. Недоумок подтвердил, Пломбир, мол, и есть.

— Я уже совсем непригоден к творческой работе,— вздохнул он с глубоким сожалением и к моей вящей радости.— Такой сделался нервный, что не получается. Я вам говорил, мой коллега исчез, помните?

Ничего себе, идиот! Я ведь только что спросила про Пломбира.

— Помню. А что?

— Так нашелся. Я все знаю... Он умер.

— Не хотела вас огорчать, но так и думала,— сказала я сочувственно.— Расскажите подробнее.

Недоумок снова тяжело вздохнул и понизил голос. Рассказывал почти шепотом.

— В милицию пришел снимок неустановленного трупа. Его где-то нашли. Я видел снимок, это он. Доложил Пломбиру, она позвонила, велели прийти, узнала его, сообщила обо мне. То есть, что я его знал лучше и так далее, и мне прислали вызов.

Вроде вышло, не я все начал, даже Крыса не спохватился, впрочем, у меня рот на замке, сходил туда после работы и даже отпрашиваться не пришлось. Он, конечно же. Странно выглядел, и мне по секрету сказали, что его убили — задушили. А главный ужас — еще и забальзамировали.

Я не выказала изумления, напротив, даже как-то обмякла. Недоумок замолчал и посмотрел на меня вопросительно. Не представляю, чего он ждал, возможно, по его мнению, я еще и эксперт по бальзамированию трупов.

— Как забальзамировали?

— Формалином. Впрыснули или как и положили его сначала целиком в это, не знаю, как все делается. А сверху покрыли воском. И откуда столько воску взяли?.. Всего ведь покрыли — лицо и даже всю одежду. Вовсе ничего не понимаю.

Оцепенение, поглотившее меня вначале, сменилось вдруг лихорадочным возбуждением. Разум интенсивно заработал и принялся выдавать нечто, напоминающее автоматную очередь: манекен в подвале!.. У меня и раньше мелькнула мысль!.. Гутюша говорит правду!.. Божидар лжет!.. Коллега недоумка обнаружил притон!.. Его убили!.. Пропавший мальчик, Иисус-Мария!..

На мальчике очередь оборвалась — это уж слишком страшно. Должны же быть границы даже для всякого рода кошмаров и мерзостей...

— Кажется, я теперь понимаю, где вашего приятеля нашли,— произнесла я спокойно через минуту-другую.— Не уверена, но, по-видимому, это был он.

Недоумок оживился и почти обрадовался.

— Я так и чувствовал — с вами, пани, все разъяснится. Вы ведь мне скажете где?

— Скажу. В подвале, в одном доме на Праге. Мы делали обследование территории и строений — капитальный ремонт здания — и наткнулись на труп случайно. Формалин, воск, все так и есть.

Свое личное участие в подобных открытиях я постаралась свести к минимуму. Недоумок был, правда, напуган и, верно, держал бы язык за зубами, но работал в столь серьезной организации... на всякий случай я себя не экспонировала.

Он таращился на меня удивленный, даже ошеломленный.

— В подвале? На Праге? А что он там делал?

— Ничего не делал, мертвый уже был. А что он там мог делать, не мешало бы разузнать. Пошел туда добровольно или кто-то заманил?

— Понятия не имею. Вообще ничего не знаю. Что там находится, в этом доме?

Матерь Божия, ну и свидетель... От такого получить показания... Нет, уж лучше прямо на галеры.

— В доме ничего нет, а вот рядом по всем признакам находится подозрительное место, связанное с торговлей наркотиками. Он этим интересовался?

— Чем?

— Торговлей наркотиками.

— Не знаю. Да зачем ему наркотики, никогда про них не говорили. Какие там наркотики, зачем ему наркотики?

С минуту я пыталась мобилизовать последнее терпение.

— Возможно, он случайно наткнулся. На том листочке было слово «знание». Может, он что узнал и пошел проверить. Возможно, Пломбир как-нибудь в курсе, мог ведь с ней поделиться. Вы ее спросите, не говорил ли о чем-нибудь подозрительном на Праге.

Мой визави с видимым усилием продирался из тумана.

— Конечно, спрошу, хотя, думаю, она тоже в полном недоумении. Что он мог найти на этой Праге?

Я изо всех сил постаралась сдержать раздражение и подкинула парочку версий. Его могли убить, например, в Ломянках и привезти на Прагу уже мертвого. Еще раз напомнила листок с шифром. Следуя по цепочке ассоциаций, нельзя не подозревать некоего Крысу...

Недоумок, к счастью, хоть склерозом не страдал. Листок помнил.

— Ага, я припоминаю, все прояснилось благодаря вам, пани. Сейчас. На Праге?..

И вдруг он замер, неподвижно уставясь на меня. В голове у него, видать, что-то звякнуло. Я терпеливо выжидала. Так прошло минуты две, наконец он очнулся, покачал головой и вздохнул.

— Мне как бы показалось, что об этой Праге я слышал. Пожалуй, нет, ничего не слышал. Разве что краем уха. Ладно, я упрямый. Попробую сориентироваться, осторожненько так.

Из него, безусловно, ничего больше не выжмешь, хоть на куски режь. Я тоже вздохнула и упавшим голосом спросила про автоматы. Может, хоть здесь что-нибудь выяснилось?

— С автоматами... А! Так вот, копаюсь в них и копаюсь, к одному даже схему настоящую получил. Мне кажется, начинаю кое-что понимать, только все так странно, я и себе не верю. Посмотрю еще раз, откровенно говоря, я из-за моего приятеля такой расстроенный ходил, голова совсем не работала. Будет что новое, так я сразу вас извещу.

Он позвонил через восемнадцать дней, когда я снова запуталась в клубке своих личных осложнений.

В течение двух недель при солидном, хотя и непреднамеренном участии пани Крысковой мне удалось до основания разрушить отношения с Божидаром, что, понятно, никак не входило в мои планы. Планы Крыскова пригласила меня на чай с кексом собственного изготовления. Оказывается, тот советский бриллиант полностью вывел ее из равновесия, хотя общее представление об афере имела уже давно.

— Я вам уже говорила, сижу без денег,— заявила она ожесточенно.— Дочь с зятем строятся в Гоцлавке, зять четыре года вкалывал по контракту, экономил, как Гарпагон, но все уже исчерпано. Мои деньги тоже ушли, а тут мимо носа такой заработок. Я не согласна.

Я поддержала ее с энтузиазмом. Мало того, мимо носа, так еще попадает в когти таинственных проходимцев, которые позорят нашу действительность. По данному пункту взгляды у нас совпадали, и потому я с интересом слушала продолжение.

Пани Крыскова всякие сомнения и угрызения уже пережила. Подтвердила, что бриллианты приходят из Советского Союза довольно регулярно, валютный пересчет смехотворный и официальная их цена — грошовая; по причинам, коих я не уразумела, камни идут через министерство внешней торговли и через центральное управление попадают иногда и в ювелирные магазины, но в продаже их не сыщешь. Некоторое время задерживаются в подсобных помещениях, после чего их отсылают на переоценку, и там они исчезают с концами. Бывает, камень приобретает «случайный» покупатель, старательно выбранный с согласия руководства, а первому встречному бриллианты показывать, мягко говоря, не рекомендуется. У продавщицы из ювелирного магазина в Аллеях Иерусалимских были большие неприятности, теперь работает на фарфоре — перешла по собственному желанию, и в ювелирный ей путь заказан. Кое-кого из руководства пани Крыскова знает лично, и у нее есть шанс стать такой случайной покупательницей. Загвоздка в следующем: нет ходов в упомянутом министерстве, где существует тайный распределитель и где решается, какие камни в какие магазины отослать. Сроков доставки она тоже не знает.

— Но попробую через центральное управление,— заключила она.— Трудно, а вдруг да удастся. А вы мне нужны, чтобы купить.

Я слушала ее с довольно противоречивыми чувствами. С одной стороны, меня ужасно интриговали все эти, с позволения сказать, государственные тайны, о которых не имела и понятия, а с другой, уже представляла разговор с Божидаром. Он решительно отрицал возможность таких ситуаций, не допускал даже мысли о коррумпированности уважаемых государственных мужей. И вот, пожалуйста, у меня будет информация из самого источника!

Пани Крыскова продолжала.

— С вами все в порядке, вы в безопасности. Вас не выбросят с работы, правда? Ничего вам не сделают, ничего у вас не отнимут. У меня положение иное. Понятно, необходимо ваше согласие. Прямо говорю — дело скользкое, тайна абсолютная: вы, я, заведующий, прибылью надо поделиться, не будет же он даром рисковать... Это какая-то мафия, тесно сбитая клика, жадная, гнусная, способная на все. Никто не должен знать, кто вы, чем занимаетесь, никому ни слова, понимаете?..

Еще бы не понимать! Основная проблема пани Крысковой — доступ в этот конфиденциальный распределитель в министерстве. Я подумала насчет Гутюши.

— Десять процентов ваши,— заявила пани Крыскова.— И не протестуйте, иначе я буду чувствовать себя неловко.

Я пообещала хранить секрет и, однако, призадумалась. Мое участие в прибыли могло испортить все дело. Сумма, впрочем, будет небольшая, так что куда ни шло. В конце концов я уступила. Пани Крыскова, в отличие от меня, была настроена весьма решительно, видать, здорово достали ее семейные заботы.

Сразу же от нее я позвонила Тадеушу, где находился Гутюша,— вторую половину дня и вечера они проводили вместе из-за проекта. Условилась с ним на площади Трех Крестов и пообещала подбросить домой.

— Эва ругается, мы с тобой вроде не заметили два мусоропровода,— сообщил он, садясь в машину.— Может, замурованы или что. Пусть едет, сама ищет. А ты чего?

Я тронулась на юг.

— Мне нужна государственная тайна,— начала я без всяких вступлений.

— Из нашего бюро? — удивился Гутюша.

— Какое. В министерстве внешней торговли. У тебя там вроде знакомый есть, сейчас скажу, о чем речь.

Я рассказала весьма приблизительно о пани Крысковой и о нашей затее. Услышав про бриллианты, Гутюша принялся подробно расспрашивать, какой камень я видела сама. Пока я все ему выкладывала, мое умственное затмение как рукой сняло, и навалилась такая слабость, что пришлось сбросить скорость как раз в Аллее Собеского, где стоянка запрещена. Я съехала в Черноморскую и остановилась где попало.

Расстроилась донельзя. Не из-за Гутюши — он заслуживал полного доверия, а при мысли о том, что я могу натворить по своей рассеянности. Ведь не Гутюша сказал о знакомом из министерства, а Павел, к тому же вовсе не знакомый Павла, а отец его приятеля работал там, и, кроме того, не бриллиантами занимался, а гашишем. Гутюша сроду не упоминал о торговых контактах, а я, поклявшись хранить абсолютную тайну, проинформировала его на этот счет обширно и всесторонне. Что я еще могу наболтать, Господи прости, и кому?!!..

Я прямо-таки застонала.

— Гутюша! Умоляю, держи язык за зубами, а лучше всего нажрись в стельку и забудь мою чертову болтовню. Я по ошибке, сдуру выболтала тебе секрет!

Гутюша безгранично изумился.

— По ошибке? Как же так?

— Да мне померещилось, что ты знаешь кого-то из министерства, а на самом деле ничего подобного, ты знаком с кем-то из прозекторской, насчет министерства совсем другой.

— А кто это сказал? — возмутился Гутюша.

— Как кто? Да ты же!

— Я? Впервые слышу. Уж такой туманистый-то я не бываю, чтобы вовсе не понимать своих отчетов.

От такого разговорчика у меня вообще голова кругом поехала.

— Постой, ведь ты говорил, что знаешь одного из анатомички, или я опять перепутала?

— Говорил, почему не сказать, коли и в самом деле знакомец есть.

— А про министерство другой говорил, не ты! Или ты тоже знаешь кого-нибудь из министерства?

— Ясно, знаю, почему не знать?

— Анекдот, Богом клянусь...— потерянно пробормотала я.

Гутюша занервничал.

— А почему это не знать всяких и разных людей! С покойником Брежневым, может, и не был в друзьях, а в министерстве — будьте любезны! И могу все это тебе организовать с детской скоростной смекалкой!

Я было снова застонала, но спохватилась — нечего нюни распускать, тут решаются дела поважнее.

— Что ты можешь организовать?

— Да эти бриллианты! В смысле, что там тебе надо, когда они придут и так далее. Я там знаю и женскую цепочку, ну, и некий дамско-мужской клубок, могу узнать подноготную и подколодную!

При мысли, что хоть один раз меня явно выручил склероз, сразу полегчало. Я включила первую скорость и поехала.

— Ладно, порядок. А когда удастся разузнать?..

— Да прямо на днях, мне интересно. Только, слушай, Тадеушу ни гу-гу. Он насчет денег прямой баран...

Я была того же мнения. Извлекла Гутюшу от Тадеуша не только потому, что мне не хотелось ехать далеко на Грохов, была еще одна закавыка: Тадеуша посвящать в бриллиантовую аферу не следовало. Веря в законность с детским упрямством, он пришел бы в ужас от нашей затеи, да еще бы и Гутюшу настроил против.

— И вообще никому ни словечка. Пойми, Гутюша, это опасно. Вникни в этот аспект...

Божидар позвонил на следующий день и вежливо осведомился, хочу ли я его видеть. Этот идиотский вопрос он задавал довольно часто, и меня уже давно подымало рявкнуть: «НЕТ!!!» — и бросить трубку, но я сдерживала характерец и мурлыкала медовым голоском. На этот раз пошло легко, потому как меня окрыляла бриллиантовая авантюра.

Когда он пришел, я сразу открыла огонь — дипломатических талантов Бог не дал — и с места в карьер проиграла дело. Моральная гнилость правящих бонз ударила по мне рикошетом: Божидар заподозрил, что я распространяюсь насчет этого исключительно с целью злостной дифамации. Логики во всем этом не было ни на грош, но я уже закусила удила и набросилась на него, ни секунды не думая о последствиях.

— Знаю все про манекен из подвала, знаю, где работал, знаю, что недавно еще был жив. Абсолютно не понимаю, зачем было сказки сочинять о старой мумии. Зачем было скрывать, как обогащаются слуги народа, перемещая русские бриллианты от нас на Mexico-plac. На кой черт надо было меня убеждать, мол, все это ложь и так далее?!

Лучшего способа поджечь ситуацию я просто не могла придумать. О налаживании отношений и мечтать не приходилось: разоблачения Божидар не прощал. И снова я ничего не успела сказать про недоумка — мы расстались, оборвав дискуссию на уголовном кодексе: оказывается, я напрасно не читала его и не затвердила наизусть — таков был его вердикт. Я изо всех сил захлопнула за ним дверь, глубоко убежденная, что он спятил, обиженная, злая, бунтующая. С какими чувствами удалился Божидар, не имела понятия, и в тот момент меня это вовсе не интересовало.

На волне буйного амока я полетела к Тадеушу, ибо разузнать все вопреки Божидару стало основной потребностью моей души. Я надеялась, какой-нибудь наш недосмотр при обмерах загонит меня на объект и позволит сделать новое сногсшибательное открытие. Но, увы, мы выполнили обследование до омерзения тщательно.

— Меня удивляет твое отношение к результатам собственной работы,— заметил Тадеуш.— Но я все же не забыл из-за своего прострела, что мы так и не обмыли окончание работ. Бутылка вина ждет своего часа, наверстаем упущенное. Обед, может, и не столь уж торжественный, а вино неплохое. Может, несколько утешишься?

На обед меня уже успела пригласить Эва. Она принесла из кухоньки скатерть и прогнала Тадеуша от чертежной доски.

— А как же Гутюша? — спохватилась я.— Не обидим же его!

— Если Гутюша не появится в момент откупоривания бутылки...— заговорила Эва, но ее прервал звонок в дверь.— Вот и он!..

И в самом деле, он. Бросил Тадеушу на стол рулон с планами и проектами с покраской и принюхался.

— Обед? — осведомился он с робкой надеждой.

— Холера, я тут кухаркой или ассистентом проектировщика? — с обидой спросила Эва и пошла за тарелками.

Гутюша уплетал обед, обсуждая с Тадеушем проект, игнорируя меня в принципе. Не иначе хитрит — приберег для меня интересные сведения. Я собралась реагировать соответственно, однако Тадеуш смешал все карты.

— Гутюша, учти, она собирается продолжить обмеры,— предостерег он.— Артачится, рвется туда с подозрительной целью.

Гутюша едва не поперхнулся, выпил вина и повернулся ко мне.

— Не пущу!

Я тут же взорвалась.

— А что? Почему бы не пойти? Ишь придумали — не ходи, не смотри, не разговаривай, не проверяй! Удар меня хватит из-за ваших кретинских тайн!

— Вовсе не мои! — возмутился Гутюша.

— А чьи?! И вообще, что за порядки такие?!

— И мы говорим,— вмешалась Эва.— Она сумасшедшая и всегда сует нос куда не следует.

Гутюша тем временем напихал себе полон рот салата, и сметана попала в нос. Пока он пребывал в вынужденной немоте, я отчеканила свое кредо. Эва постучала пальцем по лбу.

— Куда ты лезешь, это же стая волков! Твой Дарий не может на тебя цыкнуть?

— Пытался. Бесполезно. Я ему больше не верю, и вообще хватит!

Напоминание о Божидаре, как всегда, взбаламутило меня, и я только потом услышала Гутюшу, который снова обрел дар речи.

— ...от такого одного. Точно никто не знает, а вообще все соответствует. Завели себе склад наркотиков, глядишь, и лабораторию, так на фиг тебе это? Случись что, на обед тебя не скоро дозовешься.

— Не трави меня,— гаркнула я злобно.— А про наркотики я информирована давно. Хочу найти логово. Хочу знать, как до них добраться!

— За покупками? — ядовито осведомилась Эва.

— Как добраться, ты уже знаешь,— слово в слово вторил Гутюша.— Через двери с трупом, закрытые они были.

В моей неугасающей ярости уже ощущалось ослиное упрямство: пойду, ворвусь, не позволю себя убить, найду инструмент для защиты и выложу ему все, что открою и разузнаю.

— Мне пора, пошли вместе,— оторвал меня Гутюша от революционных размышлений.— Едешь в ту же сторону, меня заодно подбросишь. А вообще-то я спешу.

Сказал он это с таким напором, что до меня наконец дошло. Я оставила на время в покое дверь за трупом, притон, Божидара, и мы ушли.

— Я вовсе не спешу, это тебе спешить надо,— сказал Гутюша уже на четвертом этаже.— Я звонил, да не застал, хорошо, здесь тебя перехватил. Знаю про бриллианты, дело срочное.

— Ну, говори же!

— Погоди. Внизу. Тут, может, какое ухо в замочной скважине...

Стиснув зубы, я переждала все оставшиеся этажи.

— Аккурат вчера пришли,— сообщил мне Гутюша, выходя на свежий воздух.— Я видел этот потайной распределитель, одно место хорошо помню: ювелирный магазин на Груецкой, два камня туда отправят. Завтра с утра или даже сегодня. Никто не сказал, я сам хитростью подсмотрел, а тот, кого знаю, наказал мне полный молчок, чтоб нигде ни звука. Он так переполошился, говорю тебе, как перепелка, но я ему ничего не обещал. Махинации подлые налицо. Потому подвалы пока оставь да остерегайся, чтоб тебя кто не раскамуфлировал.

Я раскритиковала его разведданные.

— Один адрес — без толку. Надо было запомнить побольше, а лучше все. Откуда мне знать, где та моя знакомая имеет связи, а где нет!

— Ладно, скажу еще, но голову на отсечение не дам. Один камень у того, на Аллеях Иерусалимских, а другой на площади Унии. Мельком видел, не ручаюсь. А Груецкую гарантирую.

Я успела перехватить пани Крыскову еще днем, передала ей сведения и условилась про телефонный звонок. Это усадило меня дома и позволило снова поссориться с Божидаром, который пришел, явно ожидая раскаяния и просьб о прощении. Поскольку того же я ждала от него, сумбур в моей голове только увеличился. Что-то у меня отчаянно не ладится...

Естественно, именно этот момент выбрал недоумок. По телефону услышала приглушенный голос, искаженный страхом.

— Я все понял. Это просто невероятно. С автоматами и на Праге черт-те что. Поверить не могу. Сейчас ничего не скажу, встретимся где всегда, лучше сегодня...

Положил трубку, прежде чем я успела ответить. Мы обычно встречались в шесть, и я решила, что это установлено раз и навсегда. Позвонила пани Крысковой, предупредила о своем уходе, в результате опоздала на десять минут.

Вошла в «Мозаику». Посетителей в кафе было мало, и я издалека увидела недоумка, он сидел в углу, прислонившись к стене, и, опустив голову на грудь, рассматривал ножки соседнего столика. Задумался так глубоко, что и мигать перестал. Я подошла. Никакого движения: не встал, не поздоровался. Удивленная, я села напротив, намереваясь окликнуть его, и вспомнила, что не знаю даже, как его зовут. Обратиться просто: «пан Юзеф» или «пан Стефан» — ведь на знакомый голос реагируют сразу — не могу, а орать «Эй, пан!» как-то глупо. Ну, ничего не поделаешь...

— Эй, послушайте, пан! — Я старалась говорить спокойно и внятно.— Очнитесь!

Ноль внимания. Вгляделась в него и... замолчала. Довольно долго просидела напротив, не шевелясь, ни слова не говоря, потом встала, наклонилась и потрясла его за плечо. Все еще не доверяя себе...

Он держался в углу достаточно крепко, потому и не упал со стула. Чуть наклонился, но продолжал сидеть, вглядываясь теперь в экран калорифера. Дрожащей рукой я достала из сумки пудреницу. Протерла зеркальце и неловко приложила к его губам.

Ни следа дыхания. Мертв. Абсолютно, основательно и всецело...

Мелькнула бредовая мысль: а вдруг он так, мертвый, и пришел со мной встретиться? На мгновение представилось, как едет трамваем с таким же выражением лица, с таким же взглядом и в той же позиции. Потом голова у меня заработала, но зигзагами и скачками.

Я осмотрелась. Столики рядом были свободны, никто нас не замечал. Паники, конечно, устраивать не стоит. Что же делать?.. Бежать. Смыться отсюда поскорее. Он собирался сообщить мне важную тайну и умер несколько минут назад... Придет же в голову этакая чушь — ясно, приехал сюда не мертвый, и никто его не принес. Вошел живой, когда?.. Сколько здесь просидел и вообще отчего умер?! Сердце?.. Господи Боже, вот кретинка, может, его еще можно спасти?!..

Поначалу я двинулась на ватных ногах, потом быстрее, но не бегом. Едва сама не свалилась трупом, когда кто-то схватил меня за руку.

— Привет,— сказал Гутюша.— Ну и дела — смотришь на меня, а ничего не видишь. Я что, с другой фотографии, или с тобой неладно?

Я взяла себя в руки усилием поистине сверхъестественным.

— Погоди, Гутюша, надо позвонить. Сейчас вернусь.

Нашла заведующего кафе. Телефон в раздевалке меня не устраивал — вдруг одолел страх. Директор тоже не жаждал рекламы и повел меня к себе.

Позвонила в «Скорую», причем назвалась Софьей Ковальской с Маршалковской, восемь, квартира четырнадцать. Скрыла свое имя как-то не задумываясь, неожиданно. Директор слушал, побледнев, и не обратил внимания, что на Маршалковской, восемь, находится театр. Мы вместе вошли в зал, я остановилась около Гутюши и показала пальцем.

— Вон там, в углу...

Заведующий спокойным шагом направился к роковому столику. Гутюша поднялся.

— Что такое? Сначала влетел сюда какой-то, пошептался с тем мужиком в углу и умчался. Потом ты, пошепталась с ним и тоже летишь. Кто он такой? Справочное бюро или пульт управления?

Взвинченная, я в момент поняла Гутюшу и молниеносно сделала вывод.

— Ухожу. Ты тоже. Заплати и бегом! Жду тебя в машине.

— Да я вроде заплатил и уже намылился,— ответил Гутюша и вышел вместе со мной.

Отъехали мы недалеко, я остановилась в конце Дворковой. Повернулась к Гутюше.

— Теперь расскажи все еще раз, подробно.

— Что рассказать?

— Про кафе. Сначала: когда пришел тот, в углу?

— Без пятнадцати шесть. Я смотрел на часы, потому как условился с одним тут, да он не соизволил явиться.

— Хорошо. Дальше. Когда пришел тот, который с ним шептался, и как все происходило?

— Как происходило? Да обыкновенно происходило. Без пяти шесть забежал, я смотрел на часы. Сел рядом с тем, в углу.

— И что?

— И ничего. Посидел, потом встал, сказал ему что-то на ухо и ушел. Потом заявилась ты, в шесть десять, опять я смотрел на часы...

— Стой. А тот, в углу? Другой ушел, а тот?

— Ничего. Сидел себе. А что?..

— Сейчас. Как выглядел другой? Ты бы его узнал?

Гутюша вдруг разнервничался.

— Кончай канитель! Давай кошку из лукошка, иначе я в кусты. О чем речь бежит?

— Он умер, понимаешь? Пришел ведь живой, так?

Гутюша был ошарашен.

— Кто умер?

— Тот, в углу.

— Который там сидел?

— Ну да.

— Как это умер, если сидел?

— Ну так что? В подвале даже стоял!

— Господи,— пробормотал Гутюша, глядя недоумевающе на меня.

Я начала размышлять вслух.

— Пришел живой. К нему подсел на минутку некто. И потом оказалось, живой помер. На мой взгляд, помер бесповоротно, никакой надежды. Или сам, или помог кто-то. Не знаю как, ножом вроде бы не пырнул, следов нету. Не пырял?

Гутюша думал на свой манер.

— Слушай, а тебе не показалось, может, он был умирающий труп? Тот ему что-нибудь ляпнул, и этот совсем скопытился...

— Я спрашиваю: ножом не пырял? Ты ведь все время смотрел на них?

— Ну смотрел, не пырял. Подержал его маленько за ухо, когда шептал, и ушел себе. И что все это значит?

— Значит — буза страшная и сплошной ужас. У тебя знакомый в прозекторской, как хочешь, но разузнай, отчего он умер. Ведь он мне звонил, и мы условились здесь. Собирался мне рассказать...

Я замолчала. Ситуация вдруг прояснилась вполне отчетливо. Ведь я с ним договорилась о встрече, выходит, я и убила недоумка. Солгала: зовут меня, дескать, Софья Ковальская, насчет звонка не отпереться, директор слышал. Сразу после звонка исчезла поспешненько; дура набитая, да разве мало убийц-дураков? С другой стороны, убил его точно тот, шептальщик. Кто-то подслушал, как он со мной условился — ведь открыто сказал, что во всем разобрался и мне расскажет. Враг примчался и убил его до моего приезда. Недоумок ничего не успел передать, кабы успел, так и меня, возможно, кокнули бы...

Да, но ведь они толком не представляют, что именно он мне рассказал раньше, понятия не имеют, что именно мне известно! А ну им придет в голову обезопасить себя на всякий случай! Как ни глянь, везде клин: для властей — преступница, для мерзавцев этих — головная боль. А теперь еще сижу и болтаю с Гутюшей — вот чума-то, и следующим будет Гутюша...

— Я теперь сижу на бобах, погорел, значит,— вздохнул Гутюша, он, видно, размышлял в том же направлении.— Ты уж рассказывай, какой гвоздь, а то у меня чердак съехал набок. Я так и чуял, плохо дело, сразу, как мумец засмердел...

Я рассказала все, исповедуясь перед будущей жертвой. Коротко, но все. Наркотики, Прага, автоматы, приятель недоумка, серия исчезновений, наконец, и сам недоумок, и моя собственная глупая выходка. Гутюша слушал внимательно, потом заключил:

— Ну, пропал обед. У него носки ребрышками.

В первый момент я испугалась, не свихнулся ли из-за всех этих передряг.

— У кого?

— У того шептальщика. Остальное все обычное, только носки больно шикарные.

Мне удалось кое-как отделить ребрышки от пропажи обеда.

Носки, по-видимому, были в полоску. Гутюша, судя по всему, заблудился между зеброй и ребрами.

— Цветные?

— Ясное дело. Красные и голубые.

У нас за спиной взревела сирена «скорой». Я посмотрела на часы: семь минут. Специально на мокрую работу надел такие носки — отлично бросались в глаза, отвлекая внимание от остального.

Снять их — одна минута, и Гутюша его не узнает. Интересно, заберет ли недоумка «скорая»... Если заберут, значит, еще жив и постараются спасти, если оставят — конец, «скорая» мертвых не возит. Надо проверить...

Гутюша что-то говорил, но я не слышала, развернулась и выехала на Пулавскую. Мне удалось прорваться в противоположную сторону и припарковаться на прохожей части прямо перед Олесинской. Стоящую около «Мозаики» машину было видно прекрасно. Гутюша последовал моему примеру и размышлял вслух, обсуждал кандидатуры возможных шептальщиков. Он желал снять с себя всякие подозрения и тем самым снимал их с меня. Очень даже похвально.

Медики вышли из кафе, сели в машину, недоумка не вынесли. Значит, все...

— Ну, я пошел,— сказал Гутюша.— Это, как его, такими колечками, цепляются друг за друга и звенят...

— Цепь.

— Вот именно. Здесь ждать нечего, я хочу поймать тут одного, пускай поглядит, где пса с цепи раскапывают. Если что надыбаю, сообщу.

Я согласилась. Сама тоже отправилась домой. Шутки кончились, необходимо серьезно поразмышлять...

Разного рода маний и заскоков касательно прослушивания телефона у меня не наблюдалось, но был период, когда со связью и вправду творилось нечто фантастическое. Набрав наполовину номер, я вклинивалась в чужой разговор, однажды дала какой-то пани медицинский совет, случалось, подняв трубку, соединялась с кем-нибудь намертво, в мои разговоры врывался кто-то посторонний, сумасшедший дом, одним словом!

Я почти привыкла к этому: с минуту могла слушать чужой разговор исключительно из любопытства, сколь долго люди могут трепаться. Благодаря телефону однажды узнала, где можно купить импортные перчатки, чешские, с длинным манжетом, в другой раз поняла, каким способом сопровождающий спер половину перевозимой арматуры для ванной, а как-то раз услышала нечто, оставшееся в моей памяти навеки.

— ...могильщику из-под лопаты,— сказал какой-то тип.

— Думаешь?..— сомневался второй.

— Не будь кретином.

— Вот именно, мне тоже так показалось, хотя, по видимости, случайность...

— Какая там случайность, кокнут тебя, идиот, с твоим холерным рвением, тоже мне законник нашелся! Да отвали ты от этого, откажись!

— И что, дать письменный отказ? Сидеть на заднице и ждать, что им в башку стрельнет?

Оба голоса занервничали. Я слушала не переводя дыхания.

— Ты усвой,— предостерегал первый.— Это не наш старик решает, а выше. На него тоже давят. Откуда звонишь?

— Из будки.

— Ладно, тогда чисто. Тебе просто подфартило. Уверяю тебя. Открестись от этого дела, и конец. Переведись, сиди тихо, а после уйди из фирмы по здоровью и займись чем другим. Я диву даюсь, что ты еще в живых ходишь!

— Благодаря кошке. Пожалел я кошку...

С трубкой, прижатой к уху, я застыла как гранитный памятник самой себе. Дышать вообще перестала. К этому второму тотчас же почувствовала живейшую симпатию: исключительно красивый голос, к тому же еще любит кошек. Честный тип. В самом разговоре ощущалась какая-то особая атмосфера, притягательные интонации, манящая, жутко интригующая неопределенность. Почему-то я была глубоко уверена: беседуют не преступные элементы, а так называемые законопослушные граждане, и таинственная угроза второму есть результат служебных пертурбаций, а не страшная месть и преследование. Про сопровождающего с арматурой я уже давно слышала, и он как-то невольно связался у меня с тем, что звучало в трубке теперь: этот, с кошками, старается противостоять махинаторам и начальству его сопротивление не по нутру. Приятель ему талдычит, как мужик корове на меже...

— У меня улики, целый ворох, не придерешься! — мрачно сообщил тот, с кошками.

— Все побросай в болотце,— посоветовал приятель.— Они в курсе насчет улик?

— Черт их разберет. Возможно, догадываются.

— Так вот, слушай: я похорон не люблю. Брось ты все это! Где они у тебя, эти улики?

— Не дома же. Ладно, ты прав, убедил, я отваливаю.

— Послушай-ка! Передай все Рысеку. То есть передай, что надо, только так, вроде это и все, а больше ничего нету. Сечешь?

— Может, и в самом деле в последнее время одурел, да не до такой же степени. Итак, дальше мы с тобой не знакомы?

— Через пару лет познакомимся. Когда будешь вкалывать в кооперативе «Паяц» или еще где. Или когда и я полечу.

— Нет, тебе не стоит. Постарайся остаться.

— Да уж как выдержу. Не поверишь, но у меня тоже много кое-чего в печенках сидит. Долго говорим, привет.

— Привет. Бог тебе в помощь...

Они разъединились, и я наконец задышала свободно. Запомнила каждое слово, поскольку каждое слово рождало живые картинки. Передо мной вовсе не стоял мой книжный шкаф, а бежала вереница образов: могильщик с лопатой, какая-то государственная бумага, телефонная будка, кошка, болотце, похоронная процессия под дождем на кладбище, таинственная улика в виде ножа, пачки фотографий большого формата, масса документов в картонной папке и, наконец, отвратительный паяц в клетку. Моя память, как правило, удерживала навсегда подобную серию картинок.

И как раз теперь услужливая память подкинула кое-что из своего запаса. Я неожиданно поняла весь смысл и словно бы сделалась свидетелем продолжения. Кто-то что-то расследовал, настаивал, добивался своего: Павел, приятель недоумка, сам недоумок... Вдруг от страха за Павла сдавило горло. Он тоже говорил со мной по телефону, а ведь подслушали же недоумка. Кто стоял у него за спиной или попросту держал параллельную трубку?

Вдруг очередь за мной, ведь так или иначе я вляпалась в эту историю! И я применила единственный метод, который мог дать результат: извлекла большой лист в клеточку и принялась рассуждать на бумаге.

Определенно и ясно обозначилось место действия. Все сходилось на Праге: логово перенесли на Прагу, мальчик пропал на Праге, хиппи тоже, недоумок узнал нечто конкретное о махинациях на Праге и тут же был убит. Даже Божидарова ложь касалась подвалов на Праге...

Возможно, я бы трижды подумала, лезть или не лезть в заваруху, если бы не вспомнила о Божидаре. Неприятностей вообще-то и так предостаточно: недоумок на моей совести, терзаюсь из-за Павла, опасаюсь за Гутюшу, неужели еще и столь желанную связь придется порвать. Словом, с ума я спрыгнула окончательно, а бунтарское, агрессивное, ослиное упрямство подгоняло вопреки всем доводам разума: назло что-нибудь да разузнаю!

Через пятнадцать минут была уже на Праге.

Остатки благоразумия, видимо, еще сохранила — машину оставила довольно далеко и во двор пробралась пешком с задов. Было еще светло, сумерки едва надвигались. Проходя в глубь двора, я подумала, что следовало бы захватить рулетку. Какую-нибудь, хоть маленькую, двухметровую — у меня была такая дома — или хоть обычный сантиметр. Черт знает зачем я сюда приехала, а так могла сделать вид, проверяю, мол, обмеры — мы, кстати говоря, забыли о высоте двух ступеней при входе. Но увы, поздно спохватилась.

А вдруг?..

Я прошла четыре шага, размышляя о маленькой рулетке и портновских сантиметрах. Все это валялось где-то дома, правда, рулетка давно не попадалась, хотя всегда лежала в углу на полочке; а как я измеряла ширину полки в магазине, не на глазок же? В сумочке не наводила порядок целые века. На пятом шагу я оказалась как раз около щебневого развала, шестого не сделала. Присела на корточки, поставила сумку на обломок бетона и начала выгребать содержимое.

В косметичке нашла маленькую рулетку и вздохнула с облегчением. Пустячная эта находка здорово повысила мое настроение и чуток утихомирила тайфун в душе и хаос в мыслях. Я отложила рулетку и весь вываленный хлам начала впихивать обратно в сумочку.

В процессе запихивания меня потянуло закурить. Я не особо сосредоточилась на своем занятии, взгляд рассеянно блуждал по развалу. Бог знает, что я намеревалась увидеть. Если и в самом деле там хранилась какая-то тайна, тайна ведь не имела права вылезать на поверхность, а смотровые щели не входили в расчет укрывателей. И все-таки я принялась внимательней рассматривать груды щебня и мусора, вяло собирая упавшие с бетонного обломка вещи.

Здесь была настоящая свалка старого хлама. Тут торчала часть оконной рамы с покореженными петлями, из щебня вылезло дырявое днище какого-то котла. В раскопанной детьми яме высилась труба от буржуйки, с коленом. Дальше высовывалась ванна, заваленная щебнем намертво,— виднелась только часть со стоком, вверх ножками, а на стоке удержался кусок трубы.

Я вдруг насторожилась. На четвереньках перелезла к трубе от буржуйки, приложила ладонь к отверстию, вспомнила разбросанное свое барахло, вернулась, проверила, все ли собрала, и снова полезла к трубе. Что-то она мне напоминала. Заглянуть в нее было невозможно, мешала темнота, мешало колено. К тому же снизу она могла быть согнута этаким зетом...

Присев рядом на корточки, я разрешала проблему отдушин и вытяжек и так увлеклась этой вентиляцией, что совершенно забыла, где нахожусь. Собралась было ощупать ванну, потому что кусок трубы на стоке держался непонятным образом...

Однако даже не пошевелилась. Замерла на четвереньках, уже и шея затекла, голову не повернешь.

За мной что-то стояло. Я ощущала это до ужаса явственно. Мелькнула мысль, что безотносительно к дальнейшим событиям у меня есть шанс остаться тут навсегда. Все проще простого — рухну мертвой и останусь около этой трубы с коленом до Страшного суда. В лучшем случае мой труп уберут из гигиенических соображений...

Что-то стояло за моей спиной и дышало. Немного сопело, может, насморком мучилось. Только через какое-то время уловила, что посапывают прямо за спиной и, верно, «оно» совсем невысокое — собака, например. Медленно, с усилием, от которого заболела шея, я обернулась.

За мной стояла девочка лет шести и сосредоточенно меня разглядывала, хоть и без особого интереса. Напряжение отпустило меня так внезапно, что я сменила позицию: проще говоря, плюхнулась на землю. Произнести хоть одно слово я была неспособна.

— Фуфко тут фастал,— сказала девочка.

Во мне все дрогнуло: Фуфко фастал, Боже милостивый, что это она говорит?.. Может, я не расслышала?..

— Дыла была,— конфиденциально сообщила девочка.— Пан фпал.

Слабость еще не прошла, но вроде я начала что-то понимать. Девочка, очевидно, была не прочь поболтать, и мое молчание ее отнюдь не смущало.

— Че тут делаеф? — осведомилась она недовольно.— Дылы уф нету.

Так. Была дыра, ее уже нет. Минутку. Пан спал?.. Очередное героическое усилие — и мой голос наконец, прорезался — чужой, несколько хриплый.

— Тут все рухнуло? — спросила я, показывая рукой.

Девочка швыркнула носом и кивнула.

— Ба-бах,— сообщила она с явным удовольствием.

Видимо, она не выговаривала и «р» и по-своему изобразила обвал. Я совсем успокоилась и продолжила расспросы.

— И получилась дыра? Видно было пана? И он спал? На постели?

Девочка на каждый вопрос согласно кивала, на последний мотнула головой.

— На фтоле.

— Пан спал на столе?

Снова кивнула и добавила:

— Он был гляфный. Фу. Мелфость.

— Ты его видела?

Она покачала головой с явным сожалением.

— Откуда ты знаешь, что спал на столе и был грязный?

— Фуфко гоnoлил. Мне.

Она постучала пальцем в грудь, очень гордая таким событием. Фуфко ей говорил... Иисус-Мария, Сушко!..

Я чуть не задохнулась от волнения. Не девочка, а просто кладезь драгоценных сведений, только вот как с ней договориться?! Она, по всей видимости, медлительная и чуть запаздывала в развитии, но память у нее работала...

— Он только тебе говорил? — заволновалась я.

Девочка вполне оценила произведенный эффект: да, ей одной он сказал. Тайна не давала ей покоя, меня же, вероятно, признала достойной доверия — значит, я вела себя правильно. Несколько раз она кивнула резко и энергично.

— Только мне.

— А другим детям? Другие дети знали?

— Нет.

— Понимаю. Только ты. А что он еще сказал? Что видел?

— Длугой пан,— она показала два пальца.— Такие длугие паны. Мафали его гляфью.

Она несколько раз медленно махнула рукой, подражая жесту красильщика. Волнение обострило мою восприимчивость. Перед глазами возникла картина: мужчина на столе, двое других намазывают его чем-то грязным. Господи...

Расспрашивать девочку следовало мягко и спокойно. Излишняя настойчивость могла ее спугнуть.

— И что он еще видел?

Девочка не особо задумывалась. Услышанное от другого ребенка явно заинтересовало ее, хотелось высказаться.

— Фаблали пана. И делали магафин.

Я перевела. Забрали пана и делали магазин. Почему магазин?..

— Как делали магазин?

— Паки. Больфые. Малые. Вефали. Паковали.

Говорила она плохо, но показывала превосходно. Я больше поняла из жестов, чем из слов. Были у них большие пачки, доставали что-то, взвешивали, делали маленькие пакетики...

— Мука,— добавила девочка.— Фоль.

Мука и соль — белый порошок. Минутку, почему это белый, конопля вроде бы темно-коричневая... Про марихуану не знаю, а вот кокаин и героин белые. Героин в больших пачках?.. Бессмыслица! Может, конопля после обработки тоже белая?..

— Много всякого,— продолжала она.— Много. Иглуфки. Огоньки — миг-миг.

Не знаю, все ли я разгадала бы, не хлопай девочка так энергично глазами. Огоньки мигали, понятно. Труп намазывали воском, наркотики развешивали и упаковывали, какие-то предметы с мигающими огоньками. Боже милосердный, неужели мальчик видел все это за один раз?!..

— И все это было сразу? — спросила я торопливо, с жадным любопытством, потому что девочке это явно нравилось. Она сообщала важные сведения, и к ней относились серьезно.

Она покачала головой.

— Пан был лаф. Фаблали, и был магафин. А иглуфки фавтла. По-о-о-о-том. По-о-о-о-том.

Я поняла. Мальчик заглядывал минимум дважды, а может, и больше. Один раз видел труп и возню с наркотиками, потом какие-то игрушки и мигающие огоньки. Черт знает, что это такое — может, лампочки для елки на экспорт, к тому же нашпигованные героином...

— А потом? Он еще что-нибудь видел?

Девочка с большим сожалением швыркнула носом и покачала головой.

— Фаблали его. Наклицали. Дыла бух. И нету.

— И что с ним случилось? Где он, этот Сушко?

— Фаблали.

— Кто забрал? Те, что накричали?

Она снова повертела головой и явно смутилась. Ничего не собиралась скрывать, напротив, хотела со мной поделиться всем, что знала и пережила, но не умела передать. Жесты на этот раз не помогли.

— Длугие. А те ифкали.

Необходимость переводить ее слова, подставляя звуки, которые она не выговаривала, меня чуть не добила. На мгновение передо мной возник образ фукающих со злости хмырей. Ничего подобного, хмыри не фукали, они искали мальчика. Искали те, что кричали на него, а забрал кто-то другой. Кто это мог быть, черт побери?..

— Мама его взяла? — спросила я наудачу.— Может быть, его мама?

Девочка отрицательно покачала головой.

— А кто же? Кто-то другой?

— Такие. Такой пан. И пани,— оживилась она несколько.— Иглали плятки. И пофли.

Какие-то люди забрали мальчика якобы поиграть в прятки. Я чуть не целую минуту расшифровывала высказывание — фуканье сбивало меня с толку. Фигурировала какая-то баба, может специально нанятая, чтобы вызвать доверие у ребенка...

— Нафы,— добавила девочка погодя.

— Что наши?

— Пан. И пани. Они были много.

— Знакомые?

Кивок согласия.

— Понимаю. Пан и пани были тут много раз?

Снова согласие.

— Понимаю. Забрали Сушко и пошли. А после? Опять пришли?

— Не. Велели так.— Она приложила палец к губам.

Это ясно: люди, забравшие мальчика, велели молчать.

— И больше не пришли? Ты их не видела?

— Нет.

Я замолчала, обдумывая, как выведать у девочки подробности насчет пана и пани. Возможно, она слышала фамилию или имя на худой конец...

— Делай дылу,— предложила девочка.— Я тофе фагляну.

Я, признаться, смутилась, сообразив наконец, что торчу с ребенком на идеально стремном месте. Еще не хватает, чтобы меня кто-нибудь застукал здесь и понял, о чем у нас речь: а уж разгребать кучу и тянуть трубу от печки — тут я все свои рекорды глупости побила бы. Девочка смотрела на меня с надеждой.

— Нет,— сказала я с сожалением и встала.— Нельзя сделать дыру — уже все забили. Пойдем в другое место и еще поговорим с тобой. Не знаешь ли ты, как звали того пана или пани, которые забрали Сушко?

Девочка пошла за мной довольно охотно, только очень медленно.

— Кафа,— сказала она.— Пани Кафа.

Кафа... Святые господни, что бы это могло быть?.. Каша? Постой-ка, похоже, Кася?..

— Кася? — попробовала я, оглянувшись на нее.

Девочка без колебаний кивнула. Мальчика забрала некая Кася. Немного, но кое-что все же...

— Клафивая,— объяснила девочка мечтательно.— Клафивая!

Сведения о пани Касе расширились: красивая и даже очень. Я собиралась сесть где-нибудь в сторонке и выспросить хоть какие-нибудь подробности, но ничего не получилось. Из барака выбежала няня, не пани Ната, какая-то другая, незнакомая. Она сразу увидела девочку, которая тянула меня за руку, назад — видимо, ей было трудно поспевать за мной.

— Мартуся!

Я остановилась, девочка тоже. Няня подбежала к нам и схватилась за волнующуюся объемистую грудь.

— Ты плохая девочка, где ты все пропадаешь? Что вы тут сумерничаете с ребенком? Ей спать давно пора!

— Все в порядке! — миролюбиво объяснила я.— Мы разговаривали, но мне, к сожалению, трудно разобрать ее слова. Вы-то ее понимаете?

Она взяла девочку за руку и взглянула на меня подозрительно.

— Я-то привыкла. Вижу, нету ее, испугалась. А вы что тут?..

— Да ничего. Я от проектировщика. Мы делали здесь обмеры и забыли про лестницу, вот я и приехала обмерить. А эта девчушка мне попалась по дороге — что-то очень ласково шепелявила, хоть я почти ничего не поняла. Мне тоже показалось, время позднее, и я повела ее в барак, а после уж решила сделать обмеры — только-только успела найти рулетку...

Объяснения я давала простодушные и многословные, ведь известно, каков бывает результат, когда напускаешь таинственность. Всякая болтовня усыпляет внимание, и, напротив, запинки да паузы возбуждают подозрения. Ну и пожалуйста, о лестничке и обмерах могу до бесконечности.

Дурацкий треп успокоил няньку, и она перестала мной интересоваться. Мягко побранила девочку, вздохнула с явным облегчением, и обе исчезли в бараке. Я тщательнейшим образом обмеряла лестницу и ушла с этого кошмарного двора, стараясь не оборачиваться...

Лист бумаги в клеточку, исписанный моими наблюдениями, все время лежал на столе. После всех происшествий я перечитывала внимательно заметки, и тут-то забрело мне в голову принципиально важное соображение. Почему это никто не цепляется ни ко мне, ни к Гутюше? Два преступления, в обоих случаях мы видели трупы, да нас же просто необходимо отправить на почетное место главных свидетелей, а тут — ничего. Ерунда какая-то! Не нашли нас? Тогда какое, к черту, следствие? «Скорую» я вызвала, правда, под именем Софьи Ковальской, но это же примитивно! Я сразу же села в машину перед самым входом в кафе, номер был четкий, незапачканный и незакрашенный, плевое дело меня разыскать. Что это? Головотяпство, бездарность, непонятная и пугающая?

Мысль о добровольной помощи следствию на сей раз не возникла даже на далеком горизонте. Напротив, мне надлежало добровольно и старательно притаиться. Я еще не настолько спятила, чтобы каким бы то ни было властям пересказывать открытия погибшего недоумка...

Удивляться-то я удивлялась, но это ни в малейшей степени не удерживало меня. Скорее подстегивало, ибо дьявольский притон я возжелала найти всенепременно. И проблема, собственно, не в наркотиках, наркотики — дело обыкновенное.

Нет, меня куда больше занимало услышанное от недоумка и от девочки. Один воскликнул, в голове, мол, не укладывается, а наркотики — не такое уж диво, укладывались вполне, а другая добавила про огоньки. И к этой тайне я устремилась на всех парах, вернее, с силой смерча, глухая и слепая ко всему прочему — ведь, надо полагать, я просто лопну, если не совершу какого-нибудь идиотизма. Пани Крыскова подождет — после закрытия магазинов наверняка ей не понадоблюсь.

Черный парик с роскошными локонами я позаимствовала у Зоси.

Бросив взгляд на свое отражение в витрине, я прямо-таки обомлела. Там отражалось нечто сногсшибательное. Старые сабо на мощных котурнах прибавили росту, оранжевый плащ в виде халата, больше на два размера, много лет назад купленный по необходимости — других не было, надетый на костюм, превратил меня в толстенную бабищу, а большой, черный, колтуном сбитый парик достойно венчал сие одеяние.

Очень даже возможно, что такой маскарад спас мне жизнь.

Многочисленные отмычки у меня сохранились с давних пор, когда работала на строительствах. По очереди отделанные помещения запирались, ключи терялись немедленно, и персоналу приходилось пользоваться «соловьями». Место работы давно ушло в прошлое, а отмычки остались.

Без особого труда я справилась с той закрытой подвальной дверью, что вела в помещение, расположенное за восковым мертвецом. Ощупала притолоку, включила свет: довольно длинный, обычный подвальный коридор с рядами дверей по обе стороны. Я на цыпочках прошла до конца коридора, внимательно осматривая двери, потому как больше осматривать было нечего. Двери были разные: ажурные из рейки, плотные из досок, одни открытые, внутри — всяческий хлам, другие — солидно укрепленные, с засовами, замками и затворами из толстых полос железа. Я поколебалась, не вломиться ли во все по очереди — хотя нет, слишком большая возня, лучше сперва просто осмотреть.

В конце коридора я так же легко открыла следующую дверь — да, отмычки у меня отменные. Нечто вроде прихожей, снова двери... Дверей пять во всех четырех стенах выглядели абсолютно одинаково.

Три двери поддались, две никак. Из первых трех одна вела в коридор — в глубь очередного дома, аналогичного тому, через который я пришла; вторая была от каморки, забитой щетками, ведрами, стремянками и разной ветошью, а третья выходила на лестничную клетку, ведущую наверх. Захламленную каморку я миновала сразу, а для дальнейшего изучения избрала коридор. Направление вроде то самое, куда я раньше не сумела добраться.

Я медленно двинулась по коридору, как вдруг где-то за спиной прозвучало нечто вполне обыденное, но для меня более страшное, чем взрыв бомбы. Кто-то что-то открывал, звякнул замок, стукнул засов. Меня бросило в жар, на мгновение я замерла: длинный коридор, вроде бы плохо освещенный, но меня в нем видно, спрятаться некуда, ни одну дверь не успею открыть. Господи помоги!..

Я остановилась пень пнем, повернув голову и рассматривая прихожую. Там появился некто, самым очевидным образом спустившийся с лестницы, вроде даже взглянул в мою сторону, но безразлично. Тащил большой мешок, вошел в следующий коридор, исчез.

Теперь есть шанс бесшумно смыться. Но в какую сторону бежать? Все получилось само собой: в конце коридора, в темноте, снова что-то щелкнуло, кто-то вошел в подвал. Раздумывать не приходилось: лишь усилием воли сдержав бег, я быстро вернулась в прихожую и рванула на лестничную клетку.

Даже не осмотрев строения, я сразу же вышла на свежий воздух, если можно так сказать про двор-колодец. За спиной — дверь в только что оставленный подвал, напротив — стена с окнами и еще одна дверь в самом углу. Закрытая. Вспышка клаустрофобии довела меня почти до потери чувств, руки дрожали, когда я пробовала разные отмычки, нужная, конечно же, оказалась последней. Обычная лестничная клетка, в подвал — нетушки, подвалы мне решительно перестали нравиться, сверхъестественным усилием поднялась по нескольким ступеням, ведущим на первый этаж. Где-то за мной снова звякнуло. Мало что соображая, я вихрем вылетела на другую сторону — черт возьми, опять двор! Но есть ворота, похоже, на улицу...

Я бы, конечно, сунулась в ворота, но туда как раз входили. Спрятаться от людей мне представлялось сугубо необходимым. Убежище избрала без колебаний — выбора не было: контейнеры с мусором, и больше ничего. Я присела на корточки. В случае чего сделаю вид, что выбрасывала мусор, а теперь убираюсь тут — у меня на гигиене пунктик. Или что-нибудь выронила и стараюсь найти: по ошибке выбросила в мусор маленькие ножницы и пусть сдохну, да отыщу их.

Больше ничего не придумала, да и то слава Богу, ежели учесть, что время для размышлений ограничивалось несколькими секундами. Люди из ворот вошли на лестничную клетку. Одновременно открылась дверь, через которую я бежала в панике, и появился какой-то хмырь. Не взглянув на мусорные контейнеры, спокойно и степенно направился к воротам, вышел и исчез по другую сторону.

Я все еще сидела между контейнерами, хотя территория была уже свободна от врагов. Вышедший хмырь парализовал меня окончательно. Видела я его лишь какое-то мгновение, но разглядела прекрасно,— его осветила лампа над дверью. Я знала это лицо. Откуда-то знала: довольно простецкая морда и нос клецкой...

Зрелище это захватило меня целиком. Собственными глазами увидела наконец таинственного индивида, описанного Зосей и Павлом, помнится, тогда еще засвербило в мозгу: где я уже видела его рожу, где же, черт побери, и кто он такой?!..

В конце концов я вылезла из мусора, занятая проблемой рожи с клецкой до такой степени, что забыла, где нахожусь, что делаю и как выгляжу. Машинально вернулась обратно, вошла в дом, проторенным путем выкатилась во двор и толкнула дверь в подвал. Не насторожило меня даже, что она приоткрыта. Спустилась по двум ступеням.

Боги улыбаются психопатам.

— ...ты зажег? — спросили внизу, и я застыла, поставив одну ногу на третью ступеньку.

— Нет, Вальчакова. Возилась там, в коридоре.

— Пускай звонит в следующий раз. Фотоэлемент сработал, и шеф испарился...

Голос был злой и обеспокоенный. Я протрезвела в мгновенье ока, попятилась, бросила дверь приоткрытой, в воротах очутилась не помню как. Сорвала с себя плащ-халат и парик, на улицу вышла собственной, так сказать, персоной. Понятия не имела, где оказалась, да ладно, к машине могу вернуться любым кружным путем, из осторожности оставила ее довольно далеко от этой пещеры разбойников.

И все же я сообразила, что произошло. Где-то там фотоэлемент сигнализировал мое присутствие, хмырь с мешком заметил-таки меня. Но спутал, верно, с дворничихой, Вальчаковой, огромной бабой, черноволосой, в оранжевом рабочем халате. Конечно, я и не думала о нашем сходстве, когда напялила парик и плащ-халат, но так, к счастью, случилось; оттенок был, правда, другой, но не стоило требовать от мужчины, чтобы при плохом освещении он уловил нюансы колера. Принял меня за нее, и только поэтому я живая выкарабкалась из этой кретинской эскапады...

Нет, с меня хватит, больше туда ни ногой. Добилась, в сущности, одного: лицезрела хмыря с клецкой — сомнительное удовольствие, сомнительное достижение. Я так и не вспомнила, где видела его раньше; в результате — множество колючих домыслов, не дающих покоя. С равным успехом могла вываляться в кактусах...

Позвонила пани Крыскова и пригласила меня на чай, непременно сегодня же вечером. Я вознамерилась обсудить окончание нашей аферы, однако ошиблась. Посередине стола лежали два шестикаратовых бриллианта, на них я и воззрилась с огромным интересом и превеликим удивлением. Пани Крыскова сияла.

— Я вас просила обязательно сегодня, потому что продать надо сейчас же, а мне хотелось, чтоб вы посмотрели. Есть уже и клиент, огородник — для дочери покупает, ведь у нас огородники самые солидные люди.

— Так ведь договорились — мне идти в магазин? — удивилась я.— Выходит, вы рисковали сами?

— Да что вы! Моя племянница купила, случайно оказалась здесь, живет в Кракове и приехала на один день. Вот я и воспользовалась случаем, оно и к лучшему. Завмагазином согласилась продать, я ей накинула сто тысяч, и это недорого, она ведь больше всех рискует. А вы останетесь про запас.

Но десять процентов ваши, сразу говорю сколько — сто шестьдесят тысяч.

Отнекиваться было нелепо, и я тут же решила поделиться с Гутюшей, пожалуй, даже из расчета один к двум, ведь его участие оказалось главным.

Пани Крыскова растроганно вздохнула.

— Жаль, редко приходят камни, да и все ужасно боятся, чаще, чем раз в два-три месяца даже и пытаться не стоит. Деньги будут завтра, если вы зайдете в магазин, отдам вам конверт...

Я забежала ближе к закрытию — сто шестьдесят тысяч пешком топать не желают и на дороге не валяются. Гутюшу я любила, и мне хотелось порадовать его, особенно теперь, когда я сама ввязала его в разные пакостные хитросплетения. Поехала к нему прямо от пани Крысковой, даже не позвонила, потому как было неоткуда. В шесть он обычно у себя, если нет, застану у Тадеуша.

Машина «скорой помощи» перед его домом безразлично мелькнула перед моими глазами. Поднялась на седьмой этаж, шагнула из лифта: суматоха у дверей Гутюшиной квартиры. Санитары как раз выходили с носилками. Боже милостивый?..

Гутюша лежал на носилках — я похолодела... Все лицо было заклеено лейкопластырем, изо рта и носа тянулись какие-то трубки, иных повреждений вроде бы не замечалось. По-видимому, еще жив, раз его забирали. С трудом выдавила обычный вопрос.

— Отравление газом,— сухо ответил врач и отстранил меня с дороги. Санитары внесли носилки в грузовой лифт.

Соседи со всего этажа еще болтались у дверей. Я принялась расспрашивать. Отвечали дружелюбно, очевидно, на мне лица не было от тревоги. В пять минут получила полную картину ситуации.

В квартире страшно кричал кот. Кричал и царапал дверь когтями, слышно было снаружи. Проходила соседка, не выдержала и позвонила, подергала ручку, дверь открылась, потянуло газом, кот выпрыгнул из дверей и умчался. Соседка зажала нос и вошла. Гутюша лежал в кухне. Женщина подняла других соседей, открыли окно, перенесли Гутюшу на тахту, что-то с ним, видать, серьезное случилось: все лицо заклеено пластырем, кроме того, пьян до изумления. Водкой несло больше, чем газом, а в кухне валялась бутылка из-под «Житной». Видно, до плиты добрался совсем хороший, даже не соображал, что открыл газ и не зажег, упал, а газ стелется понизу... Неизвестно, как долго провалялся в таком виде, кот орал, наверное, с час, больно выносливый, коли выдержал. «Скорая» приехала сразу, а милиция вот-вот нагрянет, из-за газа должны приехать, только вот сообщили им с опозданием, врача надо было побыстрей...

Я забыла спросить у врача, в какую больницу его отвезут, но соседи оказались на высоте. Дежурил сегодня госпиталь Преображения Господня.

Мысли прыгали как бешеные. Гутюша алкоголик — ахинея, чушь! Может, его спасут, если кот выжил... Но ведь кот был трезвый. Я и не припомню, видела ли вообще его пьяным — Гутюшу, не кота. Ах да, помню, три года назад, на именины Тадеуша... Господи, Тадеуш, ведь Гутюша делает ему проект, дома, не на работе, левый заказ... Бумаги, приедет милиция, все закроют. Тадеуш не получит ни чертежей, ни расчетов. Гутюше я не помогу, а вот Тадеуш...

Следовало сейчас же известить Тадеуша о несчастье. Пусть сразу хлопочет насчет документации! Гутюша выздоровеет, просто обязан выздороветь, зачем ему еще неприятности из-за опоздания с проектом... В его квартиру никого не пускал законопослушный сосед, стоял на пороге и сторожил, к тому же в помещении несносно пахло газом, вроде он без запаха, а все-таки... Мне не пришло в голову позвонить Тадеушу, я машинально вышла из толпы, уже поредевшей, съехала вниз, миновав тормозящую милицейскую радиомашину. Всю дорогу ком стоял в горле.

Уже с первого этажа я почему-то вбила в голову, что не застану Тадеуша, полный бенц и крах. На четвертом меня чуть не колотило. На пятый взлетела полностью невменяемой, позвонила, готовая дубасить в дверь кулаками и каблуками.

Дверь открыл Гутюша.

— Проходи, проходи,— энергично пригласил он, ибо я застыла каменным изваянием на площадке, созерцая призрак Гутюши и пытаясь уразуметь, что я вижу.— Они дома, только заняты очень.

Фантастика, бред. Мелькнула дурацкая мысль, что стрессы укорачивают жизнь. Я поделилась этой новостью с Гутюшей странным каким-то голосом, едва выговаривая слова, наконец, пошатываясь, вошла в прихожую.

— Что случилось? — забеспокоилась Эва, поднимая глаза от чертежной доски.

Я уставилась на Гутюшу, даже потрогала.

— Гутюша, Господи Боже... Слушайте, вы уверены, это Гутюша? И притом живой?

— Минут пятнадцать назад вполне ощутимо наступил мне на мозоль, так что, по-моему, даже слишком живой,— проворчал Тадеуш.— А что, по этому поводу есть сомнения?

— Чудеса. Человек спьяну отравился газом у себя дома, и «скорая» забрала его в больницу. Неизвестно, удастся ли его спасти, врач выглядел так, что не удастся. Гутюш, как это тебе удалось? И зачем? Чтобы меня прикончить, да?

— Как так? — изумилась Эва.

— Это у тебя экспромт или заранее репетировала? — иронически поинтересовался Тадеуш.

Гутюша, стоя посередине комнаты, смотрел то на них, то на меня. Впечатление такое, словно он по-польски ни бум-бум. Я уселась на табуретке, ноги у меня подгибались, хоть малость соображать я уже начала.

— Гутюша, Бога ради, пошевели мозгами! Кто у тебя был в квартире, ведь ты один живешь?! Я прямиком от тебя, Богом клянусь, думала, это ты, и приехала сказать Тадеушу! Заберут всю документацию, милиция уже там, пломбу на квартиру тебе пришпандорят...

— Курва!!! — Гутюша, наконец, обрел голос, вернее, вопль: — Ты, слушай! Ты серьезно говоришь?!!..

— Честное слово, клянусь! Все думают, ты, физиономии не видно из-за пластырей, в чем дело...

Гутюша взвыл, метнулся к двери и обратно. Видно, одурел окончательно.

— Кузен! Там был мой кузен! Из провинции! Утром приехал! Брился! А не умеет! Этим — ухо Ван Гога!!!

До самого уха Ван Гога мы понимали его выкрики, а после уха перестали. Тадеуш наконец выпытал: оказалось Гутюша имел в виду бритву. Кузен брился опасной бритвой первый раз в жизни, получил ее в наследство от дяди, хотел попробовать, изрезал себе все лицо, пока не согласился прекратить самоубийственный эксперимент. Характер имел решительный, и если уж ставил в жизни цель, то обязательно добивался. Бритье тоже закончил, но лицо после этого пришлось основательно залатать — все пластыри пошли в дело...

— Перестань орать, едем! — накинулась я на ошалелого Гутюшу.— Не знаю только, куда сначала.

— Домой,— оборвал прения Тадеуш.— Запломбируют квартиру, пиши пропало. Кузену в больнице все равно не помочь, а кровь можно и позже сдать.

— А потом в милицию,— подхватила Эва.— И обязательно добровольно, иначе вас заподозрят.

В квартире у Гутюши милиция все еще валандалась. Проверили плиту и трубы, ничего неисправного не нашли, бардака большого не наделали и как раз намеривались уходить. Наше прибытие изменило их планы.

— Когда вы ушли из дому? — подозрительно спросил сержант, проверив Гутюшины документы и приняв к сведению визит кузена.

— Утром,— угрюмо ответствовал Гутюша.— Сразу после того, как он наклеил все эти заплаты. Он в шесть приехал, так что успел и порезаться и заклеиться.

— А после? Вы не приходили? С работы не возвращались?

— Нет. У него ключи, у Юзефа то есть, я ему дал.

— А вы где были?

— На Грохове. У приятеля. Вместе делаем работу, и надо спешить. К доске приклеился, пока она вон не приехала...

Я рискнула вмешаться, объяснила: Гутюша сидел за чертежной доской, выполняя спешную работу, так называемое проектирование. Дала адрес Тадеуша, так как Гутюша вместо номера дома и квартиры упрямо твердил номер телефона. Я не удосужилась заранее выдумать повод для сегодняшнего визита и чуть не ляпнула насчет бриллиантов. Спохватилась, однако, вовремя и заявила: приехала вернуть деньги, взятые в долг несколько дней назад. Немного, пятьсот злотых. Гутюша пялился на меня, как баран, и не протестовал — пятьсот злотых проигнорировал, всецело поглощенный своим кузеном. Потом вдруг застонал:

— Он же не пьет! Он типичный алкоголик вверх ногами.

— Абстинент,— услужливо перевела я.

Сержант внимательно посмотрел на нас, деловито осведомился, не состою ли я с Гутюшей в связи, согласился, что это необязательно, и велел явиться завтра в отделение для дачи показаний и подписания протокола. Вешать пломбу на квартиру не стали, вышли все вместе, я отвезла Гутюшу в больницу.

Кузен уже умер.

Проблема алкогольного опьянения кузена вызвала перепалку, к счастью, короткую, ибо Гутюша не отличался буйным нравом. Быстро прекратил настаивать на своем и мрачно замолчал, молча же прочел результат анализа, в котором, увы, констатировалось: в крови кузена доза алкоголя была для большинства нормальных людей смертельная и, уж если на то пошло, газа вовсе и не требовалось. Умер с перепоя. Гутюша забрал все, что ему отдали, и молча вышел из больницы. Язык у него развязался только в машине.

— Хорошо хоть родители у него померли,— рассудил философски.— Сестра только есть, старше его, моя кузина, а вообще-то они живут в Катовицах.

— А ты говорил, он из провинции,— удивилась я невольно.

— Он из Бендзина. Сестра в Катовицах. Жена у него была и дети, да все распалось, так что волосы у жены, верно, все целые останутся. К тому же у нее богатые родители.

Очевидно, Гутюша пытался прийти в себя, находя утешение в мудрых житейских максимах. Я вспомнила, что, пожалуй, порадую его историей с бриллиантами пани Крысковой, все удалось как нельзя лучше. Гутюша пришел в себя окончательно. Немного поспорили: я, учитывая его несчастье, пыталась всучить две трети, он уперся на половине. Я в конце концов уступила, не желая его раздражать.

— Если по совести, для меня все мрак и туман,— признался он, убирая деньги в бумажник.— Он в самом деле почти не пил, ну, рюмку-другую с какой-нибудь роскошной закуской, в праздник. Не любил и, пожалуйста, себе же навредил. Черт разберет, как эти градусы могли в нем расквартироваться, не понимаю, и вообще водки в доме почти не было. Стояла початая поллитровка да вроде бы остатки коньяка. Разве с собой приволок и тут же ухнул? Исключено, чушь.

— А вдруг друзья-товарищи объявились? Дело какое обмыть понадобилось. Уступчивый он по характеру?

— Наоборот, и точка. Упрямый, если что заберет в голову, с места не сдвинешь. А насчет водки легче монумент уговорить, а его ни за что. Не понимаю. Я, пожалуй, вернусь в эту больницу, только сперва с семейством разделаюсь. И вообще не знаю, по-моему, что-то тут не так.

— То есть?

— Сдается, он мне звонил. Под конец рабочего дня кто-то звонил раза три, и ничего — разъединяли, а ну, как он, и какая-нибудь лабуда приключилась...

— А по ошибке не хватил спирту? Одна моя тетка по недоразумению напилась воды с мылом, в которой другая тетка размачивала ногти. Твой кузен мог случайно тяпнуть соляную кислоту.

Гутюша говорил забавно и порой нескладно, но думал толково.

— И сколько этой воды выпила твоя тетка?

— Один глоток. Большой, правда, но один.

— Ну, знаешь, с одного глотка на тот свет не уедешь. Ну пусть с головой неладно — не привык, или с ногами, но такие градусы, то бишь проценты алкоголя в крови, от одного глотка не проявятся. А у него были, сам в больничной бумажке видел, ты тоже...

Я принялась думать. А посему перестала видеть дорогу, тротуары, другие машины, светофоры и людей, зато увидела Гутюшиного кузена с лицом в пластырях: кто-то сжал ему нос, заставив открыть рот — дышать же надо, а в открытый рот ему вливают водку прямо из бутылки. Кузен давится, захлебывается, отплевывается, кое-что и в горло попадает. Нет, плохо, не идет, сколько водки изведешь... Кузен на стуле, ему заламывают голову, вводят желудочный зонд и вливают спирт. Уже лучше. Затем накачанный кузен, пошатываясь, бредет в кухню, желая, допустим, сварить кофе, надеется, что полегчает, открывает газ, спички падают из рук, сам он валится на пол, засыпает пьяным сном...

— Где это мы едем? — поинтересовался Гутюша.

Я очнулась. Проехала поворот к Гутюше и даже бега, и прямым ходом направлялась в аэропорт Окенче. Пришлось перебраться на левую полосу.

— Черт. К тебе. Не мог раньше спросить? Я задумалась.

— Не мог, я тоже задумался. Ты ведешь машину и смотреть тебе положено по должности. Слушай, мне это не нравится. Опять найду того прозектора... Вот именно! Знаю про последнего. Длиннющая лапша на уши.

— Прекрати свой телеграфный аллюр. Говори яснее.

— Ну так: официально тот, в кафе, умер от сердца и никаких следствий не надо. Умер сам по себе, по собственному почину, и привет. А неофициально — схлопотал укол в шею за ухом, отоварили без промаха, вчера вечером я как раз узнал все обстоятельства. Цианистый калий еще с какой-то бурдой, где-то у меня записано, если тебе надо, могу поискать, цикута или стрихнин, только мне сдается, одного цианистого хватило бы выше крыши. А я вон там живу, направо.

В последнюю минуту я еще успела повернуть в направлении его дома. Насчет недоумка ожидала нечто в таком роде, но одно дело подозревать, а другое — знать. Все-таки, значит, так... какие уж тут сомнения — убили из-за меня!

— А остальные? — спросила я подавленно.

— Что остальные?

— Ну мы, например. Почему нас никто ни о чем не спрашивает?

— А о чем нас спрашивать? Говорю тебе — следствие и не ночевало. Анализы мой приятель сделал для своего личного удовольствия и спрятал. Убийца неизвестен. Никак не проявился, но я так себе дедуцирую: у них там что-то шиворот-навыворот, помнишь, тот, в носках, что в забегаловку примотал,— ценнейшая фауна, под охраной пребывает. Никто ничего ведать не ведает, одна тайна другой погоняет и все по углам. А про кузена Юзефа шепну приятелю, пусть лично присоединится к вскрытию. Вскрытие будет, верняк, я узнавал, в таких случаях всегда обожают суетиться, глядишь, и обнаружит что. По голове у меня так и ходит: ну как он схватил эти алкогольные проценты...

Гутюшин кот вернулся домой только через четыре дня. Новейшей информацией от приятеля из прозекторской Гутюша поделился со мной на лестнице в подвал, где мы оба, сидя на корточках, орали: «Кис, кис, кис». Кот молоко выпил и мясо сожрал, но наверх идти отказался наотрез. Гутюша признал правоту кота.

— Понятие имеет, по углам все еще газ, хоть и открываю окна настежь и сквозняк летает. Хорошо, тепло. А насчет Юзефа тоже криминал по высшему разряду.

Я только фыркнула.

— Ну и проницательность. Ясно, криминал с самого начала.

— Так мне ж невдомек про Юзефа. У него ушиб на голове, не проломили, просто синяк и шишка. При жизни вздулась, а как умер, шишка стоп, но сознание потерять мог. Мало того, он говорит, мой, значит, приятель — есть заметный след от укола, и чего у них любовь такая на уколы, хобби что ли? Внутривенный укол, не угадаешь, куда кололи — не в руку, не в запястье, а в ногу под коленом. Спирту вовсе не пил, все градусы мог получить в уколе прямо в кровь, сколько угодно. Сам себе такой укол не сделаешь.

Да, пожалуй, в самостоятельном распутывании тайн вся моя выдержка к чертям свинячьим пойдет. И кому этот Гутюшин кузен мешал?..

— А с головой что? — спросила я угрюмо.— Мог сам себе врезать?

— Вроде мог, только трудно найти подходящий инструмент. Не знаю чем. Чем-то мягким, но твердым. Понимаешь: череп не разбит, а сознание потерял. Дома я ничего такого не держу. Кабы упал, так кругом сплошные острые углы, тогда рана была бы, а не шишка.

Кот вырвал у меня из рук следующий кусочек мяса. Гутюша наклонился, снова налил молока в пластиковую мисочку и позвал:

— Кис, кис...

— А что милиция? — спросила я по-прежнему мрачно.

— Милиция ничего. В протоколе вскрытия про укол молчок.

— Как это?!

— Обыкновенно. В официальном протоколе черным по белому: абсолютно здоров, абсолютно пьян, ударил себя по башке и отравился газом. От алкогольных градусов тоже мог откинуть копыта, так ли, иначе ли, им без разницы. Укол мой приятель открыл самолично.

— И никому не сказал?!

— Сказал. Милицейскому врачу. Тот видел, да в протокол дописал только на следующий день, вот и получилось пивко — по маленькой.

— Не понимаю, о чем ты.

Гутюша сжалился над моей женской глупостью.

— У них там есть секция убийств, так? Отдел такой. Я сориентировался через другого приятеля, того, что сидит в кабинете и головой думает. Так вот: до отдела убийств вообще не дошло. Несчастный случай и все тут, кто-то распорядился, и следствия не будет.

Просто и ясно. Я так занервничала, что судорожно удерживала очередной кусочек мяса, который изо всех сил тянул кот. Кот за эти дни явно оголодал, а посему не отступился, помог себе когтями и получил добычу. Я разорвала фольговый мешочек и разложила около миски с молоком остатки.

— Оставлю ему где-нибудь в уголке, тут наступят копытом и растопчут,— сказал Гутюша, вставая.— Криминал криминалом, а животное голодать не должно.

Он собрал мясо, взял миску и заботливо устроил коту столовую в подвальном углу. Я тоже встала. Гутюша вернулся на лестницу, и мы начали подниматься.

— Ну, ладно,— приступила я осторожно.— А что ты обо всем этом думаешь?

Гутюша молчал до самого лифта.

— Нечего песок в голову засовывать,— заявил он, нажимая кнопку.— Его убили. Преступление это, убийство, значит.

— И пожалуй, из той же коллекции,— поддержала я и вошла в лифт.— У него были враги?

— Нет и нет. Какой был — весь на виду: не пил, человек порядочный. Я вовсю думал, всю ночь не спал. Ну кому было знать, что он здесь: живет в Бендзине, приехал так, с бухты-барахты.

Неожиданно. Кабы враг, то летал бы за ним, прицепившись, как пес к репью, или что там еще. Какой прицел ни бери, получается, меня это уработали.

Я тоже такой вариант крутила, Гутюша только подтвердил это. Мы вышли из лифта.

— Да, тебя хотели убрать. По лицу было не разглядеть — весь в пластырях, волосы и фигура у вас похожи, да и вообще убийца мог тебя лично не знать. Докопаться бы до сути!..

— Есть шанс,— обнадежил Гутюша, открывая дверь в свою однокомнатную квартиру.— Кое-что собрал. Ментам плевать, ну, а я разговаривал с людьми, они меня любят — на ожившего мертвеца всякому любо взглянуть. Тут одна баба этажом выше, у ней в мозгах вечный обеденный перерыв, вот она и сидит на лестничной клетке и смотрит, что да как. Говорит, сначала ко мне вошли какие-то двое. Тыркали замок по-всякому, не удавалось открыть, да все-таки справились. Полчаса не прошло, прилетел Юзеф, только она его за меня признала. Что дальше — не ведает, у нее семья с работы приплюхала и ее забрали с лестницы, но ведь те двое каким-то манером вышли, коль скоро их в квартире не обнаружили?

Я расположилась в кресле и начала развивать тему.

— Не лезли к тебе раньше времени, подождали, пока ты выйдешь из архитектурной мастерской. Телефонные звонки... Это они звонили — проверяли, на месте ли ты. Не могло же им в башку прийти, что прямо с работы поедешь к Тадеушу, наверно, ты всегда сперва домой являлся?

— Домой. К Тадеушу отправлялся вечером. В тот раз случайно: с Юзефом какая уж работа, а чертовы выбоины в стене надо было рассчитать.

— О кузене они и не догадывались, раз приехал в шесть утра того же дня. Ждали в квартире, он вошел, естественно, думали, что ты, бацнули по кумполу, один придержал, а второй в пять минут обделал все дело. Кто такие, дьявол их возьми, ведь наверняка продолжение одной аферы. Или враги у тебя объявились?..

— Нету,— категорически запротестовал Гутюша.— То есть я не знаю про врагов. Обыкновенный работяга и со стула никого не спихиваю. Говорю тебе, думаю, думаю, мозоли надумал, и хоть убей — не пойму.

В моей плодовитой голове завертелись кошмарные подозрения.

Недоумка убили — он вознамерился открыть мне какую-то тайну. Не успел, я осталась жива. Гутюша раздобыл тайную информацию про бриллианты, и камни из ювелирного магазина куплены посторонней личностью. Таинственная клика понесла убытки. Предвидятся новые доставки бриллиантов, клика не желает больше терять, решила себя обезопасить. Чушь, очередные сведения Гутюше снова предстояло раздобывать, проникать в тот же распределитель, вполне хватило бы предупредить, чтобы Гутюша туда не лез, зачем же сразу убивать... Разве что сведения получал постоянно да и доил на всю катушку, тогда понятно, но в любом случае во всем виновата я — я его подбила...

— Гутюша, тебя убили из-за меня,— мужественно призналась я.— Ты что-то этакое проведал? Без повода не убили бы, ты им чем-то опасен!

— Кому?

— Я высказала свои заключения. Гутюша задумался.

— Кабы знать, что я знаю! — вздохнул он смущенно.— Много знаю, факт, да мало ли что? Убивать каждого, кто о чем-нибудь знает, этак все общество из гробов бы не вылезало. Там есть некто Лясковский, он с камнями проворачивает дела, наткнулся на меня, как палка на муравейник, считается по другой части, держится в тайне, а я про него наслышан. Может, это?..

— Теперь и я уже о нем знаю. А что за тип?

— Надзирает. Значит, контроль или там директивы какие чтоб соблюдались, из партячейки, словом, созерцает. А по сути — черная маска, серый кардинал, так ведь другим про него известно, и что, всех поубивает? Сколько же ему водки одной надо?!..

— Всех не поубивает, да тут целая клика, а ты попал им в поле зрения, как слива в компот, из-за меня. Боюсь, все-таки тебя достанут.

— Э-э там. Зачем меня доставать. Приятелю, который сидит в этом гешефте, скажу по секрету: дубинку, дескать, я сложил, и ведать ничего не ведаю. А фамилию вообще не помню, и Лясковского... м-м... с Патыкевичем спутаю.

— И он тебе поверит?

— А почему нет? Ты что думаешь, это разбойник с большой дороги, кровопийца, или как там их, вампир? Приятель и все. Вовсе не рвется на мои похороны, а в министерстве сидит на самой низкой подножке, только вот ушлый и всегда без мыла влезет куда надо. А бриллианты пока придется отправить в отпуск.

— Само собой. Я предупрежу эту пани...

И вдруг меня осенило. Убийство Гутюши — предостережение! Камней ни в коем разе не покупать, сам сказал, их вовсе не интересует его информированность, главное, чтоб со страху прокис и не рыпался! Матерь Божия, ведь так действует мафия!!!

Я прямо похолодела, и в голове воцарилась полная сумятица. Гутюша выслушал мое откровение, сразу согласился и вовсе не казался потрясенным. Похоже, меня одну питали идиллические понятия об окружающем.

— Нет, надо срочно действовать, иначе меня кондратий хватит,— полетела я как с горы.— Характерец меня доконает! Гутюш, тебя в сторону, а я в милицию побегу, может, как-нибудь лично...

— Ну так я же все время бегаю! — занервничал Гутюша.— Ты что думаешь, официально? Лично все всё знают, а толк где? Ты уж туда не летай, очень прошу, только шуму наделаешь, из-за тебя кто-нибудь с работы полетит...

Застопорил он меня радикально: двоих я уже подвела, возможно, Божидар был прав, упорно не допуская меня до этих подземных течений. Мое разгадывание загадок и открытия странный эффект создавали.

— Ведь говорила,— полыхала я злостью,— тысячу раз говорила и повторяю: как только какая-то тайна, не сомневайся, смердит! Я все равно что-нибудь да сделаю. Богом клянусь, неизвестно что, но сделаю, иначе задохнусь!..

— Господи! — простонал Гутюша и посмотрел на меня словно уже на выходца с того света...

Ничего я не сделала.

Избавил меня от всех действий исключительно один Божидар. Добился-таки своего и оглоушил меня.

Несколько недель подряд он звонил в дверь, вместо того чтобы открывать своим ключом, как это делал многие годы. Враждебная демонстрация выражалась всячески, да я все не успевала спросить прямо, в чем дело, потому что ссорилась мы при каждом удобном случае. На сей раз телефонный звонок с изысканным вопросом, можно ли нанести визит, извлек меня из-под крана — я мыла голову. Стиснув зубы, я дала милостивое согласие, вытерла воду на полу и решила: все, хватит — пора расставить все точки. Последующие два часа вогнали меня в нервное расстройство. После такого звонка приходят довольно быстро, и Божидар всегда так поступал. А тут он решил основательно испытать мое терпение, дабы я успела представить автомобильную аварию, сердечный приступ или другие такого же рода напасти. Однако он переборщил: перебрав всяческие удары судьбы, я успела сообразить, что все это делается мне назло. Наперекор. Прекрасно знает, я не выношу ожидания, а неуверенность меня просто бесит, и потому специально доставляет мне все эти радости, желая наказать за что-нибудь, черт знает за что. И по обыкновению, плюет на мои чувства...

Когда я открывала ему дверь, робкое обожание, пожалуй, явно потускнело. За это время я высушила и уложила волосы, подкрасилась и решила не ждать, а уйти из дому. Свою внешность на сей раз в виде исключения оценила позитивно, что весьма существенно улучшило самочувствие.

С места в карьер я спросила, как он прикажет расценивать свое поведение. Где ключи, которые верой и правдой служили все прошлые годы,— потерял или как? Ответил, нет, почему же, ключи у него есть. По-видимому, они мне нужны?

Я удивленно подняла брови.

— Не хотел мешать,— заявил он любезно.— Ключи могут понадобиться для кого-нибудь другого.

Его заявление сбило меня с панталыку, и я попросила его объясниться.

— Помилуй, как можно нахально навязываться в дом, где меня не хотят видеть. Помнится, я однажды уже оказался лишним, считаю необходимым избегать неловких ситуаций. Поэтому предпочитаю позвонить заранее.

И все-таки до меня не дошел смысл, я сочла его слова просто неудачной шуткой.

Интересно, что он имеет в виду под неловкой ситуацией: застал меня в постели с хахалем или, к примеру, зайдет, а я как раз точу на него нож?

«Не хотят видеть»,— надо же такое сказануть! Ведь жду его не дождусь, хочу видеть, хотя бы для того, чтобы наорать и поссориться. Мои обиды и претензии зубами и когтями жаждут вцепиться в жертву. На чай вдвоем любое время удобно, мог врасплох прийти и в три ночи, и тогда с радостью устроила бы побоище, одержимость не знает преград, а чувства во мне всегда преобладали над разумом. И что он, холера, хочет этим сказать?..

— Прошу тебя точно сформулировать свои претензии,— заявила я ледяным тоном, в сравнении с которым на полюсе показалось бы жарко.— Что это еще за новая полька-бабочка?

— Хорошо, я выскажусь: могу у тебя кое-кого застать...

Вот тебе раз... значит, все же хахаль!.. Откуда только Божидар его выкопал, и кто бы это мог быть?..

Оказалось, все-таки Гутюша. Я долго смотрела баран бараном, потом смертельно оскорбилась, и только тогда наконец начала что-то понимать. Мыслительно-эмоциональная деятельность вдруг двинулась вперед в ошеломительном темпе, почище любого компьютера, если не качеством, то, во всяком случае, темпом.

— А почему ты так долго не приходил? — спросила я с напускным простодушием.— Позвонил, а мне пришлось прождать два с лишним часа. Что случилось?

— Ты не одна на свете,— ответил он.— В конце концов, и у меня есть разные дела...

Из его дальнейшей речи я уже не слышала ни единого слова. Все сошлось: я не единственная и в этом вся суть. Претензии я должна предъявить к себе. Я смотрела на него, пока он что-то говорил, и вдруг многолетняя завеса упала с глаз: он уже не казался красивым, во всяком случае, красивым для меня. В конечном итоге содержимое важнее упаковки... Вся наша, Боже смилуйся, связь была одним несусветным недоразумением, я по-идиотски ошиблась. А он все видел, но поддерживал мое заблуждение, черт знает с какой целью, может, его левой ноге так захотелось...

И тут я взорвалась. Проехалась по его характеру, тщательно, добросовестно и без всяких скидок. Мне нечего было терять. С безжалостной откровенностью отчеканила все, что о нем думаю — все, что подавляла и душила в себе много лет. Полетел кумир с пьедестала.

Увы, кумир на грязной земле остаться кумиром не может. Только теперь стало совершенно ясно, сколь необходимы ему постоянные песнопения насчет его исключительности, и я почти испугалась. Сознание он, правда, не потерял, но просто чудом: в любом случае наша связь была разрублена топором.

Последняя причина конфликта — ключи от моей квартиры — с великим достоинством были оставлены на столе. Он ушел прочь навсегда, бросил меня, недостойную...

В Варшаву я вернулась в начале сентября после нескольких месяцев отсутствия.

Непосредственным поводом моих вояжей был, разумеется, разрыв с Божидаром. Один скандал — какие пустяки — ни в коей мере не удовлетворил моих агрессий, а больше шансов на ссору не было, трофей вырвался из когтей. Ведь я так и не поняла, обманывал ли он меня сознательно или просто по легкомыслию. Моя неудовлетворенная ярость сменилась длительным стрессом, ум погряз в забытье, мир превратился в непонятное и отвратительное марево. Лучшее средство от подобных недугов — голубая даль.

На всякие душевные передряги отлично воздействует атмосферическая турбулентность на высоте десять тысяч метров. Воздушная яма настигла меня над Монреалем в уборной, где мне лишь чудом не выбило зубов. Кое-как все же удалось невредимой вернуться в кресло, и остаток этих очаровательных двадцати минут я просидела с застегнутым поясом.

После недурной бермудотерапии окончательно меня исцелил шторм на Балтике, какого глаз человеческий не видел с тех пор, как с парома сорвался и утонул в море целый поезд. Из Копенгагена я возвращалась автобусом, и уже не в небе и на воде, а на земле было очень забавно наблюдать, как огромную туристическую колымагу швыряло на шоссе из стороны в сторону. К счастью, мои взаимоотношения со штормами вполне удовлетворительны, качка не терзает, а поскольку по понятным причинам буфет не пользовался успехом, мне удалось поужинать без всякой очереди.

Пока меня не было, в стране произошли события исторические, и я с удовольствием смотрела все это по зарубежному телевидению, почти не веря собственным глазам и ушам. Распад системы, несправедливо определенной благородным словом «строй», привел меня в полное восхищение, так что все прочие огорчения пошли к чертям.

Автобус в бывшей ГДР наткнулся на автомобильную аварию и долго ждал, потом сделал объезд, потом оголодавшие пассажиры потребовали остановиться у закусочной с колбасками, в результате мы сильно опоздали. Домой я добралась почти вечером, и тут же выяснилось, что нет света. Утешилась воспоминанием об отключенном пустом холодильнике, поставила дорожные сумки в прихожей и полетела к соседям, со скрежетом зубовным вспоминая, как в прошлый раз вернулась в разгар лета и не было воды. Сухой, как перец, чайник на кухне — то еще утешение...

Дверь мне открыл какой-то чужой человек — очевидно, соседи переехали. Получили квартиру побольше, должны были умотать еще до моего отъезда, операция затянулась, но, естественно, к этому времени управились. А здесь уже новый жилец, чужой человек... Да что там, чужой — не чужой, главное — мужчина, вдруг что и посоветует.

— Простите, пожалуйста,— сказала я озабоченно.— Только-только вспомнила про переезд моих соседей. Меня не было, сию минуту вернулась а в квартире нет света. Прибежала сюда с горя. Простите, ради Бога, за вторжение...

— А, это вы, пани? — обрадовался сосед.

Я тут же вспомнила телефонный разговор с моим институтским профессором много лет назад: я пришла в гости к швагеру, тоже архитектору, зазвонил телефон, я взяла трубку.

— Это пани? — спросил голос.

Я узнала профессора и поняла, что он имеет в виду жену моего швагера.

— Нет, это не я,— ответила я вежливо.

— А, это вы, пани? — обрадовался профессор, который тоже узнал мой голос.

Теперь произошел такой же разговор, но речь в данном случае шла обо мне. Я подтвердила, что я — это я.

— У меня письмо к вам, ваши бывшие соседи просили отдать,— сообщил мужчина.— Извините, что не занес раньше, не знал о вашем возвращении.

— Да меня еще как бы и нет. То есть я здесь, но всего пять минут, как вошла, багажные сумки стоят у двери. Вам не за что извиняться.

Новый сосед отошел на два шага, достал с полочки в прихожей письмо и отдал мне. Думая про свет, я рассеянно посмотрела на него. Высокий, моего возраста, темноволосый, довольно интересный... Интересный или не интересный, неважно, главное — симпатичный.

Он улыбался. И улыбка обаятельная.

— Свет, вы говорите... возможно, я помогу?

— А вы умеете?

— В домашнем масштабе этой премудростью овладел.

— Ой, тогда очень вас прошу. Но предупреждаю, не смогу ответить даже на самый пустяковый вопрос про электричество. Насчет пробок и прочего в таком роде. Правда, комнатная лесенка в вашем распоряжении.

Он влез на стремянку, фонарик принес свой, повозился в щитке, что-то заменил, после чего в моей квартире стало светло.

— Всегда к вашим услугам,— сказал он, поставив лестничку на место.

Счастливая и благодарная, я призналась, что мне без него пришлось бы сидеть в темноте — в таких неполадках мне всегда помогал сосед. Так оно и было, Божидара я давно уже перестала просить о чем-нибудь, даже скрывала от него всевозможные аварии, ибо ремонт в его исполнении всегда имел катастрофические последствия. Делал все вроде бы идеально, однако, во-первых, неимоверно долго, а во-вторых, исправленный предмет начинал вытворять разные фанаберии и укротить его не удавалось никакими силами.

— Не унывайте,— заявил интересный незнакомец.— В конце концов, уже я ваш сосед и всегда помогу.

Остатки деликатности заставили меня слегка его предостеречь.

— А вы, пожалуйста, не рекламируйте свои умения. Мой сосед вообще-то делал у меня все, он был, что называется, мастером на все руки. По уговору за сложные, трудоемкие работы я ему платила, а мелкие делал по-соседски бесплатно, человек он работящий, приходилось следить, чтобы по-соседски не делал больше положенного.

— А я тоже работящий. И охотно помогу вам по-соседски бесплатно.

— Ох, не кладите голову под топор! Понятно, я соглашаюсь с превеликой радостью, но вы придумаете какую-нибудь компенсацию с моей стороны. А то пойдет игра в одни ворота.

— Я, знаете, очень рассеянный и вот-вот явлюсь к вам занять сахару или соли. Или получить консультацию, как делать котлеты. Разрешите, раз такая оказия, я представлюсь? Знаю вас по имени, слышал о вас...

Его звали обыкновенно — Януш Боровицкий, и пока что больше я о нем ничего не узнала, ибо на слух воспринимаю все плохо и забываю...

Письмо оказалось пустяковым: знакомая была в Варшаве проездом, не застала меня дома. Открытку в элегантном конверте оставила соседям на всякий случай: вдруг вернусь и позвоню ей. Я не успела, не получилось.

Воспитанием чувств я больше не занималась. Это вместо меня сделали исторические перемены, широко распахнувшие двери страстям другого свойства...

Игральными автоматами я увлекалась давно и играла с маниакальным упорством. В основном в Тиволи, но случалось и в других местах. Впервые в жизни они появились в нашей стране за обычные деньги, которые чудесным образом превратились в обменную валюту. Я своим ушам не поверила, когда мне сообщили такие сногсшибательные новости, и тут же помчалась все проверить.

Оказалось, все так и есть.

Шум в «Гранд-отеле» стоял вполне умеренный, где ему до копенгагенских автомат-залов! У здешних машин просто следовало нажимать клавиши. О выигрыше сообщалось благозвучным журчанием, попискиванием или музыкой, а не звяканьем сыплющихся жетонов. Разумеется, сыпались они довольно редко, в основном, автомат копил их и сливал гуртом.

Я, сидя перед автоматом, сияла от счастья, как вдруг услышала за спиной Гутюшин голос.

— Привет! Давно не виделись, чуть не полгода. Исчезала куда-то?

— Привет, Гутюша! Меня не было, уезжала. Что здесь делается?

— В общем-то много чего. А в частностях не больно-то много — в частностях не до того было.

— Вообще — все знаю, а насчет частностей — не очень-то много потеряла. Ты играть пришел?

Гутюша оглянулся, подвинул табурет и сел рядом.

— Пока так просто. Впервые, посмотреть бы, что за разносолье. Ты разбираешься в этих штуках?

— Двадцать с лишним лет.

— Как это? — удивился он.— Ведь только-только появились!

— А в Тиволи были. Я эту заразу, можно сказать, с детских лет изучала.

— Бомба! Раскрой талант, ·скажи, как играть.

— Сперва пойди в кассу и купи жетоны. Учиться за мои деньги не разрешаю — везенье у меня испарится. Можешь ассигновать сотню или хоть бы пятьдесят?

— А как же, разбогател в последнее время. Могу выбросить часть в сточную канаву.

Он сходил в кассу, вернулся с жетонами. Я начала объяснения.

— Сюда бросаешь жетон, запускаешь, загораются клавиши, видишь?

— Вижу. И что?

— Включаешь «старт». Читать умеешь, в картах разбираешься? В покер играешь?

— Ясно. У тебя две пары. Что это дает?

— Дает два жетона, вернулась ставка, я играю по два. Можно их перебросить на кредит, слить из автомата и забрать. Или снова обменять на деньги. А можно рискнуть удвоить, вот так...

Я играла как раз на моем любимом покерном автомате. Показала Гутюше клавишу «дубль» и нажала ее. На экране появилась одна закрытая карта, около нее замигало попеременно «красная» и «черная». Засветились соответствующие клавиши.

— Теперь нажимаешь красную или черную, как душе угодно, на ум и расчет не надейся. Угадаешь — получишь вдвойне, нет — все проиграешь. Например, красная...

В виде исключения я угадала. Гутюша обрадовался. Я показала ему мигающую наверху четверку.

— У меня уже четыре жетона, хочу дублировать, то есть рискнуть на пробой. Угадаю, удвоится. Рискую...

Я снова рискнула на красную, к большому моему удивлению, угадала, пришла в азарт и решила: хватит с Гутюши, научила вполне.

— Теперь у меня восемь и валять дурака не собираюсь. Сюда долбанешь на кредит, кредит вот здесь...

— Сто тридцать шесть,— прочитал Гутюша.— Ого-го!

— Никакое не ого-го, автомат у меня уже двести сожрал. Возможно, что-нибудь и даст. Вон там такие же покерные автоматы, а в той стороне — тоже покерные, только нету «красная-черная», зато есть «большая-маленькая».

Гутюша потребовал непосредственной демонстрации. Я оставила свой автомат и перешла к другому с «большой-маленькой». Гутюша бросил жетон. Я показала нужную клавишу, и у него появилось три десятки.

— Оставь эти карты и бей еще раз, может, и... Ладно хоть так: что было, то и осталось, перебросишь на кредит или гадаешь на «дубль»?

— А сколько у меня?

— Написано. Вот тут. Три.

— На пробой.

— Ну, прочитай, что загорелось. На одном написано «double», а на другом «take», это, надеюсь, уразумеешь по-английски?

— «Take»...— поймал и держу?

— Да. Продуешь дубль, держать будешь куриный помет.

— Ну и пускай. Гадаю на дубль.

Гутюша нажал клавишу «дубль», в углу появилась одна закрытая карта.

— А теперь угадай, большая она или маленькая. То есть от шестерки вниз или от восьмерки вверх. Туз в этом случае заменяет единицу, а семерка — ничья.

Гутюша посмотрел на меня, на экран, нажал «большую» — появилась дама. Выиграл.

— И что дальше?

— У тебя шесть. Можешь либо на кредит, либо снова на пробой.

— Поймать и держать? Правильно! Честь имею держать!

Нажал дубль и «маленькую». Появился король, Гутюша продул весь выигрыш. Нуль.

— Без порток, зато при шпорах,— философски заключил он.— Постой, я еще попробую.

Автомат проявил вежливость, дал две пары и разрешил их дублировать. Я удержала Гутюшу от следующей демонстрации во имя мужской чести, показала, как выигранное слить из автомата, и повела дальше.

— Здесь просто полька-карабас. Тоже покер, стой, брось что-нибудь, покажу, как гадать на дубль, очень забавно...

На четвертый жетон Гутюша получил пару валетов, сам нашел нужную клавишу. На экране появилось пять карт, лишь первая открытая. Семерка.

— Тебе надо угадать карту больше чем семерка,— объяснила я.— Если окажется меньше, все проиграл.

— А если то же самое? Тоже семерка?

— Тогда можешь гадать снова или отказаться.

Гутюша подумал, попал на девятку.

— Теперь у тебя два жетона. Рискуй удвоить или перебрось на кредит. Предупреждаю, на экране может появиться туз, здесь он не заменяет единицу, а так и есть нормальный туз.

Гутюша во что бы то ни стало желал туза, нажал дубль. Появилась двойка. Нажал что попало, не раздумывая, и появился туз.

— И на фиг мне эта разница? — упрекнул он и оставил четыре жетона на кредите.

Я велела скинуть жетоны из механизма и продолжила демонстрацию. Гутюшу заинтересовали фруктовые автоматы. Опустил жетон и попытался играть. Я удержала его.

— За один не сыграешь. Самое меньшее — за восемь жетонов, автомат выдает фрукты на восьми линиях. Три линии горизонтально, три вертикально и две наискосок. За один жетон играешь только на одной линии, на этой средней горизонтальной, и больше ничего. И не выходи из себя: если появится фрукт на вертикали или, к примеру, на верхней горизонтали, тогда — полный проигрыш. Попробуй, если руки чешутся, но обращаю внимание — обходится дороговато.

Гутюша решил попробовать. Бросил восемь жетонов, соответствующей клавишей запустил и нажал старт. С краю появились вишни.

— У тебя два,— объясняла я терпеливо.— Можешь на пробой...

— Так и сделаю,— решил Гутюша сразу же.— Пробой мне по нраву.

— Не тебе одному,— буркнула я и пальцем показала светящиеся клавиши.— Читай надписи, сразу поймешь.

Гутюша прочитал, понял и нажал. Ряд открытых карт вверху привел его в восхищение.

— О, вот это я понимаю. Хоть все видно: одни большие. Самое время, чтобы пришла маленькая!

Нажал «small», и действительно, вместо закрытой карты открылась четверка. Попробовал еще раз, угадал большую, набил восемь жетонов и перебросил на кредит. Сыграл на эти восемь и сразу же получил четырнадцать.

— Остаюсь тут,— решил он.— Этот робот мне нравится.

— Думаю, выиграешь, ты ведь здесь в первый раз,— сказала я неуверенно.— Не исключено, что на игральных автоматах, как на бегах — в первый раз всегда выигрываешь. На всякий случай учти, этот автомат выплевывает только сто девяносто жетонов, если набьешь больше, беги к механику за бумажкой.

— За какой бумажкой?

— Квитанция в кассу. Вот эта клавиша тебе не телефон-автомат. Не колоти по ней кулаком, а спокойно подожди: машина сперва все сожрет, потом давать начнет. Все тебе показала, играй как душе угодно, потом расскажу разные разности.

Гутюша явился ко мне через час очень довольный. Набил двести жетонов и похваливал развлечение. Я тоже аккурат была в подъеме, слила все из автомата и подавила жадность. По опыту знаю, посиди я еще — и продую вчистую, а мне хотелось сообщить Гутюше кое-какие свои наблюдения. Посему пока следовало свернуть всякую бурную деятельность на проигрыш.

Посоветоваться необходимо. За несколько моих походов в «Гранд» кое-что бросилось в глаза. Сиди я за автоматом одна, не обратила бы внимания на некоторых игроков: всецело была занята собственными успехами и поражениями, о коих старалась всеми силами забыть. Но в «Гранде» по залу шатались скопища весьма настырных элементов, в просторечии болельщиков. Одни глазели из обычного любопытства, другие задыхались от зависти и скрежетали зубами — заядлые игроки, у которых не было денег на игру, третьи пялились просто по злобе, беззастенчиво радуясь, когда кто-нибудь проигрывался. На спине надо было иметь двойную крокодилову кожу или вообще танковую броню, чтобы не чувствовать их сверлящего взгляда. Симпатий я к ним не питала, хотя это они, собственно, подняли шум.

— Вот скотина, берет раз за разом,— сквозь зубы цедил кто-то за моей спиной.

Я оглянулась. Двое болельщиков глазели на четвертый от меня автомат, одного снедала зависть, другого нескрываемое отвращение. Второй пожал плечами и потащил завистника в глубину зала. Я немного откинулась назад на своем табурете и поинтересовалась выигрывающей скотиной.

Скотина играл на покерном автомате, таком же, как у меня, но мой был с джокером, что теоретически давало больше шансов на выигрыш. Платил мой автомат только с двух пар, а тот реагировал даже на одну.

Одна пара возвращала ставку, и можно было дублировать пять раз, так что один жетон давал тридцать два, если угадаешь красную-черную... Я почти всегда угадывала наоборот, посему заинтересовалась везучим игроком и вспомнила, что это его игру постоянно сопровождает выигрышная мелодийка.

Скотина ставил по десять жетонов. На моем автомате ставка была пять. Я немного понаблюдала за его действиями, неудобно отклонившись назад. У него выскочили две пары — двадцать, рискнул на пробой. Около закрытой карты начало мигать «red» и «black», требовалось угадать цвет. Не поколебался и угадал: карта повернулась — красная, имел уже сорок. Карта снова показала рубашку, опять предлагая дублировать и завлекательно мигая восемьюдесятью, тип долбанул красную и снова угадал. Имел уже восемьдесят. Я уставилась на него с таким же интересом, как и все остальные болельщики. Подумал, выбрал черную. Фарт. После пятого гадания автомат сам сбросил на кредит шестьсот сорок жетонов под аккомпанемент бодренького мотивчика. Я глянула на его кредит — тысяча шестьсот восемьдесят пять, больше полутора миллионов злотых! Да, впечатляет, скотина в жутком подъеме, или его невеста бросила?..

Когда я снова про него вспомнила, автомат как раз выдал ему каре, что редко случалось. За десять жетонов сразу двести. Не задумываясь, он тут же рискнул удвоить. Снова попадание — черная, немного подумал и угадал красную. Я заинтересовалась, как сыграет дальше — у него уже восемьсот, а он твердо продолжал долбить. Чуть помедлив, сосредоточившись, угадал все пять раз, и чертов автомат заиграл в его честь, вернее, в честь шести тысяч четырехсот жетонов. Взял более девяти миллионов злотых!

Мне возмечталось тоже завести невесту, которая бы меня бросила. Тип посидел, выжидая, на своем табурете, поглазел на экран и пошел искать механика. Я завелась: интересно, будет ли играть еще — чуток постараться и продуешь все. Когда он вернулся, я впервые рассмотрела эту скотину, поскольку интересовалась не им, а исключительно своим автоматом. Ничего особенного: маленький, худющий, костлявый, немного за тридцать, какой-то линялый, быстротой ума явно не блистал. Вообще ничем не блистал, наверняка можно утверждать только одно — невеста его бросила. Взял квитанцию на девять миллионов с грошами и пошел в кассу.

Я занялась своими делами и перестала обращать внимание на окружающих, пока снова в ухо не затренькали непрерывные победные звуки. Не случись та скотина, я наверняка не насторожилась бы. Автомат бодренько пиликал все снова и снова — вот наказанье-то, мой пиликал всего по разу в час. Я снова откинулась назад и посмотрела. Нет, на сей раз другой автомат — не тот, что платил скотине с холерным фартом. Технически такой же. За ним сидел мужик, пузатый, старше линялого сморчка, на коленях держал битком набитый портфель, хотя ему было явно неудобно, по-видимому, имел основания опасаться воров, или просто подозрительный характер — заботливо обнимал свой портфель обеими руками. А скорее всего, увлеченный игрой, напрочь забыл про портфель и не замечал неудобства. Дублировал он в полнейшем подъеме, только раз ошибся, но не много потерял, потому как пробивал всего одну пару. И тут же возместил все тройкой. При этом вытворял какие-то странные фортели, бормотал себе под нос, прикладывал палец ко лбу, ощупывал клавиши, вроде бы колебался и раздумывал, а потом решительно и с маху бил выбранную клавишу. Я посмотрела на его кредит. Более двух тысяч... А этому пузану для разнообразия, может, жена изменяет?.. В затылок ему дышало трое болельщиков, я даже подивилась, как они его не отвлекают. Автомат платил средне, но вдруг выдал фул, пузан рискнул на пробой и набил четыреста восемьдесят — играл он по пять, от последнего дубля отказался. Но и так кредит неизменно шел на подъем.

Снова я взглянула на него, когда с той стороны кто-то странно всхлипнул. Пузан пробивал малый покер, болельщики замерли за его спиной. Из пятисот набил тысячу, потом две, четыре, на восьми тысячах болельщики обрели дыхание и голос. Пузан спохватился и посмотрел на экран повыше.

— О Господи! — возопил он с наигранным ужасом.— Продул! Я же долбил черную-красную!

Я отвернулась с отвращением. Кретин, покера не заметил, дублировал по ошибке и все-таки выиграл. Вот что такое слепой фарт! Как жаль, не было еще автоматов, когда со мной разводился мой муж — набила бы себе капитал!..

Я опять занялась своей игрой. Счастливчики меня не интересовали, не заметила бы их, кабы не то первое восклицание за спиной. Решительно, болельщики навели меня на след...

Высокий, молодой, красивый парень не был похож на брошенного невестой, напротив, по всей видимости, сам бросал многих, почему же ему такой фарт?.. Сидел за правым автоматом, поставив локти на продуктовую сумку у себя на коленях и удваивал все подряд с каменным спокойствием. Долбил в клавиши не думая, с небрежной самоуверенностью, а кретинский автомат платил как сумасшедший. Чуть не каждую минуту раздавалась триумфальная музыка и звяканье — парень скидывал из механизма по триста девяносто жетонов. Набил еще двести сорок жетонов, автомат выдал фул, парень пробил его четыре раза, после чего переждал концерт четырехсот восьмидесяти жетонов, переброшенных на кредит. Этого автомат уже не выплюнул, дальше играл за счет кредита.

Я не пялилась на парня, даже позабыла о нем: мой автомат, упрямый как бес, начал наконец прилично платить. Рискнула, увеличила ставку, угадала карту за пять жетонов. Пережидая свою музыку, вдруг осознала, что омерзительное звяканье со стороны парня перестало меня беспокоить. Взглянула туда — действительно перерыв, механик выписывал квитанцию в кассу, странно только — не ему, а совсем другому человеку. Маленький, жилистый замухрышка, по виду трусоватый — откуда он взялся? Когда поменялись местами и когда этот мозгляк успел выиграть? Все это промелькнуло, не слишком занимая мое внимание. Я вернулась к своим делам и посмотрела в ту сторону, только когда опять грянула музыка. Снова играл высокий парень. Мерещится мне, что ли?..

Я оглянулась в поисках трусоватого мозгляка и не обнаружила его. Не будь поглощена игрой, возможно, я и задумалась бы над столь странным превращением, но мой автомат начал откалывать коленца и следовало отнестись к нему серьезно. Какое мне, в сущности, дело до везучего парня, обернувшегося вдруг мозгляком...

Вся эта чехарда решительно вылетела у меня из головы и припомнилась лишь однажды, совсем в другой раз, когда на глаза попался еще один тип, седой, приличный на вид. Уселся за покерный автомат и с ходу вызвал отвращение. Конечно, выиграл, но и другие выигрывали, однако я не пылала к ним неприязнью, этот же приводил в бешенство, вызывал гадливость. Остальные выигрывали тихо, спокойно и камерно, а седой с явным удовольствием лез на сенсацию. Чванился и пыжился, после каждого выигрыша оглядывался: все ли видят, как ему фартит, светился самодовольством, как маяк на море, и в то же время симулировал этакую барственную небрежность. Что ему облапошить автомат? Пожалуйста, неудач не бывает, выигрыш сам лезет в руки — он плюет на эту машину, а она стелется ему под ноги. Старый кретин. Вокруг него вечно вертелись болельщики, а он назидательно поучал, как выигрывать, и прямо-таки тактильно ощутимая зависть зрителей явно возвышала его в собственных глазах. Я видеть его не могла, смотрела, естественно, на свой экран, но в уши он лез настырно.

Однажды во время очередного премерзостного его спектакля болельщики совсем ошалели. Седой придурок играл на фруктовом автомате. Фруктовые автоматы платили на восьми линиях, с четырехкратной ставки. На экране то и дело появлялись разные картинки, но фрукты — самое главное, особенно запуск компота давал высокий выигрыш. Дубль можно бить шесть раз, так что мало кто обращал внимание на картинку стриптизерки. Старый козел играл по максимуму в тридцать два жетона и удваивал до финиша, постоянно угадывая. Под конец появился компот из одних слив, при одной ставке это давало девяносто, а при четырех — три тысячи двести, кретин же, чтоб ему лопнуть, опять долбанул на пробой. Болельщики предостерегающе взревели. Седой ферт что-то изрек, в шуме я не слышала что, и небрежно ткнул клавишу. Угадал, получил шесть четыреста, то есть шесть миллионов четыреста тысяч деньгами, успешно повторил пробой, получил двенадцать миллионов восемьсот.

— Сорвет банк! — рявкнул кто-то в запале.

— И сорву,— пыжился седой и из двенадцати миллионов восьмисот набил двадцать пять шестьсот злотых.

Болельщиков подхватил амок, словно они играли с ним сообща. Возможно, дублировал бы он эти двадцать пять миллионов с лишним в пятьдесят один двести, если бы через разгоряченную толпу не пробрался какой-то фраер. Положил руку на плечо седого, уже протянувшего руку к клавише «дубль».

— Хватит! — резко сказал человек и нажал переброску на кредит.

Седой слегка смутился, не протестуя, повернулся на табурете спиной к автомату и достал сигареты. Сумку с колен снял на пол.

— Ладно, ладно,— примирительно заговорил он.— Когда человеку фартит, надо пользоваться...

— Не искушай судьбу,— буркнул противник излишеств и выбрался из толпы.

Болельщики разбрелись — зрелище кончилось, переброска на кредит более двадцати пяти тысяч жетонов продолжалась не меньше четверти часа. Седой пошел за механиком, у автомата появился опекун, забрал оставленную сумку и исчез. Я с отвращением отвернулась от этих счастливчиков и посмотрела на покерные автоматы. Там сидели обычные люди, из которых один выигрывал — элегантный пан среднего возраста. До сих пор я его не встречала, видимо, играл впервые и счастье улыбнулось ему. Дублировал он с невероятным успехом, на кредите имел больше четырех тысяч, держался спокойно, не впадая в раж. Я на всякий случай запримерила его: в глаза бросался плохой прикус. Может, успешная игра компенсирует ему неуспех у женщин?

Седого дурака я встретила снова через три дня. Привязался к фруктовым автоматам. За покерным сидел высокий парень, из двух зол я предпочитала уж его, не смотреть же на этого седого кретина! Однако занялась игрой и снова пропустила момент, когда парень превратился в трусоватого мозгляка. За автоматом сидел широкоплечий красавец, квитанцию в кассу брал трусоватый замухрышка, и что за чудеса такие? Мозгляк отправился за деньгами, а высокий снова сел за игру.

Седой кретин вел себя несколько сдержаннее, болельщик был всего один, автомат давал помалу, но точное удваивание повышало кредит. Интересно, почему у него на пробое никогда не бывает семерки, у других она появляется на экранах часто и сводит на нет все шансы. Он гадал на маленькие карты, и выскакивали маленькие — двойка, тройка, потом ударил большую, и в самом деле — то дама, то валет. Наконец автомат запустил ему компот, седой сразу взял себе более шести сотен, потом поколебался, набил десять тысяч восемьсот, скинул на кредит, попялился с минуту на экран и с явным неудовольствием ударил аут. Отказался дальше играть.

Очередную сенсацию он выдал еще через три дня. Я сидела за автоматом рядом и разозлилась — его болельщики болтались без продыху и за моей спиной. Злость малость поумерилась из-за выигрыша, мой автомат платил вполне прилично. Седой болван интриговал меня до мазохизма, я решила воспользоваться случаем последить за ним, как ни раздражал он меня.

Начал он осторожно, с восьми жетонов. Автомат дал десятку, и седой сразу же принялся за свои штучки. Пошел на пробой, поправил сумку на коленях, облокотился с удобствами и нажал маленькую. Выскочила двойка. Снова маленькую. Тройка. Опять маленькую и опять тройка. На экране видны были предыдущие карты — одни большие, похоже, теперь началась серия маленьких. В четвертый раз ударил маленькую, и опять двойка. Из десяти жетонов набил уже сто шестьдесят. Поколебался, нажал большую. Угадал, появилась дама, набрал триста двадцать. Перестал удваивать, сбросил на кредит и начал гадать на своей излюбленной ставке — по тридцать два жетона. Не успела я оглянуться, как набил более семисот, а за его спиной глазело трое болельщиков. Поймал бары — сто двадцать, не размышляя долго, седой пробил дубль.

— Во мужик! — восхитился кто-то из болельщиков.

— Я угадываю,— снисходительно пояснил седой.— Главное — сосредоточиться!..

И он нажал большую — король, снова большую — дама, уже четыреста восемьдесят, мужик осатанел, повторил большую, снова дама и девятьсот шестьдесят. Вернулся к маленьким — три раза двойка, тысяча девятьсот двадцать, три тысячи восемьсот сорок, семь тысяч шестьсот восемьдесят. Болельщики ахнули, седой прервал игру по необходимости — автомат сам начал кидать на кредит.

Пришлось ждать несколько минут, седой болван закурил, начал болтать с окружавшими его завсегдатаями, петушился, изображая небрежность: что ему паршивый автомат, уж он-то справится с любой машиной. Болельщиков собралось уже пятеро. Мой автомат выдал компот, я перестала выходить из себя, а злость на этого барана вполовину испарилась.

Седой возобновил игру по тридцать два жетона.

— Я бы уж лучше записал домой что есть,— подсказал кто-то из болельщиков.

— А я вот нет,— строптиво пыжился седой.

— И правильно, так и надо! — прошипел завистливо другой.

Чертов автомат выдал три семерки. То есть девятьсот шестьдесят. Среди болельщиков появился механик, с интересом посмотрел.

Седой, само собой, не слезал с дубля, продолжая долбить маленькие, двойка и тройка выскакивали по очереди — из девятисот шестидесяти набил семнадцать тысяч триста шестьдесят, потом тридцать четыре семьсот двадцать. Болельщики молчали — задохнулись от восторга. Подошел шестой болельщик, не считая механика, растолкал всех, встал за спиной седого.

— Может, хватит? — произнес холодно.

Седой вздрогнул, рука замерла на клавише. Нажал кредит.

— И вправду, хватит,— согласился он едва слышно, смущенный и поникший.— Теперь уж не угадал бы, вы прервали подъем.

Болельщики обрели голос, разнесли коммюнике об отчаянном безумце. Я оглянулась на человека, прервавшего игру. Видимо, тот самый, кто удержал седого кретина в прошлый раз на двадцати пяти миллионах. Постоянный опекун?.. Только вот чей — седого или казино?..

Седой больше не стал играть, не похвалился даже, чуть ли не раскаивался, что столько выиграл. Механик молча пошел в кассу за квитанцией, вернулся, сел рядом и ждал, пока автомат все выплюнет.

Седой курил, уставясь вдаль, опекун отошел в сторону, но остался в зале. Он явно сторожил этого старого осла — не разрешил играть дальше, возможно, заберет с собой вместе со всеми деньгами и экскортирует домой. Старый осел, по-видимому, мало вменяем...

Сенсация эхом перекатывалась по залу еще часок-другой. Собственными ушами я слышала рассказы, сообщаемые новопришедшим, при случае узнала и фамилию седого.

— Чего не явился пораньше,— упрекнул один хмырь другого.— Блендовский тут набил больше сорока лимонов.

— Что, опять? — возмутился второй.— Ну и фартит сукину сыну!..

— Как всем дуракам,— с горечью откомментировал первый, и оба ушли.

Никаких творческих выводов на этот счет у меня не зародилось. И не такое видывала в сих притонах разврата: при мне в Тиволи к соседнему автомату подбежал мальчик, бросил один жетон, автомат дал пятьдесят, мальчик скинул жетоны и помчался кататься на электрических автомобилях. На моих глазах убогая баба, проходя через зал, нашла жетон на полу, бросила в автомат с правой стороны от меня, тот дал четырнадцать, начала с ними играть и ушла, выиграв четыреста пятьдесят. В Брюсселе один мой соплеменник целое лето процветал на часах, выигрывая несколько штук в день на чертовых машинах, действующих по принципу флотации меди в руднике. Однажды самолично наблюдала за типом, который пытался поднять с полу три мешка жетонов, выплюнутых одним автоматом,— да с места не сдвинул — мешок весил не меньше полутонны. Как-то я и сама накупила рождественских подарков на всю семью за жетоны, выигранные в Тиволи за пару часов, и несть числа подобным случаям. Правда, и наоборот тоже происходили вещи неимоверные, слепое везенье и слепое невезенье действуют с одинаковым постоянством.

Значительно глубже, чем все счастливчики, меня заинтересовал собственный большой покер, по чистой случайности пришедший на максимальной ставке в пять жетонов — четыре миллиона одним ударом. Удваивать я побоялась...

Обо всех этих наблюдениях я и хотела рассказать Гутюше. Меня заинтриговало, пусть и он заинтересуется. Я осмотрелась, за одним из покерных автоматов сидел линялый сморчок. Я показала на него.

— Погляди на этого линялого сморчка,— посоветовала я.— Только не очень настырно, не лежи у него на спине. Присмотрись, как пробивает — каждую угаданную по пять раз и не ошибается. Здесь обретается несколько таких талантов, ума не приложу, как им удается, вдруг ты сообразишь. Да не на черного толстяка смотри, а на худого блондинчика.

Я уже успела продуть половину своего выигрыша, когда вернулся Гутюша, неимоверно удивленный.

— Ты права, он ни разу не продул! А некоторые пробивает только четыре раза, как думаешь, почему?

— Ничего не думаю, караулю, чтобы не набрать больше пятисот, тогда автомат больше не перебрасывает на кредит, а играет, и надо бежать за механиком. А вот ему, по-видимому, неохота бегать, обогащается по методу малых банков. Разве что у него покер или каре, тогда долбит до упора и берет бумажку в кассу.

— Ладно, а как он попадает все время в яблочко?

— Не понимаю. Надеялась, вдруг тебя осенит. Не он один, впрочем, всего я засекла здесь четверых. Трое нормальные, один пожилой кретин.

Поведала про все, и про последние сорок миллионов. Гутюша заинтересовался не на шутку.

— Тут что-то есть,— заявил он.— Электроника вдруг дает некий ритм, который они уловили. Не пробовала запомнить, как идет? Две красные, одна черная, две маленькие, три большие и так далее?

— Пробовала. Однажды вон на этой дурынде четырнадцать раз вышли черные, если это ритм, то я — цветущая китайская роза. Две красные, одна черная повторяются постоянно, только в разное время. Из пяти раз мне удавалось угадать однажды, а эти четверо всегда.

— Может, у них компьютер. Записали весь ряд и заправили ему в пасть, а он им выдал, как будет.

— Тогда у каждого свой, потому как я не заметила, чтобы эти люди были знакомы, а может, скрывают знакомство. Только вон тот высокий парень знаком с трусоватым мозгляком, но мозгляк не играет. То есть иногда играет, но без гарантированного успеха. Ошибается на дубле, как и всякий нормальный игрок.

— Ну, мне не уразуметь. Это ведь ты знаешь автоматы с рождения, а не я. Стоит еще посмотреть в «Марриотте»... Погоди-ка! А что-нибудь общее есть у них?

— Какое общее?

— Все равно, какое угодно. Этакое общее le clou *.

Более или менее понятно, что Гутюша хотел сказать. Подумала. Единственная безусловно общая черта — все выигрывают огромные деньги. Однако я могла проворонить что-либо.

— Вот под этим углом зрения я к ним и присмотрюсь,— пообещала я Гутюше и себе.— Начну с этого линялого сморчка. Запишу все, что замечу, возможно, записи, как всегда, помогут. А что ты сказал про «Марриотта»?

— Там тоже казино. Рулетка, прочее и автоматы есть. Не бывала там?

— Была как-то раз, просто забежала. Ты, пожалуй, прав, надо взглянуть. Только сначала хочу показать тебе этих четверых здесь.

— Ладно. И я то же самое хотел предложить. Могу забегать ежедневно, всегда на кого-нибудь нарвусь.

Троих интересующих нас индивидов Гутюша обозрел легко, а четвертого никак не мог застать.

---

* Гвоздь, главная приманка (фр.).

Седой исчез из казино. По секрету я спросила знакомого механика, не запретили ли ему приходить из-за его бешеного фарта, оказалось — нет. Казино пережило его миллионы безболезненно, сюда приходили люди, проигрывавшие гораздо больше, чем он выигрывал; ведь должно же кому-то и подфартить время от времени. Значит, сам перестал приходить. Поразительно, более того — подозрительно. Разве что подхватил грипп с осложнениями...

Уже через две недели Гутюша просек: идет крупное мошенничество. Суть его уточнить не брался, но слишком уж большие деньги шли в счет, чтобы обошлось без мухлежа. Напомнил прошлые события, мотивы и почти убедил меня, я согласилась без возражений — во мне и так бушевало яростное беспокойство. Постоянно преследовало ощущение: вокруг что-то происходит, а я, слепая идиотка, тупая и глухая, только упускаю драгоценное время и шанс на раскрытие тайны. Делала сколько удавалось. По возможности старалась не мозолить глаза постоянным клиентам — не затем приходила в казино, чтобы заниматься литературным творчеством. В блокноте подробно описала внешность всех причастных, на мой взгляд, типов, от волос до обуви включительно, составила список всех вещей, которыми пользовалась данная личность, включая марку спичек...

Слово, изреченное на бумаге, оказалось бесценным. В общем, получилось нечто такое, отчего я покрылась красными пятнами, а Гутюша впал в языковое неистовство.

— Подводим резумпцию! — пламенно возвестил он, рассыпая в машине все сигареты.— Головы на шляпе ни у одного мордоворота нету, но это норма. Видишь, все разное, ну штаны там, ботинки. Как обычно. Только каждый лелеет сумку на пузе, и тот, четвертый, кого я так и не застал, ты говоришь — тоже.

И в самом деле, прочитанный под уличным фонарем текст непреложно доказывал: единственная общая черта у всех фартовых игроков, кроме повсеместного употребления одежды,— пестуемый на коленях багаж средней величины. Сумки, портфели или модные мешки с затяжками. Вспомнила я, как опекун седого допрежь всего кинулся забирать оставленный саквояж. Все может оказаться простым совпадением, а возможно, здесь и зарыта собака.

— В «Марриотт»! — приказала я.— Распределим: ты туда, я здесь...

— Сегодня? — запротестовал было Гутюша, потому как анализ записей мы завершили в час ночи, когда вышли из казино и уселись в машину.

— Прямо с завтрашнего дня и начнем. Получается, с сегодняшнего. Через неделю сопоставим наблюдения и поглядим, что получится...

— Что-то там такое происходит, но что, вот вопрос,— докладывал Гутюша уже через несколько дней.— Пузатый сидел на сумке, то есть не на сумке, потому как требуют сдавать в раздевалку, он сидел на этой, модной, для мужиков, только такой громадной, что ого-го. Гадал на покерном, большая-маленькая, я не стоял над ним, глянул издали, он набил три по самым высоким ставкам, взял на жетоны деньги, а покер сменил на рулетку. Постоял, посмотрел, рожа у него раскраснелась, прямо не рожа, а флаг, уселся за игру.

— Выигрывал?

— Да по-разному. Зигзагами. Больше проигрывал, а деньги на игру были. Напротив встал какой-то и на него уставился, уверяю, так страшно, что у меня волосы дыбом в пятки ушли. А этот сначала ничего не замечал, на одиннадцать поставил, проиграл, наконец увидел того и едва под стол не свалился. Сорвался с места как торнадо, зелеными пятнами пошел, зубами заклацал, сдуло его со стула чуть не в плевательницу. Полетел к автоматам, играл часа два, монет набил — жуть, там жетоны по десятке, и все время оглядывался. По-моему, до смерти боялся, не наблюдает ли тот снова.

— А как выглядел?

— Который?

— Ну, не пузан же! Тот, напротив.

— Я знаю? Пожилой, среднего возраста. Башка круглая, волосы короткие, такие, перец с солью, рот в щелочку, вот так...

Гутюша изобразил, я сразу узнала: тот самый, опекун седого! Злобно сжимал губы, седоватый, голова круглая. Кто же он, черт побери,— постоянный страж?..

— Другие к рулетке и близко не подходили,— излагал Гутюша, бросая жетоны во фруктовый автомат.— Я однажды на таком выиграл, еще не прочь. Ну, больше и рассказывать нечего.

— Увидишь кое-кого: явился седой, играет на покерном. Сходи глянь на него.

Гутюша оставил свой автомат, в который напихал жетонов, и отправился на середину зала. Я играла рядом, тоже на фруктовом.

Гутюши не было довольно долго.

— Озверелец,— заключил Гутюша.— Спятил. Пять раз угадал и еще хвалится, своими ушами слышал, что у него внутри радиестезия — тоже мне, лозовед нашелся. Ты, послушай, а вдруг в самом деле что-нибудь того, а? Союз деятелей розги, из тех, что над водой прутиком махают, а после втыкают, где нашли?

Гутюша, понятно, имел в виду не рыболовов с удочками, а лозоведов по воде и металлам. Помнится, некая случайная радиестезистка на улице мне сказала, что ищу зубного протезиста, хотя у меня все зубы были на месте. Всякое бывает, возможно, черная, красная, маленькая и большая им сверхъестественным образом открываются.

— Хорошо бы узнать, кто они такие,— подкинула я.— Этот седой — Блендовский, случайно услышала фамилию, посмотрю в телефонной книге. А с остальными как быть? Последить за ними?..

— Можно,— согласился Гутюша, запуская автомат.— Слушай, это ж просто скотина, а не автомат, вообще не желает платить.

— Сериями идет. То дает, то нет. Раз уж тут начал, держись этой машины.

— Может, попробовать по одному жетону, а?

— Рискованно.

Гутюша попробовал, и автомат тут же выдал три сливы на верхней горизонтальной линии. Нажал еще раз и получил три апельсина по вертикали. Снова поставил восемь жетонов и, конечно, продул.

— Я тебя предупреждала.

Автомат злорадно выдал компот, но в нижней горизонтали появился колокольчик и перечеркнул выигрыш.

— Остается скрипеть зубовьем,— мрачно констатировал Гутюша.

В другой стороне зала раздались выкрики. Я оглянулась. Конечно же, болельщики окружили седого.

— Сходи посмотри, чего он набил,— поручила я Гутюше.— Мне неохота, видеть его не могу. Наверно, опять надолбил сорок миллионов.

— Малый покер за пятьсот отработал пять раз,— сообщил Гутюша, вернувшись.— Всего на кредите у него двадцать миллионов четыреста тысяч, автомат встал, так что пока не играет. Рядом сидит линялый сморчок и глазеет на него, но ничего не говорит. На кредите пять тысяч.

— Разорят казино. Ну и кто последит за сморчком? Ты или я?

— Могу я. На моем мерзавце автомате можно обанкротиться, лучше уж идти в штат гончим псом.

— Смени автомат, сядь около сморчка, чтобы не прозевать.

— Ты же велела держаться?

— В следующий раз. Иди, он, того и гляди, кончит игру.

Линялый сморчок и в самом деле быстро набил десять тысяч. Нажал аут, автомат начал переброску, а он пошел за механиком. Гутюша обосновался на стратегической позиции, и они вместе вышли из казино.

Седой получил квитанцию и осатанел вконец. Автомат после каждой клавиши выдавал ему самое меньшее пару, из одной такой пары старый разбойник делал сто шестьдесят жетонов. За две пары получалось триста двадцать. Через полчаса перевалило за сорок тысяч, а он играл дальше. Я оглянулась удивленная — где же опекун, и увидела его за колонной. Не вмешивался, просто наблюдал со стиснутым ртом и таким выражением лица, что меня холод пробрал. Я перестала обращать внимание на собственную игру, загипнотизированная зловещей атмосферой.

И в самом деле, взгляд опекуна излучал такую злобу, что седой почувствовал. Прервал игру, заерзал на табурете, беспокойно оглянулся. Мгновение колебался, опекуна за колонной не заметил, окружающие его мало интересовали, и потому вернулся к автомату. Посмотрел на кредит, нажал аут, болельщики привели механика, седой взял квитанцию на деньги, я думала, успокоится и уйдет — не тут-то было. Снова начал играть с тем же результатом, одним фулом загреб восемьсот жетонов. Разохотился снова, симулируя небрежность, рассеянно долбил красную и черную, всякий раз немного выжидая и демонстрируя болельщикам свои успехи.

Опекун за колонной владел собой неслабо. Глаз с седого не спускал, но ничего не предпринял, не подошел, не вмешался. Перед самым закрытием казино седой выиграл еще столько же, сколько вначале, слез наконец с табурета и пошел в кассу. За один вечер взял больше восьмидесяти миллионов злотых. Я чуть не забыла о своих жетонах, уцелевших только благодаря вялой игре, обменяла их в последнюю минуту и успела увидеть встречу этих двоих.

Столкнулись при выходе. Опекун стоял в дверях и ждал, седой заметил его неожиданно. На мгновение словно прирос к полу, покраснел, побледнел, откашлялся и провел трясущейся рукой по волосам. Опекун торчал в виде каменного изваяния, только посматривал еще мрачней, чем из-за колонны. Когда седой остановился рядом, тот кивнул в сторону дверей, седой неуверенно вышел, опекун за ним. Вместе подошли к «полонезу» и сели. Я оказалась неподалеку от них. Седой что-то говорил, опекун молчал. На всякий случай я записала номер машины.

И только они тронулись, мне пришло в голову ехать за ними. Поздно, исчезли, прежде чем я успела дойти до машины, оставленной на противоположной стороне улицы Кручей, к тому же я приехала из центра и теперь не хотелось разворачиваться. Прозевала, куда они направились — прямо или где-нибудь свернули. Холера. Вся надежда на Гутюшу...

Гутюша не подвел.

Линялого сморчка проводил до самого дома, довольно далеко — сморчок жил в самом конце Хожей. Отправился лифтом на четвертый этаж, а Гутюша мчался по лестнице, чтобы не попасться ему на глаза. С пролета успел заметить, что сморчок открывает дверь своим ключом — значит, его квартира. В списке жильцов значился как Иреней Мёдзик.

Вернувшись в казино по Вспульной — так ему показалось дипломатичнее,— Гутюша как раз успел к выходу седого с опекуном. Меня не заметил и, не выходя из такси, последовал за ними.

— Один из них живет на Венявского,— информировал он меня.— Верно, седой, там и застрял, в другой вышел. То есть сначала оба вошли в домик на одну семью, ну, такие, знаешь, неразлей-вода.

Я поняла, что дома натыканы густо и между домами совсем тесно. Более или менее знала этот район.

— Кто открывал? — допытывалась я.

— Седой. Второй подержал его манатки. Не разговаривали. Да я и не услышал бы, смотрел из такси, да видно было — пасти на замке. Столпы соляные — не люди.

— Твой таксист не любопытствовал?

— В лучшем виде. Я наплел, мол, там живет одна, я к ней липну, да, пожалуй, слишком гостеприимная. Всяких привечает, а я, значит, дежурю, правду ищу.

— Прекрасно. И что дальше?

— Дальше мало. Говорю ведь, вышли, вошли вместе в дом, второй вышел через десять минут. Я смотрел на часы на всякий случай. Удивительно, нигде света не было, ни в одном окне, может, еще какая комната. А на дверь светил фонарь, так что ключ вставил нормально.

— Второй вышел с сумкой или с пустыми руками?

— С сумкой. Но не с той, а с таким чемоданчиком, гармошкой.

— И что? Куда поехал?

— Вот именно. Никуда. Оставил машину и пешком потопал против одностороннего движения. Таксист, конечно, ни в какую. Я побежал за хмырем, да поздно — пропал из видимости. Ничего, подстерегу в другой раз.

Я задумалась.

— Когда еще будет другой раз! Опекун ходит в казино по пятам за седым. Я во всяком случае иначе его не встречала...

— Был же на рулетке,— припомнил Гутюша.— Если и нет, в чем дело, подождем, пока седой не явится...

— А когда? Сдается, нескоро. Наверно, зарвался, слишком много выиграл, да и демонстрировал, попридержат его, чтобы утихло. И опекуна, ясно, не будет. Черт его знает, а хотелось бы все же представлять, кто он и где живет.

— Он к этому седому с визитами ходит, точно,— вывел Гутюша.— По моему графику так выходит. Вечерок-другой почему бы и не поглядеть, а вообще-то интерес имею, выйдет ли седой из дому. Вдруг он там кукует привязанный к калориферу, а рожу пластырем залепили. Что-то там не того, жареным пахнет.

Ситуация явно захватила Гутюшу, да и меня, признаться, тоже. Мы договорились подежурить вечерами по очереди. Гутюша вызвался начать сразу, а мне продолжить дежурство завтра. Я постереглась спрашивать, почему он решается растрачивать время и силы на черт-те что. Всякие вопросы такого рода только высветили бы кретинизм нашей деятельности. А мне не хотелось, чтобы он бросил нашу аферу, столь заманчивую для меня. Правда, кто знает, что заманчиво для него, Гутюши.

Выслушав Гутюшин рапорт, я положила трубку и подумала, что вести такие разговоры по телефону — глупость запредельная. Если сама я наслушалась случайно всяких секретов, так же точно кто-нибудь мог подслушивать нас. Мы не называли, правда, имен, но зато адреса... нет, имя тоже — того сморчка, Иренея Мёдзика. Ну, допустим, некто подслушивал. Что же, он пойдет к Мёдзику и за деньги или из чистого интриганства доложит, вами, мол, интересуются некие особы — баба и мужик? Ну ладно, и что? Мёдзика в наших планах не было, пусть боится нас до чертиков. На седого, он, по мнению Гутюши, смотрел с омерзением, вряд ли были знакомы. Если отгадает, что о седом шла речь, ну и пусть себе ему сообщает. Ничего удивительного, после сумасбродств в казино седым может интересоваться полгорода, сделал все, чтобы обратить на себя внимание. Кто-нибудь пожелал бы ограбить его, свистнуть у него выигрыш, не мы ведь, так какое мне дело...

Я оставила свои беспокойства по поводу прослушивания и назавтра же пополудни полетела из любопытства снова в казино.

Гутюша явился только в полдевятого вечера. Нашел меня сразу, был бледен и ужасно нервничал.

— Горчица вся вышла,— выпалил он.— Погасла свечка.

Я оторвалась от игры.

— А что случилось?

— Я тебе не какое-нибудь драное перо, но кошмары по ночам замучают. Всякие клювы и рыбьи зубы — это все чушь собачья. Хорошо, меня прихватило, а не тебя, женщины, говорят, одна нервота, ты бы еще в какую-нибудь катаплазму въехала...

Я повернулась на табурете спиной к автомату.

— Гутюша, опомнись! Боже праведный, о чем ты!

— Пошли отсюда. А то люди увидят. Минутку, я только освежусь, у меня все еще мурашки по голове шастают.

Он направился к кельнеру и опрокинул рюмку чего-то. Я тем временем обменяла жетоны на деньги, заинтересованная и озадаченная. Только-только я сообразила, что драное перо означало, видимо, «пух невесомый», что точно соответствовало, согласно стихотворению Мицкевича, нервной женщине, как Гутюша снова появился передо мной. Сели в машину.

— Седого пиратировали. На моих глазах. Погиб технической смертью. Фирменный заказ.

Я поморщилась.

— Брось телеграф, говори подробнее! Когда?

— Только что. Я даже «скорую» не стал дожидаться и так далее, издалека видно — не на что смотреть. Народ набежал...

— Погоди! Начни сначала!

Гутюша закурил, зачем-то выбросил в окно зажигалку, вышел, отыскал ее и уселся обратно.

— Сначала так: только я приехал, седой вылез из дому. Было уже почти темно. Едва седой начал улицу переходить, шага два прошел, как налетела дорожная пиратская громада: машина вдарила в него, как в утиную гузку, правда, седого отбросило, а пират на колесах затормозил, вернулся и еще разок его отоварил. Озолоти меня, коли это случайность!

Я похолодела. Гутюша глубоко затянулся и продолжал.

— У меня аж горло сперло, чирикнуть не мог. Был метрах в двадцати. В темном месте сидел, как перекрашенная лиса у разоренного курятника. Ужасно. Седого размазало повсюду, а пират этот двинул на кросс, только его и видели.

Поскольку необходимо было перевести Гутюшины слова на обычный язык, я несколько пришла в норму.

— Хочешь сказать, кто-то специально задавил седого и еще для уверенности по второму разу проехался? Кто это?! Машина какая?!

— Самосвал вообще-то. Строительный. Семь тонн. Без груза, ничего не высыпал.

— И сбежал?!

— Еще как. Говорю тебе, лучше людоедов-акул каждый день смотреть в кино. И пускай расклюют нас вороны да чайки.

Где-то краем сознания я уловила Гутюшины ассоциации: «Челюсти» и «Птицы» Хичкока. Сцена наверняка была ужасная, хорошо, я не видела, насчет впадения в катаплазму, то есть в каталепсию я сомневалась, но сниться могло долго.

— И не пьяный?

— Кто?

— Шофер самосвала.

— Понятно, пьян в стельку, в полной программе. У трезвого бы рука дрогнула. А сматывался слаломом от фонаря к фонарю.

— Ужасно. И ты действительно уверен — не случайность? Намеренно и с умыслом?

— Ну а как? Будь один раз — могло просто занести, так ведь вернулся и дублировал. Ну видишь, как финишировал этот седой после своих бесконечных дублей...

Я помолчала, быстро, лихорадочно соображая. Выводы пришли сами.

— Теперь уже ничего не поделаешь, выследить опекуна необходимо. Если не его рук дело, то я архиепископ.

— А мне пришло в голову, вдруг кто из казино,— предположил Гутюша, рассматривая будку сторожа на автостоянке.— Не впускать его нельзя, а доил с них огромные деньги. Этот седой им ушами уже выходил, вот и раздавили пиявку раз и навсегда. Не знаешь, кто там в коноводах?

— Понятия не имею. Сильно подозреваю, заправляет всем сам опекун. Дважды прерывал ему игру...

Гутюша оживился и оторвал взгляд от будки.

— А знаешь, это мысль! Возможно. Ну и того, тем более, ты права, надо его выследить!

На этом все и застопорилось. Гутюша в свидетели не рвался, и я поддержала его. Больно уж все опасно, и обращать на себя внимание вовсе не выглядело верхом рассудительности. Что-то у нас не получалось, прежние структуры, видать, долго еще будут аукаться, а мы оба еще хотели малость пожить...

«Полонез», номер которого я записала, принадлежал седому, светлой памяти, покойнику. Я подозревала, что принадлежал ему номинально, а de facto служил кому-нибудь совсем другому, но кутерьма у нас с машинами такая, что докопаться до истины куда сложнее, чем провести все следствие целиком. А уж если седой дал кому-нибудь доверенность на пользование или продажу, так доверенное лицо уже могло продать машину и исчезнуть бесследно, ибо в договоре числился только официальный владелец; можно доверенность выбросить к чертовой бабушке, и гуляй — не хочу. Никто про него не дознается до скончания века.

Я попыталась навести справки насчет дома на Венявского и после бесконечных хождений, мучений, используя всяческие еще давние знакомства, узнала: недвижимость принадлежит некоему Витольду Ключко, пребывающему за границей лет двенадцать. Налоги платит, имеет право делать с домом все, что ему заблагорассудится, или вовсе не возвращаться. А временно прописан был некий Чеслав Блендовский, оный-то как раз и помер, а значит, уже не прописан.

У меня в глазах потемнело от всех этих крючков и закавык, и с нервов я побежала в казино.

На девицу обратила внимание только потому, что она сидела за моим любимым автоматом и мне пришлось выбрать другой. Пока я усаживалась за фруктовым, услышала знакомый звук и взглянула, что эта полоумная делает. Пробила каре, играла по пять, набрала уже тысячу двести и лезла дальше — ведь все ухнет. Я смотрела на нее с ужасом: она довела игру до конца, автомат отсчитал четыре восемьсот. Отправилась за механиком, вернулась, села на табурете — пришлось подождать немного, девица раскрыла сумку на коленях, достала сигареты, закурила и отвернулась в поисках пепельницы. Я знала ее, никаких сомнений. Знала — не знала, но видела. Кто такая и где я ее встречала?

— Посмотри только, как она гадает,— завистливо провыла кладбищенская гиена у колонны.— Состояние делает на пробое, вчера взяла восемьсот штук вон на том автомате, и теперь опять. Как это у нее выходит? Посмотри-ка...

— Вот еще, смотреть,— перекосился собеседник гиены.— Пошли, раз не на что играть.

— Сейчас. Посмотри. Опять...

— Да пошли же.

Ушли наконец. Я устроилась за автоматом, откуда хорошо было видно девушку — необходимо вспомнить, откуда я ее знаю. Где же я видела ее, черт побери?! Что-то в ней задевало, будто она связана с чем-то важным, только с чем? С чем-то страшным? С каким-то событием?..

И только когда она характерным движением взъерошила волосы, я вспомнила. Господи, да ведь это же Пломбир!!! Подружка того манекена из подвала, приятеля покойного недоумка! Конечно же, и хоть я только раз ее видела, она запечатлелась в памяти очаровательной неправильностью фигуры. Играла просто неправдоподобно, била красную и черную, не сомневаясь, и всегда с результатом, верно, экс-хахаль с того света подсказывал...

И вдруг мне сделалось не по себе, под ложечкой засосало. Голова как-то не особо участвовала в мыслительном процессе, казалось, думает все тело: печень или пятка мгновенно подбрасывали очередные сопоставления. Пломбир, приятель недоумка, сам недоумок, странные махинации с итальянским автоматическим ломом, автоматы, разобранные на «чипы пэ», что-то он знал, и в голове у него не укладывалось, автоматы вообще, этот постоянный фарт... О, провались все пропадом!!!

Беспокойные, взбудораженные мысли поползли от печени вверх и засвербили в темени. Тело, душа все понимали, а ум отставал. Гутюша прав — это же электроника.

Нет уж, на сей раз не отступлюсь. Обанкрочусь, с голоду помру, пойду мыть окна в железнодорожных вагонах, но дознаюсь, в чем дело. Все разузнаю, проверю, иначе сосущая неопределенность добьет меня окончательно. Конечно, необходимо все спокойно обдумать, однако интуиция весьма сомневалась в результатах...

Через два дня я упрямо сидела за моим любимым автоматом, никого из наших подопечных не было, зато за моей спиной раздался женский голос.

— Добрый вечер, пани. Я вас знаю...

Я обернулась — Пломбир!..

— Добрый вечер.— Я постаралась скрыть волнение.— Я вас тоже знаю, видела однажды. И слышала о вас. Вы Пломбир?

— Я так привыкла к этому прозвищу, что почти забыла, как меня в самом деле зовут,— улыбнулась она.— Как платит?

— Ни то ни се. Я вас видела здесь два дня назад.

— Да, я бываю время от времени. На дубле здесь больше всего можно выиграть. Вы не рискуете?

Я пожала плечами.

— На пробое как раз больше всего проигрываю, у меня особый талант угадывать наоборот. А я заметила, что вы выигрываете безошибочно. Как вам это удается?

Пломбир помолчала. Подвинула табурет и села рядом.

— Сделаю вид, что наблюдаю за вашей игрой, хорошо? — сказала она вполголоса.— Простите, но... я боюсь.

Я чуть не позабыла про игру.

— А что случилось?.. Чего боитесь?..

— Боюсь всего и боюсь вам сообщить кое-что. Я увидела вас два дня назад и подумала, а вдруг да вы... Не уверена, разговаривал ли Стшельчик с вами, то есть я уверена, что разговаривал, вот только что он сказал... Если вы скажете мне...

Она замолчала. Я обернулась к ней. Выражение лица странное: отчаяние, страх, подавленность и неуверенность, но еще и упрямая решимость. Меня залихорадило.

— Да? — спросила я осторожно и приветливо.

— Мне велели узнать, что он вам говорил.

— Кто велел? Что значит велели?..

Пломбир подождала, посидела молча.

— Да есть такие. Умеете вы молчать? Докопайся кто-нибудь, о чем я тут говорю, считайте, меня уже нет в живых. Не шучу и не преувеличиваю. Обыкновенный несчастный случай: под машину попаду или по ошибке отравлюсь чем-нибудь. Я бы сбежала, да денег еще мало. В Канаду.

Ничего себе ситуация! Бегство в Канаду я поддержала бы всячески, независимо от причин, но суть, видимо, в ином. Она явно была во что-то посвящена и хотела мне сообщить. Пожалуй, и я потом попаду в аварию или отравлюсь, но не отказываться же из-за этого от тайны. Молчать я умею, да, все время молчу, если не считать Гутюши...

— Сяду потом на ваше место,— сказала Пломбир, прежде чем я успела заговорить.— Объясню, сидела здесь, потому что собирались уходить, так я ждала автомат. Вам придется скоро уйти, извините, пожалуйста, не навлекайте на меня опасность.

У меня мелькнуло было подозрение, что весь разговор она затеяла с целью завладеть автоматом — два других заняты,— но я опомнилась и заверила, что слова нигде не пророню, и вообще, в чем же дело?

Пломбир подсела ближе к автомату, поставила сумку на колени. Достала сигареты.

— Дублируйте эту комбинацию,— посоветовала она шепотом.— Ну вот! Будет красная.

И в самом деле появилась красная.

— Еще раз! — велела Пломбир.

— Красную?

— Да.

Снова вышла красная.

— Теперь черную до конца — три раза!

Я послушно нажала черную. После пятого пробоя автомат выдал сто девяносто два жетона и перевел на кредит. Мне сделалось жарко.

— Теперь играйте по пять и все дублируйте. Я вам скажу, что выйдет. Потом, выиграв, вы уйдете, надеюсь, никто не удивится.

— Каждый удивится: ушла с выигрышем вместо того, чтобы ждать большой покер,— возразила я, выполняя ее подсказки.

Миллион я набила без всякого труда. Поколебалась — уж очень ровное число, зато оправдает мой уход. Обернулась вопросительно к девушке.

— Нет, поиграйте еще немного, а я кое-что скажу. Теперь вы соучастница преступления.

Тут я не сомневалась ни капельки. Гутюша отгадал все уже пару недель назад, а с позавчерашнего дня я догадывалась даже, на чем махинация держится. Меня только ужасно интересовало, как они это сделали, интересовала и сама девушка.

Она снова отодвинулась от меня и сказала вполголоса:

— Больше не дублируйте, я помогать не могу — опасно. И не гадайте. На меня не обращайте внимания. Я боюсь встретиться с вами в другом месте. О Блендовском знаете?

Я кивнула. Пломбир явно запугана, ищет помощи. Почему у меня?..

Пломбир, словно угадав мои мысли, объяснила сразу же.

— Я о вас много слышала от Стшельчика, пусть земля ему будет пухом...

И тут я вспомнила фамилию недоумка.

— ...они меня втянули, думали, очень информирована. У вас есть какие-то связи, хотя бы Валленрод.

— Какой Валленрод?

От неожиданности я ошиблась и нажала дубль вместо кредита. Вопреки намерениям нажала черную, и черная вышла почему-то, хотя, по-моему мнению, должна выйти красная. Просто не та клавиша, обязательно должна быть красная, и опять нажала черную. Вышло. Вот черт. Пломбир предостерегающе шикнула. Я прямо развела руками.

— Простите, пожалуйста, я думала будет красная, и всегда попадаю как раз наоборот. Проиграть это?

— Хорошо бы...

Должна же когда-нибудь появиться чертова красная. Я то и дело нажимала на черную, после пятого выигрыша автомат перебросил на кредит. Мне сделалось не по себе.

— Даю вам честное слово, уверена была в красной! Черт все побери, больше не дублирую! Пусть дойдет до миллиона, выгребу и пойду себе.

На кредите мигало больше тысячи трехсот. В голове мелькнуло этаким проблеском — может, есть специальный метод — нажимать наоборот... Пломбир вздохнула и примирилась.

— Это мы так его называли. Казик и я. Конрад Валленрод *. Казик сообщил о нем почти в последнюю минуту: кто-то путается около вас. Не знаю, как его зовут, но, по-видимому, он крепко завяз в афере.

---

* Конрад Валленрод — герой одноименной романтической поэмы Адама Мицкевича (1828). Литвин по рождению, воспитанный немцами, он становится (XIII в.) великим магистром Ордена крестоносцев и предает его, помогая одержать победу литвинам.

Матерь Божия. Конрад Валленрод, двойной агент... И где-то около меня, караул! Кто это такой, ведь не Гутюша же!..

— Он вышел из ведомства для видимости,— продолжала Пломбир с отчаянием.— Больше нечего сказать о нем... А махинация вот в чем: сделали такую штуковину, электронную, я этого не понимаю, но штуковина настраивает автомат на красную или черную, как захочет. Другая штука делает маленькую или большую. Устанавливаешь сам, это у меня в сумке, сейчас не работает, я отложила сумку подальше, а надо держать близко к автомату, сантиметрах в двадцати...

Не поворачивая головы, я бросила горящий взгляд на ее сумку — девушка сняла ее с колен и пристроила на полу. Господи помилуй, эти портфели, саквояжи, торбы!..

— Мне дают эту штуку время от времени и назначают, сколько могу выиграть. В принципе до десяти миллионов, у «Марриотта» — до ста, не больше, половина им, половина мне. Блендовский выпендрился, не унимался, он меня и привлек вообще-то, поэтому так боюсь...

Я мобилизовала все свои растрепанные мысли.

— Кто вам дает прибор? И вообще, как все организовано?

— Не знаю. По телефону звонят — прихожу в дом, где жил Блендовский, и там один гад дает мне сверток, а на следующий день он же забирает деньги. Они всегда в курсе, сколько я выиграла — есть, видно, свой человек в казино. Я не из посвященных, случайно попала по договору. Вляпалась, честно вам признаюсь, просто подзаработать хотела, а теперь боюсь ужасно... В милицию не пойдешь, извините, в полицию, ведь никогда не известно, кто у них там остался работать из этой шайки. Вы же понимаете, они все повязаны...

Шестеренки у меня в голове завертелись. Подозрения, предположения, неясные выводы — все оказалось правильно. И сопоставления тоже.

— Лаборатория на Праге у них была? — спросила я вполголоса и расслабила мышцы физиономии — поймала себя на том, что изо всех сил стискиваю челюсти. Пальцем показала на экран, где ничего интересного не было, просто из предосторожности. Если кто-нибудь подглядывает, пусть думает, что мы комментируем игру.

— У них все на Праге. Там здание рухнуло, а подвалы сохранились. В последний момент смотались, не представляю куда. О Казике мне сообщили, отравился, дескать, какими-то испарениями, сам, мол, нарвался, лез куда не следует, и мне о нем лучше забыть.

— Кто это вам сказал? Едва ли нам еще удастся встретиться, даже и здесь, надо обо всем договориться.

Девушка вздохнула.

— Если бы я что-нибудь знала! Раз только встретила одного подлеца с проседью, его зовут Рука, фамилии не удалось выяснить. Принимает в квартире Блендовского, ездит на машине Блендовского, а Блендовский погиб. Но этот, с проседью, не шеф.

— А кто?

— Неизвестно. Кто-то, кто сидел на самом верху, имел доступ ко всему. Предвидел перемены в стране, вычислил, когда точно произойдут. Был шефом и остается им. Не представляю, как он выглядит, а вот Крысу знаю. Вы насчет Крысы ориентируетесь?

— Наслышана, нед... Стшельчик мне говорил.

— Он вышел на пенсию досрочно, работает по договорам. По профессии электронщик, я случайно слышала — следит за всеми этими приборами.

Чуть заметным движением она кивнула на свою сумку. Я решила прекратить расспросы — слишком много неясностей и в главном и в деталях, а инстинкт подсказывал — дальше разговор не продолжать. Я нажала аут, не глядя, что на кредите.

— Садитесь на мое место. Я еще чуть-чуть посижу около вас, сделаю вид, будто слежу за игрой. Где механик?..

— Только осторожно,— прошептала Пломбир.— У них тут явно подсадная утка. Рука всегда в курсе, каков выигрыш до последнего гроша...

Я не села с ней рядом — в казино никогда такого себе не позволяла, не следовало этого делать и теперь. Стояла за спиной у девушки и смотрела на экран.

— Как им сказать насчет Стшельчика, о чем он вам сообщил? — спросила она тихо, по видимости, абсолютно занятая игрой.

— Ничего. Мы болтали о литературе все восемь лет знакомства, поскольку он сочинял всякую графоманскую белиберду. Как-то забеспокоился насчет коллеги, который куда-то исчез, а я почти не обратила внимания и больше ничего на сей счет ведать не ведала...

— Нет,— прервала моя собеседница,— они слышали, как он вам звонил и что говорил по телефону. Надо подробнее...

— Если слышали телефонный разговор, прекрасно ориентируются, что ничего не сказал. Только собирался. Когда я пришла, он уже умер. О коллеге говорил дважды: сперва упомянул — пропал, мол, приятель, а во второй раз сообщил мне, что видел тело. Я рассказала ему, когда мой сослуживец обследовал участок и здание на Праге для проекта, наткнулся на труп, и Стшельчик заключил: возможно, это его коллега. Все удивлялся и ничего не понимал. Я тоже. А следующий разговор был как раз по телефону, вот я и осталась в полном неведении. Все остальное время обсуждали его произведения, планы будущих творений и так далее. До последних двух встреч это святейшая правда, так что можете развернуть, как вам покажется нужным, а меня представить кретинкой.

— Кретинка из вас никак не выйдет, а все остальное передам. Вы в абсолютном неведении. В случае чего, как вас найти?

— По телефону. Случается и работает. И договоримся раз и навсегда: через двадцать минут после звонка встречаемся здесь у автомата, если здесь уже закрыто, то в «Марриотте». Разве только понадобится время сразу что-нибудь прокричать. А вы мне дайте свой телефон. Само собой, разговаривать будем про всякую общедоступную дребедень...

Я оставила девушку и ушла из казино, от обилия впечатлений не сообразила отправиться поиграть где-нибудь еще.

Гутюша явился сам на следующий день, нашел меня около фруктового автомата и сел рядом. Я тут же передала все, что узнала от Пломбира, не говоря об источнике. Гутюша слушал, и его мимика отражала восхищение, недоверие, подтверждение подозрений. В конце концов, энергично покрутил головой.

— Валленрод?.. Стало быть, втерся к врагу и притворяется? В любом случае не я — никуда не втерся, разве что в архитектурно-проектную мастерскую, но мы электроникой не занимаемся. Ты лучше подумай: тот твой экс... Ну, тот... Ниточка-иголочка...

— Что?..

— Ну, может, иголочка-ниточка. Или гулюшки-гули.

Сначала я подумала, Гутюша, верно, спятил, а потом залилась краской.

Именно эти подробности про Божидара я всячески скрывала. В самом начале знакомства до меня случайно дошло, что в интимных контактах дамы ластились к нему совершенно по-идиотски, какими-то младенческими гули-гули, ниточкой-иголочкой, воробышком, котей-лапой и прочим. В довершение всех бед выяснилось — он сам все это для себя придумывал. Подобные глупости, разумеется, я держала в строжайшей тайне, отчаянно надеясь, что никто об этом не проведает, хотя сама как-то видела: точно так подписывался в письмах к какой-то идиотке. Еще немного, и меня гулями и гулюшками можно было бы шантажировать. Взрослый мужик, метр восемьдесят, физиономия с рекламы супермена, с железной серьезностью называет себя птенчиком — это решительно выводило меня из терпения. Я понятия не имела, что за ниточка-иголочка, но сами слова бессмысленны, не говоря уже об увековечивании в письмах всей подобной несусвети! Откуда, черт побери, Гутюша мог пронюхать?..

Я молчала, совсем языка лишилась. Гутюша слегка засмущался.

— Так его, говорят, называли. Вроде бабенка какая-то рассказала. Я думал, может, ты...

— О Господи...

— Нет?..

— Нет!!!

— Ну, не мое дело. А был такой?

— Был. Нету его уже.

— Помер?

— Нет. Пожалуй, нет. Ничего на эту тему не знаю. Он меня бросил, и я потеряла его из виду.

— И уже больше около тебя не увивается?

— Нет.

— Ну, тогда вообще не знаю. Сама говоришь, будто говорят, около тебя вьется тот, Альдонин *...

Гутюшины дедукции импонировали, только откуда я ему достану Валленрода? Божидар отпадает — уже скоро год, как мы расстались, а делишки крутятся актуальные, пылью не покрытые. Надо мне поразмыслить, с кем я вообще разговариваю, особенно на эту тему... Абсолютно ни с кем уже много месяцев, только с Гутюшей...

Я вспомнила наш телефонный разговор.

— Кто около меня отирается, решительно не знаю. Не исключено, кто-нибудь нас подслушал по телефону, когда ты говорил о сморчке, об этом Мёдзике. Не тут ли собака зарыта? А не подслушивают ли все мои телефонные разговоры?.. Но детали мы только однажды обсуждали с тобой по телефону.

---

* Альдона — возлюбленная Конрада Валленрода в поэме А. Мицкевича «Конрад Валленрод».

444

— По телефону никто не вьется,— рассудил Гутюша.— Лично должен виться. Постой, подумаю, не слышал ли я чего?..

Некоторое время мы молча тыкали в клавиши, не обращая внимания на эффект. Гутюша задумчиво пробил три сливы, выиграл и как будто очнулся.

— Ага. Знаю. От приятеля. Старое дело, года три прошло, а то и четыре. Один тут вылетел из милиции, потому как больно вникал во все, здоровый, то есть по болезни — придумали ему там, что надо, чтоб получал пенсию и никому дыру в голове не вертел. Только поди уволь козла из огорода — знакомства у него остались, кто попорядочнее, всегда ему все скажет, вот он этак тихонечко, из угла, руку на пульсе и держал всегда. Мне сдается, и посейчас держит, только вот не уловлю никак, кто это. Может, как раз твой?

— Мой. Мне бы тоже не мешало уловить, чем владею.

— Тогда подумай, кто за тобой приударяет,— выдал Гутюша поразмыслив.— Если кто приударил, он и есть. Посчитай их всех.

Гутюша меня явно переоценивал, долго считать не приходилось, едва трое, четвертый маячил где-то на периферии. Его-то я как раз и предпочла бы, да он явно задерживался с выходом на ристалище, а жаль... Из первых троих ни один не годился вообще ни на что, а кроме того, ни с кем сенсации не обсуждала. Отпадали все кандидатуры. Валленрод, если существует в самом деле, законспирировался не на шутку.

И вдруг я вспомнила другой телефонный разговор.

— Представь, возможно, слышала, как он именно вылетал,— сообщила я Гутюше.— Я встряла случайно в чужую связь и запомнила разговор, хотя наверняка не один такой вылетел, а я попала на кого-нибудь еще.

— Ясно, не один полетел. Кто чересчур вникал, того и сплавляли подальше. Клика одна осталась, а порядочные люди — или стой на задних лапах, или вон. Погоди-ка, похоже, стоит попытаться еще кое-что за хвост поймать...

— Ну?

— Мне сдается, началось уже давно, несколько лет назад. Всякие дела, про которые ты говорила, и трупы, напиханные черт-те где, все не без причины. И я тогда влип, то есть вместо меня Юзеф, точно, из-за бриллиантов начался переполох, а Юзефа я им не прощу, вот только одно удивляет, почему оставили в покое? Ведь не убили же меня?

— А зачем тебя убивать, все выяснилось: к камням не липнешь, плюнул, вот и оставили...

— А из мести?

— На месть им начхать. Никакого навару. У них в башке одни барыши, начали уже жульничество с автоматами, а не какие-то романтические эксцессы. Так мне кажется.

— Пожалуй, тебе хорошо кажется. Стой, мы темп сменили. То есть нет, смысл. То есть меня интересует, какой след взять.

— Именно, ты говоришь, видишь другой след. Какой же?

Гутюша помолчал с минуту.

— Если по правде, не все тебе сказал. Надо по очереди проанализировать. Такую резумпцию сделать, понимаешь, в хронологическом порядке. Что происходило в прошлом году, кто что делал, что мы разведали и так далее. Надедуцировать побольше. У меня в башке балаган, а вдвоем мы мигом все сварганим.

Я всячески поддержала такой план. Вспомнила свой список на листочках в клетку, валяется где-то дома, я ничего не выбрасываю. Может, и пригодится.

— Приходи-ка ты ко мне, Гутюша, в гости, как человек. Запасемся пивком, подумаем, даже запишем, если понадобится. Однажды письменно у нас здорово вышло, вдруг снова получится. Прямо завтра, лучше всего в шесть, пообедай где-нибудь по дороге, я глупостями не занимаюсь. Идет?

— Вполне, только вот не уверен, не наткнусь ли снова на того... возьмет еще на абордаж... Ну, на того... какого-то такого...

— Окстись. Серьезно же, его нету. В шесть. Договорились?

Гутюша кивнул и занялся автоматом.

Сосед позвонил, когда в кухне перегорела лампочка. Едва успела подумать, лезть ли менять самой или бежать за сыном, которому рост очень облегчал потолочные манипуляции. Я тоже могла влезть на стремянку и, балансируя на последней ступеньке, сменить лампочку, но предчувствие неизбежного полета отбивало охоту к такой гимнастике. Мелькнула еще мысль о Гутюше, который, как бы там ни было, имел передо мной преимущество в целых пятнадцать сантиметров и должен вот-вот появиться, когда зазвонила моя дверная побрякушка.

Сосед принес мне воду. Мы договорились на веки вечные — он приносил мне наверх минералку, а я, когда случалась оказия, покупала ему мясные полуфабрикаты. Поскольку себе покупала то же самое, это не вызывало никаких затруднений, а доставка тяжеленных бутылок с минералкой по лестнице оказалась для меня услугой бесценной. По-моему, сделка была выгоднее мне, но он не жаловался.

На темную кухню сосед сразу обратил внимание.

— Перегорела?

Я кивнула.

— Заменить?

Я закивала с энтузиазмом.

— У вас есть запасная или принести?

Я открыла шкафчик в прихожей.

— Я себя обезопасила еще с дефицитных времен, когда давали по две лампочки, а дома уже приходилось обходиться свечами. Только, пожалуйста, не упадите с лесенки.

— Нет, с лесенками у меня все хорошо.

Ему не пришлось подниматься даже на последнюю ступеньку — с предпоследней вполне достал. Я взяла у него перегоревшую лампочку и выбросила в мусорницу, кухня осветилась.

Чертова лесенка, легкая и вполне удобная, имела один недостаток. Последняя ступенька представляла собой небольшой мосток, при разводе лестницы он заскакивал в подпорку и заклинивался намертво. Чтобы сложить снова, следовало мосток из подпорки выбить, а для этого приходилось колошматить кулаком изо всех сил снизу. Всякий раз у меня рука оказывалась в синяках, стремянка сопротивлялась сколько могла, и я добивалась своего исключительно яростью, в общем, процедура не из приятных. А выбивание мостка из подпорки кем-то другим составляло дополнительную выгоду.

Сосед бесспорно превосходил меня физической силой. Двинул разок, выскочило и сложилось все само собой.

— Не знаю, в чем дело, но неодушевленные предметы лучше слушаются представителей мужского пола,— заметила я глубокомысленно.— Дело даже не в силе, а скорее в подходе...

— А вот говяжьи зразы, например, куда охотнее покоряются женщинам,— засмеялся он и облокотился на сложенную лестницу.— Знаете, мне с самого начала показалось, что я вас где-то видел. Наконец припомнил.

— Ну и где же?

— Несколько лет назад пани бывала во дворце Мостовских и в Управлении милиции.

— Господи прости, так вы работали в милиции?!

— В милиции, отдел убийств. Ушел на пенсию — сказались всевозможные контузии еще с юности. Могу работать самое большее на полставки, никогда не известно, не отзовется ли что-нибудь в самый неподходящий момент.

В мгновенье ока я почувствовала себя, как подхлестнутый конь на бегах. Ладно, согласна: ну не конь, ну кляча...

— И почему только вы сразу не сказали?! Я должна с вами...

В этот момент позвонил Гутюша.

— ...поговорить! Ладно, не сейчас. В ближайшее время... Привет, Гутюша...

Сосед вышел из кухни с лестницей. Гутюша остановился, глядя то на меня, то на него. Я вдруг вспомнила его опасения.

— Нет, Гутюша, это не то. Этот пан — мой сосед...

Сосед недоумевающе посмотрел на меня. Я вспомнила, как Гутюшу однажды уже сочли за поклонника, когда встретился с Божидаром.

— Нет, это не то,— повторила я заодно и соседу некстати — дело принимало нежелательный аспект. Начни при мне увиваться хахаль, прощай соседская помощь, ни один мужчина не согласится делать черную работу для пристроенной бабы, хотя, с другой стороны, какого черта я без всякой надобности влезаю в деликатные вопросы, к тому же ничего интимного в появлении Гутюши нет, и вообще, к черту, совсем запуталась, при чем здесь черная работа?!.

Все это пронеслось в секунду, я занервничала, и продолжение прозвучало так:

— С вами совсем осатанеть можно! Хватит этой кретинской болтовни!

И растерянно поперхнулась: никто из них и слова не промолвил. Оба молча пялились на меня. Ситуация сложилась без малого пиковая, следовало быстро сменить пластинку.

— Позвольте вас представить,— начала я высокопарно.— Гутюша, этот пан — мой сосед, сверхчеловечески услужливый и для меня — просто сокровище. Отдайте наконец лестницу. Гутюша — мой приятель целый век, когда-то мы вместе работали, он мой близкий друг. Можете познакомиться как нормальные люди, а если что, все равно дома у меня дуэльных пистолетов не водится, разве что ножницы для разделки птицы да еще ножовка. Ну, хватит!

Эффект был молниеносный, не столько от элегантной речи, сколько от последнего окрика, вырвался он, надо признать, в сердцах. Оба согласно вздрогнули, возможно, я сработала как петарда.

— Мы знакомы,— поспешил сосед, протягивая из-за лестницы руку Гутюше.— Мимоходом, но все-таки. Очень приятно...

Гутюша сунул руку столь стремительно, что ладонь пролетела мимо, и они пожали друг другу запястья. Выглядело это так, словно готовы были схватиться за что угодно — за колени, за уши, только бы избежать бабской глупости.

— Ну конечно же,— горячо подхватил Гутюша.— Через Вицека, наверное. Мне очень приятно.

— Не буду мешать. Всего доброго...

Я поблагодарила соседа, закрыла дверь и перешла с Гутюшей в комнату.

— Ну вот, теперь голову себе сломаю — кто такой этот мужик и где я его видел,— нервничал Гутюша.— Через Вицека точно, только, боюсь, я тогда напился...

— Да ведь ты редко напиваешься?

— Редко. Но случается. И вовсе не уверен, что и все не были под тяжелой мухой. Ну ничего, позвоню Вицеку и спрошу. Кто он такой?

— Кто?

— Да этот твой сосед.

— Когда ты позвонил, он как раз сообщил, что бывший милиционер. Пенсия по инвалидности. Больше ничего не успела выяснить. А что?

Гутюша уселся на тахту и тяжко вздохнул.

— Мелькнул в тумане. Портрет, значит, замаячил: вроде ничего особенного, но что-то было. А может, слышал что. Постараюсь вспомнить, а не удастся, ты при случае спроси. Он как-то вписывается.

— Куда?

— А везде.

Я сумела одновременно провернуть два противоречивых жеста: апробировала домысел Гутюши кивком и неуверенно пожала плечами. И подсунула ему блокнот в клеточку.

— Вот, почитай список фактов, а я тем временем организую прием.

Прием состоял из многочисленных банок пива и нарезанного на кусочки плавленого сырка. Гутюша, внимательно изучающий мой труд, поднял голову и посмотрел на пищевые продукты.

— Понимаю, была когда-то при одном муже, а теперь без второго,— задумчиво изрек он.— А все из-за жратвы.

Мне не улыбалось носиться взад-вперед на кухню. За новыми банками пива в холодильнике мог сходить Гутюша. И я спокойно расположилась в кресле.

— Думаешь, любой кандидат в мужья, принятый подобным образом, поспешно ретируется?..

— Нет, не то. Мужик балдеет, когда затмение любви на него свалится, вроде ребенок малый. Думает — нет, вовсе ничего не думает,— ему только кажется, что и мясо, жаренное на решетке, просто так появляется само собой... А ты обязательная...

— Совсем очумел?!..

— Да нет, я ведь вижу, как ты работаешь. И всякие там обязанности, долги и так далее. Ты и сама бы считала, что ниже среднего его обслуживать нельзя, вот он и отбрасывает тебя сразу, потому как на горшки кухонные не молишься, в глаза бьет.

— Не дури голову, я тебе не рабочая столовка! Сказала ведь — пообедай где-нибудь!

— Так я и пообедал, ничего такого не ждал, только сейчас...

Я разозлилась.

— Гутюша, перестань меня травить ерундой, разлей пиво и отдай бумаги. Работать надо! Махинации разоблачать, а не мои замужества!

Бумага в клетку оказалась в высшей степени полезной. Сразу же выяснилось, что все детали, сообщенные Гутюше, я чрезмерно сократила, о многом он вообще не догадывался. Я постаралась наверстать упущенное, сожалея, что не пригласила на эту конференцию Павла, но Павел после каникул в Швеции повзрослел, переехал от Зоси и занялся делами. Наркоаферы вылетели у него из головы.

— А что, у тебя началось с наркотиков? — комментировал Гутюша.— Я вижу, тут не хватает двух кубиков. Первое primo, этот папаша, хапавший русскую коноплю,— кто он такой и что делает теперь?

— Павла прищучу, чтоб приятеля прищучил.— Я вырвала из блокнота следующую страницу.— Здесь по пунктам запишем, что сделать.

— А primo второе, эти голодранцы приблудные — парень и девчонка — исчезли, а дальше? Лично меня интересуют. Продолжение следует?

— Я не слышала, не появлялись. А с ними связан ребенок и все остальное...

— Надо по очереди и методично,— напомнил Гутюша.— Не сваливай все в одну кучу — опять запутаемся и получится Мамаев курган. Малец сюда привязан — факт, и тоже его нету, а это подозрительное дело...

— Я попробую съездить туда и порасспросить...

— Погоди. Давай закончим с наркотиками. Сразу сообщу, о чем мне известно...

— А, у тебя ведь был один, покрадывал и себе чуток в кармане оставлял,— встряла я снова, мы все время друг друга перебивали.— Что с ним сейчас?

— Как раз и хотел сказать, да ты тормознула. Этот законопатил. Если честно, в самом деле не ведаю про его променады, но деньгу зашибает огромную, говорит, мол, выиграл в бинго, черта с два ему поверю хоть на фертель. Он не из тех, кто выигрывает, слепой фарт за ним не бегает. Вот всякие прочие зернышки подозрительные на зуб все время и пробую...

Я сосредоточилась. Гутюша явно входил в раж, и все труднее до меня доходила его словесная акробатика. Пришлось мобилизовать все свои серые извилины.

— ...он, паскуда, чересчур много знает. Я и волоса с головы не дам, не сидит ли он на шантаже...

— Ох, Гутюша, вот что было бы по первому разряду!

— Что именно?

— Шантажировать шантажиста...

Гутюше больше ничего не требовалось объяснять, рассуждать он умел, хотя словесное выражение отличалось большой оригинальностью. Загорелся идеей и развил ее с ходу. Материала на шантаж маловато, правда, но возможности-то есть и следует их использовать. Гутюша велел записать идею очередным пунктом.

— Надо проверить при случае, что там, на Праге, делается,— заметила я.— Диву даюсь, что сама не съездила, да руки не доходили и вылетело из головы. Ну, может, из головы и нет, а вот времени не хватало.

— Я проверил.— Гутюша открыл очередную банку пива.— Подрядчик сидит на строительстве, я сходил, посмотрел из любопытства. Ничего нет, но было, а теперь уже после драки все демонтировано.

— А что было?

— Апартаменты. Три комнаты имели, да что говорить — прямо покои, а не комнаты, под развалинами уцелели, и ты была права, щебневый развал держался на сводах, а когда обсыпалось около вентиляционной трубы, образовалось отверстие, они снизу могли не заметить. Сопляк подсматривал сколько влезет, да, наверное, оступился, зашумел, ну они и зашевелились. Слушай, сразу уж скажу: ищут мальчика.

Прозвучало это довольно таки зловеще.

— Ну,— торопила я.— И что?

— Да трудно сказать, с подрядчиком поболтал. Не знаю, как все это связано, но получается, подонки его ищут не потому, что неприятности с его исчезновением кончились, а наоборот, все впереди. Черт бы побрал этого сорванца, и пусть бы уж отцепились от него. На всем этом жуть висит и свинство.

— Он видел нечто важное, его все еще боятся,— забеспокоилась я.— Что бы это такое могло быть?..

— Вот именно, меня тоже заело, что он видел. Вот я и глядел. Кабы ничего не знал, ничего бы не понял, но я кое-что знал, потому и понял. Следы оставили, правда, мало что, фотоэлемент был — глаз в этой прихожей или как там ее назвать, где ты за дворничиху сошла. Механическая вентиляция. Вода, свет, газ, консоль, подключенная к сети, верно, не хотелось им сматываться с насиженного места и всякое такое, словом, я сделал вывод. Наркотики — да, героин делали, но это все — малое пиво; на мой глаз, мастерская оборудована всем необходимым по изготовлению приборов для воздействия на игральные автоматы и процветает, словно «розы цвет» плодоносит...

Какую-то долю секунды я созерцала огромный арбуз, созревший на розовом кусте, однако действительность придушила воображение. Мастерская приборов для воздействия на игральные автоматы, какая же я идиотка — не догадалась сразу, вот откуда мигающие огоньки!..

— Я толком не понимаю, но это как-то программируется,— продолжал Гутюша.— Такие блоки или как там, каждый отдельно. А чтобы сделать что-нибудь, в них надо заменить элементы — добавить или убрать, не иначе, и в казино все проделывается этими штуковинами. Сложно, не стану тебе тут огород городить, сам не понимаю. Но пускай голова у меня отвалится, ежели этими штуками в саквояжах не импульсируют себе солидные деньги по казино.

Последнее я вполне усвоила. Так оно и есть. Несомненно. Заставляют автоматы выдавать по желанию красную и черную, только вот зачем для маленького прибора такие сумки большие... Не буду углубляться, это не для моих мозгов.

Я перевела дыхание.

— Стой, Гутюша, что-то там у нас заело в шестеренках, Мамаев курган в мою квартиру не влезет, это ты прав. Значит, с наркотиками все?

Гутюша долил себе пива и подумал.

— Что надо делать, записала? Пожалуй, хватит, больше ничего вроде нету. Мы хотели по очереди.— Он заглянул в мои записки и постучал пальцем.— По твоей шпаргалке на очереди бриллианты. Сперва где-то далеко маячили, а после раздумались и Юзефа скосили. Да, подожди-ка, твой Павел, которого не знаю, высмотрел двоих, ехал за ними, как считаешь, те самые охламоны — парень с девчонкой?

Гутюше не пришлось меня переспрашивать. Я с самого начала непонятно почему была убеждена: двое наркоманов, за которыми Павел попал на Прагу, были те самые, что стояли на поваленной сетке, а потом исчезли. Но тут хронология событий у меня что-то забарахлила, мысли быстро разбежались, снова сбежались, и я вспомнила.

— Сейчас, Гутюша, минутку. Девочка из приюта говорила, что Сушко, мальчика этого, забрала пани Кася. А когда мы с тобой обмеряли первую квартиру, помнишь, нам открыла девочка, а к ней пришла подружка, к часу в школу спешили?

У Гутюши перепутались все девочки. Мне пришлось пояснить: одна — маленькая, недоразвитая, а другая — нормальная, уже довольно большая. Вспомнил, кивнул и продолжал слушать.

— Они разговаривали...

— Шептались, я ничего не понял.

— Ты был у стены, а я ближе. Около дверей. Тоже говорили о какой-то Каське. Я запомнила только: Каська — дура, больше ничего не знаю. Тут пани Кася, а тут дура Каська, прими в расчет разницу в возрасте девочек, по-моему, надо попробовать?..

— Утопающий хватается за бритву,— согласился Гутюша.— Ничего такого, поспрашивать можно. Только их там нет.

— Кого и где нет?

— Да этих людей из квартиры. Ремонт идет. Их переселили на первый этаж подальше, туда, где сторожиха бордель держала. Легко их сыщешь, но пока оставим, я хочу вернуться к уборке.

Верно, последовательность необходима. Добрались до обмеров и приблизились к первому трупу. Гутюша чем-то был недоволен.

— У меня тут ямы да колдобины под ногами. Никто ничего не знает, не видит, не слышит, темные массы. Расскажи еще раз и подробно про твоего недоумка, именно тут, похоже, какой-нибудь гроб на собаке. И мы до чего-нибудь дойдем.

Я восстановила все в деталях, усиленно припоминая, не пропустила ли чего-нибудь. Сведения несчастного недоумка, тогда совсем непонятные, сейчас оказались абсолютно точными. На первое место вылез Крыса.

— Не представляю, кто это,— подчеркнула я.— У меня в этих сферах знакомых нет и никогда не было. Скорее уж ты...

— Ну-ну,— прервал Гутюша с упреком.— Не залетай выше голубятни. Мне что-то сдается, эти сферы в доме у тебя вовсю шастали, так ты того... какие-нибудь обмолвки вдруг да запомнила, а?

С минуту я не понимала, о чем он, и пялилась вопросительно. Гутюша засмущался, повертелся на тахте, осмотрел пивные банки, одну даже потряс.

— Ну, ведь того... Как бы это... Пива больше нету? Может, сбегать...

— Есть в холодильнике, иди принеси... Нет! Сама пойду, вижу, ты не в себе, еще мне там натворишь чего-нибудь. Объясни, в чем дело, да не юли, солгать все равно не позволю!

Пиво я принесла быстро, а Гутюша за это время успел собраться с мужеством.

— Ладно уж, этот твой, на которого я у тебя как-то давно нарвался, может, и вел подрывную работу, этакий невидимый фантомас, или что? Его кто-то там знал, я о нем слышал, откуда он будто бы? Из Армии Спасения?

— Вроде бы из военной контрразведки, так говорил,— я колебалась, потому что ни одному слову Божидара уже не верила.— Нет, извини, не говорил, а давал понять. Я точно ничего не знаю. А ты что слышал?

— Из безопасности,— отчаянно рубанул Гутюша.— За дурака его держали.

После такого акта мужества Гутюша занялся банкой пива. Но я не оставила его в покое и рявкнула:

— Подробнее! Хватит с меня всяких намеков и тайн для придурков!

— Подробности в аптеке, а здесь намеки да тайны. Дурить его было легко, вот они и дурили, а он жалобы писал, доносы на них к ним же. Полная потеха. Тянулась эта волынка, пока он не спохватился и с нервов не вышел из дела. Малость побаивались, якобы ставил палки в колеса, но тоже в строжайшей тайне, ну и ничего у него не получалось, вот все это и варилось в одном горшке. То есть такая, понимаешь, обгороженная помойка. Там ли, где-то еще, все едино. А знакомства завязывались разные, потому как, ты что думаешь, кто труп из подвала забрал? Я как раз наслышан, он там старался и ничего такого, просто назло кому-то. И тоже все по-тихому, чтоб не вышло чего. Уж такие тебе подробности, подробнее некуда.

С ужасом я уразумела: Гутюша лишь подтвердил мои собственные домыслы и подозрения. Да, я тоже позволила себя дурачить, и слишком долго...

— Между нами говоря, я уверен, встань он им всерьез поперек торчком, его бы просто-напросто убрали, и честь труду,— добавил Гутюша и разлил пиво.

Я помолчала немного.

— Ладно, главное, никаких обмолвок не уловила,— откликнулась я наконец.— Никого из его знакомых не видела. Остальное, думаю, верно: о формалине и о воске он был осведомлен, а я ему про лак для полов распевала. И неужели именно его считали Валленродом?

— Не уверен. Считать можно все. Как Пломбир говорила? Когда-то вокруг тебя мельтешил или прямо сию минуту?

— Вроде сейчас. В настоящем времени. Совсем не вяжется, мало того, разошлись мы гораздо раньше, чем поставили автоматы, к тому же про этих автоматных гопстопников слова единого ему не сказала.

— Ну да? — удивился Гутюша.— Ты уверена? А почему?

— Да забывала все время. Собиралась, только он всегда умудрялся разозлить меня до того. Про все остальное — да, а вот про это не успела.

Гутюша задумчиво потягивал пиво.

— А все же кто-то в курсе, и мне кажется, все-таки он.

— Откуда ты осведомлен и как это проявляется, будто думают на него и будто вообще он?

— Про это я и хотел поговорить с тобой, потому как один не разберусь — что-то смутное слышал, и в башке мусорная свалка, эдакая летающая, как в эпицентре циклона.

Он взял мой листок бумаги и посмотрел с сожалением.

— Молодец, все записываешь, и мне бы не помешала пропорция. А то как-то все двоится.

— Ну?

— Ребенка и этих пустозвонов — парня с девчонкой — ищут с двух сторон. Слушай, я говорю в приближении, а все это тонкое-претонкое, ну как этот, длиннющий такой в кишках — солитер, что ли. Этакая паутинка на ураганном ветру. Да, официально ищут, а всякий скажет, что ментов и сыщиков ребенок завсегда распознает, а вот тех, с другой стороны, трудновато отличить, и вовсе не уверен, может, все — оптический обман.

Я помолчала, стараясь извлечь конкретный смысл, а заодно избавиться от навязчивого образа солитера, паутинки, смерча и взвихренного столбом в небо мусора. Пришла к выводу: это нечто тонкое Гутюша представил мне с единственной стороны.

— Ладно, а где вторая сторона? Этого оптического обмана?

Гутюша вздохнул.

— Когда этот подрядчик, то есть строители, пришли и все распотрошили, так я наведался туда пару раз, ну, искатели и бросились мне в глаза, а отдельно, в секрете, еще один мелькнул. Мелькнул и пропал, и был это, сдается, твой бывший экс. Как-то все мутно...

— Возможно. А ясно одно: ищут ребенка с настойчивостью ого-го какой и всесторонне. И что он такое увидел?

— Да Крысу за работой — никто ведь не ориентируется, кто он такой.

— Глупости. Его сообщники знают. Пломбир видела.

— И что? Уведомлена, как его зовут, где живет?

— Нет, но в лицо видела и наслышана, что он крутит махинацию с автоматами. Позвоню-ка я ей, пусть покажет его. Та давняя шайка вроде бы распалась частично, да ведь шайка — коллектив, а убивали люди особые, по заказу. Одного наверняка знаем — хмырь в полосатых носках убил недоумка. И еще двоих, которые твоего кузена прикончили. Этот, в носках, может, и тут поспособствовал. Не уверена, кто приложил руку к мумии в подвале, только недоумок и труп в стене — одно и то же дело. Патронировал, ясно, Крыса, может, поручениями ограничивался, а возможно, и сам принимал участие. Тебе бы следовало на него взглянуть, ведь ты же видел убийцу в «Мозаике» и как он вышел видел, неужто рожу не запомнил?

Я дописала очередное задание. Гутюша взял у меня листок и поставил в конце большой вопросительный знак.

— Ты смотри, поосторожнее — для тебя это бочка пороха и минное поле,— предостерег он.— Мне-то любая мерзость нипочем, а если ты ненароком что узнаешь, так тебя и запакуют. По Лясковскому ясно, дело дрянь.

Я пыталась судорожно вспомнить.

— А!.. Тот Лясковский, из которого ты Патыкевича сделать собирался?..

— Вот именно. Такие вот и остались, на рожу да на костюм порядочные люди, должности, кресла и так далее. Лясковский сейчас уже кум королю в частной лавочке экспорт-импорт, это какой же трезвон поднимется, ежели ихние старые мошенничества наружу вылезут? Жизни никакой, не говоря уж о доходах.

— А вот этого-то я как раз и не понимаю. Замазали миллионы разных свинств, а ведь до срока давности далеко. Почему дела не поднимают, почему следствия не возобновляют? Ведь не я и не ты должны этим заниматься, а полиция, о чем она думает? Так и сидит наверху кто-то, кто все утаптывает?

Гутюша допил пиво и помахал рукой.

— Погоди, сейчас. Я тоже все это вентилировал, и как ни прыгай, получается, официально они ни черта ведать не ведают.

— Ну да?!..

— А как еще? Кому недоумок все рассказал — полиции или тебе? Про автоматы разве что-нибудь знают? В протоколе о том, что Юзефу укол влепили — градусные проценты, ни слова! На горячем никого не поймали, тот, с конопляй, тоже не хвалился на каждом углу, и сын донос не притащил! А с тобой, к примеру! Ты себя обозвала — Малиновская, нет, Ковальская, на номерной знак ни одна душа глаз не положила, пропала и бултых. А позже фотографировалась хоть раз в этой «Мозаике»? Нет, и я нет. А что им делать, уличному регулировщику поручить морды оглядывать? Может, и начинают расследование заново, да идет у них как по шпалам, а вещественных доказательств курица когтем наскребла! Пока допрут до дела, вся горчица выйдет. Я так вычислил: вот оно — то самое и есть.

— Какое то? Что такое?

— Нагребли добра,— продолжал комментировать Гутюша.— Обеспечили, где надо, а теперь, в новые-то времена, опять доят все подряд, да еще с прихватом. Игральные автоматы вон оседлали. Нахапают, нахапают и смоются подальше, нежиться в люксе. Я-то на их месте давно бы удрал, а у них все утроба ненасытная, давай и давай.

Все правильно, возразить нечего. Какие-то люди, пользуясь властью и неограниченными возможностями, обогатились на доходных махинациях, грубо и жестоко убирая с дороги все препятствия. Более дальновидные начали и того раньше...

— Гутюша, ты прав,— оживилась я.— Пломбир утверждает, что шеф предвидел смену системы в стране, и заметь себе — с автоматами развернулись давно. Действовали оперативно, ежели кое-кто начинал соображать, душили в зародыше...

Гутюша в задумчивости воззрился на меня, пробормотал несколько изысканных ругательств и открыл очередную банку пива.

— Объясни, за Бога ради, чего тебя в эту трясину несет. Я-то из-за Юзефа. Помалкиваю себе, однако решил: этих сукиных детей лично разыщу и прищучу.

Я навострила уши.

— И что?

— И вот до чего добрался, слушай: оба высокие, метр восемьдесят с лишним. Молодые, самое большее — тридцать. В министерстве внешней торговли никогда не светились, а тот, в носках, был поскромней ростом, немного, но все же — метра восьмидесяти недобрал, может, чуть повыше меня. И возраст не тот, на десятку больше, ну я его пока в отпуску держу. А насчет тех двух когтями выцарапал от бабы, нашей лестницы командирши: на одном замшевая куртка, светло-коричневая, она обозначила — бархатная, но баба древняя, явно куртка замшевая. Людей окрест поприжал: приехали машиной, обычным «полонезом», белым или кремовым. Оставили на дистанции, дотопали пешком. На номер машины никто и не взглянул, номер, понятно, фуфло, можно любой пришпандорить. Ну и одного голубка самолично осмотрел.

— Не тяни! — подгоняла я, заинтригованная по-шальному сенсационным коммюнике Гутюши.

— Вхолостую. Пока тебя не было, а может, и раньше, я постоянно торчал на Раковецкой. Из любопытства, а вдруг да... Вроде бы на автобусной остановке ждал. Через забор видел, как высокий в замшевой куртке вылез из здания и влез в витрину своего «фольксвагена». Ну так я просто камнем врос в землю. Еще раз его видел и портрет нарисовал.

— Каким образом?

— Да фотоаппаратом. Поискал и купил японца на барахолке, верно, краденый — недорого, в зажигалке. Сколько я сигарет выкурил, мать честная, все время на стреме, как раз закуривал, когда тот выезжал. И получилось. Щелкал как псих. Убийца он или не убийца, а налево посмотрел, не увязался ли кто, и один снимок — экстра-класс.

— И показывал той, лестничной?!..

— Ясно. Он. Все по правилам, предъявил с десяток снимков разных людей — у знакомых собрал, и даже свой собственный, и меня тоже узнала! Хоть и дура, а ум у нее имеется. А на него сразу: этот самый и есть! Так что он. И конец песне.

— То есть как?..

— А так. Номер машины есть, пожалуйста, я пошел куда надо узнать чья, какое там, не зарегистрирована. Значит, липовый. Сунулся в милицию — выставили за дверь, как раз беспорядки начались, и в самом деле на черта я им тогда сдался...

— Гутюша,— растрогалась я,— ты огромное дело провернул! Умница, молодец!

— А выгоды, как петуху с перца,— вздохнул Гутюша.— Где теперь изыскивать этого проходимца? Увеличить снимок, размножить да по стенам развесить?

— Нет, на стенах не надо. Сделай несколько копий и мне дай штуки три. Пожалуй, понадобится...

Знала же и я когда-то порядочных людей, работавших в милиции. Даже если ушли с работы, повыходили на инвалидность или на пенсию, посоветуют, кто еще остался, кому довериться можно. Давно приходило в голову, да не успела реализовать. А Гутюша тоже должен...

— Гутюша, а те твои приятели, еще в прошлом году в ментах ходили? — вдруг вспомнила я.— Там еще? Ты с ними не советовался?

Гутюша как раз потянулся за стаканом. Тряхнул головой, глаза загорелись, дернулся так, что все пиво вылилось на брюки. Вскочил было, задел коленом низкий столик, я едва успела схватить только что открытую банку, мой стакан перевернулся и полетел на пол.

— Стекло бьется к счастью,— засмеялась я.— Что это с тобой?

— Дубина, осел, только из чистки принес,— разнервничался Гутюша и плюхнулся обратно на тахту.— Ты подумай, склероз, да и только! Конечно же к ним! Сидят еще, в последний раз одного видел, когда заваруха шла, а потом из галантности не хотел мешать. И забыл про них начисто! И надо же, совсем, видать, с катушек съехал!

Я тоже так думала, но, с другой стороны, с катушек съехать — с кем не случается. Мы договорились: Гутюша навестит приятелей, а я порасспрошу девочку на Праге. Принесла другой стакан.

— А Пломбиру я все-таки позвоню, пора на Крысу глянуть. Вместе полюбуемся, договорюсь, чтобы с тобой. Слушай, может, сгонять в казино? Вдруг она там?

— Сперва позвони, нет ли дома,— посоветовал Гутюша.— А вперед давай обмозгуем, во всем ли мы разобрались, возможно, кое-что и уловил, да вдруг не досконально. А еще раньше хорошо бы брюки высушить.

— Не будешь же ты их гладить?

— А почему нет? У тебя утюга не имеется?

— Есть утюг и доска, только неохота после пива тяжести ворочать.

— Ну, так я сам.

— Черт бы тебя побрал! — разозлилась я.— В другой комнате все, доска стоит около батареи, а утюг в углу на полу. Тряпки на кресле, я на них сидела, делай что хочешь!

— Портки у меня самый элегант,— прогудел Гутюша, с достоинством вставая с тахты.— Ты звони, а я сей момент выглажусь.

Я набрала номер Пломбира, пришлось набирать четыре раза — все никак не соединялось, я переждала восемь гудков. Трубку никто не взял, на всякий случай позвонила еще раз, потому что перед этим телефон мог сигналить, к примеру, в пустом магазине на другой улице. Куролесило все это телефонное хозяйство как хотело.

Очередные восемь сигналов — понятно, Пломбира дома нет. Гутюша тем временем успел осмотреться, все нашел, мою страшную доску одним концом положил на столик, а другим на спинку стула, рационально и правильно, разложил байковое одеяло и тряпку для утюжки и даже снял брюки. Я не намеревалась вмешиваться в этот процесс.

— Ее нет дома,— заорала я.— Наводи лоск и едем!

— Нагревается первоклассно! — завопил в ответ Гутюша.— Уже горячий!

Утюг у меня и в самом деле был отличный, почти новый, я редко им пользуюсь. Я отправилась на кухню за подносом, чтобы убрать со стола, Гутюша начал гладить. Я собрала стаканы и пустые банки, под ногами захрустело стекло — вспомнила о разбитом стакане. Вынесла поднос, достала из-под плиты щетку и совок, вымела все из-под стола и как раз проходила через прихожую, когда в дверях загудел мой гонг. Совок со стеклом и щеткой я положила на скамью и открыла, как всегда, без глупых вопросов.

Резко распахнутая дверь врезалась в стремянку. Меня не задело, я стояла с другой стороны. Два амбала ворвались в квартиру, оттесняя меня в глубь прихожей.

Любое физическое насилие вызывает у меня мгновенный приступ ярости. На этот раз ярость чуть-чуть запоздала из-за ошеломления. Амбалы работали слаженно, один заглянул в кухню и кивнул, второй схватил и дернул меня за руку к себе. Это было уже чересчур.

Я вырвала руку и внезапно отступила на три шага к двери ванной. Краем глаза успела заметить Гутюшу в трусах и с поднятым утюгом, он вопросительно посмотрел на меня. Того, кто пытался меня схватить, явление Гутюши застигло врасплох, второй оглянулся в дверях кухни.

— Быстрее! — торопил он.

Думать в эту минуту я не думала, уж точно. Испугаться в такой ситуации просто не успела. Амбал, высокий и плечистый, от которого я оторвалась, пошел на меня, но тут моя качественно великолепная ярость наконец взорвалась.

Не знаю, что собирался этот тип предпринять, но его руки проскользнули мимо. Я, понятно, ничего не соображала, но самым простецким образом шагнула в сторону и схватила первое попавшееся, а попался совок со щеткой. По-моему, я отколола финт высокого класса: выпрямилась и ткнула в него этим оружием.

Он ожидал удара сверху и заслонился рукой, а край совка врезался ему в подбородок, щетка попала в рот, по-видимому, вместе с мелкими осколками стекла. Он как бы остолбенел, не исключено, что удар совком перехватил дыхание. Пока с него сыпалось стекло, второй стартовал от кухни. Я отвела оружие от вражеского подбородка и попыталась ударить второго, но размах не получился: он придержал меня за руку, правда, схватить не удалось — помешал совок. Ручку щетки я изо всех сил прижимала к совку. Второй схватил меня за плечо — словно железные клещи впились, у меня даже потемнело в глазах, и в этот момент включился Гутюша.

Гутюша сражался утюгом, без сомнения, горячим — остыть еще не успел. Кто-то из противников закричал, верно, Гутюша неслабо его приложил. Из-за резкой боли в плече я на какое-то время потеряла представление о битве. Понятия не имею, что сделала, но, когда пришла в себя, амбал передо мною закрывал лицо, а в руках у меня остались пластиковые обломки и ручка от щетки. Второй агрессор колотил Гутюшей о дверь ванной, безуспешно стараясь увернуться от утюга. Разгоряченная, я оглянулась в поисках нового оружия, вроде бы в дверь позвонили, но мне было не до того: бешенство поутихло и страх взял свое. Тут в прихожей метнулась новая фигура — сосед вошел в бой прямо с марша.

Отдельные эпизоды битвы остались в памяти довольно туманно. Помню, что влезла на скамью и лупила каблуком снятой туфли, стараясь не попасть в соседа или Гутюшу, помню также, как Гутюша орал: «Давай доску, давай доску!» Пока до меня дошло, что он требует гладильную доску для нападения или защиты, военные действия прекратились. Поверженный противник бежал с поля боя.

Мы не гнались за ними. Все трое застыли в полной неподвижности: сосед у закрытой двери; Гутюша с утюгом, коего ни на мгновение не выпустил из рук, и в трусах; я на скамье с туфлей в руке, нисколько не пострадавшей, к моему вящему удивлению. Мы посмотрели друг на друга.

— Я же говорил — утюг первый сорт,— пропыхтел Гутюша, прежде чем я и сосед успели хоть слово молвить.— Слава Богу, не остался на брюках, прожег бы насквозь!

Я слезла со скамьи, положила туфлю и прежде всего деловито заметила:

— Проверь, работает ли. А что это такое было?

— Вот именно,— поддержал сосед, отрываясь от двери и не скрывая удивления.— Я как раз выходил, услышал у вас грохот и крики, позвонил, никто не ответил, я смотрю — дверь открыта... Что это, нападение?

— Вы в таком виде выходили? — Гутюша смерил его взглядом с головы до ног.

Я тоже посмотрела. Сосед был одет в старые брюки, фланелевую клетчатую рубашку и тапки. Странно, что тапки не потерял, мелькнуло в голове, ну а для поздней осени прогулочный костюм просто уникальный.

— Мусор собирался выносить,— пояснил он.— Мусор оставил за дверью, потом даже пожалел — там есть разбитая бутылка, неплохая вещь...

И тут же бросил на Гутюшины трусы такой взгляд, что я поспешила с объяснениями.

— Вот видишь, а я не хотела, чтобы ты гладил,— сказала я покаянно и обратилась к соседу.— Он пиво вылил себе на брюки и уперся высушить. Я всячески его отговаривала, мне и в голову не пришло, что утюг так пригодится, а Гутюша, верно, ясновидец.

— Не ясновидец, а брюки новые, недавно от портного,— поправил Гутюша.— И тоже не прочь узнать, из-за чего драка. Ты, что ли, их облаяла или они сами по себе?

— Да никто и словом не обмолвился. Влезли и полный вперед. Даже и спросить некогда было, из-за чего шум.

— И не поранили вас? — Сосед покачал головой.— Как это случилось? Так-таки вошли и прямо на вас? А как вам удалось не пострадать при этом?

— Не знаю. Сама поражена. Не могу сообщить подробностей, я не спортивный комментатор и в области мордобоя у меня ни способностей, ни опыта.

— Ну не скажите, у вас, по-моему, просто талант.

Я начала было отнекиваться, но потом рассказала про свою реакцию на непосредственную угрозу физической расправы. Он выслушал и, кажется, понял.

— И в самом деле, случается, когда внезапные эмоции придают небывалые силы. По-видимому, у вас взрывная реакция. Только в чем дело?.. Вы знаете их?

Гутюша неожиданно вдруг как-то странно крякнул, поперхнулся, а затем издал нечто вроде протяжного мычания. И закашлялся. Звучало это пугающе и непонятно, я собралась предложить ему воды, повернулась к двери в кухню, и вдруг у меня перед глазами возникла первая сцена, начало нападения. Один занялся мной сразу же, второй заглянул на кухню. Жесты, поворот головы, выражение глаз — да это же целая эпопея! Успел осмотреть мою кухню — маленькая, без окна, зато с газовой плитой...

У меня подкосились ноги. Сосед успел поддержать меня, наверное, я прошла эти несколько шагов довольно неуверенно и плюхнулась на стул за кухонным столом. Падать в обморок я не собиралась, но мое воодушевление улетучилось бесследно. Говорить, правда, могла.

— Налейте себе что-нибудь,— предложила я совсем слабым голосом.— Рюмки в буфете. Есть бренди и, правда, теплое виски. Вон там стоит...

— Ей надо коньяку дать,— решил Гутюша и пролез в кухню все еще с утюгом в руке.

Двое в моей кухне еще могут поместиться, а вот третий человек — уже серьезный балласт. Около буфета сделалось ужасно тесно. Сосед в такие мелочи не входил, взял бутылку с остатками бренди, сполоснул под краном мою чашку из-под чая и плеснул от души. Я выпила все, не протестуя, хотя вообще-то бренди терпеть не могу. Гутюша открыл полку над моей головой, нашел чашки для компота, шнуром от утюга сбросил упаковку сигарет и всю почту за три недели, попятился, чтобы все собрать, и потеснил соседа. Втиснувшись в угол возле раковины, невозмутимый сосед продолжал свою деятельность: увидел на сушилке под тарелками стаканы, извлек два и разлил бутылку до конца. Даже ровненько поделил.

— Гутюша, черт побери, поставь ты этот утюг и отцепись от бумаг! — вспыхнула я.— Выпей лекарство и догладь свои брюки! Пора наконец в норму приходить!

Бренди на голодный желудок, да еще после пива, подействовал прямо-таки чудотворно: физических сил у меня, правда, не прибавилось, зато голова заработала и я вышла из ступора. Смысл нападения ясен, но высказываться поостерегусь — что-то мне тут не нравится. Может, и в самом деле сосед выносил мусор, вопрос только — куда. Контейнер с мусором далеко, надо пройти весь двор и шлепать по ноябрьской слякоти; старые портки и рубашка — ладно, а вот ботинки бы надел. И что за чудные тапки, даже в этой заварушке не потерял...

Гутюшу бренди тоже привел в себя, малость очухался, вылетел из кухни и вернулся в брюках. Я уже самостоятельно могла встать и перейти в комнату.

— Этих амбалов первый раз в жизни видела! — заявила я соседу.— Мне кажется, тут какая-то ошибка. Похоже, они не ко мне пришли.

— А к кому же?

— Возможно, намеривались врезать Барановскому...

Мужчины посмотрели на меня вопросительно. Ошибки с Барановским случались уже не однажды, объяснила я. Барановский живет в такой же квартире, но вход соседний, и вечно к нему ходят какие-то странные визитеры. Визитеры ошибались, стучались ко мне и, например, в полночь спрашивали: «Баран дома?» Поскольку дома я барана не держу, отвечала, нету, чему они частенько не желали верить. Про другой подъезд разгадала быстро, потому как мои гости тоже захаживали по ошибке к этому субъекту, а вот его фамилии я и в самом деле не знала, так как иногда спрашивали насчет овечки. Со временем только сориентировалась: Барановский просто-напросто завел малину, торгует водкой, сам, наверно, и гонит. Я прикрепила на двери свою визитку, довольно давно меня не беспокоили, а эти, судя по всему, внимания не обратили...

— Как пить дать, факт,— горячо поддержал Гутюша.— Небось зарвался малый...

— А у Барановского есть жена? — прервал его сосед.

— Понятия не имею. Наверно, есть — мне никто не удивлялся. А может, жена как раз и зарвалась...

Гутюша устроился в кресле, объявил, ему необходимо, мол, отдохнуть, пощупал голову и обнаружил шишку. Я предложила компресс со льдом, он отказался. Сосед не пострадал в схватке, держался превосходно. Я пришла в себя окончательно, горячо поблагодарила его, и он тактично удалился.

— Уж что я пережил — все мое,— сообщил Гутюша, когда мы остались одни.— Брюки вовсе не досушил, да побоялся застревать. Боялся, скажешь чего-нибудь без меня, а один амбал как раз тот самый!

Я поняла, о ком он говорит.

— В замшевой куртке, да?

— Точно!..

— Подумаешь! Явились меня укокошить. Возможно, я и усомнилась бы в их намерениях, только уж явно им моя кухня понравилась. Не уверена, перепоем ли тоже прикончить собирались, а уж газом — никаких сомнений!

— Иисус-Мария, я его сразу узнал, этого бандита, и внутри себя в обморок упал. Этот твой сосед — головы за него под пень не положу, влетел, будто под дверями сторожил, хотя дай ему Бог здоровья! А с Барановским, выходит, липа?

— Да что ты, дура я, что ли? Ведь легко проверить. С Барановским — святая правда, только не за ним охотились. Ко мне пожаловали, признаюсь откровенно, я теперь ужасно боюсь за Пломбира.

— А ты бойся за себя. Хотя и с Пломбиром факт, твоя правда. Чего на них наехало, ты вроде на рожон не лезла...

— То-то и оно! Ничего я не сделала такого, единственное — разговор с ней. После разговора решили меня убрать.

— Усамоубийствовать, — скорректировал Гутюша.— Газом ты сама, ясное дело. Не знаешь почему?

— Нет, но в случае надобности можно бы свалить на Дария — бросил меня!

— А... Значит, от несчастной любви?..

— Других поводов нет. Разве только начхали они на всякое правдоподобие, что вполне возможно — к примеру, откуда могли знать, где у меня ключи от квартиры? Оставили бы открытую? Что за дура такая самоубийца, травится, а дверь открыта!

— Да с бабами не соскучишься,— рассудил Гутюша.— Могла травиться ни в два ни в полтора, а дверь даже приоткрыла — спасайте, мол. Боюсь, не явились бы по второму заходу, не могу же я тут у тебя брюки гладить до конца концов.

Слушая его, я вспомнила о бардаке в квартире после побоища. Сил прибыло, и я, можно сказать, вернулась к прозе жизни. Прямо из кресла осмотрела свои апартаменты — вторую комнату и часть прихожей. Доска на столе, повсюду нечто вроде художественного беспорядка. Слава Богу, бандит колошматил Гутюшей о дверь ванной, двери в комнаты застекленные... Осмотрела, велела Гутюше убрать все на место после глажки. И сама принялась наводить порядок, свалила на скамью в прихожей все, что с нее раскидали. Гутюша заинтересовался тяжестью моей страшной гладильной доски.

— Для драки просто мед, схватить в нервах и облом, мало кто выдержит, а вот для домашних разносолов как-то не очень. Откуда она? Строительное дерево, аж двухдюймовая!

— Давно как-то сделал в подарок плотник на стройке, так и осталась. Ага, двухдюймовку обстрогал. Из-за доски, может, редко глажу. Слушай, давай тему закончим. Primo, считаю, они уже не пойдут по новой, а secundo, надо всерьез заняться поисками Пломбира.

— Второе понимаю, а первое — почему это?

— Тебя ведь тоже по второму разу не убивали? Не удалось и ладно, за предупреждение сойдет. А кроме всего прочего, не уверены, как я отреагирую, и переждут — вдруг да сразу в полицию помчусь. Вот какую штуку я удумала: постараюсь дать понять, что составила список всех событий, а находится он в надежном месте. И случись, меня кокнут, неважно, каким способом — все это будет немедленно оглашено.

— А как дашь понять? В прессе?

— Какое там. Всякому встречному доверительно шепну в полной тайне. Уверяю тебя, за три дня полгорода будет оповещено.

— Готовый компот,— согласился Гутюша.— Ладно, может, ты и права, но на твоем месте я бы хоть цепочку на двери закладывал — она у тебя дура дурой без дела болтается.

— Могу цепочку. Поехали дальше, договариваемся...

Пломбира назавтра вечером мы разыскали в «Марриотте».

Проблему дипломатической встречи я решила немедленно. Вместе с Гутюшей мы заняли один из дешевых автоматов, подальше от нее.

— Поиграем малость вместе,— предложила я.— Потом я смоюсь, а ты притворяйся, будто присматриваешься к игрокам, при оказии шепни ей, что жду в уборной. Вернешься сюда, играй, пока я не приду.

Гутюша кивнул. Я бросила несколько жетонов, почти не глядя на экран, и исчезла с горизонта.

В дамском туалете было пусто, в казино шляются, как правило, мужчины. Пломбир рассудительно выждала несколько минут. Мы начали мыть руки над соседними раковинами.

— Это не из-за меня,— заверила она мрачно.— Я передала им все, как мы условились, не более, мне даже показалось, что они успокоились. Рука и Крыса были оба, Крыса при мне явился, значит, меня решено убрать. Не понимаю, почему они к вам привязались, возможно, в самом деле — предупреждение, они в курсе, что вы про автоматы догадались, и боятся, проболтаетесь. Они вообще слишком много про вас знают. Откуда бы?

— А мне откуда известно? — нервничала я.— Этого Крысу вы нам обязательно покажите, вдруг окажется мой знакомый, а я и понятия не имею. Как бы это обстряпать?

— Подумаем. Он бывает в двух местах... да, вот именно! Я уже не езжу на Жолибож, домой к Блендовскому, теперь явка на Братьев Пиллят, на Мокотове. Две квартиры на первом этаже, похоже, пустые, никто не живет, это очевидно. А со мной встречается один Рука, забирает деньги. Крыса явился только однажды, снова может и не прийти. И как бы лучше поступить?.. Не представляю, как его зовут, а теперь и спросить боюсь...

Известие меня ошарашило. В голову все время лез Гутюша — в клике не числился стопроцентно, зато черт знает, с кем болтал...

Я сунула руки под сушилку. В случае надобности снова начну мыть.

— Ладно, я попробую,— с отчаянием решилась Пломбир.— Паспорт ношу с собой, деньги пристроила, смотаться могу в любой момент, хоть и глупо так тяп-ляп. Лучше бы поспокойнее. Да ладно, рискну, потому что я их ненавижу. Позвоню вам, а вообще-то завтра я в «Гранде»...

Гутюша сидел у автомата ошеломленный — по ошибке нажал максимальную ставку, автомат дал каре. Набил полмиллиона одним ходом. Дезориентированная, обеспокоенная и злая как фурия, я пресекла его греховное занятие и вытащила из казино.

— Ты сюда приехал не алчность свою тешить, а предупредить Пломбира,— яростно шипела я уже в машине.— Я предупредила, а теперь подумай-ка, о чем ты болтал и с кем. Холера меня побери, про меня все известно, откуда, к чертовой матери?!..

Гутюша сразу занервничал.

— Ты эту цепочку вешай совсем навсегда! Ни с кем не говорю, только еще собираюсь. У меня в голове патефонит, что твой бывший-минувший, не иначе.

— Я же сказала тебе, черт побери, о недоумке ему не говорила!

— Ну так что? Ведь писала же! А он неграмотный, да?

Я открыла было рот, но, поперхнувшись, закрыла без единого слова. Писала, никуда не денешься. Листок в клеточку лежал на столе долго, а у Божидара тогда еще были мои ключи. Не верю ему ни на грош, способен на все. Прийти, когда меня нет дома, не оставить никаких следов, и порядок... Ключ вернул, да что толку, полный болван и тот догадается сделать себе еще комплект...

Перспектива искать по магазинам и врезать новый замок расстроила меня настолько, что назавтра вместо целевой поездки на Прагу я неожиданно изменила направление и оказалась у «Марриотта». Решила хоть немного развлечься.

Едва ли четверть часа просидела у автомата, когда на табурете рядом уселся какой-то тип. Играл на покерном без джокера, автомат платил, тип успешно дублировал, то и дело звякала переброска на кредит. Я посмотрела на него, когда он забрал пепельницу, переставив ее на свою сторону.

— О, извините, пожалуйста,— спохватился он, когда я рассеянно протянула руку с сигаретой и осмотрелась.— Вы тоже курите, извините, я машинально...

— Ничего страшного,— улыбнулась я и начала вспоминать, откуда его знаю. Видела когда-то — нет сомнений: элегантный пан под сорок, чуть выше среднего роста, спокойный, культурный... Верно, где-нибудь у автомата...

Вспомнила, когда он отвернулся и продемонстрировал неправильный прикус. В «Гранд-отеле» видела, еще седого не ликвидировали, играл фартово, бил успешно. И здесь гадает беспроигрышно...

Невольно бросила взгляд, нет ли у него какой сумки,— не было. На коленях ничего не держал и ничего не стояло на полу у ног. Фарт пер к нему добровольно, без всякого принуждения. Я перестала обращать внимание.

— Черт! — досадливо вздохнул он.— Поглядите-ка!

Я из вежливости посмотрела. Потрясно, на экране трефовые туз, король, дама, валет, да к тому же еще трефовая девятка. Одной картой больше, обеспечен большой покер, тип играл по десять, большой покер дал бы ему десять тысяч жетонов, сто миллионов злотых. А теперь шестьдесят вместо десяти тысяч!

— Сочувствую.

— Пойду на пробой! — решился он.— Пусть проиграю!

Левой рукой оперся на автомат, а правой нажал дубль. Первой открылась двойка. Нажал среднюю клавишу, карты с шелестом перевернулись — четверка! Я наблюдала с любопытством, он снова пробил — снова двойка, вот это милость судьбы! Нажал еще — валет, уже в четвертый раз получил масть.

— Хватит.— Он оторвался от автомата и перебросил на кредит.— Не хочу рисковать, правда, я видел, некоторые удваивают по пять раз и угадывают, обратили внимание? Как они это делают?

Я не переношу болтовни за автоматом, но этот пан был столь обходителен, что не хотелось отвечать невежливо. Я пожала плечами.

— Не знаю. Со мной, во всяком случае, ничего подобного не случалось. На втором дубле уже все теряю, впрочем, на первом чаще всего тоже, я всегда угадываю наоборот. Тут уж наверняка черта характера.

— Вот именно, я заметил, вы почти никогда не удваиваете, меня даже любопытство одолело. Извините за вмешательство, но, возможно, вы слишком пессимистически относитесь к своим возможностям?

— Нет, что вы. Я по натуре оптимистка, на автоматах использую лишь жизненный опыт.

— Но без дубля вообще почти невозможно выиграть, а с дублем иногда везет. Вот и посмотрим...

Меня вовсе не интересовали его успехи и поражения, однако доброжелательность неудобно игнорировать. Не успев нажать клавишу, я посмотрела на него. Дублировал две пары и сразу потерял обе: сначала появился король, а все остальные карты оказались меньше.

— Вот так чаще всего и получается,— не удержалась я.— Из двух зол уж лучше красная или черная, по крайней мере, не исключается выигрыш с самого начала.

— Справедливо, но и здесь случаются выгодные серии. Сначала повторить маленькие, затем переждать, пока сменятся электронные серии. Например, сейчас должна появиться маленькая карта... И не стану ее понапрасну тратить на две пары, надо что-нибудь побольше.

Некоторое время он не дурил мне голову и я спокойно играла, потом снова начал.

— Вот, пожалуйста! Фул, уже имеет смысл. Я уверен, будет маленькая!

Снова оперся на автомат. Чуть помедлил над клавишей, и я успела заметить на пальце левой руки кольцо, массивное обручальное с орнаментом. Такие обручальные кольца, только гладкие, без украшений, так называемые перстни, полые внутри, все повально привозили из-за границы. Я подумала, верно, жена требовала декорума, на левой руке носит, возможно, вдовец...

Гипотетический вдовец ударил дубль, как и предвидел, появилась двойка. Провел по другим клавишам, поколебался, нажал последнюю и получил девятку. Сразу скинул на кредит.

— А теперь начнут чередоваться: маленькая, следующая — большая, возможно, угадаю целый ряд больших. Попробую маленькую, в расчете на то, что потом появится целая серия маленьких, и тогда удвою несколько раз большие. И вам так следует сделать.

Я пожала плечами.

— На вашем автомате больше возможностей,— напомнила я ему, хотя терпение мое было на пределе.— Автомат часто дает одну пару, я бы уже продулась в пух и прах, пока дождалась серии больших. Впрочем, не уверена, кажется, мне кто-то говорил о смене электронных систем, только я ничего не понимаю в этом.

Напрасно я выпалила сию тираду, он заинтересовался прямо-таки зверски.

— А кто говорил? Профессионал? И что именно говорил?

— Да то же, что и вы. По-моему, разбирался в этом, как барсук в селедке. Игрок, естественно. Тоже уверял, что на пробое можно разжиться, только все это чистая теория — до сих пор долг не вернул.

— Вы дали взаймы? Ваш знакомый?

— Да что вы. Понятия не имею, кто он и как зовут, так, в лицо знаю. Честно говоря, одолжила, чтобы отделаться — торчал за спиной, а мне как раз везло, ну и уделила ему. С тех пор исчез, не встречала больше, посему сомневаюсь в его познаниях.

— Понимаю. А как насчет вашего утверждения о смене систем?

Я вздохнула: теперь не отстанет до Страшного суда и отравит все настроение... Решила сказать правду.

— Я, извините, в электронике ни бельмеса не смыслю. Вы не обратили внимания — я ведь отношусь к женскому полу. Вся эта штуковина, насколько я слышала, как-то там запрограммирована и какие-то системы есть отдельно на игру и отдельно на дублирование, а возможно, и все вместе. Иначе говоря, у вас появляется то же самое, что и появилось бы, играй вы дальше, а не пробивай. Надеюсь, второго варианта не существует, не то меня кондратий хватит.

Элегантный пан удивился, даже играть перестал.

— Почему же?

— А при дублировании несколько раз было каре, однажды пять карт и раза два покер. Получается, потеряла выигрывающие системы. Решительно предпочитаю, чтобы все было отдельно, и внушила это себе, чтобы не свихнуться.

— Интересно. Возможно, вы и правы. Мне всегда казалось, это отдельные системы, даже в голову не приходило, что то и другое могло бы составить продолжение ряда. Теперь испытаю метафизический метод...

Меня заинтересовал метафизический метод, взглянула. Левой рукой он заслонил первую карту, от которой зависело остальное, и пошел на пробой. Удваивал тройку. Первой карты не было видно, лишь следующие четыре, не раздумывая, он ударил среднюю клавишу. Семерка, по всей видимости, была больше первой карты, автомат заиграл выигрыш. Тип повторил операцию, не отрывая руки — снова не видно начала; нажал предпоследнюю клавишу, музыка опять подтвердила выигрыш. Рискнул в третий раз — успешно, из одной тройки набил двести сорок жетонов. Поколебался, все в той же позиции, опираясь на машину рукой, решился в четвертый раз. Я молчала, чтобы не спугнуть удачу, но была уверена: теперь-то уж наверняка не угадает и никакая метафизика не поможет.

И все-таки угадал. Отказался от всякой черной магии, перебросил на кредит и наконец убрал левую руку с автомата.

— Меня все же очень занимает, как некоторые игроки постоянно добиваются успеха,— поведал он задумчиво и даже без зависти.— Я как-то даже наблюдал, правда, за автоматами в «Гранде», там немного другие. Вы там бывали?

Я коротко кивнула, полагая, что моя сдержанность его попридержит.

— Там есть красная и черная, не ошибиться пять раз подряд — поверить трудно. Как вы думаете, какие факторы действуют? Вдохновение, радиестезия?

Я хотела было сказать: сам ты в «Гранде» удваивал без проигрыша по пять раз, но, к счастью, вовремя прикусила язык. Оживленная дискуссия меня не привлекала.

— Одним везет, другим нет,— закруглила я.

— А вы не хотели бы выигрывать?

— Да, хотела бы, только в моем случае — безнадега. Следовало родиться под другим знаком Зодиака. Ничего тут не поделаешь, и я уже привыкла.

— Ну, а скажем, вдруг есть некий метод? Научный, к примеру...

Сперва я решилась вежливенько попросить этого пана заткнуться. А после сообразила — безумие с автоматами, естественно, бросалось в глаза, не он один раздумывал, откуда слепой фарт у нескольких игроков. Пожалуй, пристал он ко мне не просто так, дошло до меня наконец.

— Не знаю, есть ли научный метод на такое везение,— ответила я холодно.— Поверьте, я не в курсе дела. К тому же, сдается, уже несколько таких научников стреляли себе в лоб в Монте-Карло. У вас есть пистолет?

— Нет.

— Ну, так вам не миновать головой вниз с Дворца культуры.

Он сохранил полное спокойствие, лишь слегка нахмурился.

— А существуй такой метод,— снова заговорил он,— не хотели бы заняться?

— Разумеется, хотела бы. Только вот сомневаюсь, едва ли мне кто-нибудь расскажет.

— Я бы охотно, если бы знал. Не имею чести быть знакомым с этими счастливчиками. Может, вы?

— Что я?

— Знакомы с кем-нибудь из них?

— В основном со спины. По лицу на улице не признаю. Придется вам обойтись без меня.

Он тяжело вздохнул и оставил меня в покое. Снова у него вышел фул, и, по всей видимости, тип решился набить на нем состояние — прибегнул к своему метафизическому методу: заслонил первую карту, сосредоточился и угадал большую карту пять раз. Перебросил две тысячи пятьсот шестьдесят жетонов на кредит, нажал аут.

— Праздник случается не каждый день,— заметил он философически и оглянулся в поисках механика.

Избавившись наконец от надоедливого соседа, я мало-мальски обдумала ситуацию и поняла его план: явно нащупывал возможность познакомиться с шайкой, а прямо не сказал, все кружил вокруг да около. Возможно, видел, как я говорила с Пломбиром...

Мне вдруг привалило каре, и я бросила забивать себе голову пустяками.

Выигрыш предыдущим вечером зарядил меня благодушием, и, когда покупала новый замок, меня озарило: замок, само собой, врежет сосед. Сперва я решила обратиться к нему прямо и просто, но передумала — вернее будет подкатиться с предлогом. Эти чертовы тапки породили-таки недоверие...

Я позвонила у его двери сразу по возвращении из города. Застала дома — он сразу открыл. Успела сказать «здравствуйте» и увидела кота. Черный, с белым жабо, белыми усами и белым кончиком победоносно поднятого хвоста, он продефилировал из кухни в маленькую прихожую прямо к моим ногам. Я расплылась в полном восторге. Сосед улыбнулся.

— Есть еще один, только приходящий. Я люблю кошек, да и благодарен им: один котяра когда-то спас мне жизнь.

Мне удалось не отозваться. Нет, он никак не мог знать, что когда-то я подслушала телефонный разговор — это невероятно, и баста! Слова про кота и спасение жизни гремели у меня в ушах, подобно колоколу Зигмунта. Работал в милиции, «как бы вышел из ведомства», кто это сказал, Пломбир?.. Гутюша?..

Все мои сомнения отпали мгновенно, даже разговор не прервался.

— У меня просьба. Громадная...

— Кто?

— Да просьба. Понимаете, решила сменить замок в двери.

— Вот и прекрасно! — обрадовался сосед.— Я даже хотел предложить вам, да боялся быть навязчивым. Сейчас же?..

— Пожалуй, если вы не очень заняты...

Я добросовестно переждала первые минуты, ушедшие на отвертки, прокладки, дрель и прочее, после чего мое терпение лопнуло.

— А как вас кот спас? Расскажите! Я тоже люблю кошек.

Сосед сосредоточенно отвинчивал шурупы.

— Конечно, расскажу. Это скорее символично. Я ведь говорил, где работал. Некто меня хотел убрать, устроил засаду, придумано все было неплохо... Я бы еще тут подложил, как вы считаете? Крепче будет.

— Ага, считаю. И что?

— Ну, мне повезло — кот замяукал. Я резко свернул на мяуканье, наклонился, и нападавший в темноте, можно сказать, пролетел над моей головой. Того кота я не нашел, но в память о нем стараюсь отблагодарить других.

— И все обошлось? Атака не повторилась?

— Ну нет!.. Второго броска я просто не допустил. К тому же ситуация изменилась в мою пользу — значит, тот котяра выступил в нужный момент. Я это отвинчу и привинчу снова на прокладке, лучше будет держаться.

Я ничего не имела против, даже укрась он шурупами всю мою дверь — больше времени останется на приятную беседу. Колебалась, не признаться ли, что подслушала его телефонный разговор, несомненно, сосед — тот самый человек и голос тот же. Но такое стечение обстоятельств?..

— А вы давно ушли из милиции?

— Больше четырех лет.

— А как со служебной тайной? Все еще обязаны ее блюсти?

— Сдается, до конца жизни. Кроме законченных дел, которые уже давно опубликованы прессой. К тому же у меня профессиональные навыки под общим девизом: не болтать!

— Понимаю. Я когда-то знавала одного человека, так он на вопрос: «Ты почему сегодня надел другой пиджак?», отвечал: «А почему ты об этом спрашиваешь?» Позже выяснялось, к примеру, посадил на пиджак пятно и сдал его в химчистку, но ответить прямо был просто не в состоянии. Нормальный человек на вопрос про пиджак скажет, запачкал, мол, и сдал в химчистку, а этот ни за что. На вопрос он всегда реагировал другим вопросом. Вы тоже?

— Да нет, не совсем так. Необходимо оценить, с какой целью задается вопрос, меня специально этому обучали. Про пиджак я ответил бы нормально, только моментально просчитал бы, что вынимал из кармана, где в этом пиджаке был и кто меня видел. Навыки-то остались — у меня не голова хромает, а другие детали.

— Какие? — спросила я бестактно, не успев прикусить язык.

— Колено,— ответил он как ни в чем не бывало.— Бедренная кость. Левое легкое. Позвоночник — барахлят два позвонка. Остальное в рабочем состоянии.

Я извинилась за бестактность и вернулась к вожделенной теме.

— А всякое разное вообще вы можете рассказать?

— Какое всякое разное?

— Ну, например, в общем в целом, насчет обычаев в этой организации...

Он прервал меня, повернув голову и прислушиваясь.

— У вас там нигде не дует? По-моему, сквозит, не закрыть ли пока?

Я заглянула в комнату. И точно: какие-то бумаги валялись на полу. Не вникая, откуда дует, я простонапросто закрыла двери в обе комнаты и вернулась к входной. Входную сосед тоже закрыл — закреплял шурупы с внутренней стороны.

— Вот что любопытно узнать,— продолжила я с невероятной дипломатичностью.— Скажем, некто расследует дело насчет утопленника, у другого богатую старушку зарезали в ее собственной кухне, а у третьего кого-то грохнули ножкой от рояля. Все они знают друг о друге? Я имею в виду, первые двое узнают насчет ножки от рояля, делятся впечатлениями и так далее? Как у вас заведено?

Сосед охотно ответил.

— Да по-разному бывает. Во-первых, существует ежедневный бюллетень, которого никто не читает, но в нем вся информация о ножке от рояля и прочем. Во-вторых, редко кто лезет в чужое дело, у каждого своих хватает, а если бы кто захотел — пожалуйста, изучай дело в деталях и даже советуй, если имеешь соображения. В-третьих, иногда специально рассылаются сообщения всем, чтобы выявить связи, ассоциации и тому подобное. В-четвертых, кое-кто и в шорах работает, грызет свои загадки, ничего не знает про других и знать не хочет; и так случается. Все по-разному. Тут никакой тайны нет.

— А например...

Тут я вспомнила, что он ушел с работы четыре года назад, о прошлогодних событиях, возможно, и не слышал. Но людей-то наверняка знает, посоветует, к кому обратиться...

— А вы, наверное, хотели спросить о каком-то конкретном случае? — взглянул он на меня, отрываясь от замка.— Например, о трупе, законсервированном в формалине и в воске...

Меня заклинило, и он мог вполне свободно говорить о чем угодно.

— На все вопросы охотно отвечу, а пока что прошу принять работу. Готово. Пожалуйста!

Ошарашенная, я совсем забыла, зачем и почему сижу с ним в прихожей. Наконец справилась с собой судорожным усилием и, нетерпеливо повернув ключ в новом замке, закрыла дверь изнутри. Потом вопрошающе посмотрела на него.

— Стоп! Немного терпения. Добросовестный мастер обязан убрать за собой. Это первым делом. Есть у вас совок для мусора?..

Как бы не так. Прикончив совок в памятной битве, новый купить позабыла. Подсунула ему картонную коробку, каких много валялось по всему дому. Он замел старательно щепочки и обрезки, так что я из себя выходила. Стиснула зубы изо всех сил, пожалуй, даже заскрипели.

— А во-вторых,— продолжил он обстоятельно, высыпая щепочки из коробки в кулек,— надо отпраздновать обновление замка, приглашаю вас на низкоградусный алкоголь. Насколько помню, вы таковой предпочитаете. Вино, пиво, шампанское — что пожелаете.

Он совсем сбил меня с панталыку.

— А вы не ошибаетесь? — заартачилась я.— Это мне надлежит вас пригласить, а не вам меня. Что я и предлагаю: пиво и шампанское есть, а вот вина нет, но не будем мелочиться...

Сосед протестовал и настаивал на своем варианте — уперся, как козел в капусте. Не отреагировал на «мне могут позвонить» или «дом — мое рабочее место» и так далее. В конце концов пришлось уступить — труп в формалине давал ему решительный перевес. Я закрыла дверь на новый замок и отправилась к соседу.

Трупная тема развивалась очаровательно. Да, конечно, он знал об этом. Да, конечно, тот телефонный разговор и кот — это он, а случайности, что ж — дело вполне человеческое. Знал он и прочие события со стороны тех, кто все еще не имел возможности действовать...

Где-то в середине визита сосед превратился самым естественным образом в Януша, а я всегда любила это имя, и потому нам легко и незаметно удалось перейти с пана и пани на «ты». А после я узнала множество разных вещей, от которых волосы дыбом вставали, а еще потом получила утешительные сведения: все это находится под наблюдением и в нужный момент имеющиеся материалы будут использованы. Потом моя искренность в изложении некоторых тем была несколько приторможена Янушем, чтобы не получилось, будто от меня что-то выпытывают...

А потом он вообще начал мне очень нравиться...

В девять утра позвонила Пломбир.

— Я насчет голубой тесьмы,— начала она без вступлений.— Видела такую в павильонах на Маршалковской. Шелковая.

— Ох нет, лучше бы хлопчатобумажную,— завела я, вспомнив, что следовало побеседовать о бабских пустяках.— Ладно, шелковая тоже пригодится. Посмотрю. Спасибо вам большое.

— Вот, пожалуй, и все, извините, спешу, дела. Только насчет этой тесьмы и позвонила, мне показалось, вам позарез надо...

Голубая шелковая тесьма нужна мне была как рыбке зонтик. Я поняла: следует все бросить и ехать в «Гранд» — там открывали в десять.

— Чего он от вас добивался? — спросила Пломбир вполголоса, когда я уселась за автомат рядом с ней. Не повернула головы и не смотрела на меня.

— Кто?

— Крыса.

Меня чуть удар не хватил.

— Как это Крыса... О ком вы?!

— Позавчера в «Марриотте». Сидел рядом с вами. Вы разговаривали. Я еще вчера вам звонила, да не застала.

В голове началась полная сумятица, пришлось немного помолчать.

— Боже праведный, это был Крыса?!..

— Точно. Я же знаю его. Потому мне и запретили...

Автомат ошалел и выдал мне нежданно-негаданно малый покер. Ох, как я порадовалась — музычка давала перерыв в игре, к тому же заглушала разговор.

— Кто вам запретил и что?

— Заходить в «Марриотт». Чего он от вас хотел?

— Трудно сказать. Похоже, прощупывал, кого из шайки запримечала...

Хоть мы и спешили, все равно не успели больше ничего друг другу сообщить. Пломбир решительно взяла сумку, поместила на колени и при первой же возможности извлекла длительную музыку из своего автомата. Пробивала тройку. Музыка играла втрое дольше, чем при моем покере, и я с завистью взглянула на ее экран.

— О чем он говорил?

— Да все насчет везения и дублирования. Разглагольствовал про какой-то научный метод. Удочку забрасывал, проще говоря.

— Он вынюхивал, какие у вас данные. Что вы сказали?

— Ничего. Терпеть не могу болтовни за автоматом. Ни в чем не осведомлена, ничему не верю, завидую тем, кто на подъеме и вовсе с ними незнакома.

— Ох, слава Богу! Я нарочно туда заглянула, из-за того что мне запретили. И сразу увидела его рядом с вами. Убежала, надеюсь, никто не заметил.

Я слила из своего автомата жетоны и снова наделала шуму. Всем сердцем пожалела, что их не так много.

— Где он живет, вы не знаете?

— Нет. Слышала кое-что. Про какого-то ребенка — ищут маленького мальчика, только не поняла зачем...

— Зато я немного в курсе. Главное — почему его ищут? Он исчез, точно, а им-то что? Зачем его ищут и почему?

— Мне кажется, тут какой-то ужас. Ребенка чуть ли не убить собираются. Подслушала я случайно, очень мало, поняла только, что он кому-то из них опасен. Сама боюсь до смерти, а вы уходите отсюда скорей. В любом случае Крысу вы видели...

Я извлекла жетоны и перешла к другому автомату, к фруктовому. И принялась обдумывать, как найти Гутюшу. С подстанцией на сорок два мой телефон не соединялся уже три дня, вчера на работе его не застала, он, возможно, и звонил, так меня не было, а с Тадеушем не работал — все давно закончили и сдали. Решила ехать к нему пополудни и оставить записку в замочной скважине, в крайнем случае послать телеграмму по телефону.

Автомат вел себя на удивление прилично, то и дело платил, и я увлеклась, позабыв о времени. Вдруг около меня оказался столь жадно ожидаемый Гутюша, было уже двадцать минут пятого.

— Я прямо с работы, нигде тебя не найдешь, значит, торчишь здесь,— объявил он.— Страшные дела.

— Что случилось? У меня тоже страшные дела, и тоже тебя ищу. Собиралась к тебе ехать.

— А меня там нет. Суетился, понимаешь, с корешами, вернее, с одним, да и того хватит. Бардак вовсю гуляет.

— Гутюша, говори сразу, но по очереди: где бардак?

— В милиции. То есть теперь в полиции. По-разному идет, но еще далеко не дошло до сволочей, только порядочных людей и давят. Странно все. Бумаги есть, любой глухой видит, творится кошмар, а заняться всем этим некому. Постой, я уж все выложу, до последнего огурца, понимаю вопросы твои, и я так же лоб расшибал. Распоряжения сверху нет, ну и следствие прекращено, и всё вон, в шкаф. А в доверительном разговоре: они, мол, не акционерное общество, а государственная организация, лично что могли, то сделали. Насчет, например, Крысы вообще очки набекрень, может, это и несколько человек, а не один. Акулы их беспокоят, потому как до мелкой рыбешки никому дела нет, это первое, а второе, всякую мелочь вовсе никто не воспрещает ловить, ловите, сколько влезет. А крупный рыбец под надежной охраной.

Я врезалась в Гутюшино повествование, понимала все и сама, со вчерашнего дня ориентировалась в ситуации — из ушей уже лезло. С общим положением нам не справиться, а потому следует заняться конкретикой.

— Я видела Крысу,— подчеркнула я с нажимом, чтобы до него дошло скорее.— Крыса меня тоже. Разговаривал со мной.

Гутюша онемел и воззрился на меня в тревожном ожидании.

— Обязательно тебе его покажу.— Я выдала полный отчет.— Не знаю как. Придумай что-нибудь.

Гутюша сначала пожал плечами, затем начал рыться в карманах.

— Способ есть, может, и не первый сорт, но все же. У меня фамилии здесь и адреса...

— Чьи?

— Всех мужиков, работавших с покойниками, Стшельчиком и Залевским. Этот труп модельный из подвала — Залевский. Я, видишь ли, не засыпал золу грушами с вербы, а вцепился еще раньше, еще без тебя, а один мой дружок расстарался, ходы использовал и достал все, что надо. Вот, видишь...

Он разгладил вдрызг измятый врачебный рецепт и представил мне весьма специфический текст. Весь рецепт был исписан бисерным почерком, а между лекарствами находились записи вовсе не медицинской натуры. Я посмотрела через лупу, сосчитала — одиннадцать фамилий, около каждой адрес, в иных случаях даже телефоны.

— Честно говоря, получил все вчера. Заучить наизусть не для моего котелка, а на рецепте не очень-то разберешь. Кто-то из них Крыса, а возможно, и еще знакомцы обнаружатся.

Я оторвалась от чтения, убрала лупу, вернула ему рецепт и принялась размышлять вслух.

— На этой чертовой Праге я еще не была. Теперь уж и не придумаю куда сперва — туда или сюда...

Гутюша уже продумал диспозицию.

— Я бы поехал к ним сразу. Этих каналий так просто и не заарканишь, погляжу, что там за бражка. Понимаешь, освоиться на месте надо. Посижу себе на скамейке или прикинусь ханыгой, то и дело буду закуривать, знаешь, раздрызганный алкаш на природе. Всех засниму — портреты заимеем, а там посмотрим.

Замысел был неплох. Навестить одиннадцать адресов — ничего особенного, за полтора часа обернемся, оставлю Гутюшу на месте и еще на Прагу успею. Я оторвалась от автомата, и мы двинулись на охоту, сперва вместе, а после разойдемся...

После того кошмарного обследования я это строеньице запомнила прекрасно и в бывшее блудилище — сейчас жилая квартира — попала сразу. Дверь открыла та самая девочка, только повзрослевшая на год.

— Добрый вечер,— начала я скороговоркой.— Я тут перед ремонтом обмеры делала и у вас тоже. Ты меня помнишь?

Она кивнула. Пожалуй, девочка замкнутая.

— У меня к тебе пустяковое дельце, может, поговорим?

Девочка снова кивнула, на сей раз слегка неуверенно. Из квартиры послышалось: «Кто пришел?», голос женский, мать, наверное.

Я забеспокоилась — контактировать с маменькой не входило в мои планы, я не успела выдумать предлога, и добротное вранье не шло на язык. Девочка, впрочем, выручила.

— Это ко мне! — крикнула она.— Выйду ненадолго во двор!

Я все еще стояла за порогом, отстранилась, девочка вышла и закрыла за собой дверь.

— Если вы ко мне, то дома негде. Все сидят друг у друга на голове, а мой брат подслушивать любит. В чем дело?

Она, по-видимому, чем-то обеспокоена и не жаждет семью посвящать. Меня это устраивало вполне.

— Помнишь, когда мы обмеряли вашу квартиру, к тебе пришла подружка,— начала я, усаживаясь на досках, сваленных во дворе.

Было уже темно, но свет из окон и от фонаря освещал ее лицо: девочка смертельно перепугалась. Она тоже собиралась сесть, но тут напряглась, сдерживая желание удрать. Наверное, забеспокоилась из-за подружки.

— Сядь! — сказала я резко, но приглушенно.— Я тебе ничего не сделаю, и меня не касаются всякие ваши глупости. Хочу кое-что узнать и никому ничего не скажу.

Девочка замерла, но полусидящая позиция была очень неудобна, она тяжело плюхнулась на доски и глубоко перевела дыхание, по-видимому, с перепугу даже дышать не смела.

— Как приходила тогда подружка, вижу, помнишь,— я заговорила успокаивающе.— Вашего разговора я не слышала, занята была, донеслось до меня только имя какой-то Каськи. Эту Каську твоя подруга назвала дурой. Меня интересует только одно: кто она, это дура Каська?

Каська, очевидно, оказалось не самое страшное, девочка снова вздохнула с явным облегчением. Помолчала, собиралась с мыслями и преодолевала панику.

— Да была тут одна такая...

— Кто? Твоя соученица?

— Какое там. Приходила со своим парнем, таскалась сюда. Она того...

— Которого?

— Наркоманка...

Через меня не то электрический разряд прошел, не то стайка муравьев-спринтеров промчалась: нашла красивую пани Касю...

— Дорогая моя, я из-за этого и приехала. Сделай одолжение, расскажи все, что знаешь про эту Каську.

— А что? — недоверчиво покосилась девочка.

Я посмотрела на нее максимально серьезно, в надежде, что она все-таки увидит в неверном освещении выражение моего лица.

— Я разве тебя спрашиваю про твои дела? А ведь могу...

— Да нет, мне все равно,— поспешно прервала она.— Так вот: она шлялась сюда и ждала того парня. Иногда оставалась ночевать в нашем доме... Где придется. А мы с ней разговаривали...

Замолчала. Похоже, с Каськой дела неважнецкие. Я решилась поставить вопрос ребром.

— Слушай, мне необходимо знать все про Каську-наркоманку — ее надо найти. Меня не интересует остальное, и плевать хочу на всякие романы и прочее. Я не слепая, вижу, ты чего-то боишься, бойся себе на здоровье, скрывай или сглупу проболтаешься, меня не касается. Даже если вы вместе с подругой убили кого-нибудь, смилуйся Боже, над его душой, моя хата с краю, никому ничего не скажу. Я понятно говорю? Скажи все про Каську и меня больше не увидишь.

— Нет, убийство нет...— вырвалось у нее.— Но... Значит... Все за Каськой тут ходят...

— Кто все?

— Разные. Приходили, спрашивали, Агате по морде съездили, потому что сказала, ничего, мол, не видела, а она и взаправду не видела, а я, значит, сразу и созналась...

— В чем созналась, Господи Боже?!

— Мол, знаю ее. Она дура, помыкали ею все, для своего парня на все готова, через него и в наркоту влипла... вообще добрая, помогала всем, любила детей и ее парень тоже, возились с ребятишками...

Опять замолчала, немного подумала, внимательно на меня посмотрела. Я напряженно ждала.

— Так и быть,— решилась она вдруг.— С меня хватит. Пани — первый нормальный человек... Да я вас и знаю, вы ведь и сами догадываетесь, кто о ней спрашивал, а вы не из них, я вижу... Скажу вам все. Парень велел им сушковать, этим ребятишкам...

— Как это сушковать?

— Так... ну, здесь в детском доме был мальчик, его фамилия Сушко. А этот Каськин парень научил ребят шваркать подошвами и бормотать тихонько под нос, и получалось так: суш-ко, суш-ко, суш-ко, целыми часами могли так шваркать, а он слушал, будто музыку небесную...

Я тоже слушала, будто музыку, может, даже в большем экстазе. Девочка отбросила опасения и говорила не переставая.

— Каська с парнем сюда за делом ходили, хотя какие дела у таких, у них и так крыша едет, и все же что-то там выполняли. И играли с ребятами. А когда исчезли, их начали искать, и милиция даже. Я никому не говорила, а вам скажу... У Каськи была семья, она просто убежала из дому, она уже совершеннолетняя — ей восемнадцать исполнилось. И деньги у нее были, кто-то давал. Ее парень тоже из семьи...

— А не знаешь их фамилий?

— Нет, даже как зовут, не знаю. Она звала его Пес.

— Как?!

— Пес. Обыкновенно — пес, и все тут. И у меня есть один адрес, Каська как-то здесь сидела одна, разве не видели? Да вы не могли не видеть, ведь мерили весь дом! Здесь, где мы теперь живем, такая комнатушка рядом, даже дверей не было, теперь временно поставили, она сидела в углу, а я заглянула — сторожиху искала, ну, и увидела ее, ей плохо сделалось, стонала, ничего не хотела, только велела, ежели помрет, передать одной женщине. Думаю, она ничего не соображала, кому говорит, меня не узнала, говорила как с чужой. На Саской Кемпе, Валечных, пять, первый этаж, Голковская Марианна. Голковской она и велела сказать, что померла. И все. А тогда не померла, лучше ей стало и ушла.

— А парень? О нем ничего не известно?

— Нет. Только противно с ней обращался. Упрямый, как черт. Все по его должно быть, и точка. О Голковской я никому ни слова, никто про это слыхом не слыхал...

Замолчала и снова перевела дыхание, словно тяжесть с себя сбросила. О Каське, видимо, и в самом деле все сказала.

— Порядок,— заключила я и придержала ее за руку — она уже рвалась убежать.— Слушай, я обещала не совать нос в твои дела и не буду. Но я все-таки взрослая, а потому, если тебе понадобится помощь, вот мой номер телефона. Ты его выучи и запомни навсегда. Меня здесь не было, ты ничего не говорила, видела только за обмерами дома. Представь, я тоже боюсь. В случае нужды звони, только, ради Бога, никому об этом ни слова!

Девочка, видимо, прекрасно поняла мои переживания и сразу успокоилась. Кивнула, повторила вполголоса номер, встала спокойно, неторопливо. Пожалуй, мы заключили союз...

На улицу Валечных, пять я примчалась на следующий день около десяти утра. На особу, открывшую мне, посмотрела с великим вниманием и с еще большим сомнением. Она отнюдь не располагала к себе, напротив: губы, сжатые в тонкую линию, подозрительный взгляд сразу лишали всякого оптимизма. Невысокая, худая, жилистая и, пожалуй, старая, она не спросила: «Кто там?», а открыла дверь, не снимая цепочки, и молча уставилась на меня.

— Пани Марианна Голковская?

Она кивнула, по-прежнему стояла неподвижно и молча, ожидая, что я еще скажу. Кстати, у меня ведь есть пароль...

— Кася дала ваше имя и адрес. В случае смерти просила вас уведомить.

Марианна Голковская вздрогнула, прикрыла дверь, я уже решила — вот и конец общению, но нет, она просто хотела снять цепочку. И сразу же открыла шире.

— Войдите,— пригласила она шепотом.

Пропустила меня вперед и снова накинула цепочку. Мы стояли в узкой прихожей, разглядывая друг друга. Очередь говорить, по моему мнению, была за ней.

— Умерла? — спросила она сухим, холодным тоном.

— Не знаю,— возмутилась я, шокированная ее равнодушием.— Хотелось бы ее отыскать, чтобы узнать. Рассчитываю на вашу помощь.

Она пожала плечами. Опять сжала губы, осмотрела меня сверху донизу, внимательно разглядывая туфли, и снова пожала плечами.

— А вы, собственно, кто?

Было очевидно, фамилией и профессией она не удовлетворится. Попробуй тут в двух словах объяснить, кто я, зачем ищу ее холерную Каську, зачем мне пропавший мальчик, почему необходима полная тайна и по какой причине она обязана мне доверять. Легче было бы объяснить, кем я НЕ являюсь — королевой английской, сотрудником полиции, секретаршей государственного мужа, оперной примадонной, членом преступной клики... Путем исключений, возможно, к чему-нибудь мы и пришли бы.

— Я скажу вам, в чем дело,— решилась я, хотя по-прежнему злилась.— Если бы мы могли где-нибудь сесть... Не люблю разговаривать стоя, а говорить придется долго.

Она снова осмотрела мои туфли и вдруг, перестав колебаться, пригласила в комнату.

Мне не пришлось осмотреться, но создалось впечатление, что ни комната, ни вся квартира как-то не подходят к особе, их занимающей. И атмосфера, и обстановка имели иной характер и уровень. Марианна Голковская могла бы здесь убираться, поливать цветы, но не жить.

— Ну? — спросила она и села на краешек кресла у низкого столика. Манера сидеть тоже о многом говорила.

Я сообщила, кто я, извлекая из сумки разные свидетельства, включая водительские права. Она и не подумала делать вид — да что вы, да зачем же,— прочитала все бумажки с величайшим тщанием. Я пережидала молча, подавляя нетерпение.

Наконец она кивнула так, словно соглашалась на мое пребывание в этом мире и позволяла мне и дальше существовать. Я весьма остро ощутила нелегальность собственной жизни до этого момента. Ладно, пусть ее. Я сгребла со столика бумаги.

— Касю знаю лишь в лицо,— холодно сообщила я.— Мне известно также, что она взяла с собой мальчика, которого считают пропавшим...

— Этого маленького Сушко, да? — прервала она, и в ее голосе зазвучало ядовитое удовлетворение.

Я постаралась скрыть, что попала впросак.

— Вы тоже осведомлены?

Она кивнула и выжидательно взглянула на меня.

— В таком случае вас наверняка известили — его ищут. И не все из ищущих имеют добрые намерения. Мне необходимо не столько его найти, сколько удостовериться, что ребенок в безопасности. Ну и во всяком случае, получить сведения о том, где он находится...

— А за вами получит сведения тот... — сорвалось у нее, и она тотчас сжала губы.

Меня залихорадило: этой бабе известно больше, чем мне, возможно, даже все. Оборванная фраза значила колоссально много.

— Если получит сведения вслед за мной, то получит сведения и насчет меня. А я еще хотела бы немного пожить и постараюсь, чтобы никто ничего не узнал. Ведь надо же ребенка обезопасить, пока до него не добрались, а до него добираются уже несколько таких типов. Не намереваюсь ничем рисковать, вы сами решите, искать ли мальчика с умом или плутать на ощупь. Чтобы искать с умом, мне надо кое в чем сориентироваться.

Марианна Голковская, возможно, и выслушала этот монолог, но думала по-своему.

— Убить-то его, пожалуй, не убьют,— раздумчиво сказала она.— Хотя голову на отсечение не дам. А вот дураком сделают полным, а он вовсе не дурак пока что. Пожалуй, и шею могут свернуть. Мне не говорили, где он.

— Это правда?

— Да. Я не хотела знать. И не хочу. Вам бы я сказала, вижу, вы не из тех. По ногам поняла.

Мой характер и ум определялись по разным параметрам в течение жизни, но чтоб по ногам!.. Я в наивном изумлении уставилась на пани Голковскую — раз все уж по ногам видно, на физиономии вовсе не обязательно ума искать...

— Туфли,— снизошла она до объяснения.— Уж и не знаю, что тут такое, только я всегда на ноги гляжу и еще ни разу в жизни не ошиблась. Понимаете, все вместе — ноги, обувь, они либо хитрые и нечестные, либо порядочные, и всякое остальное тоже. Вы, пани, и вправду порядочная, потому выскажу, как думаю. Понимаете, ведь это Касина квартира.

Я охотно кивнула — это совпало и с моими наблюдениями.

— Я у них хозяйство вела. Касю сама растила, с младенческих лет, потому как ее мать — говорить срамно, а отец еще хуже. А здесь жила бабка, сейчас в санатории и живая не вернется, а квартиру Касе завещала, Кася и не ведает про это. Да и не надо ей до времени знать, еще сдуру продаст по дешевке или что другое удумает. Пока этот ее... жених...

Здесь она прямо-таки зашипела. Жениха, видать, надлежало просто удавить.

— ...не подохнет... Или за ум не возьмется, хоть я больно-то не надеюсь... Вот тогда и Кася вылечится...

— Пока что нет ни ее, ни его,— напомнила я.— Где-то оба скрылись. Вы не догадываетесь, где они?

— Догадываюсь. И так и сяк.

— Неважно. Я очень осторожно постараюсь навести справки.

— А вы себе уяснили, если ребенка найдут, убьют непременно?

— Уяснила.

Она опять кивнула, по-видимому довольная своими убедительными аргументами. Да, всякого я могла ожидать, но снискать доверие по причине туфель, за умеренную цену купленных на летней распродаже в Торонто... Симпатичные туфельки, но чтоб до такой степени?..

— Есть тут один, продает это дерьмо, он может знать про них, наверняка кто-то из них к нему ходит.— Марианна Голковская начала высчитывать по пальцам.— Есть еще хромая психопатка, у ней ум на свой лад закручен, из хорошей семьи, так она по всей Польше знает разные места, в основном на кладбищах, где и пожить можно в склепах. А третий там навроде опекуна, молодежь пригревает, маленького Сушко тоже ищет, с теми бандитами не знается, а мне все ж таки не нравится. Четвертая — Касина подружка со школы, все складно было, когда они дружили, а об их дружбе никто понятия не имел, я только, а мать Касина ее и на порог к нам не пускала бы — ей все это без надобности. А девочка была хорошая, теперь уже взрослая, старше Каси на два года. Ну а пятый — один доктор, такой, по наркоманским делам. Порядочный человек, Касю жалел, считал, можно ее вылечить, со мной разговаривал, похоже, сам ее и спрятал. Адреса все есть, только в секрете, и кому другому ни за что не дала бы. Глянулись вы мне, пани, а ежели пани меня обманет, не миновать вам божеской кары. Погодите здесь, за мной не ходите и не подглядывайте, принесу сама.

Я замерла в кресле — не шевельнулась, даже ног не переставила, хоть и совсем затекли, не дай Бог, заподозрит в подсматривании. Не дрогнула, дождалась, пока она не притащила листок, вырванный из тетради, с фамилиями и адресами пяти человек. А сохранить хотя бы видимость покоя стоило мне немалых усилий — тем самым опекуном молодежи оказался Божидар.

Марианна Голковская была предусмотрительна.

— Вы это себе перепишите. Своей рукой. И про меня молчок — ничего вы от меня не получали. Мой листок я сразу сожгу.

Она внимательно следила, пока я переписывала данные в свой календарик, после чего моей зажигалкой сожгла листок в большой хрустальной пепельнице. Старательно перемешала пепел с моими окурками и посмотрела на меня.

— Как дознаетесь, уведомьте, что с Касей. Где она, ее дело, только здорова ли. Повидаться с ней не смею и к ней не пойду, потому как меня сторожат. Глаз не спускают, когда выхожу, кругом всякие мерзавцы шныряют — а пусть их, плевать мне, кто они такие, пусть глядят сколько влезет. Я их к Касе не приведу.

Я решила дома переписать адреса из календарика в манере, чужим непонятной, а две странички вырвать и тоже сжечь. Лучше прямо сегодня же. Вышла я с озабоченной и разочарованной физиономией, и выражение сие призвано было означать для возможных соглядатаев тотальный провал, никто, однако, на меня внимания не обратил и никто не пытался учинить автомобильную аварию по моей вине...

— Пожалуй, уж лучше по-простому — завести телефонную книгу,— сварливо огрызнулся Гутюша, когда я доставила ему свой трофей.— Адресков все прибывает да прибывает. Из тех, прежних, я обскакал два дома, ни одна знакомая морда по нутру не пришлась, фотки есть, можешь полюбоваться. Осталось девять рож, а у тебя сколько? Пять, м-да...

— Четыре. Пятым заниматься не стоит.

— Ну, всего тринадцать. И людишек прибывает...

— Да, урезонься ты с арифметикой. Давай рационально. Эти задницы днем сторожить смысла нету, надо по вечерам...

— Или в обед...

— Допустим. А когда у них обеденный час? Попробуем пока раскурочить этих моих.

Я постучала пальцем по программе прошлогодних бегов: закамуфлировать фамилии и адреса, сообщенные Марианной Голковской, самое милое дело в программе бегов. Все программы были перечерканы — клочка чистого не сыщешь. Чего стоили только постоянные замены жокеев! Пиши сколько угодно фамилий — идеальные закоулки для пряток. Даже улица Мадалинского числилась в качестве запасного жокея.

— Этот первый...— начал было Гутюша с сомнением.

— Этот первый не для нас,— прервала я.— На него бы частных детективов напустить, поговори со своими корешами. Может, у них кто на примете есть.

— Есть. Об этом я и хотел сказать.

— Прекрасно. Нам, значит, остаются хромуша-психопатка, подружка и доктор. Разделяемся или вместе двинем?

— Понятно, парой. Поглядим на месте, какой прогноз погоды.

Хромуша-психопатка жила вроде бы неподалеку. По пути я все удивлялась — адрес какой-то невероятно знакомый. Кабы не фамилия и не хромота, сочла бы, что это моя старая приятельница, которая как раз там и жила. Знакомства она водила удивительные, годилась на любую аферу, вот только фамилия другая и никогда не хромала...

И все-таки именно она открыла дверь.

— О Господи, морок сгинь, пропади! — завопила она и даже глаза протерла под темными очками.—

Привидение, что ли? Честью клянусь, сегодня ничего не пила!

— Вот повезло-то — Баська! — обрадовалась я.— Замуж вышла?

Баська отошла, приглашая войти.

— А что было делать, если этот старый хрен ни фига на жизнь не оставил, Господи, спаси его душу. Будем галдеть разом или по очереди?

— По очереди. У меня тут к тебе серьезное дело. Я, кстати, не вижу, чтобы ты хромала, откуда слухи про хромушу?

— А этот пан кто такой? — Баська с интересом осмотрела Гутюшу.

— Вполне наш человек. Гутюша, представься. Дело к тебе у нас общее.

— Хромота, скажу тебе, замечательно скрашивает жизнь,— засмеялась Баська.— Когда-то я растянула ногу и ходила с тростью. Сама удивляюсь, как шею не сломала — чертова палка вечно путалась под ногами и доставляла массу хлопот, зато я на всех производила отличное впечатление. Каждый встречный рвался помочь. В конце концов я эту палку оставила себе, и она многие проблемы вместо меня решает. Роль хромоножки не так уж трудна, главное — не забыть, на какую ногу хромаю.

— Женщина — натура изменчивая, многоотраслевая,— куртуазно вмешался Гутюша.

— Я тоже так считаю,— согласилась Баська.— А насчет мужа вот какая петрушка вышла: был чьим-то там свойственником, черта с два выцарапаешь наследство у его семейки, вот я и решилась на другого — выбора не было. Другому было восемьдесят семь лет и поступил деликатно, умерев через четыре месяца после свадьбы, теперь есть на что жить. С Анджеем, конечно, Анджей у меня остался.

— А его нет дома? — забеспокоилась я, заглядывая в глубь квартиры.

— Случается и по делам выходить. Видела ведь, я сама чай заваривала. А что? Тайна?

— На всякий случай имей в виду — гранит, колодец и черная могила. Впрочем, сейчас сама поймешь.

Баська кивнула. От нее не надо было требовать разных клятв, молчать умела конкурсно. Она хранила секреты самым простым и великолепным способом: трепалась о них напропалую. Все были убеждены в ее прямо-таки бушующей искренности: душа нараспашку, говорит все, что знает, и еще немного больше, словом, признания извергались Ниагарой. De facto о том, что хотела скрыть, никогда не произнесла ни единого слова, а сомнений ни у кого не возникало.

— Валяй про дело, вижу, тебя просто распирает,— поощрила меня Баська.

— Ты знала одну наркоманку Касю,— начала я.

— Она таинственно исчезла, и ты ищешь ее вместе со всем городом,— подхватила Баська.— Не думаю, что ты заодно с разными сволочами. Ищешь ее, чтоб всем насолить, или еще по какой причине? Так, из любопытства спрашиваю.

— По многим причинам. О ребенке тоже слышала?

— Догадалась. Знаю эту идиотку давно, ну, пожалуй, года три, хоть убей, не помню, как с ней познакомились. Думаю, по пьянке, потому как однажды проснулась я ранним полуднем, и оказалось, она ночевала у меня. Родить она не родила — это верняк, младшего брата никогда у нее не было, раз говорилось о ребенке, значит, откуда-то раздобыла чужого. Похоже, украла. Так или нет?

— Почти в яблочко. Знаешь, где она?

— Несколько месяцев назад знала, а теперь уже нет.

— А что?

— А вернула мне ключи от склепа.

Я поняла: Каська-наркоманка находила себе убежище в одном из родовых склепов Баськи, разбросанных по разным кладбищам в зависимости от расположения бывших имений. Склепы эти являли собой либо внушительные наземные сооружения, либо обширные подземные катакомбы. В них можно было жить вполне удобно.

— А ты уверена, что она не обзавелась вторым ключом?

— Вообще-то на нее не похоже, но твоя воля, хочешь — проверь. Даже не очень далеко, не доезжая Пулав, в деревне Здзитов. Склеп грандиозный, сразу увидишь. Возможно, протекает крыша.

— А помимо склепа, куда она могла подеваться? Не догадываешься хоть чуть-чуть?

— Возможно, и есть кой-какие мыслишки, но все очень сложно и, честно говоря, неохота в такой переплет встревать. Тебе что надо — где Каська или где она спрятала ребенка?

— А это разные вещи?

— Совершенно.

— Тогда меня больше беспокоит ребенок. За Каськой, сдается, никто не охотится, чтобы ей шею свернуть.

— Ну, так я скажу тебе по порядку, а ты кумекай. Знала я когда-то одного мужика. Запомнила по гроб жизни из-за его странных вкусов. Уперся всеми копытами — пойду, мол, лесничим в дикий лес и заимею множество детей. Вовсе не стремился нарожать сплошь сыновей, согласен был и на девчонок, и очень уж меня этим отпугнул. Где он сейчас, не знаю, но допускаю, сделался-таки лесничим — упрям как сивый мерин.

Баська допила чай и закурила. Я терпеливо ждала.

— У Каськи была подруга,— продолжала она.— Обращаю твое внимание — это совсем другой факт, никоим образом не стыкующийся с иными. Совершенно не понимаю, почему она всячески скрывала свою подругу, но — факт, скрывала. Об этой подруге я знаю только одно: ее изнасиловали. Каська не из болтливых, но однажды на нее нашло — разоткровенничалась, рассказала об этом насилии, а юмор в том, что насильник очень нравился

502

своей жертве. Зачем так сопротивлялась ему, не понимаю, кончилось же тем, что она откусила ему кончик уха.

— Сожрала или выплюнула? — внезапно заинтересовался Гутюша.

— Вот ведь незадача — я как-то не подумала.— сказала Баська.— Может, от нервов и проглотила? Может, не разжевывая...

На несколько минут Каська-наркоманка и пропавший мальчик были забыты. Мы вовсю обсуждали, как и почему откусывают ухо, причем нам явно не хватало личного опыта. А посему проблема не была решена.

— Вернемся к нашей теме, это уже все про второй факт? — спросила я.

— Нет, еще не все. Нравился он ей, ну и после уха напали на нее угрызения совести и она просила прощения. Он тоже. В результате подружились, как положено, связанные ужасной тайной, оба чувствовали себя до крайности глупо. Он вовсе не был присяжным насильником — только в тот единственный раз черт его надоумил. Вот и все. А... еще нет! Насилие совершилось в лесу, а он был лесничим.

— Ассоциация напрашивается сама, только вот есть ли хоть тень смысла,— заметила я критически.

— Предупреждала, неизбежен тяжкий умственный труд,— наставительно произнесла Баська.— Что касается третьего факта, его вообще нет. Только вот одинокое дерево на лугу бросается в глаза, а в лесу его совсем не видать.

Гутюша и в самом деле умел думать.

— Если этот лесничий отработал свою программу, то одним ребенком больше или меньше — никому в башку не стрелит. Где теперь это ухо?

— На голове, смею предположить,— изумилась Баська, поглядывая на Гутюшу с легким сомнением.

— Он спрашивает, где твой лесничий,— перевела я.

— Ни малейшего понятия не имею. Мы не виделись лет пятнадцать. Чтобы вам не морочить голову, сразу заявлю: не представляю, где живет и как фамилия той пострадавшей подруги.

— Неважно. У нас есть ее адрес,— сообщила я.— Так или иначе мы все равно к ней поедем, а к тому же еще и ухо есть. Правда, как тут подступиться — вопрос деликатный.

— Можно получить полный список всех лесничих в Польше,— подсказала Баська.— С датами рождения, отбрось всех очень молодых и очень старых... Постой, постой, ему теперь, пожалуй... Пятнадцать и двадцать три, сколько будет?

— Тридцать восемь,— машинально ответил Гутюша.

— Я не стану протестовать, если немного накинете или сбросите,— усмехнулась Баська.— Определяю на глаз. Из этих выберете одного с откушенным ухом, и дело с концом. А теперь расскажи, как вообще жизнь и что слышно...

Визит у Баськи затянулся, спускались сумерки, и Гутюша мрачно потребовал переброски. Сначала я не уразумела, о чем он — об игре на бегах, о переключении на велосипеде или о преждевременно открытой карте в бридже, однако чуть погодя поняла. Следовало переброситься на преступников и отправиться по адресам иного контингента.

По-моему, сперва следовало навестить врача, возможно, Каська где-нибудь на лечении. Гутюша заупрямился. Проссорившись всю дорогу, мы добрались до Новаторской, и я припарковалась около канцтоваров.

— Болван ты, ну чего стоило приехать в другой день! Это очень хороший магазин, а теперь амба, все закрыто! — ворчала я.— И где тут сторожить, окстись, торчать, что ли, Симеоном-Столпником или стражем у Бельведера?..

— Зелень,— невозмутимо бросил Гутюша.— Воздухом подышим.

Мы уже вышли из машины и отошли метров на пятнадцать, когда из-за угла дома показался какой-то ферт и сел в стоящий у тротуара «ниссан».

К счастью, мы оказались на противоположной стороне улицы, под тенью любезной Гутюше зелени. Я приросла к тротуару. И в свете фонаря...

— Крыса!..

— Это он!..

Наши приглушенные возгласы раздались одновременно. Я мигом нашлась:

— Гутюша, скорей обними меня! Целуй, только не сильно. В такой позитуре возраст не различишь.

— Сзади лицей, спереди музей,— галантно согласился Гутюша.

— Кретин! — прошипела я.— Ты откуда его знаешь?!..

Гутюша осторожно поцеловал меня в лоб.

— Вроде как молодая со всех сторон,— шепнул он успокоительно.— А он — тот самый, в носках! А где Крыса?

Я застыла в его объятиях, будто статуя в Саксонском Саду. Настоящая Галатея. Переполох в сером веществе поутих лишь после исчезновения «ниссана» вместе с содержимым.

— Гутюша, это был Крыса. Что значит в носках?.. Ты его видел?!

— Так ведь этот молодец красовался тогда в «Мозаике»! Рожа отпечаталась, ведь я все ж таки работаю в архитектурно-проектной мастерской, у меня зрительная память — твои друзья-приятели по профессии вбили в меня! На нем сидели эти носки, ну, такие, калориферные!.. Ну, в ребрышки, прости Господи!

Я села в машину и обрела дар речи.

— Пошел на мокруху — лично убил недоумка, видать, горело под ногами, а под рукой никого не случилось. Ох, наверняка подслушал тот наш разговор с недоумком...

— А выглядел наоборот,— прервал Гутюша.— Не такой уж элегант, куртка на нем, похоже, была или еще что, а теперь такой очень лордовый. Только по роже и узнал.

— В списке жильцов должен числиться. Давай справимся, всех перепишем.

От волнения я соображала не больно-то ловко. Гутюша был куда спокойнее. Извлек из кармана рецепт.

— Чего копать, здесь все написано. По этому адресу живет Мариан Возьняк — справились на работе, фамилия настоящая, не работал же под псевдонимом? Крыса, значит, под вывеской Возьняк, который на моих глазах убил некоего Стшельчика. Я был трезвый тогда, совершеннолетний, никому из сторон не родственник...

— Брось балаганить, я что тебе, судья?!.. Боже милостивый, что же делать с этим финтом!

— Амба! — решил Гутюша.— Пока что. Следует передать информацию кому надо и увянуть, как розы цвет. Я займусь этим.

— Надо же Пломбиру сказать. Пусть девушка уносит ноги, господи Боже, ее убить могут в любой момент...

— Никто не убьет, пока не запакуют чемоданы. Слушай-ка, может, я не совсем дубина. Ты говорила, он играл около тебя? И что? Выигрывал или как?

Гутюшина рассудительность подействовала на меня умиротворяюще.

— Погоди. Дай сообразить... О черт, конечно же, выигрывал! Двадцать пять миллионов набил в казино! Сумки или еще какого багажа не было, как же так? Постой, он же электронщик, не скомбинировал ли, случаем, что-нибудь для себя особое?..

Вся сцена в «Марриотте» представилась мне ясно: интуиция, шестое чувство или иная сверхъестественная сила подсказали ответ. Гутюша смотрел выжидательно.

— Этот паршивый перстень! — воскликнула я.— С орнаментом, толстенное кольцо на левой руке, знаешь, выглядело как маленькая мембранка у глухонемых.

Гутюша поначалу удивился, но потом кивнул утвердительно.

— Мы играли на покерном, я ничего в этом не понимаю, но прибор, даже маленький, на дубль может быть рассчитан. Он выигрывал, когда опирался рукой на автомат: тут же появлялась двойка. Прикрывал рукой первую карту, мол, все это метафизика, как бы не так: прикладывал перстень к машине, не хотел, чтобы двойки были видны...

Гутюша то и дело кивал, соглашаясь. О перстне его подельники могли и не догадываться. Крыса сам себе деньгу загребал. В голове пронеслось, а не шантажнуть ли его — видно, криминал заразителен, но тут же сообразила — толку никакого не будет. Меня элементарно отправят в мир иной при первой же оказии, а может, и еще быстрее, странно, что до сих пор ничего такого не случилось... Мысли уже скакали наперегонки.

— И даже дирекции казино не скажу ни словечка, ни за какие сокровища, я вовсе не уверена, что они не заодно. Выигрывает вот такой гусь и выигрывает... Хотя и не зарывается, седой всякую совесть от жадности потерял, его сразу и убрали, а все-таки... Для персонала, например, видимость надо соблюдать, не могут же все быть в заговоре...

Гутюша кивал и кивал — видно, у него уже дурная привычка появилась. Я замолчала, а он все еще кивал. Кивать перестал тогда, когда рот раскрыл.

— Уматываем. Когда магазин работает, почему бы и не постоять, а перед замком какого рожна. Поехали к врачу, не примет — не помрем, а попробовать можно...

На Вислостраде Гутюше показалось, что за нами следят. Я заволновалась.

Чтобы проверить, не едет ли кто за тобой, надо объехать вокруг чего угодно да попетлять к тому же: преследователь по необходимости поедет за тобой и повторит любой идиотизм, какой придет тебе в голову. Надо только запомнить едущих сзади. Я дважды объехала площадь Вильсона, и оказалось, на хвосте у нас такси — белый «полонез».

Я решила оторваться. Вернулась в центр, по дороге изложив Гутюше свои намерения.

— Если не будет дорожного знака, проедем безнаказанно. Увидит кто-нибудь — пришлют штраф или еще раз пойду сдавать экзамен. Черт с ним. В любом случае на Пружной выскочишь, а на Маршалковской вскочишь по методу командос — на ходу. Он будет нас караулить на трассе на Жолибож, и пускай ждет до упоения, мы поедем с другой стороны.

Запланированный маневр удался вполне. Гутюша вышел, прокрался к Маршалковской, я переехала через тротуар, втерлась между деревьями и мусорными контейнерами, Гутюша прыгнул в машину, и мы помчались в южном направлении. В ретровизор видела, как белый «полонез» пытался исполнить мой предосудительный финт, в чем ему помешали прохожие. Слава Богу. Я уже повернула к Дворцу культуры, а он все еще путался в этих манипуляциях.

Мы ехали в Трускав, где жила потайная подруга Каськи-наркоманки. Самой Каськой я перестала заниматься — она лечилась, о чем уведомил нас врач. Отказался сообщить, где она, и лишь пообещал в случае крайней необходимости организовать встречу с ней, а без нужды не разрешил нарушать лечение. Подруга, возможно, могла бы заменить Каську.

Мы разузнали ее фамилию и адрес, но представления не имели, как она выглядит. Знали только возраст: двадцать-двадцать один год. Всю дорогу мы и так и сяк высчитывали время: Баськин лесничий планировал ускорить прирост населения пятнадцать лет назад; для достижения цели женился, надо полагать. Подруга Каськи в то время насчитывала пять весен отроду, а потому в расчет не принималась. Когда же он успел ее изнасиловать, если это вообще он? Баська не помнила его фамилии, только имя, к счастью, довольно нетипичное — Игнаций. Может, и в самом деле надо начинать с какого-то лесного отдела кадров и допытываться насчет лесничего по имени Игнаций. Найти и осмотреть ухо... Жертва осталась с ним в дружбе, скажем, эти страсти разыгрались четыре года назад: вдруг да и в самом деле у нее есть адрес и кадры удастся обойти. Но если окажется действительно все в одном клубке и маленького Сушко сунули в эту ораву ребятишек, она ни за что не признается даже в знакомстве. Следует изобрести предлог...

И вдруг я кое-что припомнила.

— Гутюша, у меня мысль. Когда-то один молодой лесничий — здесь работал, в Кампиносе,— в страшной тайне писал стихи. Дал мне прочитать, дабы выслушать вердикт. Представь, очень хорошие стихи, во всяком случае те отрывки, что удалось прочитать — почерк у него был кошмарный. Я измучилась ужасно, почти ослепла и вернула ему тетрадь с просьбой переписать поприличнее. Дело того стоило, но продолжения не последовало, потеряла его из виду, наверно, уехал работать в другое место. Давай скажем, ищем, мол, его из-за стихов. Он скрывал это изо всех сил, никто о его творениях не знал, а мы можем утверждать, что его звали Игнаций. Как его имя на самом деле, не помню. Что думаешь, а?

Гутюша похвалил мысль. Даже предложил себя в качестве представителя издательства, которое жаждет получить эти стихи и разыскивает автора. На том и порешили.

Панна Мариола Кубас трудилась в садике за домом. С ленцой выкапывала позднюю морковь, занятие это, по-видимому, не входило в число излюбленных, она охотно оставила его. Кругленькая, пышная и веснушчатая, производила впечатление простой девахи, а вовсе не женщины-вамп, только потом я поняла, что не в том дело.

Рассказ о талантливом лесничем выслушала с интересом и не преминула нас разочаровать. Теперешний, живущий на опушке леса, вряд ли тот, кого мы ищем: во-первых, здесь совсем недавно, года два самое большее, во-вторых, не подходит по возрасту, а в-третьих, уж на поэта как-то совсем не похож. А кроме того, она не понимает, почему, собственно, с этим вопросом мы обращаемся к ней.

— Я слышала, вы дружны с каким-то многолетним лесничим, а зовут его Игнаций,— брякнула я, была не была.— Фамилии того человека не знаю, имя такое же, а детей у него столько, что я всегда путалась в счете. Еще маленькие были, минимум штук шесть. Возможно, сейчас уже больше.

Мариола Кубас бровью, может, и не повела, но чуть-чуть удивилась.

— Откуда вам известно?

— Просто предполагаю. Он любил детей...

— Нет, откуда вам известно, что мы с ним друзья?

Так — все-таки нашли! Только поосторожней. Не хотелось ссылаться на Баську, лучше уж признаться в знакомстве с Каськой-наркоманкой, благо были разные предлоги. Обмеры здания длились довольно долго, даже и подружиться успели бы.

— От Каськи,— ответила я простодушно.— Косвенно подтвердила это и пани Голковская, у которой был ваш адрес. Вот я и попыталась. Иначе пришлось бы долго и нудно узнавать через министерство лесоводства.

Мариола Кубас внимательно разглядывала меня и довольно долго что-то обдумывала.

— Игнаций переехал в Боры Тухольские,— сообщила она наконец.— Не смогу вам объяснить, где это, но есть его адрес, только не здесь. Я весь последний год прожила у приятельницы...

Она смутилась, вздохнула и пригласила нас на бревно, лежавшее в саду. Мы рядком уселись все трое.

— Я бы очень желала ему успехов,— продолжала она.— Не знаю, поэт он или нет, я никогда не слышала, чтобы писал стихи, но и вправду мог скрывать. И мы видимся редко, раз в год, он по службе приезжает в Варшаву, недавно был. А я вообще-то живу в квартире приятельницы — она за границей и бывает только в отпуск, тогда я перебираюсь сюда. У нас договор такой: во время ее пребывания здесь я ей не мешаю. Все мои вещи у нее, она как раз приехала, и, если бы вы могли подождать с недельку, я нашла бы адрес. Оставьте мне ваш телефон, позвоню, как только найду. Договорились?

Я согласилась без долгих размышлений. Все ясно: Мариола Кубас врет, так же как и я, и время ей нужно, чтобы выяснить, в чем дело. Лесничего знает наверняка, хочет проверить, кто мы такие, и все разыграла как по нотам. Если маленький Сушко прошел через ее руки, она отлично спрятала концы в воду.

— А вы, пан, из редакции? — внезапно обратилась она к Гутюше.

— Из «Жыча Литерацкого».— Он тяжко вздохнул.— Нештатно, вольный стрелок на договорах. Честно говоря, хочется попасть в один новый издательский кооператив, а эти стихи — ух как пригодились бы для начала. Я лично заинтересован, болтать неохота, боюсь сглазить.

Еще раз вздохнул так, что я сама почти поверила в его журналистские мучения. Я отыскала визитную карточку с номером телефона, дописала домашний телефон Гутюши и вручила Мариоле.

— Здесь телефонов нет, а у приятельницы есть,— сообщила она.— Я дам вам номер, но умоляю не звонить раньше, чем она уедет. Дней через десять, она может остаться до последней минуты, а... о Боже, уж скажу вам правду, а то вдруг позвоните раньше; она влюблена смертельно, заперлась дома с парнем, а я поклялась никого к ней не допускать. Пожалуйста, по-человечески учтите все это...

— Гони вовсю и тарань любой телефон,— потребовал Гутюша, едва мы двинулись в обратный путь.— Баба с понятием, в момент полетит звонить, а я должен успеть первым.

— А что?

— Секретарь в редакции «Жыча Литерацкого» — мой приятель, надо успеть предупредить его, что он меня нанимает. Если она туда не позвонит, пусть я пером обрасту или даже конским волосом. А приятель — работяга каких мало, задница к стулу прикипела — всегда на месте.

Мы успели. В первом же почтовом отделении просидели полчаса, и Гутюша упредил приятеля. За Марианну Голковскую я не беспокоилась — канадские туфли сотворили из меня личность благородную и достойную доверия.

— Никак не возьму в толк это насилие,— задумалась я, уходя с почты.— Нормальный мужик, порядочный, женат и вдруг такое...

— Как? Так ты не заметила? — От удивления Гутюша остолбенел.

Я тоже остановилась.

— Чего?

— Мать честная, эти бабы насчет разных приколов ни черта... Где у тебя глаза, соблазн-то какой, от девки прямо током шарахает! Я бы и сам не прочь.

— Маленькая, толстая, плотная, веснушчатая, одета кое-как, физиономия обычная, без выражения, фи... Да где же этот сексапил?!

— Да вокруг.— Гутюша направился к машине.— Я объяснять не мастак, ты как бы в других понятиях, или что там еще, а не права: вокруг нее магнитный напряг, даже в дрожь кидает. Хорошо, один изнасиловал, странно, что весь город не дежурит раза по три в день. Правда, куда тебе секс понимать.

Ну, понять-то я поняла. Когда-то знавала девицу, в ней и тени красоты не усмотришь, а не случалось мужчины, чтобы на улице не оглянулся на нее. Мариола Кубас напоминала ее фигурой. Видно, есть тут что-то этакое. Ладно, это вопрос десятый, другие дела не терпят отлагательства...

— Я поговорил с кем надо, мальчонка видел самого шефа,— докладывал Гутюша, сидя за соседним автоматом.— Про шефа ничего не известно и вообще никто ничего не слыхал. А у этого мальца глаза есть и может того шефа пальцем показать, хоть вроде и того, из ума вылетел. Посему желают его пристукнуть.

— Я тоже могу пальцем его показать, тоже видела...

— Ну и что, проходил двором, каждый волен.

— Павел его видел и Зося. В подозрительных обстоятельствах...

— Все обстоятельства такие же подозрительные, как персидский базар. Стоял и глядел, подумаешь. Мальчонка видел его за чем-то другим. Ты сама сообрази, все, о чем мы знаем, знаем с другой стороны, и все исключительно потому как мы этакий мыслящий камыш.

Паскалем Гутюша меня добил. Не могла сразу вспомнить слова «тростник», все татарник да татарник... Я даже взвинтилась.

— Пломбира нет, телефон не отвечает, черт-те что происходит, а мы тут ждем, как колоды. Я, пожалуй, снова поеду к той Каськиной подруге, притормозила нас виртуозно...

— Сморчок долбит на автомате,— прервал Гутюша.— Раз он играет, значит, пока все другое тоже играет. Ну вот, хоть тройку дал. Пробить?

— Делай как хочешь, у меня с этим дублем всегда неудачи, мне до фарта, как отсюда до Австралии. Слушай, я серьезно боюсь, не убили бы ее.

— Полагаю, срок не вышел. Пожалуй, рисковать не стану. Видишь ведь, коготки-то у них так и тянутся к деньгам. Нету пока признаков, что манатки пакуют.

— А как ты оные признаки представляешь?

— Очень даже страшно. Обдумал в целом. Так сразу закончить, и слава труду, никакого смысла нету. Жадюги. Ну, скажешь такому: хватит, дескать, эльдорадо, больше деньги не будет, прикрываем контору, и что? Ведь его колотун разобьет! В нервах такое коленце отколет и такое саданет — все полетит в тартарары. Двумя больше, двумя меньше, на счетах прикинуть ведь без разницы, по-моему, они всех отправят догонять седьмого.

— Да уж, успокоил меня рекордно! — разозлилась я.— Вдруг с Пломбира начали?

— Нет, я думаю, сперва они окна заколотят. Сколько их за игрой сидит? Трое, Пломбир четвертая, разве что кого-нибудь проглядели, а Крысу не считаю. Это тебе не в горшок с кашей дуть, едва ли им захочется столько мокрой работы свалить, да еще каждый раз комбинировать несчастный случай или самоубийство, не такие уж они трудяги. Сперва кончат игру и поглядят, стоит ли этим заниматься, может, и так кое-что сойдет с рук, нет, ты погляди только: не автомат, а свинья, пока играл по два — фиг, а по одному — сразу каре, а эту суку удвою-таки!

— Мне не смотреть?

— Без разницы. И так заслоню. Масофизически.

Несмотря на большую привычку к Гутюше, долго доискивалась до смысла реплики. Дубль-каре Гутюша давно перебросил на кредит, а я все еще не была уверена, что он сказал: метафизика, масонерия или мазохизм. Похоже, гибрид двух первых...

Настроение у меня было паршивое. Мариола Кубас придержала нас на бегу, два дня я терпела, на третий начала докапываться — терпение никогда не числилось моей главной добродетелью. Поддакивала Гутюше, а сама думала, что мы предосадно бездействуем: если не можем ничего сделать, надо, по крайней мере, все разузнать, все-все, во всяком случае, больше, чем теперь. Ведь знание, говорят, сила...

— А все же я поглядела бы,— угрюмо заявила я.

— На что? — заинтересовался Гутюша.

— Убьют они кого-нибудь, так хоть очевидец будет. Откуда тебе известно, может, этот сморчок играет в последний раз? Где остальные?

— В «Марриотте». Хочешь, сходи посмотри. Я отсюда теперь не уйду — пусть чертов автомат возвращает мне кровные, слушай, как так, бездушная скотина и терзает человека, как ей заблагорассудится. А вдруг она душная?..

— Хватит! — неожиданно для себя заорала я и слезла с табурета.— Сидим тут остолопами! Заболею, если не узнаю, что с Пломбиром, ведь она рассказала все — помощи просила. А от меня та еще подмога, меня и самое того и гляди кондрашка хватит...

В «Марриотте» сидели трое. Высокий парень, Крыса и пузан. Меня удивило такое сборище, до сих пор никогда не играли вместе, это неспроста. Мало того, забеспокоилась: играть было не на чем — они заняли три покерных автомата, к четвертому мне пришлось бы протискиваться через них, а Крыса меня знал. Играл он, правда, с другой стороны, но, без сомнения, присматривал за сообщниками. Дабы не обращать на себя внимания, предпочла более дешевый автомат, оказавшийся свободным, к тому же расположенный подальше. Видела со своего места парня и пузана. Крыса о себе заявлял исключительно звяканьем жетонов и музыкой.

Я начала играть осторожно, размышляя, что бы означало это сборище. Напрашивалось самое простое объяснение: все за работой, потому как спешат нахапать денег перед окончанием мероприятия, даже Крыса включился с этим своим перстнем, несколько тактичнее действует, но тоже вполне успешно. А где же тогда Пломбир?..

Очередное происшествие свалилось неожиданно. Имея, с одной стороны, этих бизнесменов, а с другой, собственный автомат, я оглохла и ослепла на все остальное. В уборную отправилась по необходимости, вход в нее был общий, и лишь далее учитывалась разница полов, и в прихожей наткнулась на хмыря. Невысокий, щупленький, прикинутый в вечерний костюм: гарнитурчик — темный фиолет-металлик, рубашка вышитая, муха под цвет, я аж оглянулась на него — не из-за костюма, а из-за физиономии. Видела его прекрасно. Память у меня хорошая — зрительная,— ох, сдохнуть можно, Боже праведный, это же тот пугливенький-трусоватенький молодец!!!

Запуталась я вконец. Пугливенький, получающий деньги за высокого парня в «Гранде», и пугливенький в уборной «Марриотта» прямо-таки разные люди. Пожалуй, все-таки это он. Выйдя из уборной, я попыталась удостовериться более или менее незаметно. Что он здесь, черт, делает?...

Углядела его за рулеткой в самом углу. Что-то ставил, на игроков за автоматами не обращал никакого внимания. Меня бросило в жар, неразбериха в мозгу, уже подточенном неуверенностью и беспокойством, усилилась. Я всячески убеждала себя: при том парне пугливец разбогател, за получение денег имел свой процент и теперь наслаждается жизнью. Одеться при деньгах невелика заслуга...

Успокоиться таковым объяснением мне не удалось: когда позднее все трое вышли вместе, около одиннадцати, я тоже вышла, сама не знаю зачем. Пугливца уже проворонила, потеряла столько времени, что эти трое пять раз уже успели бы исчезнуть из виду, значит, следствие отпадало. Зато в турникете внизу встретила Гутюшу.

Выражение его лица встревожило меня не на шутку. Он меня вроде бы не заметил, а потому, не выходя из вертушки, я вернулась за ним в помещение. Гутюша же, пихая дверь, вышел на улицу. Я отправилась за ним, он снова обратно. Мне пришло в голову, что мы будем торчать в этом турникете до конца жизни, все кружась и кружась в нем, а какая-нибудь добрая душа будет носить нам еду... Но оказалось, Гутюша меня видит, вовсе не избегает, а наоборот. Я рискнула и осталась в помещении, панически ожидая, что он теперь сделает. Гутюша выбрался из вертушки и оказался около меня.

— Курва...— пробормотал он сквозь сжатые зубы, глядя куда-то неподвижными глазами.

— Пошли отсюда и говори, что случилось,— сказала я вполголоса.

Гутюша сел в машину и произнес несколько выражений — редких, забористых и абсолютно непечатных даже в самую разнузданную эпоху. Затем перешел к словам более казистым.

— Ни хрена, нету трупика. И всегда-то я врезаюсь в разгар представления... Этого сморчка вычеркнули, и так из себя доходяга, а теперь и вовсе нету. На лестнице, пол-этажа пролетел и все...

Я прервала, ничего понять не могла:

— Постой! О ком ты? Про линялого сморчка?

— Ну да, говорю же!..

— Толком говори!

— Ты меня там взвинтила, и этот чертов автомат перестал меня любить: может, случай такой, только я пошел за ним, не знаю зачем. В башке гуляло насчет того, что деньги-то они куда-то доставляют, а он возьми и попрись домой, я сдуру за ним, а он, гад, лифтом проехал...

Гутюша нервничал, ощупывал карманы, очевидно, хотел закурить. Я предложила мои сигареты и заодно зажигалку. С минуту он держал в руках обе зажигалки — свою нашел,— но, похоже, не знал, что с ними делать. Я одну отобрала и щелкнула.

— Ну и что? — подгоняла я.— Как?

— Сверху летел. Я стоял внизу, все думал, думал, а лифт слышно было: закрылась и открылась дверь, и вдруг это. С четвертого этажа, ослепительного грохота не было, но все-таки... Я помчался вверх, пока люди не набежали, тот на площадке лежал, клубочком свернулся, голова странно набок, видно сразу, все кончено. И глаза — труп. Пол-этажа всего-то, я знаю как...

— Что?!.. — простонала я.— Чушь какая-то: убился на лестнице, а поднимался ведь лифтом, откуда лестница...

— Ну не сам же полетел. Его дверь от лифта близко, не поехал наверх только затем, чтобы спуститься, не гимнастикой же занимался. Его столкнули, и знаю кто, падал с сумкой, а помер, сумки уже не было, не верю, что прибыль под дверью оставил, а сам побежал падать... И с такой силой, что шею свернул, с головы, что ли, начал?..

Я поняла. Некто убил линялого сморчка и забрал его сумку с выигранными деньгами и электронным прибором. Вряд ли напал посторонний бандюга, подсмотревший его успехи в казино и ограбивший его, вряд ли смертельный исход — случайность. Вздор! Если бандюга попробует воспользоваться прибором, шайка вычислит его мгновенно, хотя из всех зол я бы предпочла уж случайность...

Гутюша лишил меня этой надежды.

— Худшее под конец. Я там не торчал, люди начали из дверей выглядывать, меня смыло с места, около дома подождал, не от мыслей, а наоборот. Одурел совсем. И цвести мне чем попало, если из других ворот не выбежал тот амбал в замше! Видно, есть переходы по крышам, держал ли что в руках, не рассмотрел — он промелькнул, но галлюцинации исключаю, пожалуй, ты была права, начали ликвидацию дела, Господи, что с Пломбиром...

Я пыталась собраться с мыслями, но Гутюша меня все время отрывал. Понемногу он выходил из шока, и это сопровождалось бурным негодованием.

— В нормальной стране там бы уже шастала полиция, надо все с лупой оглядеть, быть того не может, чтоб не осталось какого следа. Собаку бы, ведь таился он где-то, в воздухе не висел, всем известно, микроследы каждый оставляет за собой пшеницей и овсом! Собака бы приехала, разобралась. А здесь как, приехать-то они приехали, да наверняка придумают несчастный случай — споткнулся и упал, на фиг им надо добираться до этой обезьяны в замшах? Старая песня, уж и не знаю, такого только пристрелить, как бешеного пса, чтоб у них все данные набекрень съехали, тогда, может, займутся всерьез...

Все ясно: мошенники начали отстрел. Я прервала Гутюшу.

— К Пломбиру! Красивая девушка, вдруг еще не убили, сидит где-нибудь под замком...

У Пломбира в комнате все было перевернуто вверх дном. Нам разрешила заглянуть к ней пожилая пани, хозяйка квартиры, сдающая одну комнату. По ее словам, она не имеет обыкновения вторгаться к своей жилице и не видела ее по меньшей мере два дня. В комнату нас не пустила: бардак не бардак — дело жилицы, вернется и приведет все в порядок.

Что делать?

— На Жолибож?.. — неуверенно предложил Гутюша.

— На братьев Пиллат! — вспомнила я.— В последнее время ей велели ездить туда. Ее наверняка там нет, но вдруг все-таки что-нибудь узнаем...

Дверь квартиры номер два никто не открывал, хотя мы и решились позвонить. Определили расположение окна балкона-террасы. Дверь на балкон казалась приоткрытой, из-за портьеры пробивался слабый свет.

Довольно долго мы простояли в темноте под балюстрадой.

— Который час? — вдруг спросил Гутюша.

Я посветила зажигалкой на часы.

— Пять минут первого. А что?

— Я бы заглянул туда, на балкон.

— Я тоже. Если ее связали...

— Нет, ты не пойдешь. Включи зажигание и жди в машине с открытой дверцей. Чтобы успеть смыться, если меня примут за грабителя.

Это имело смысл. И в случае если бандит сидит дома, и в случае если там окажется нормальная квартира, никаких объяснений быть не может. Следует уматывать в рекордном темпе. Я заколебалась.

— Я включу и открою дверцу, потом вернусь сюда. Мотор работает тихо.

— Психичка, открыто и включено, первый же встречный уведет машину...

— Не уведет, я присмотрю.

— Твое дело...

Я устроилась где-то на половине пути между балконом и машиной. В темноте едва видела, как Гутюша ухватился за поручни балюстрады, оттолкнулся ногой от подмуровки и умело перемахнул на другую сторону. На секунду слабый свет вспыхнул из-за портьер. Я ждала в жутком напряжении, одним глазом следя за окном, а другим за машиной; ничего не происходило, где-то подальше слышались голоса, наверно на автобусном кольце. Прошла неделя, месяц, а может, и год.

Когда в ночной тишине увидела темный силуэт, слезающий с терраски, меня охватило вместе облегчение и разочарование. Я пошла к машине. Гутюша догнал меня, едва я успела сесть за руль.

— Скорей! — прохрипел он страшным голосом.

Я вздрогнула, и машина рванулась, как выброшенная катапультой. Ехала где придется.

— Что еще... — начала я на Пясечинской, уже недалеко от Идзиковского.

Гутюше уже удалось закурить.

— Перо,— бормотал он глухо.— Вечное перо. Ручка. Нет, вроде нее. С чернилами. Карандашное.

Я тормознула — мелькнула паническая мысль, а не двинуть ли в «Скорую помощь», с Гутюшей явно неладно...

— Гони! — заорал он вдруг.— Гони, только бы подальше, на всю катушку гони!

Я сбросила скорость только на Бонифация.

— Гутюш, да что же такое!!!..

Он перевел дыхание.

— Ладно, хватит. Больно уж много на одну телегу... Он там лежит, оторвался жбан от ручки, не забыть вовек, выигрыш лотерейный, плохо топят...

Видать, натолкнулся на нечто невероятное и психанул. Я резко нажала на тормоз.

— Пломбир?!!!

Гутюша успел схватиться за распределительный щит и не удариться головой в ветровое стекло.

— Пломбир, никакого Пломбира, сам лежит...

— Кто?!!!

— Да тот, как его, Нога, первый помощник, тот, что седого вылечил. Над рулеткой терся, этого пузана в «Марриотте»...

— Рука!

— Ну да, он. Труп, и не сразу, я в глазу торчит ручка, плох я совсем, мне бы рюмку водки...

Да и мне было не до смеха. Водки не было, а на заднем сиденье лежала сумка с банками пива. Я остановилась, Гутюша достал себе одну.

— Литературной смертью помер, мне кажется,— проворчал он и открыл банку, расплескивая пену.

— Гутюша, расскажи еще раз и, ради Бога, по порядку,— умоляла я, превозмогая дурноту.— Я, знаешь, не в силах задавать наводящие вопросы.

— Ну, влез на балкон.— Гутюша глубоко дышал, глотал пиво и помаленьку приходил в себя.— Темнота, полумрак, лампочка где-то в углу, для надлежащего уюта, но я сразу увидел его. На полу лежит. Духами там не благоухало, правда, на вкус и цвет... Так я сразу и понял, что это не хризантемы, сперва осмотрелся повсюду — две комнаты с кухней, в ванной тоже народу нет. Лежит, клянусь, я трезвый как стеклышко, да и теперь тоже, а в глазу торчит это, вечное перо, значит. Желтое с черным.

Перед внутренним моим взором прошла описанная Гутюшей картина. Говорить еще не могла. Гутюша полез в карман.

— Это вот на столе лежало. Я прихватил на всякий случай, то ли он роман начал и по нервности себе в глаз всадил, потому как его застопорило, или еще что, только обстановка кошмарная. С меня довольно таких пейзажей. Может, я и не эстетический Пифагор, то есть нет, другой, который, наоборот, обожал роскошь...

— Эпикур,— вырвалось у меня.

— Он самый. Понимаешь, еще и не первой свежести... И в жизни-то красавцем был умеренным, а помер, и того хуже. А эта ручка в глазу, Господи, зачем?!..

На такой вопрос при всем желании нельзя было ответить. Я взяла бумажку, которую он мусолил, и включила лампочку. На бумажке написано: «Я, Катажина Вежховская...» И больше ничего.

— Какая такая Катажина, на кой дьявол бабу приплел, вот я и прихватил с собой. Больше ничего не трогал, живу в тумане, в ослеплении. И не ведаю больше, что делать.

Я тоже ничего не понимала, сидела потерянная, оглушенная. Искали Пломбира, еще, возможно, живую, а нашли ее опекуна, по словам Гутюши, бесповоротно мертвого, да к тому же с вечным пером в глазу. Тут и носорог занервничал бы. Кто его убил, почему, каким способом... Все наши предположения перепутались: сверзившийся с лестницы линялый сморчок подтверждал их полностью, а опекун с ручкой в глазу приводил все в невообразимый хаос.

О Пломбире мы так ничего и не узнали. Я предложила еще раз съездить на Жолибож, но Гутюша уперся всеми копытами.

— Дудки. Третий труп, это уже перебор, черепушка лопнет. Надо сперва обмозговать или что еще, в общем, я поговорю с этими моими знакомцами. С утра завтра. И тебе передышка в самый раз.

Я вяло согласилась — последнее происшествие меня доконало. Отвезла Гутюшу и вернулась домой.

На почтовый ящик взглянула машинально — там лежало письмо. На конверте с фривольным цветочком стояло незнакомое имя — Лилиана Птась из Ожарова. Не знаю я никакой Лилианы Птась, никогда о ней не слышала, после сегодняшних переживаний Лилиана Птась ни в коей мере не интересовала меня. Вскрыла конверт, чтобы заняться чем-нибудь, ибо галоп вверх по лестнице никогда не был моим любимым развлечением, а чтение позволяло снизить темп. На третьем этаже темп упал до нуля. Я остановилась, пытаясь уразуметь следующее:

«Меня уже нет. Прошу Вас, пожалуйста, сходите в четверг к особе, которая была сопровождающим и бросила курить. Я об этом узнала случайно. Позвоню туда в шесть вечера и все объясню, позвоню по автомату. Простите, но я боюсь. П».

Я поднялась еще на один этаж, открыла дверь, вошла в квартиру, поставила чайник на газ, вымыла руки, надела халат и все это время гадала, кто, черт побери, был сопровождающим. Когда-то знавала двоих, но они вроде бы не бросали курить. Почему Пломбир, а это, конечно же, она под именем Лилианы Птась собиралась звонить в случайное место, вполне понятно — мой телефон прослушивается, Гутюшин, очевидно, тоже. Способ контакта она придумала неплохой, только вот куда, Боже праведный, мне идти?!

Утешительно одно: раз уж я этого не знаю, никто другой тоже не додумается. Кроме того, если не разыщу некурящего сопровождающего до четверга, он сам сообщит мне, что звонила таинственная особа по имени Пломбир. И сообщит, конечно, по моему телефону... А вот этого уж ни в коем случае нельзя допустить. Надо собрать все силы, сосредоточиться...

Весточка от Пломбира меня явно подбодрила.

В половине второго ночи я уселась в кухне с чаем и начала думать. Кратенько припомнив всех сопровождающих, оставила их в покое и занялась бывшими курильщиками. Курить бросил мой собственный сын, но никогда не был сопровождающим спортсмена. Две мои приятельницы бросили — одна доктор медицинских наук, вторая растолстела на двадцать кило. Мой первый муж уже умер, отпадает. Зося вовсе не растолстела, хоть и бросила курить...

— Иисус-Мария, Зося!!!..

Зося была рейдовым сопровождающим очень недолго. Ездила с известным спортсменом, в глаза не бросалась, и очень немногие об этом помнили, оставила работу лет пятнадцать назад, заявив, что нервы не выдерживают. Но ведь была, а Пломбир узнала случайно, конечно же, это Зося!

В четверг. А завтра еще среда. Только бы пережить эту среду и не свихнуться...

— Умоляю, скажи только об одном,— терзала меня Зося, когда мы ждали шести часов, чтобы проверить мои домыслы.— Павел замешан?

— Нет. Был замешан с самого начала, а теперь совершенно ни при чем. Павла это не касается, успокойся.

— Слава Богу! Не понимаю, почему ты... У тебя действительно ужасный характер. Я не представляю, в чем дело и даже думать не хочу...

— Вот она, журналистка! — заметила я язвительно.— И ты еще работаешь в журналистике! Все вы такие же журналисты, как я примадонна. Все вы одинаковые, потому вся наша пресса до сегодняшнего дня сидит в заднице...

Мы не успели хорошенько поссориться, зазвонил телефон. Зося шарахнулась, словно на нее нацелилась ядовитая змея.

— Это Пломбир,— послышалось в трубке.— Пани Иоанна?..

— Конечно. Я поняла, куда надо прийти.

— Я была уверена, что вы поймете. Муж этой пани, только вы ей не говорите, он — бывший муж, он вас тоже знает. Я сбежала. Мне удалось, по-видимому, в последний момент. Что там происходит?

— Такой плюгавенький, худой... Иреней Мёдзик, вы знаете его?

— Да. Что с ним?

— Умер. Упал с лестницы.

— Матерь Божия... Я предчувствовала. Пожалуй, я первой назначалась на отстрел... Что с Рукой? Вы ничего о нем не слышали? Возможно, видели его?

— Я не видела. Мой знакомый видел. Он тоже умер, и этого не...

— Это я его убила,— прервала Пломбир.— Ох, Боже, вы уверены?

— Да. Успокойтесь. При чем здесь вы, у него вечное перо...

— Именно этим. То есть наверное. Я не хотела убивать, это он меня намеревался... я хотела бежать!

В полном ошеломлении я решила, что ее надо как-то успокоить.

— Все нормально, лучше уж так, дело сделано, не вините себя. Только вот как вам удалось?!..

— Там мои имя и фамилия,— после краткого молчания сказала она глухим голосом.

Я поняла.

— Ничего не осталось. Эта бумага исчезла навсегда. Что вы, собственно, начали писать?

— Он заставил, велел писать вроде бы какое-то заявление, но я догадалась, у него был шприц... Я потихоньку все время наблюдала, у меня в руках оказалась авторучка, хотела его оттолкнуть, а он как раз наклонился, вот я и попала ему в лицо... Схватила этот шприц и убежала, не понимаю даже, зачем схватила, выбросила в мусорницу. Надо было листок взять, но я совсем ума лишилась со страху. Захлопнула дверь...

Слышно было, как она перевела дыхание. Я не сочла нужным уточнять, куда угодило перо.

— Я вам сейчас все скажу,— продолжала она.— Там в принципе правит Крыса, у него есть шеф, кто-то из бывшей партийной верхушки, фамилии не знаю. Кончат с автоматами, войдут в какие-нибудь предприятия или акционерные общества, убьют всех, кто о них хоть что-нибудь знает. Уничтожили свои бумаги, я имею в виду личные дела. Держат в руках, шантажом конечно, тридцать два человека, я раздобыла список этих фамилий, то есть записала и оставила, чтобы вы нашли, только боюсь сказать где. Но вы там бывали.

— И что же? — вырвалось у меня с досадой.— Мне предстоит посетить все знакомые места?

— Нет, что вы. Это оставлено у одного человека, где вы видели брусничник, а ваша знакомая ловила рыбу под зонтиком...

До меня дошло, что Зося сует мне стакан воды, взволнованная, очевидно, выражением моей физиономии. Я взяла стакан и выпила воду для Зосиного спокойствия.

— Знаю,— ответила я.— Дорогу найду. Кто?

— Вы помните, тогда пришли двое? У того, кто моложе. Я не сказала, что это для вас, не хотела, чтобы вы рисковали, на конверте номер вашего первого телефона, первого, не следующего, плюс дата того дня, когда вы видели меня на улице, вспомните, пожалуйста! Без этого он даже не сознается, что у него вообще что-то есть.

— Ладно. Вспомню.

— Я специально искала эту информацию. Позвоню еще раз, не уверена только когда и как. Сейчас я в Дании, временно, сегодня же уезжаю отсюда, вы часто бывали здесь, скажите обо мне своей приятельнице, которая любит сад, от нее я могла бы узнавать про вас, если что понадобится. И еще одна просьба — предупредите Вальдека и Романа...

— Какого Вальдека и Романа?! Кто они?!

— Пока еще живы, наверно? — после паузы ответила Пломбир, и я поняла. Остальные игроки — высокий парень и пузан, кто из них Вальдек, а кто Роман, не имеет значения, и в самом деле, надо постараться их спасти. Я ответила, что поняла.

— Ну, это, пожалуй... А! Еще секунду. Насчет Валленрода догадались?

— Нет, пока еще нет.

— Так он живет с вами рядом. Скажите ему, что на него охотятся, знают о нем. Он для них опасен. И не уймутся, пока не найдут мальчика, его хотят убить...

Когда я положила трубку, Зося взорвалась.

— Господи, да что это такое? Что ты такое узнала, я уж думала, помрешь на месте...

— Немного не хватало...

Я сидела неподвижно и смотрела на нее, стараясь хоть чуть-чуть упорядочить сарабанду в голове. Не получалось.

— Раз уж не померла на месте, надо кое-что предпринять. Ты сказала, не хочешь ничего знать. Спасибо за телефон, привет, у меня ни секунды...

— Про тебя все знают,— брякнула я с ходу Янушу, когда он открыл дверь.— Фамилию, где живешь, и вообще ты на повестке дня. А я вот не желаю, чтобы тебя убили, фанаберия такая меня одолела. Ну, так как?

— А я не желаю, чтобы тебя убили.— Он затащил меня в прихожую и закрыл дверь.— У меня тоже полно фанаберий. Здесь чисто, проверяю ежедневно. Справлюсь, это моя профессия, однако мне необходимо ориентироваться, откуда твои сведения.

И тут я почувствовала — у меня есть настоящий союзник, профессионал, действующий по собственной инициативе, со знанием приемов, средств и прочих полезных вещей. Чувство это бальзамом пролилось на мою изболевшую душу, зубы у меня перестали лязгать со страху, а роковой узел, из-за которого я вся изнервничалась, словно бы ослабел. Я приняла мужское решение.

— Слушай, я тебе доверяю. Должна доверять. Не могу жить, не могу даже водить дружбу с кем-то, кому не доверяю, может статься, это врожденный недостаток, но: нет доверия — нет и человека. Потому так легко сделать из меня кретинку или провести, правда, обмануть можно только один раз...

— Знаю.

Я подозрительно посмотрела на него.

— Откуда?

— Все о тебе знаю. В сложившейся ситуации лучше тебе об этом сказать — ты мне ужасно необходима...

Я обалдела и на минуту оглохла. Сообразила вдруг, что таких слов не слышала много лет, последний был Дьявол — необходима я была ему безумно, он и не скрывал этого, пока не перестала быть необходимой. А вот Божидар такого не произнес никогда. Господи, какие бурные годы... Сколь неправдоподобно долго длилась молодость, а ведь некогда сорок лет считала абсолютным закатом: дряхлая старость, гроб и могила, что за идиотизм! Да, возможно, тут проблема характера: корпус увядший, а душа молода... Ладно, не надо преувеличений, корпус еще в приличном состоянии, а вот душа, пожалуй, даже возвращается в те годы...

Снова донеслись слова Януша.

— ...такое ощущение, будто прыгаю головой вниз, а там... или бассейн с водой, или яма с негашеной известью, или вообще пропасть. Не уверен, простишь ли меня, но если сейчас не признаюсь, не простишь никогда. Я тебя подслушивал.

Я подскочила так, что все остальное вылетело у меня из головы...

— Подробно! — потребовала я настоятельно, алчно и с мощным натиском.

— Твой телефон прослушивался уже давно, не я этим занимался, пришел на готовое...

— Кто?!!..

— Об этом чуть позже. Я ушел со службы лишь для виду, ты уже поняла. Тебе и трубку не нужно было поднимать, все, о чем говорилось в твоей комнате, записывалось. Во второй комнате нет, еще раньше установили, что там ты ни с кем не разговариваешь, а если чем занимаешься, то молча. Я прослушал все записи. Твои соседи получили квартиру из-за того, чтобы я сюда переехал — уже было ясно: суешь голову в петлю. Клянусь, и отдаленно не думал, что полюблю тебя...

Ну, что же, за последнее я на него, пожалуй, не в обиде.

— Ты наши сведения дополнила весьма существенно, предупреждаю: буду подслушивать и впредь, ты не отдаешь себе отчета, какая опасность тебе грозит. Тебя охраняют, можно сказать, из последних сил. Когда те двое явились убить тебя, в планы входил и этот Гутюша... я прибежал, конечно же, не случайно...

— Тапки!!! — вырвалось у меня с энергией океанского прилива.— Эти твои чертовы тапки!!!

— Какие тапки?..

— На тебе тогда были домашние тапки! Каким чудом ты их не уронил, не потерял в свалке?!

Он выглядел так, будто забыл набрать воздуху.

— Это вовсе не тапки, это гимнастические туфли на особой подошве, для борьбы вроде каратэ.

Благодать низошла на меня. Эти тапки дьявольски мучили меня и отравляли жизнь. Я извелась из-за них, подозревая жуткую тайну, и вот все выяснилось — какое блаженство!...

— Ты меня сбила, теперь не помню, что-то еще хотел сказать, но самое важное изложил. Жду приговора. А ты вообще-то знаешь, какая ты красивая?..

Да уж, субъект, ожидающий приговора, высказываясь подобным образом, может не сомневаться насчет решения в его пользу. Что же касается моей красоты, всякие иллюзии на этот счет перестала питать давно, но, в конце концов, тут — вопрос вкуса. Янушу легко удалось убедить меня, что я и в самом деле ему нравлюсь, даже слишком...

— А теперь давай серьезно поговорим,— начала я примерно через полчаса.— Кто завел подслушивание? Я уверена, ты осведомлен!

— Да. Этот, скажем так... твой предыдущий партнер по жизни.

Я, собственно, не удивляюсь мужчинам, когда они деловые разговоры с женщинами считают тяжким Божьим наказанием.

— Нет, ты только представь себе, если бы я вышла за него... — ужаснулась я.— Не вышла только потому, что супруги — помнишь, был такой закон? — не имели права на две разные квартиры. Я согласна жить вместе с мужчиной, но при условии, что это будет замок комнат на сто, он в первой, а я в девяносто девятой, понадобится, можем и поближе сойтись. И еще прислуга нужна для уборки. При таких запросах супружество, понятно, не состоялось.

— И прекрасно. Тебя использовали две группы, говоря в общем и целом. Задача была вроде бы и одна — борьба с коррупцией и прочим свинством, только понималась она по-разному. Они стояли за партийную чистку, мы — за смену строя. Пояснять дальше?..

— Да нет, зачем же, в общем-то я понимаю, меня интересуют технические детали. Подожди, дай я подумаю, чего не понимаю...

— Нет, сперва я должен расспросить, что случилось. О чем насчет меня сама догадалась, а что узнала и от кого? Я имею в виду сегодняшние события, обо всем позавчерашнем я и так в курсе...

Мариола Кубас не откликалась уже пятый день. Януш всеми святыми заклинал хоть ненадолго прервать нашу деятельность. Гутюша тоже предостерегал — его приятели велели переждать. Трехстороннее удерживание вывело меня из себя, и я решила скоротать хоть несколько часов за успокоительным занятием.

Марок накопилось у меня вагон и маленькая тележка: валялись повсюду, сыпались с полки и скапливались во всех углах. Поэтому собралась привести все в порядок, а сие прежде всего требовало отклеивания и высушивания. Я закрылась в ванной и принялась за работу.

С того времени как я отдалась своей страсти, для просушивания филателистических ценностей употребляла «Трибуну Люду». Не раз вызвала ошеломление в киосках, где покупала ее оптом, но лучшей периодики для моих целей просто не существовало. Газета большого формата, скверная, хорошо впитывающая влагу и легко доступная. Я разложила по всей квартире мокрые газетные полотнища, испещренные марками, и взяла с полки сложенные экземпляры, приготовленные для окончательной просушки под прессом.

Наверно, укладывала уже четвертый слой, когда машинально взглянула на фон, где старательно и ровненько разложила влажные прямоугольнички. Замерла с пинцетом в руках... Сначала посмотрела как обычно, рассеянно, уложила очередную марку, посмотрела снова.

Сперва даже не поняла, что вижу. Потом не поверила своим глазам. Потом взяла другой экземпляр того же издания, еще не выложенный марками, надела очки, взяла лупу и включила дополнительный свет.

Матерь Божия!!!

На первой странице газеты двенадцатилетней давности задом к читателям стоял первый секретарь, а перед ним лицом к зрителю государственные мужи угодливо хлопали в ладоши с приятным выражением лица. У второго слева нос клецкой...

Я сбросила все с полочки под лампой, ожидающие своей очереди марки прикрыла другой «Трибуной Люду», придавила телефонными книгами и расписанием железнодорожного движения, потом дрожащей рукой набрала номер Зосиного телефона. Ее не было. Позвонила Павлу. Застала.

— Зося,— обратилась я к нему.— Тьфу, не Зося, Павел, где твоя мать?! Сейчас же поезжай к ней, я приеду туда, Иисус-Мария!

— Мать дома, верно, вышла с собакой. Что случилось?

— Ничего. Все. Скорей приезжай, я сейчас буду. Давай быстрей!

— Но у меня...

— Даже если ты сломал обе ноги, пусть тебя привезут «скорой помощью»! Все! Через пятнадцать минут!

Бросив трубку, я схватила два экземпляра «Трибуны», с третьего этажа вернулась, чтобы снять тапочки и надеть туфли. Захватила сумочку, о которой, естественно, забыла. Лишь на улице проверила, во что одета, повезло — не в халате. Через двенадцать минут уже ломилась к Зосе.

— Что такое? — забеспокоилась она, открыв дверь.— Только что влетел Павел, говорит, с тобой плохо...

Я ворвалась в комнату и торопливо разложила на столе привезенную прессу.

— Вот. Смотри! Оба смотрите! Я, часом, и спятить могла! Говорите, что тут видите!

— О Господи, это он! — крикнул Павел.

— Покажи... Иисусе! — запричитала Зося.

Ничего не нужно было объяснять. Хорошо, привезла две газеты, одну разорвали бы на клочки.

— Это невозможно,— нервничала Зося.— Слушай, вдруг нам только так кажется — просто случайное сходство...

— Учти, у меня приличная зрительная память. Когда ты описала этого типа впервые, мне постоянно лезло в голову: не могла я его где-то не видеть! Клецка, очень порядочная. Тысячи раз видела эту харю, только вспомнить не удалось, а здесь он весь как на ладони!

— Второй слева товарищ Анастазий Сушко,— прочел Павел.

— Что?!..

— Ну, этот самый. Второй слева, раз, два, это он. Товарищ Сушко.

Я почувствовала удар в голову, только не снаружи, а изнутри. Зося и Павел читали подпись под снимком: торжество по поводу каких-то наград. А я не удосужилась и подпись прочитать, вообще ее не заметила. Боже милостивый, вот почему ищут мальчика по фамилии Сушко!..

— Зося, ты журналистка,— напирала я.— В редакциях все известно, только вы скрываете. Делай что хочешь, но разузнай, женат ли этот Сушко, есть ли у него дети и так далее! Все про товарища Сушко! И чем он сейчас занимается?!..

— А откуда мне знать,— нервничала Зося.— Ладно, я попробую, но не гарантирую... Зачем тебе, какое тебе до него дело?!

Не было сил в двух словах объяснить, какое мне до него дело, мешал гул в голове. Я уже интуитивно понимала ситуацию, предчувствовала разгадку, однако с уверенностью могу сказать — разум здесь был ни при чем.

— Когда-то в тебя был влюблен один тип,— влепила я не слишком тактично.— Однажды я его видела, ты сказала, он какой-то партийный деляга...

— Ну знаешь! — возмутилась Зося, искоса взглянув на Павла.

Павел захохотал.

— Ладно уж, я оглох, ничего не слышал, только не делайте из меня идиота. Кроме того, всякий имеет право влюбиться в мою мать — законов на сей счет нету. Я догадываюсь, о ком речь, такая маленькая гнида. Он, пожалуй, из тех, кто обо всем осведомлен, да на всякий случай не говорит. Неважно, я сам все разузнаю.

Зося слушала поначалу спокойно и вдруг сорвалась.

— Что это значит? Что ты разузнаешь? Павел, я не желаю, чтобы ты вмешивался!

Ну вот, еще ссоры не хватало. Я призвала на помощь всю свою логику и напомнила Зосе, что Павел вмешался с самого начала и это по его милости мы попали на окольные тропки, ведущие в буераки и трясину. Умница, молодец, кроме того, год как живет самостоятельно и справляется не хуже, чем мы обе вместе взятые. Не знаю, как выяснит, уверена, через молодое поколение...

Павел кивнул с довольным видом.

— Правильно, через Адама...

Зося не выдержала, облаяла нас обоих, но скорее так, для острастки, без убеждения, чтобы разрядить эмоциональное напряжение. Я оставила им один экземпляр газеты, второй взяла обратно — достать сейчас «Трибуну» не было никаких шансов, а марки требовалось высушить. И вымелась от них — времени и так мало.

От дверей в квартиру меня окликнул Януш.

— Что случилось? Я ведь еще слышу твои разговоры. Ждал твоего возвращения, ты же пулей вылетела из дому, что за открытие?

Я показала газету.

— Пожалуйста, вот портрет шефа мафии. Товарищ Анастазий Сушко. Зося и Павел его тоже узнали, я тебе говорила о нем, слово «шеф» сказано было лишь однажды, но и того довольно. Я уже чувствую ситуацию!

Януш посмотрел, прочел надпись под снимком, помолчал.

— Порядок. Я тоже чувствую. Проверю все. Только умоляю, не говори об этом у себя дома!

— Самоубийства не планирую. Зато хотелось бы знать, когда демонтируется это тайное прослушивание. Или сделано на совесть, так просто не демонтируешь?

— Не думаю. Однако придется подождать... Ты не знаешь этих людей!

— Не скажи, малость познакомилась с ними. Что будет? Посадят их наконец или нет? Сбегут? Переквалифицируются снова в этаких благодетелей общества? Поверят, что я возлюбила их больше жизни или у меня амнезия началась? Чего мне ждать?

Ни на один из вопросов я не получила ясного и логичного ответа. Чертова тайна снова запаскудила мне жизнь...

Информацию о товарище Сушко я получила в рекордном темпе с трех сторон. Особенно отличился Гутюша.

— Дела на них есть, то есть досье всяческие,— оповестил он меня с удовольствием, бросая в автомат по одному жетону.— Черт, и что мне делать с этой одной парой, дубль явно все сожрет. Они угадали, это полная вошь. Смотри-ка, пробил!..

— Перебрось на кредит,— посоветовала я нетерпеливо.— И что из этого досье ты узнал?

— Первое primo — он сменил фамилию, последние три года ходит Татаровичем. Второе primo — у него была жена, оказалось, сумасшедшая. На винтики в семействе экономия, травилась, будучи молодой панной, так и осталась с приветом, а этот ухажер ни бельмеса не раскусил. И женился, потому как ее дедок в Лодзи камни из мостовой выворачивал в девятьсот пятом году. Эта парочка одна может человека заколотить, куда полагается.

— Гутюша, в гроб меня вгонишь ты! Говори как-нибудь связнее, хоть про эту лодзинскую мостовую!

— Ну, интеллектуальная кондиция жены перестала ему соответствовать, подобрал ей местечко в дурдоме в Творках, а она возьми и роди. О черт, масть же!.. На кредит. Он с ней развелся по-тихому, келейно, мышь под метлой в костеле. Ребенок тоже насчет винтиков сплоховал, остался с ней, потому как заартачилась, материнская истерика в ней взыграла, несмотря на сумасшествие, а может, именно потому. Алименты ради святого покоя платил ей через курьеров, у него уже времена наступали потруднее малость. Она из Творок сбежала, хотя ее никто не преследовал, всякие разности в свою биографию вносила, а сорванцу папочку специально показывала — как ей это удалось, ума не приложу, я пока не спятил, логику набекрень не знаю. А вот через минуту-другую и впрямь спячу, ежели эта скотина не станет платить.

— Мой автомат тоже не дает, я же не жалуюсь. Отсюда вывод, ты был прав, ребенок увидел там папашу...

— Это не я прав, а мои приятели. Так вроде выходит.

— А что он теперь делает?

— Сидит в углу, будто его и нету. Нацепил маску, работает в управлении жилыми зданиями, не ориентируюсь, как и что, все равно ничего там не делает. Живет в доме на Рацлавской, теперь оказалось, унаследовал его от предков. Предки прошли морфологию, и камни из лодзинской мостовой их уже никак не касаются, они всегда были за собственников. И достояние им вынь да положь. А про предупреждение это ты говорила или Пломбир?

Сперва я расшифровала, что морфология означает метаморфозу, затем впопыхах переключилась на другую тему.

— Пломбир. А что?

— Пузан здесь сидит. Пока живой. Я в спину ему тихонечко сказал, что сморчок наоборот, так он чуть с табурета не свалился. Не в курсе, видать.

Я вздохнула свободнее.

— Хорошо сделал, меня выручил. А о товарище Сушко все?

— В принципе все, нам ведь его медали ни к чему? Когда война кончилась, ему было два года, ну и партизанское прошлое приделать оказалось хлопотно. Такая тихая гнида он, что никто ничего о нем не ведает, они мне не хотели верить, когда рассказал. Кабы тебя не понесло в подвал, ничего бы не вышло на свет Божий, ну, и кабы не ребенок, но про тебя он не догадывается, а за ребенком охотится.

— Трудно сказать, догадывается или нет. Не помню, много чего дома трепала. Надо ехать за этим списком.

— За каким списком?

— Да тех, кто под шантажом! Пломбир составила список. Никакого терпения не хватает дольше ждать, к тому же шантаж — штука о двух концах. Шантажированных вопреки их воле и на нашу пользу можно подвигнуть, понимаешь, что я имею в виду? Не обязательно мы лично...

Гутюша подумал, понял и согласился со мной. Я предложила ехать прямо завтра.

— Далеко это?

— Около трехсот в одну сторону. Вечером вернемся.

— Вроде можно и поехать. А сегодня надо бы поглядеть на проделки пузана. Не дурак, сразу жареное учуял, ручонки затряслись, а морда побагровела вроде апоплексии. Плохо, неведомо, где живет.

— Все равно поедет с сумкой на Жолибож?..

— Как сказать. Там его и прикадрят. А вдруг да не поедет, ведь я его перепугал? Хотя мне сдается, в логове его не тронут, потому как нету красавца, жизнь покончившего письменной смертью, это первое, а второе, стараются соблюсти вид случайности и где-нибудь подальше от малины, сама подумай, сморчок не поехал. Да, они, пожалуй, изменили свои привычки.

— Вполне возможно, решились прямо в его доме потому, что не поехал...

Мы оставили в покое товарища Сушко и прикинули и так и сяк насчет ликвидации персонала. Разумные преступные замыслы не желали рождаться в наших умах, я беспокоилась, что надо предупредить высокого парня, но он не появился ни в «Гранде», ни в «Марриотте», это я уже проверила, разыскивая Гутюшу. Оглянулась на пузатого.

Или спятил со страху, или решил больше сюда ни ногой, словом, совсем очумел. Добил двадцать миллионов, взял квитанцию и играл дальше, всем своим видом выказывая оголтелую решимость. Я встревожилась. Чужой человек и, казалось бы, какое мне до него дело, но смотреть спокойно, как лезет на рожон, это уж слишком.

— Я бы за ним последила,— повернулась я к Гутюше.— Не убьют же его на глазах свидетелей, а отсрочка пригодится. Едем?

— А не лучше взять такси?

— Пожалуй, лучше, да в себе я уверена, а в таксисте нет. Испугается и оставит нас где-нибудь на мели. А так прикинемся, случайно, мол, попали.

Подумав, Гутюша согласился. Мы дождались, пока пузан наконец угомонился, слез с табурета, отер взмокший лоб и получил деньги. Вышел из казино и задержался на улице.

Мы сели в машину, припаркованную близко, и все исправно видели. Пузан стоял со своей сумкой, и его мыслительный процесс прямо-таки в глаза бросался. Решился на что-то, перешел дорогу и сел в такси.

Мы доехали за ним на Гоцлавек. Многие нас обгоняли, по-видимому, таксист предпочитал безопасную езду, за нами явно никто не следил. На Гоцлавке таксист встал, пузан вышел, хотя перед ним находилась стройка, а жилой дом был дальше. Я не хотела ждать, пока наш подопечный скроется из виду, петляя по строительной площадке, поэтому остановилась чуть подальше, мы вылезли и отправились за ним.

Сразу стало ясно, почему он не подъехал к дому. Подъехать было невозможно, в нескольких метрах от здания тянулись каналы центрального отопления и канавы канализационной сети. Глубокие, метра три глубиной, на дне свалены кое-как разные трубы. Стемнело, и некоторое время я пузана не видела, ощущалось лишь смутное движение. Крался под самой стеной строения, согнувшись, почти на четвереньках.

— Смотри-ка, ума палата,— похвалил Гутюша.— Боится кирпича на голову, а под самой стеной в безопасности...

Он еще чего-то бормотал, когда перед согнутым пузаном выросла новая фигура, хорошо видная в свете фонаря. Мы, на счастье, как раз оказались в тени, я невольно остановилась, Гутюша тоже. Пузан на корточках сидел под стеной, а фигура стояла перед ним по другую сторону глубокой ямы. Мужчина высокий, плечистый...

— Это он! — прошипел Гутюша мне в ухо диким шепотом.

— Кто?

— Да замшевый! По гроб жизни его запомнил!

Замшевый неожиданно двинулся к пузану через яму, словно по воздуху. Видно, там перекинута доска. Пузан, по-прежнему на четвереньках, попятился, замшевый шел к нему по краю канавы, между ними лежала куча досок для настила — барьер непреодолимый. Оказались друг напротив друга, замшевый спиной к яме, а пузан скорчился под стеной.

До меня наконец дошло.

— Гутюша, надо действовать! — зашептала я.— Возьми какую-нибудь палку, он думает, никого нет, убьет без свидетелей!..

Прежде чем Гутюша успел отреагировать, пузан вдруг свершил нечто мало предсказуемое. Видимо, страх и отчаяние накипели и взорвались в нем: он выпрыгнул из-под стены и бросился на замшевого. Сразу же споткнулся о доски, но в стремительном падении успел ударить замшевого прямо в грудь каким-то продолговатым предметом. Удар был настолько неожиданный, что замшевый не успел заслониться и рухнул в яму. Трубы внизу загремели...

Нас парализовало, ноги отказывались слушаться. Пузан полежал, потом поднялся неуклюже и с расстановками. Вылез из досок, подполз к краю ямы и заглянул.

Зрелище, верно, не очень ему понравилось, его передернуло так, что видно было даже издалека, по меньшей мере метров с тридцати. Тот, на дне, по-видимому, не представлял опасности, пузан не вскочил и не бросился бежать, а тяжко плюхнулся на доски. Отер лицо рукавом, посидел, встал наконец и продолжил свой марш теперь уже на четвереньках, без помощи коленей, укрываясь вполне успешно среди всяких строительных материалов. Вскоре пропал из виду.

— Поглядеть бы? — ошеломленный, неуверенно спросил Гутюша.

Наверняка мы отправились бы посмотреть, не будь я в новых туфлях. Территория стройки вовсе не соответствовала их назначению. Не то чтобы я это вполне понимала, чувствовала только, что не могу дефилировать по бездорожью, извести, глине, бетонным обломкам и поломанным доскам. Жизни пузана уже ничто не угрожало, потому я и шагу не сделала.

— Давай сперва подедуцируем,— предложила я робко.— Посмотрим, что дальше.

— Дальше ничего не будет, ночь в плюсе, а люди в минусе,— здраво заметил Гутюша.— Дедуцировать — пожалуйста, сколько угодно. Пузану везенье — со страху да впопыхах тюкнул замшевого.

— Все это и так было видно, кой толк дедуцировать. Он, видимо, живет вон в том доме. Боялся, у подъезда будут ждать, вот и карабкался с этой стороны...

— Подъезд с той стороны, иначе все не имеет смысла.

— Ясно, с той. А замшевый разгадал и небось порадовался своей смекалке.

— Да и я бы обрадовался. Местечко золотое, слов нет...

— Все это хорошо, но почему приехал один? Раньше всегда на пару ходили.

— Первое primo, сморчка тоже один уработал. А второе primo, на кой черт ему еще кто-нибудь, этот ползун психованный со страху мог окочуриться...

— Не пешком же он пришел. Интересно, где оставил машину.

— А с той, другой стороны и подъехать наверняка возможно. Я бы тоже поглядел.

На такое предложение я согласилась безропотно, вернуться к машине можно осторожно — туфель не испорчу. Мы объехали половину Гоцлавка и порядком поплутали, пока нашли нужное место. По дороге решили просмотреть список жильцов, и хотя фамилии ничего нам не дадут, зато имя знаем, пузана зовут не то Роман, не то Вальдемар. Окажись Романов и Вальдемаров не один, позвоним ко всем и осмотрим их лично.

Романа в списке не значилось, Вальдемар был один. Жил на третьем этаже, фамилия — Козловский. Вспомнили, приехали-то мы сюда отыскать пустую машину, ожидавшую замшевого. Пустых машин оказалось сколько душе угодно, хотя стоянка еще не была оборудована. Найти нужную машину шансов никаких, мы сразу отступили и вернулись к дому.

— А затем визитировать этого доходягу? — задумчиво спросил Гутюша.— За рукав хватать не надо. Что, спросим, не повысилась ли температурка?

— Не знаю. Убедиться бы, что жив, и дело с концом. Вдруг второй ждал у подъезда...

В этот момент одна пустая машина вдруг ожила. Кто-то открыл дверцу и задрал голову, глядя на дом. Дедукция моя заработала полным ходом.

— Гутюша, вон второй. Пузан совсем окретинел с нервов, зажег свет в квартире, а этот туда глядит. Ясно, удивляется — какого черта мертвец иллюминацию устроил...

— А может, думает, корешок там?..

Второй вышел из машины — сомнения сразу рассеялись: тот самый второй, помню его хорошо после налета на мою квартиру. Захлопнул дверцу, вошел в подъезд и вышел на другую сторону. Согласно предвидению Гутюши второй выход был. Я побежала, Гутюша за мной.

Я снова сделала объезд и припарковалась на том же месте — удобно, темно да и в тени от строящегося здания. Мы подкрались к углу. Поделец замшевого шел медленно, пристально осматриваясь и проверяя фонариком все ямы и канавы.

Нашел. Тонкий луч на мгновение замер на месте, потом погас. Поделец смотрел, как бы ему спуститься вниз. Немного отступил, потом съехал по довольно крутому спуску и низом вернулся туда, где пузан атаковал замшевого. Мы видели его вояж — он светил фонариком, сваленные трубы делали дорогу не очень-то удобной.

Что он делал у тела замшевого, один Бог ведает, во всяком случае, через довольно продолжительное время вылез и быстро направился обратно к дому. Что-то держал в руках, верно, сумку пузана.

Дорогу я уже изучила неплохо, мы успели вернуться к подъезду до него. Он не пытался проникнуть в дом и убить пузана, сел в машину, включил зажигание и рванул так, что машину занесло.

— Ну, такие пироги, теперь придется провентилировать обстановку в этой яме,— решил Гутюша.— Если не хочешь, готов один. Больно кислый компот получается. Замшевый не мог разбиться вдребезги — не с десятого этажа падал, так почему же поделец не горит желанием его спасти? Давай двигай!

По дороге я предположила: второй сделал то же самое, объехал, чтобы прихватить замшевого с той стороны. Там ближе. Гутюша не спорил, твердил только, тем более, мол, надо все проследить.

В пятый раз я объехала стройку в поисках телефона-автомата.

— Назовусь себе обыкновенно, Пендзяком,— вещал Гутюша слегка охрипшим голосом.— А потом поглядим, что менты сделают. Сглазили меня или морок какой, почему это сплошные трупы да мертвецы на жизненном пути?..

— Так ты сам пожелал,— напомнила я.

— Вовсе не пожелал. Подумал, вдруг он еще жив. Там труб навалом, хряпнулся позвоночником, и пополам. Кабы кто специально такое вычислял, хрен бы ему удалось, а, кстати, саквояжик-то тот прихватил... Неплохо придумали, нам и в голову не пришло, да откуда ж знать, что пузан живет в таком комфорте — для мокрухи лучше не придумаешь! Бесполезно и комбинировать, каким манером разделают друг друга, сами лучше нас знают...

— Не так уж долго мы возились с этими загадками-разгадками,— возразила я.— Одним исполнителем меньше...

На шестой раз после объезда я остановилась на порядочной дистанции, и все представление мы видели издалека. К счастью, в машине всегда вожу бинокль. Полиция сделала, что надо: труп извлекли из ямы и увезли в морг. На нас, конечно же, никто не обратил внимания.

— Завтра, то есть сегодня утром, поехать не удастся,— сказала я по дороге домой.— Мне просто необходимо выспаться, не знаю, как тебе. Расспроси своих приятелей, начнут расследование или опять подведут под несчастный случай.

— Ну, ты даешь! — изумился Гутюша.— Ты еще сомневаешься или как? Бац в яму — ясно, случайность, головой отвечаю, место — золото! Этот поделец свидетельствовать не пойдет, а мне сдается, он у них, ненаглядный, на мокрой работе. И Крыса. Об этом пузатом павиане никто ничего ведать не ведает, я с ним на собрание не пойду и тебе не советую, он скумекает одно, мы его, дескать, шантажнуть хотим, а уж коль один раз ему так здорово подфартило, разохотится вполне еще разок свою методу применить... Интересно, сейчас небось продолжает со страху трястись. Гвоздями, поди, свою берлогу заколотит для сохранности?..

— Ладно, подумаем. Послезавтра. Поедем, времени пропасть будет...

Наносить визит в соседнюю квартиру уже сделалось у меня привычкой. Януш не спал и ждал меня. Рассказала ему про все и потребовала прокомментировать.

— Потеря одного исполнителя для них не такое уж большое горе,— расхолодил он меня.— Случись нужда, найдут других. Правда, этот принадлежит к банде, потому был удобнее... Желаешь выступить свидетелем?

Я возмутилась.

— Да ты что! Ни за какие коврижки!

— В таком случае еще один нулевой результат, еще одно прекращенное дело. Лично меня это не касается, а Козловскому не желаю ничего плохого. Но правду сообщу — обязан.

— Сообщай. А я тебя предупреждаю, от всего отопрусь, Гутюша тоже.

— Да нет, я имел в виду неофициальный разговор с глазу на глаз. Никаких показаний, никаких магнитофонных записей, никаких подписей. Сомневаюсь, чтобы кто-либо привлек убийцу, бесспорно действовал в целях самозащиты, возможна даже другая версия: пострадавший сам свалился в яму. Скажем, Козловский хотел бежать, вскочил, споткнулся о доски, а нападавший в тот момент замахнулся...

С энтузиазмом я подтвердила, что так оно и случилось. В мгновение ока поверила в предложенную версию и сразу решила скорректировать ошибочные Гутюшины взгляды. Поскольку мы стояли вместе, то должны были видеть одну и ту же картину.

— Так сложилось, что я в курсе, кто зависит от этих кровососов,— задумчиво продолжал Януш.— Зависимый тип, возможно, и поступал бы как порядочный человек, да уж очень дорого это обходится. Пока что нет никакой надежды. Клика развалится еще не скоро: трещины хоть и возникают, но цементируются с большим талантом. Весьма ловко создали замкнутый круг, держат в руках как раз тех, кто мог бы их выдать, потому и никакое расследование невозможно... Чем ты намереваешься заняться?

— Пойти спать,— раздраженно объявила я.— Меня клонило в сон уже три часа назад. Сегодняшний день весь псу под хвост!

— А завтра?

— Сам догадываешься, зачем мне еще тебе докладывать. Еду к лесничему за списком Пломбира. Вдруг пригодится!

Януш не протестовал, меня даже удивило. По-видимому, поездка в лесничество не опасна. Это было правдоподобно — о списке, Пломбире и лесничем, кроме нас, никто не знает...

Насчет жилища лесничего не хотелось никого спрашивать, а потому дорогу я нашла после долгих блужданий, правда, еще до полудня. Гутюша упорно и нетерпеливо донимал, по каким признакам ищу дорогу.

— Была здесь в прошлом году весной,— объяснила я в конце концов.— Нет, не в прошлом... Хотя, именно в прошлом. С приятельницей. Жарища, солнце пекло, а ей вздумалось ловить рыбу, только не спиннингом, а удочкой, вот мы и отправились на озеро.

— Так здесь же везде река?

— Ну и что? В реке не клевало. Мы нашли озерко. В озерко с берега выступал помост со скамейкой, правда, уже старый, прогнивший, но держался еще вполне, только тени не было, а ее солнце допекало. Вот она и сидела на лавочке под зонтиком — удочка в одной руке, зонт — в другой, а когда наконец поймала рыбу, пришлось ловить зонтик. Я же бродила по мелководью в купальнике, искала ей наживку, потом отправилась в лес и наткнулась на такие брусничники, что мне плохо стало. Это дурость — ездить в такие места в неурочный сезон, когда брусники еще нету! Но дело в другом. Пришли двое, лесная служба, один постарше, другой моложе, тот, что постарше, очень мило сообщил нам, что мы нарушили закон, нас следует прогнать, да еще оштрафовать.

— Почему?

— Во-первых, нельзя на машине въезжать в лес, даже метра на три от опушки, а во-вторых, озеро — частное владение и рыбу ловить запрещено. В-третьих, моя приятельница не имеет рыболовного удостоверения, но этой темы мы не успели коснуться толком. Оба разговаривали вежливо, признались, что мы правы — на озере не поставлено объявление, и вообще выглядели так, будто весьма не жаловали владельца.

— А сколько рыб поймала та баба? — прервал Гутюша.

— Одну. Небольшую.

— Ну, владелец не больно-то обеднел. Вряд ли во всем частном озере резвилась одна-единственная рыбья персона. Даже в государственном больше водится.

— Ты прав. Они насчет штрафа не возникали, поболтали мы вполне по-дружески. Рассказали, где живем, они тоже, откуда, где какие правления, где лесные сторожки и всякое такое, они еще руками часто махали, показывали, где что. Лесничий помоложе, сорока нет, мало говорил, редко слово-другое вставит, а смотрел так, будто все это ну очень ему смешно. А после случилась ключевая сцена...

Я вовсе не намеревалась сделать эффектную паузу, прервалась, чтобы закурить, Гутюша тут же вспылил.

— Уж и не понимаю, ты нарочно, что ли, мне досадишь... Ну досаждаешь... Я слушаю, прямо как угорелый пузырь, а ты прерываешь передачу!..

Я так и сяк вертела, пытаясь понять, с чего разозлился. Употребил совершенный вид глагола «досаждать», но при чем тут «угорелый пузырь», может, воздушный шарик, надутый до последнего и готовый лопнуть, а пузырь появился по ассоциации с рыбой?.. Ну, прервать передачу — это ясно.

— Вовсе не досаждаю, слушай дальше. Из-за машины — мы въехали в лес — зашел разговор о возрасте леса, нельзя, оказывается, въезжать в очень старый или очень молодой лес... Возраст видно по деревьям, разветвление сосенок поэтажное и так далее. Показали нам. Я пошла с ними, неподалеку, ближе к дороге, росло одно очень приметное дерево, хотела посмотреть. Честно говоря, я и без них хорошо в этом разбираюсь, но делала вид, что ничего не понимаю, дебильность часто весьма полезна в общении. Потом мы попрощались, я услышала, как младший спросил старшего: «Домой?», а старший кивнул; свернули они на своем «джипе» по этой дороге. И поехали в направлении, куда и мы сейчас едем.

— Подсмотреть бы еще, где свернули на последней развилке,— вздохнул Гутюша.— Есть хочу. Найти бы его до ночи!

Нам повезло, на выбранном направлении стояла только одна сторожка, и мы таки туда попали. Я не стопроцентно уверена, что именно та самая, но решилась расспросить.

— Гутюша, внимание, имеем дело с поэтом,— напомнила я ему, остановив машину.— Ни о каких конвертах и речи не должно заходить. Сперва постараюсь узнать человека в лицо.

— Раз уж такая оказия, поглядим на ухо,— предложил Гутюша и вылез.— Мариола говорила, этот ее насильник обосновался в Борах Тухольских. А в этих Борах мы уже плутаем два часа, вполне возможно, это здесь. Вроде бы все сходится...

На мой взгляд, это было бы просто сверхъестественно, хотя все сходилось не только у Гутюши, но и у меня. С самого начала нам бросились не столько в глаза, сколько в уши четверо орущих детей разного возраста, мальчики или девочки, отличить было трудно — все одеты в штанишки. Они развлекались, швыряя друг в друга рыбьим скелетом весьма солидных размеров. Потом я увидела во дворе машину.

Расслышать что-либо не было никакой возможности, все заглушали дети. Я ткнула Гутюшу локтем, а он кивнул в ответ. Сомнительно, чтобы лесничий раскатывал в «мерседесе», видно, кто-то приехал с визитом и вовсе не стоило этому кому-то показываться на глаза. На всякий случай мы обошли дом и двор и с другой стороны встретили мальчика, которому девчушка в окошке грозила кулачком.

— Отцу пожалуюсь, так и знай! — кричала она.— Не стану за тебя краснеть! Свинья какая, я за тебя сделала, а ты за меня что? Два задания еще остались!

— Отцепись, вечером сделаю! — огрызнулся мальчик.— Вишь орет!..

— Ты идешь или нет?! — рявкнул неподалеку стоявший паренек постарше.

— Судя по количеству детей, твои надежды оправдались и мы попали-таки к насильнику,— сказала я Гутюше, даже и не пытаясь говорить тихо —

тут и охотничий рог не перекрыл бы звонких воплей.— А где же родители этих сорванцов?

Гутюшина логика не раз меня удивляла. И сейчас он сделал весьма остроумный вывод.

— Гостей здесь нету, иначе детвору в момент бы заткнули. Если приехали, значит, пошли куда-то. Зайдем?..

Мы зашли. В доме нас встретила лесникова жена, державшая на руках двухлетнего ребенка в пижамке. Взглянула на нас чуть ли не с отчаянием.

— Я сейчас сойду к вам, подождите, прошу прощения. Только этого уложу, потому как сегодня уж окончательно можно сойти с ума.

— Восьмой,— сосчитал Гутюша, задумчиво глядя на поднимавшуюся по лестнице женщину.— Ты права, это наверняка тот самый лесник. Тут и трех малолетних Сушко можно подложить, орава и есть орава.

— Девятый,— уточнила я и кивнула на девочку лет восьми, которая тарахтела в углу за тахтой множеством крошечных автомобильчиков. А сверху слышалась возня, выдававшая присутствие десятого, а может, и одиннадцатого ребенка.

Жена лесничего спустилась к нам.

— Мужа нет,— проговорила она в изнеможении.— Недавно ушел. А вы тоже из этой комиссии?

— Из какой комиссии? — вырвалось у меня.

— Нет, мы по личному делу,— вмешался Гутюша.

— Ну, сдавать на лето мы ничего не сдаем. Сами видите, с таким выводком никто не выдержит. Какая-то комиссия приехала насчет озера и его владельца, владелец тоже здесь. А вы? Я ничего не знаю...

Я прикусила себе язык, меня так и подмывало спросить, оба ли уха у ее мужа целые. Гутюша спас положение.

— Мы, собственно, тоже к этому владельцу. Как бы частным образом, по поводу озера, конечно, сперва с вашим мужем поговорить, ну, вы понимаете...

Один лишь Бог ведал, что понимала лесникова жена, но кивнула несколько раз с явным облегчением и пальцем показала в окно.

— Они туда и пошли, я-то ничего не знаю, чтобы он продать решил, на озере их и найдете, несколько минут вон той тропкой через лес...

— Мамочка, я уже все съела!!! — взвыл плачущий детский голос из кухни.— Йоля мне еще положила!!!..

Мать всех этих детей ничего больше не произнесла, посмотрела только на нас так, что мы мгновенно оказались за пределами дома. Показанное направление более или менее отвечало моим воспоминаниям о местонахождении частного озера.

— Напрямик всегда протоптано,— решил Гутюша, и мы пошли в лес.

Озеро открылось внезапно, и я сразу догадалась, что мы вышли почти с противоположной стороны от мостка со скамейкой, точнее, немного наискосок. Вот оно, это место, где собирала червяков с каким-то странным названием, оступилась на гнилом пне и расцарапала себе пятку. Моя приятельница, доктор медицинских наук, забинтовала ногу тем, что оказалось под рукой, а именно эластичным бинтом километровой длины, и в течение нескольких часов я хромала как тяжкая калека, жертва акульего нападения. Поэтому прекрасно ориентировалась, как легче и ближе пройти к мостку.

Но нам пришлось остановиться.

— Черт, забыла бинокль! — спохватилась я.

— Вот удружила! — фыркнул Гутюша.

— Да тяжеленный, будто булыжник.

— А я-то на что?..

Предаваться сожалениям было поздно. Ни живы, ни мертвы, как трухлявые пеньки вокруг, мы беспрепятственно созерцали группу на мосточке. Лесничий выделялся мундиром, товарища Сушко я узнала — все ж таки нос такой, что с расстояния семидесяти метров узнаешь эту клецку. Третий был незнаком.

— Слушай, ты, это же он! — прошипел Гутюша придушенным голосом.— Одет прямо как тогда в кабаке!

— Какой он?

— Да Крыса! И одет так же! Отсюда не видать, носки есть?..

Теперь меня уже окончательно пригвоздило к месту. Знала Крысу в качестве изысканного джентльмена из казино, в другой ипостаси его не видывала. Гутюша знал оба воплощения, я поверила сразу. Из зарослей вдруг выскочил некто четвертый.

Мы дружно охнули, говорить не было нужды — появился поделец замшевого. Схватил лесничего за руки со спины, зажал, лесничий пытался достать его пинком.

— Кур-р-р-р-ва мать!!! — рыкнул Гутюша, бросился вперед и увяз в трухлявых пеньках. Я рванула его обратно.

— Да не сюда, кретин, ноги поломаешь! Лесом! Вон тропинка!

Это была скорее не тропинка, а более сносный обход по берегу к мосткам, но, к сожалению, тростник заслонял видимость. А между тростником и твердой почвой тянулся болотистый пояс, весь в гнилых стволах и пнях. Мне известно было два места, где удалось бы продраться через все это и видеть озеро, ибо количество червей, необходимых моей приятельнице, вынудило меня тогда тщательно изучить местность. Не успела я сообщить об этом, а Гутюша уже ломился через заросли, как разъяренный буйвол. Я оставила его и выглянула.

Увиденное отбило у меня всякую охоту к прогулкам на долгое время. Согнувшись, судорожно уцепившись одной рукой за какой-то сук, а другой за ветки ивы, стараясь удержаться в своих туфлях на скользком пне, я смотрела жадно, с диким ужасом, чувствуя, что глаза у меня вылезают из орбит и тянутся, рвутся в сторону увиденного. Разум еще сомневался в доподлинности происходящего, зато душа не сомневалась: это зрелище навсегда останется моей единоличной тайной. Да, никогда в жизни, ни за какие сокровища никому слова не пикну...

Когда я наконец добралась до места и нашла Гутюшу, мосточка уже не существовало. У берега торчали останки сломанных опор. От скамейки и следа не осталось, если не считать плавающих в воде многочисленных обломков. Лесничий лежал под сосенкой метрах в десяти подальше, как-то странно скорчившись, однако живой — стонал.

У Гутюши свело челюсти, не мог слова сказать, только хрипел...

Я могла бы говорить без усилий, да желания не было. Подождала, пока Гутюша оклемается.

— Бросил его,— прохрипел он наконец.— Когда я прибежал, он и бросил. Тащил его и бросил. Я не могу больше, тошнит меня, ты взгляни только, как те выглядят, ох, не гляди лучше, тебя вырвет...

Да уж, зрелище эстетичным не назовешь. Я спросила все-таки:

— А ты как, за ноги?..

— А как еще?..— проклацал Гутюша.— Само так получилось, все руки сами сделали, человек глуп, придурок я или что... Руки, не разум, а руки, говорю тебе...

Я поняла. Руки его сами вытащили утопающего. А потом его разум запротестовал и восторжествовал в конце концов над конечностями, ведь двоих оставил там, где упали. Все правильно, по-моему, там им всем и место...

— Я засвидетельствую, что ты брякнулся в обморок,— известила я Гутюшу.— Будь добр, не перечь. Давай осмотрим лесничего.

— Этот кто-то... тот, кто бросил...

— Никого не было,— прервала я его требовательно.— Они сами перестрелялись, лесничий хотел их разоружить и тоже свое получил, потерял сознание и тоже ничего не видел. Ты лесничим занимался, а этих в воде увидел гораздо позже — кусты заслоняли.

— А этот?..

— Вот именно, увидел его, бросился спасать, но увидел других и — в обморок. Я тебя привела в чувство, все прочее тебя не касается.

Гутюша перестал сипеть, лязгать и хрипеть. Помолчал весьма основательно, после чего его высококачественный ум начал работать.

— А ты хоть раз в жизни падала в обморок?

— Насколько помню, четыре раза, включая период раннего детства. А что?

— А я в этом деле профан. Расскажи.

Я рассказала про самочувствие при потере сознания. Лесничий тем временем застонал громче и зашевелился. Я отошла подальше от места битвы, спустилась к озеру в другом месте, зачерпнула пригоршней воды и плеснула ему в лицо. Несмотря на возможный процент планктона, бактерийной фауны и прочего, вода была довольно чистая, коль в озере жила рыба. При оказии рассмотрела лесничего. Все сходилось, этот, более молодой, сопровождал старшего, когда они нас застукали за ловлей рыбы. Левое ухо несколько отличалось от правого. Сверху оно явно было надкушено...

Гутюша оклемался окончательно и достал из кармана фляжку.

— Подержи-ка парня, волью ему глоток.

Первая винтовая пробка почти вся расплескалась, вторую лесничий выпил и даже не поперхнулся. Попытался сесть, застонал, глубоко вздохнул и повторил попытку. Посмотрел на нас, сперва мутными глазами, затем сознательно и с вниманием.

— Что случилось?..— прошептал едва слышно.

Гутюша двумя очередными пробками подкрепился сам, третьей снова угостил лесничего, а затем удовлетворил его любопытство.

— Мы к вам насчет поэзии. Не сейчас, конечно, когда вернетесь домой...

Выражение физиономии лесничего превзошло все, что довелось мне в жизни наблюдать. Лежащий в лесу, тяжело избитый человек вдруг узнает, что привели его в сознание субъекты, прибывшие насчет поэзии, о коей он никогда, верно, и не слышал. Я не сумела овладеть собой, шальным галопом умчалась подальше, чтоб меня не услышали, истерически взвыла, уткнувшись в мох, ревела и хохотала так, что ребра заболели. Все никак не могла успокоиться. Старалась вспомнить какое-нибудь трагическое событие, все напрасно. Муравьи ползали по мне беспрепятственно.

Когда я вернулась, уже способная симулировать насморк и кашель, оба сидели под елью в превосходных дружеских отношениях.

— Вы лежали здесь, а я, кажется, чуть подальше,— вещал Гутюша.— Моя приятельница прибежала и привела меня в сознание. Что тут случилось, вопрос не для меня, а вы, по всему видно, возжелали на это ристалище броситься на щите...

Гутюша уже ловко манипулировал нашей версией, я начала переводить. Лесничий умственно вполне владел собой — не по голове получил, сориентировался в ситуации мгновенно и с жаром поддержал Гутюшу. Передернулся, правда, когда поднялся на ноги, и посмотрел на озеро туда, где был мосточек, но, по-видимому, возобладало чувство облегчения. И не в нем одном...

События Гутюша подытожил во время возвращения в Варшаву, с удовольствием вспоминая только что пережитое.

— Концерт экстра-класс. Никакая сила нас не уличит, а лесничий — крепко сбитый гарнитур, гляди-ка, не похож, а ухо то самое. Первое primo, в поэзию уверовал, как в Господа Бога, а тебе я бы за идею Нобелевскую сразу отвалил или какое-нибудь биеналле...

— Не все как ты...

— Говоря откровенно, никто, а ведь все до единого могли притворяться и молчать, хоть Швейцарские Альпы изображать! А второе primo, я и сам могу голову под пень сунуть — фактически он попытался помирить тех методом мягкого убеждения с использованием рукоприкладного аргумента, ему врезали, последнюю часть фильма он не видел. А который этот маленький сопляк пропавший?

— Я сразу же угадала, и правильно. Это девочка, которая играла машинками в углу и тарахтела.

— Что ты говоришь, а как узнала?

— У меня двое сыновей. Один постоянно тарахтел. Нет, он умел и говорить, просто обожал машины. А тарахтящей девочки еще никто на свете не видывал.

— И ведь догадались перерядить ее, мысль экстра-прима! А эти за ней явились? То есть за ним?

— Лесничий говорит да. Я перекинулась с ним парой слов с глазу на глаз. За ребенком приехали.

— Избивать его начали, когда уперся, мол, о каком мальчике речь, ему невдомек, а они сразу усекли, что сами во всей этой ораве ни в жизнь не разберутся, а может, и времени мало было. Интересно, как пронюхали, ведь еще до нас явились, а не за нами. Мы-то сами толком не знали, как доберемся, а они откуда?

На мгновение я запуталась в Гутюшиных рассуждениях, но все распуталось само собой. Я тоже задумалась, откуда они доискались, где мальчик, ведь приехали специально за ним, об этом мне успел сказать лесничий. Мы про мальчика слыхом не слыхали, ехали за списком Пломбира. Доверила она список тому человеку, который и маленького Сушко принял — вот так и исполнилось благочестивое желание Гутюши, случай, а то и высший промысел?..

— И спросить не у кого, со всеми покончено отрицательно,— продолжал Гутюша с некоторым недовольством.— А хорошо бы уразуметь. И менты, любопытственно, за кем ехали, за нами или за ними? Ты как, предчувствовала, что нам на шею` свалятся, нет?

— Предчувствие не предчувствие, но опасалась. А что?

— Так ты этот конверт со списком вырвала у лесничего прямо в броске. Номер на конверте чертовски длинный, надо же, запомнила?..

— Гутюша, мой первый номер телефона помню отчетливо и по сей день, а Пломбира видела на улице четвертого сентября прошлого года.

— Правильно. А откуда менты все-таки?

Господа из Главного управления, сопровождаемые представителями местных властей, появились через четверть часа после окончания спектакля и взяли инициативу в свои руки. Я поспешила со списком, поскольку предполагала такой поворот событий — очень уж легко Януш согласился на мой индивидуальный выезд на природу... Подозревала я и Гутюшу, он, со своей стороны, мог кое-кому проговориться насчет этого дела и связанных с ним перспектив.

— А ты, часом, своим приятелям пару слов не подбросил? — откровенно спросила я.

— О конверте и о Пломбире ни одного! — поклялся Гутюша.— А вообще-то они уже ориентировались получше меня!

— Так чего удивляешься?

— Да я не удивлюсь, а думаю. Смотри ты, а носки другие были... Ох, хотелось бы усечь, каким манером они друг дружку отоварили, я даже рыдать не стану, на такие трупики и посмотреть приятно, только пусть начхаю я на себя, если понимаю, как все случилось. Лесничий — нет, он не из таковских, сам лежал бы там мордой в озере, а всех этих детишек сиротинками оставил. Богом клянусь, кто-то еще там был и тихой такой сапой, я-то лез напролом, слышно издалека, видно издалека...

— Запомни, Гутюша,— сухо прервала я.— Никого больше не было, конец и точка. На мой взгляд, тот, кого не было, с финкой пошел с ходу... Свихнулся сгоряча, чему я вовсе не удивляюсь.

— У Крысы тоже был ножичек.

— Вот именно.

Гутюша подумал.

— А!.. Стало быть, сам себе харакири?..

— Рука у него подвернулась. И чего тебе еще надо? Не следствие же ведешь? Ни у кого никаких сомнений, только вот тебя гложет?!..

— Нет. Уже не гложет. А говоря по правде, жалею, не успел раньше, хоть бы одного каблуком уработал за Юзефа. Утешительно хоть одно — благодаря нам финиш случился...

— Что ты имеешь в виду?

— А ты сама рассуди. Что, скажешь, они не за нами пришлепали? В духов веришь, сама говорила, каждое слово подслушивали, значит, уши хорошие, а глаз нету? Ну ладно, никто на хвосте не висел, так ведь на каждом углу могли сторожить с приборами, к примеру, один столболаз по дороге встретился — по столболазам лазал, не видела? Сверху у него неплохой просмотр открывался, и я не уверен, не на нас ли глаз положил? Эти сволочи неизвестно как попали, ну а уж милиция точно за нами. Так считаю.

— Пожалуй, правильно считаешь. Я на их месте тоже бы так сделала, единственный способ.

— Вообще-то они ведь так просто, лично и приватно, ехали на экскурсию. Сверху приказа не было, разумеется, возможно, теперь будет, когда главные гниды, Господи прости, сию юдоль оставили. Ну, и что делать с таким орешком — ни следствия, ни дела какого... И как это, чтоб человек не имел этих, как их там... моральных тормозов... Ничего не поделаешь: клопов давить надо голыми руками, меня другое удивляет, что никто раньше не догадался, один только и нашелся, да и того вовсе не было. Да еще Пломбир и пузан, дай им Бог здоровья. А знаешь, я сейчас наконец чистым воздухом дышу!

— Дыши, дыши, заруби себе, пузан просто упал случайно, а о Пломбире вообще забудем, а?

Гутюша затянулся сигаретой, выпустил целое облако чистого воздуха и удивленно взглянул на меня.

— А что мне забывать? Раз в жизни видел ее где-то, словечком не перекинулись. А propos *,

---

* Кстати, между прочим (фр.).

не успел еще тебя информировать, вчера поймал этого приятеля из прозекторской, они в момент расчухали, почему это писательское орудие оказалось таким геройским. Ручка, которая торчала...

— Иисусе... Ну?

— В мозг вошла. Что-то там повредила, научно разобъяснили, что именно, но я забыл. Могли бы его спасти, если бы сразу на стол, но за недосугом, как понимаешь, в «Скорую» никто не позвонил. Покойник тоже не звонил, сознание потерял. Но там команды вышли поровну, один к одному, а на этой озерной пристани, видится, прямо противоположно. Один к трем?..

— Трое и все тут. Сколько тебе повторять, сами они перегрызлись...

Гутюша снова посмотрел на меня, на сей раз подозрительно.

— Ты там где-то прокопалась, когда прилетела, вся горчица кончилась...

— Ладно, скажу,— решилась я вдруг.— Если и был там четвертый, все равно никакая человеческая сила не вырвет у меня, кто это, я смотрела издалека и могла не узнать. Выскочил из лесу, в руке холодное оружие. Крысу уложил первого: оступился, видать, упал и случайно ударил. Поделец замшевого держал лесника и даже оттолкнуть того, из лесу, не успел, а товарищ Сушко целиком и полностью офонарел. Любезность тебе сделала, а больше никогда все вышесказанное мои уста не произнесут.

Гутюша в полном упоении выслушал мое сообщение, помолчал, видимо, приводил в норму полученные данные.

— Все! Полный порядок на чердаке! Значит, так: орали они, препирались... Мостик развалился...

— Что развалился, все видели.

— Трухлявый был. Развалился прямо под ногами, ну, а он того... К владельцу, мол, возмещай ущерб... А, нет, ведь владелец тоже там лежал... Значит, понимаю: на веки вечные тайна и все тут?

— Правильно.

— Ладно, пускай так. И смотри ты, отдал концы в родном и единоличном озере из-за плюгавого несчастного случая, к тому же из-за собственного небрежения: мосточек надо было в новом экземпляре поставить... И снова следствию крышка! Оно и пусть, впервые восторгаюсь такому раскладу, на радостях упьюсь, как кабан в кукурузе...

Назавтра после столь волнующих событий позвонила Мариола Кубас. Говорила второпях, запинаясь.

— Я знаю... Вам этот адрес ни к чему... Мне позвонили... Нельзя ли с вами увидеться...

Насчет присутствия Гутюши совсем не возражала. Я почувствовала приближение очередной тайны и поспешно согласились. Встречу она назначила в квартире Марианны Голковской, чем заинтриговала меня вконец.

С первых же слов выяснилось, что Марианна Голковская родная тетка Мариолы Кубас. Видимо, тетка держалась не самого лучшего мнения о племяннице, и в квартире сгустились атмосфера порицания. Я призналась в своем вранье насчет поэзии, это встретило полное понимание и прямо-таки поддержку — камуфляж был прекрасный. Взамен я выяснила, кто получил адрес лесничего. Божидар.

Меня еще раз неслабо тряхнуло, ибо, вопреки очевидности, я никогда не догадывалась касательно его принадлежности к мафии. Но как ни крути, он был единственным слабым звеном, через которое информация могла просачиваться в ненужном направлении. Каська-наркоманка лечилась под надежной опекой, строго изолированная от мира, не говоря уже о такой мелочи, что ведать не ведала об этом адресе. Никому другому Мариола адреса не давала, а письма всегда посылала из Варшавы, опуская в почтовый ящик на главпочтамте и не обозначая на конверте фамилии отправителя. Ребенка отвезла туда еще в прошлом году с помощью тогдашнего поклонника ее заграничной приятельницы, настоящего француза, которому было все едино, какой дорогой покидать нашу страну. Французский язык Мариола знала плохо, но вдолбила в него, что это сынишка лесничего, которого она как раз забрала из больницы. Могла так уж и не стараться, француз вообще не заметил, что везет, занятый исключительно своей пассажиркой. Он приклеился бы к ней по меньшей мере на неделю, кабы не многочисленная мелюзга лесничего. Выдержал сутки, она осталась там еще, и он уехал.

Божидар произвел на нее великое впечатление. Он разыскал ее раньше нас и велел молчать под страхом смерти: он, мол, единственный ей друг, а все остальные враги. Она поверила беспрекословно, и не мне, во всяком случае, ее за это осуждать.

Марианна Голковская оказалась куда прозорливей, ее Божидар не очаровал, по-видимому, его башмаки произвели не лучшее впечатление. Облаяла племянницу, как святой Михаил дьявола, причем раскрыла еще один секрет.

— Вовсе не потому не ходила Мариола к Касе, что Касина мать ее прогнала, слишком, дескать, простая деваха,— кипятилась Марианна Голковская.— Ну дура, да ведь школу-то кончила, и дело совсем в другом: в какой дом ни придет, где парень или мужик есть, на порог ее не пускают. Летят на нее, будто всякий разум отшибло, четырнадцать лет ей было, когда и Касин отец ошалел, любая женщина, как увидит, не пускала ее в дом. Наказание Божие. Мне стыдно, что она моя племянница, да надеялась, хоть какой умишко все же есть у нее, а оказывается, вовсе нету. Чистое чудо, как на злое дело все не обернулось, ведь убитое невинное дитя могло там лежать, а ты бы, дура, угрызеньями мучилась!

Мариола Кубас заливалась слезами и во всем соглашалась с обличительницей. О событиях на озере она узнала от лесничего, позвонившего ей, он все описал детально и тоже выступил с претензией, после чего она впала в мандраж и раскаяние.

Одна только мысль, что ее заподозрят в сговоре с преступниками, лишала сна и всякого покоя, к тому же душила ярость на Божидара: выудил сведения, а все надежды обманул. Однако из двух зол предпочла девичью глупость и принялась молить о прощении, которого добилась без особого труда.

С моего телефона наконец сняли дополнительные детали, и я тотчас же позвонила Алиции.

— Учитывая, что ты мой единственный друг, пребывающий за границей, к тому же имеешь бзик на пункте садово-огородном...— начала я намеками.

— Да, знаю,— прервала Алиция.— Что ей сказать?

— Алиция, ты божественна! Передай, она может мне звонить, как любой нормальный человек. Наступила вожделенная развязка.

Пломбир позвонила через час. Я передала ей официальную версию событий, сильно напирая на трухлявость мосточка, оный, рухнув под ногами сражавшихся, всех утопил в озере. Количества бойцов, равно и других деталей я не уточнила, но и так уже давно не доставляла никому столь утешительных сведений.

— А как Игнаций? — с живостью заинтересовалась она.— С ним ничего плохого не случилось?

— Совершенно ничего, в полчаса пришел в себя. А я как раз хотела спросить, откуда вы его откопали? Тут такой клубок совпадений.

— Игнаций мой двоюродный брат,— прервала она.— Я ездила к ним летом в этом году, так он рассказал мне о зонтике и рыбной ловле. Он вас знал, впрочем, вы ему сказали, что поселились неподалеку, на турбазе, вы обе там числились... Он ведь проверил, чем-то вы его ужасно насмешили... Ну, я и решила, вы, конечно, все помните и наверняка найдете дорогу, а Игнацию можно доверять.

Я задумалась. Двоюродный брат Пломбира изнасиловал Мариолу Кубас, но любой насильник может оказаться чьим-то двоюродным братом... И все же в этом деле случай создал неплохую комбинацию.

Третью тайну мне открыл Павел.

— Слушай, оказывается, этого товарища Сушко вполне можно было вычислить давно! Знать бы, на что обратить внимание, а я совсем недавно оповестился.

Любопытство мое разыгралось, и Павел продолжал его дразнить.

— Адам... помнишь, о ком говорю?

— Да, помню.

— Не он один расплевался с родителями. Помнишь того парня, наркомана, он еще вдвоем с герлой шлялся?..

— Помню.

— Это близкий друг моего приятеля, из-за которого во все вляпался, помнишь? Не перепутай морально падших индивидов...

— Помню. Не перепутаю.

— Это я тебе излагаю всю цепочку, через которую до меня дошло. Как раз вовремя. Ну, так тот парень с девахой тоже послали своих предков подальше, с Адамом они знакомы, все в одной среде. С товарищем Сушко он тоже знаком и ориентировался в его темных делишках, чувства к нему питал сильные, только с обратным знаком. Что там у него в мозгу варилось, сказать трудно, клецка, видать, его крепко достала, уж больно странно мстил. Нет чтобы сказать что-нибудь, так он отколол такой номерок, как бы это определить... Каким-то детям во дворе велел шаркать ногами да приговаривать: Суш-ко, Суш-ко...

Я застонала. Павел продолжал.

— И все это было там, во дворе на Праге, где гниды тепленькое логово себе организовали. Ты слышала про это шарканье?

Я попыталась изобразить, как это звучало. Павел подтвердил. С минуту мы сушковали по телефону не хуже тех детей.

— Понимаешь, он считал, умный, мол, поймет. Отец ему запретил даже имя Сушко упоминать и за это бабки отвалил, вот он и не говорил, а уперся на сушковании. Как связано с Сушко, не понимаю, а он упирается, что связано. У меня времени не хватает его поприжать, а тебе говорю, потому как он, по всей видимости, знает всю подноготную, ну и пусть расколет его кто-нибудь другой. Он все еще в нервах, может, и расколется...

Я поняла, откуда Каська-наркоманка обо всем разведала и каким образом несчастного ребенка товарища Сушко убрали из поля зрения папаши. Да, эти двое держали руку на пульсе. Припомнила я и другое: выяснение туманных предпосылок и разгадывание тайн не входит, к счастью, в сферу моей профессии, и по такому поводу испытала огромное облегчение...

— Все-таки,— смущенно заговорил Януш,— возможно, не в свою пользу, но в любом случае я обязан сказать тебе правду. В мафии он не был, не способен он на это. Только... как бы выразиться... мне неудобно...

— Я ей объясню,— великодушно предложил Гутюша.— Меня все это не касается, ну и к вашим услугам, мадам. Знаю от приятелей. Твой бывший экс или как его там, трудился в одиночку, прямо как Зося-Самося. Союзников себе находил все хуже и хуже, не приведи Господь, в основном бабье, последняя — всю жизнь гадай, не угадаешь, оказалась пани Татарович, ну, последняя жена товарища Сушко. То есть экс-товарища Сушко.

Я ожидала чего-нибудь невероятного, но такое побило все мои ожидания. Я очумело уставилась на Гутюшу, потом на Януша и опять на Гутюшу. Мы собрались у меня и шампанским запивали успех операции, достигнутый, правда, не только собственными силами, а при оказии обсуждали разные подробности. Товарищ Сушко-Татарович в качестве доверенной подруги и подельницы Божидара чуть не доконала меня окончательно.

— Все правильно,— подтвердил Януш.— Только он про Сушко ничего не знал.

Я потребовала уточнения. Кто и чего не знал? Божидар про товарища Сушко или товарищ Сушко про похождения жены?

— Это первое primo,— подытожил Гутюша, неизвестно почему с большим удовлетворением.— Познакомился он с пани Татарович, не так ли? О товарище Сушко, как таковом, понятия не имел, а второе primo,— коли и ведал о нем, то как все прочие: обыкновенная, мол, гнида, усохшая и безопасная, бывший подлипала, а теперь притаился, как мышь на метле. Мимикрировался товарищ Сушко, как те самые в природе!

Я отпила шампанского — вроде слегка отпустило. В конце концов, я всегда подозревала, что Божидарова оценка человеческих разновидностей радикально расходится с общепринятой, удивляться нечему. Ну, а представительниц прекрасного пола выбирал в помощь по привычке, что вполне понятно: нормальный мужик из другого мужика кумира не сотворит, а дуры-бабы в этом смысле весьма полезны, и все-таки с пани Сушко-Татарович Божидар побил все свои рекорды. Понятно, откуда товарищ Сушко получил известие, где искать ребенка.

— Интересно, почему Божидар сам не поехал за мальчиком,— вырвалось у меня.

— Собирался,— поддержал Януш.— Опоздал на день.

— А пани Сушко вообще прикинулась овцой,— вмешался Гутюша.— Слезы, горе, муж злодей, скотина, а она — невинность, добродетель, все мужнины черные замыслы накрест перечеркивает. Уже с год все черкали да черкали. Сошлись они на проливании горючих слез в жилетку — аж текло с твоего экса, будто из ведра окатили, от приятелей слышал, не выдумал.

— Которая же это жена? Не сумасшедшая же?

— Нет, третья. Первая просто померла, вторая сбрендила, а третьей, чудом красоты, Сушко владел уже лет пять. Сумасшедшая допекла его больше всех.

Товарищ Сушко начал меня интересовать гораздо больше Божидара.

— И что? Этот экс-партийный поскребыш сам организовал мафию? По клецке судя, с головкой у него не так чтоб очень...

— Внешность обманчива,— назидательно изрек Януш.— Он самый главный и был, двое помогали, да при первой же возможности слиняли из страны. Деньги с самого начала за границей держали. Пользовались любой оказией, возможности у них неограниченные, а твой Павел все правильно понял: торговлю наркотиками возглавляли, Сушко был как бы тайным контролером. Официально же очень сильно боролся с наркобизнесом.

— И мой приятель, тот, что в сторонке трудился, вполне оценил ситуацию,— снова прервал Гутюша.— И мы правильно поняли: Сушко на шантаже ехал, шантажом погонял, и они ему добрый кус отваливали, держал бы пасть на замке. Им выгода шла немалая, а все же он числился в очереди на отстрел.

— Я вообще удивляюсь, как нас всех не прикончили,— вдруг обиделась я.— Эту психопатку тоже следовало, шантажиста...

— Да и так делали что могли. Мало тебе еще? А психопатка второй на очереди стояла: непокладистый ребенок заглянул-таки в дыру тогда, при обвале, мамашу оповестил и весь детский дом, что папаню видел за делом.

— И мальчик, в сущности, единственный свидетель,— продолжил Януш.— О подлинной роли Сушко знали Крыса и Рука. Крыса числился замом одного из тех двоих, что сбежали — один служил в министерстве внутренних дел, второй был из многоуважаемого политбюро. Естественно, никто из них не светился — всего только секретарь или советник. Краха системы ожидали уже лет десять и обезопасили свои капиталы. Потому и нервничали из-за бриллиантов: беспокоились — доходы уплывут.

564

Наконец-то я в целом представила всю картину. Тихой сапой, используя власть, в темпе сколачивали огромные личные состояния, каждый злотый был на учете — зернышко к зернышку копили... На самом финише не могли допустить потерь, два бриллианта пани Крысковой вызвали чуть ли не панику...

— А почему, собственно? — заинтересовалась я.

— Что почему?

— Почему нас не пришили? Один раз налет не удался и что? Испугались?

— Да нет, просто не видели необходимости. Вы ведь как бы притихли, а еще раньше от бриллиантов отказались, да и в последнее время не высовывались, а они больше всего опасались болтовни. К примеру, ты ведь не сказала дирекции казино насчет своих наблюдений...

— А откуда мне было знать, не в сговоре ли они?

— Вот именно. Не в сговоре. И мошенники долго не намеревались испытывать судьбу, прекрасно понимали, в конце концов кто-нибудь обратит на них внимание. А зарвались они еще в прежние годы и рассчитывали, что все сойдет с рук, вероятно, так и случилось бы. Людей, решающих нынче такие дела, скрутили шантажом, и по сути говоря, не без оснований уверовали в безнаказанность. Потому и возня с вами не стоила свеч, в смысле ликвидации тебя и Гутюши, не говоря уже о такой мелочи, что вас, если честно, подстраховывали. Существуют же какие-то пределы...

— Ха! — с большим удовольствием вдруг высказался Гутюша.— Ха-ха! Ха-ха-ха!

Мы с беспокойством посмотрели на него.

— Гутюша, что с тобой?

— Ничего. Я делаю выводы.

— Сделай выводы подробнее. О чем речь?

— Да о безнаказанности. Он таки прав. У них бы и голова ни с одного волоса не слетела, а тут пожалуйста — все по высшему разряду! Ох, пропали наши любезные птенчики, сверхъестественная сила всю работу на себя взвалила, и если по этому поводу человек тридцать не упилось в стельку, то я дикий испанец, а не поляк!

— Гутюша, на Божескую милость, ты сам, случаем, не упился в стельку рюмкой шампанского?..

— Да что ты? Я на радостях, во мне все аж повизгивает от восторга. Сверхъестественная сила конфисковала всех вместе с подгнившим мосточком, да еще и приглядела, чтоб ни один черт морду из пресной воды не высунул...

— В холодильнике есть еще бутылка,— попыталась я отослать Януша.

— Сейчас. Мне не терпится подробности узнать: и как все на этом мосточке попритчилось? Ты ведь видела?

— В холодильнике есть еще бутылка,— уперлась я.

Если мужчины и надеялись, что после второй бутылки шампанского я выболтаю правду, ошиблись радикально. Я приняла великое решение: раз и навсегда иметь свою личную тайну. Звонила Пломбиру еще разок, узнала, что пузан и высокий парень знакомы, скрывали только свое знакомство; высокого парня и предостерегать не требовалось: пузан все сделал по собственному почину. Парень вовсе не был идиотом, пузан, вопреки видимости, тоже нет. Лесничиха слышала — кто-то приехал на мотоцикле, но видеть никого не видела; мотоцикл исчез, будто сон золотой, еще до прибытия полиции. Я, стало быть, единственная, кто знал выскочившего из лесу налетчика, а у меня и в мыслях не было судить справедливый поступок.

— За здоровье сверхъестественной силы! — провозгласил Гутюша.

Фужеры у меня вместительные, часто служили вазочками для цветов. Януш торжественно поддержал тост, глаза у него подозрительно поблескивали.

— Я бы хотел насчет этой силы слегка сориентироваться, так, с точки зрения технической,— настаивал он.— Учебной, так сказать. Опыт позаимствовать.

— А что? Изучаешь методы борьбы на гнилых мостках?

— Нет, пожалуй, не совсем так. Меня интересуют результаты обучения специальным методам в армии. Кстати, подобным методам во время службы в армии обучался некий Роман Ярчик...

— Мне ни про какого Романа Ярчика слышать не довелось,— возмутилась и даже обиделась я.— Зато очень интересно, по какой такой причине и с какой стати в Борах Тухольских через полчаса после нас оказались люди из Главного управления...

— Оказались бы за полчаса до вас, не случись автомобильной пробки, которую пришлось объезжать. Просто осечка вышла.

— Для кого осечка, а для других прямо наоборот. И вообще перестань. Не желаю больше про страшные сцены, и так по ночам будут сниться; только вспомню, того и гляди в обморок грохнусь. И пожалуйста, оставим эту тему! Ничего я не видела, ничего не помню. Кое-что другое меня интересует. Об этом списке, оставленном Пломбиром, они хоть догадывались?

— Ничуть. Умная девушка. И как ей это удалось... думаю, через подруг — все молодые, красивые, и все-таки я полон восхищения... Жаль, мы раньше не получили. Прекрасное оружие, можно было бы начать действовать...

— Вот именно, мне кажется, мафиози сваляли дурака. Оставить манекен в подвале, труп, как его, Залевского?.. Он же приятель Пломбира, она узнала всю историю, не случись этого, пожалуй, и не вмешалась бы в акцию. На кой черт они поставили его в стене, вместо того чтобы убрать и все следы замести?

— У них была определенная цель. Правда, во многом все это мои домыслы, никто из шефов уже никогда и ничего не скажет, показания дают лишь всякие подручные, и все приходится складывать из кусочков. Тело собирались уничтожить в кислоте, однако понадобилось время, и они законсервировали труп. Кому могло прийти в голову, что его найдут, ведь место какое — ну кто туда полезет. Не сунься вы в подвал, всякий след был бы потерян. Кстати, эту выбоину в стене и в самом деле необходимо было обмерить для ремонта?

Я постучала по лбу. Двадцать ремонтов обошлось бы без заколоченного хода. Не ищи я, как проникнуть в логово, Гутюша не оторвал бы доски... А главная заслуга тут Павла...

— Кабы не Юзеф, я тоже не полез бы,— сознался Гутюша.— А теперь в голове у меня наконец уборка закончилась. Наркотиками они промышляли давно, бриллиантами тоже пользовались давно, а на технические достижения клюнули в последнее время и убрали всех, кто мог помешать. Насчет Крысы — сплошные сумерки, пожалуй, в путешествие собирался, а вот товарищ Сушко языками иностранными не владел, зато владел озерцом и виллой на Раковце, да еще несколькими недвижимостями. Сдается, предпочитал отечество осчастливить своим постоянным присутствием. Так приятно они все процветали, а мы влетели, как грибки в сливовый компот. Этакие посторонние личности, а таких надлежит опасаться.

— Еще двух моментов не понимаю,— заявила я, подумав.— Не уверена, не вылезет ли на свет Божий какая-нибудь новая афера,— девочка, сказавшая мне о Марианне Голковской, до чертиков чего-то боялась.

Януш тут же все объяснил.

— Наркотики. Подружка уговорила, она приняла участие в сеансе, а один сопляк перебрал и его увезла «скорая». Девочка перетрухала до смерти, а больше всего боялась, чтоб родители не дознались. Это мы проверили.

— Слава Богу. Может, навсегда перепугалась. И еще остался тот дохляк трусоватый-пугливенький...

— Какой дохляк трусоватый?

— Да тот, плюгавенький, худой, деньги получал за Романа Яр... хотела сказать, за того высокого парня. Ясно, этот парень хотел все запутать, чтобы лишний раз не бросаться в глаза. Но трусоватого я однажды видела в «Марриотте», вырядился, как церковный сторож на праздник Тела Господня, подозрительно мне это...

Януш открыл было рот, закрыл, молча, смущенно посмотрел на меня. Зато энергично ворвался Гутюша.

— Ты не делай из себя идиотку. От приятеля информация — один из лучших сыщиков. Дохляк пугливость симулировал. У него и в голове все ладно и с прочим не хуже: черный пояс по каратэ. Ты хоть знаешь про черный пояс?

Случайно знала. С упреком посмотрела на Януша.

— Ну, понимаешь...— начал он неуверенно, и вдруг решился.— Ты все-таки учитывай, люди порядочные не обязательно должны страдать дебилизмом. Скажем, мафия внедрила своего человека к нам, а антимафия может иметь своего агента у них. И никаких законов нету насчет того, что порядочным людям запрещается работать хотя бы и в полиции. Если временно у них связаны руки, уж материал-то стараются собрать основательный.

— Не знаю, что бы они со своих материалов поимели, кабы не счастливый случай на озере,— дополнил Гутюша.— Товарищ Сушко лишился жизни в своей частной собственности, приобретенной ранее путем махинаций. Вот она, высшая справедливость. Под рыбок предлагаю!

— Шампанское?..— удивился Януш.

Я посмотрела на него внимательно. Нравился он мне. Нормальный человек. Живет рядом. И смотрит так, будто я ему тоже нравлюсь, черт знает почему, ибо никакого пожитку с меня уже не получишь — подслушивающее устройство в телефоне демонтировано. А мое личное отношение к нему...

Стоп. Так ли уж обязательно это отношение разглашать? Пусть останется тайной для него и вообще для всех...

СОДЕРЖАНИЕ

Хмелевская Иоанна

X 65   Тайна. Лесь. Пер. с польского И. Колташевой. —
Екатеринбург: ООО «У-Фактория», 2000. — 576 с.

ISBN 5—89178—029—1

Книгу составляют романы Иоанны Хмелевской: «Лесь»
(1973 г.), «Тайна» (1992 г.)

4703010100—27   ББК 84.4 (Пол.)

ХМЕЛЕВСКАЯ ИОАННА

ТАЙНА
ЛЕСЬ

Перевод с польского

Художник **А. Мохин**

Редактор **С. Семухина**
Технический редактор **Т. Шабурова**

Лицензия ЛР № 064283 от 08.11.95.

Подписано в печать 02.11.2000.
Формат 84×108^1/$_{32}$. Бумага газетная.
Гарнитура «Балтика». Печать офсетная.
Усл. печ. л. 30,24. Уч.-изд. л. 29,5.
Доп. тираж 10000 экз. Заказ № 1979.

ООО «У-Фактория»
620151, Екатеринбург, ул. Большакова, 77.

Издание осуществлено при участии
ООО «Издательство АСТ»

Отпечатано с готовых диапозитивов в типографии издательства
"Самарский Дом печати"
443086, г. Самара, пр. К. Маркса, 201.

Качество печати соответствует предоставленным диапозитивам.

«У-Фактория»

— книгоиздательство
— книготорговля

Телефон/факс
8(3432) 294-435

Читайте книги
Иоанны Хмелевской!

НОВЫЕ СОВРЕМЕННЫЕ ЛЮБОВНЫЕ РОМАНЫ

СЕРИЯ «ИНТРИГА»

ИЗДАТЕЛЬСТВО АСТ ПРЕДЛАГАЕТ

Любовь героев романов серии «Интрига» подвергается страшным испытаниям. Повороты их судеб непредсказуемы, и каждый неверный шаг грозит обернуться трагедией. Но, даже идя по лезвию бритвы, отделяющей жизнь от гибели, продолжают прекрасные женщины и их бесстрашные возлюбленные бороться за свое счастье. Сюжеты романов серии "Интрига" поражают динамизмом, а невероятные ситуации и стремительное развитие событий соседствуют с блестящим знанием авторами нравов богемы и высшего света.

Книги издательства АСТ можно заказать по адресу:
107140, Москва, а/я 140 АСТ – "Книги по почте".
Издательство высылает бесплатный каталог.

18*